Marianne

DUYVELS END

T. CORAGHESSAN BOYLE

DUYVELS END

Vertaald door Sjaak Commandeur

1990 *Uitgeverij* Contact Amsterdam

Opmerking van de auteur:
Dit boek is een historische fuga. Het houdt slechts weinig verband met feitelijke plaatsen en gebeurtenissen en helemaal geen met overleden of nog levende personen. Het gaat om pure fictie.

Oorspronkelijke titel *World's End*
Omslagontwerp Pieter van Delft, ADM International bv, Amsterdam
Omslagillustratie Research Ida Burrett
Typografie Jenny van Achteren

CIP-GEGEVENS KONINKLIJKE BIBLIOTHEEK, DEN HAAG

Boyle, T. Coraghessan

Duyvels End/T. Coraghessan Boyle; vert. [uit het Engels] door
Sjaak Commandeur. – Amsterdam: Contact
Vert. van: World's End. – Oorspr. uitg.: New York: Viking, 1987.
ISBN 90-254-6807-1
UDC 82-31 NUGI 301
Trefw.: romans; vertaald.

Ter herinnering aan mijn eigen verdwenen vader

Na zulk weten, waar nog vergeving?

T.S. Eliot,
'Gerontion'

De auteur zou graag de volgende mensen bedanken voor hun hulp bij het verzamelen van materiaal voor dit boek: Alan en Seymour Arkawy, Mitchell Burgess, Richard Chambers, Chuck Fadel, Ken Fortgang, Rick Miles, Jack en Jerry Miller en de bemanning van de *Clearwater*.

VOORNAAMSTE PERSONEN

IN DE ZEVENTIENDE EEUW

Op Nysenswerf

HARMANUS VAN BRUNT, pachter
AGATHA VAN BRUNT, zijn vrouw
JEREMIAS VAN BRUNT, hun zoon
KATRIENTJE VAN BRUNT, hun dochter
WOUTER VAN BRUNT, hun zoon

WOUTER VAN BRUNT HARMANUS VAN BRUNT STAATS VAN BRUNT GEESJE VAN BRUNT AGATHA VAN BRUNT GERTRUYD VAN BRUNT	kinderen van Jeremias van Brunt en Neeltje van Brunt-Cats

Onder de Kitchawanks

SACHOES, *sachem* van de Kitchawanks
WAHWAHTAYSEE, zijn vrouw
MINEWA, hun dochter
MOHONK (MOHEWONECK), hun zoon
JEREMY MOHONK (SQUAGGANEEK), zoon van Katrientje van Brunt en Mohonk

In Van Wartwyck

OLOFFE STEPHANUS VAN WART, een Nederlandse patroon
GERTRUYD VAN WART, zijn vrouw
STEPHANUS OLOFFE ROMBOUT VAN WART, hun zoon
HESTER VAN WART-LOVELACE, zijn vrouw
ROMBOUT VAN WART, hun zoon en erfgenaam

OLOFFE VAN WART PIETER VAN WART	hun zoons

SASKIA VAN WART, hun dochter
JOOST CATS, de schout
GEESJE CATS, zijn vrouw

NEELTJE CATS ANS CATS TRIJNTJE CATS	hun dochters

STAATS VAN DER MEULEN, pachter
MEINTJE VAN DER MEULEN, zijn vrouw
DOUW VAN DER MEULEN
JANNETJE VAN DER MEULEN
KLAES VAN DER MEULEN
BARENT VAN DER MEULEN
} hun kinderen
HACKALIAH CRANE
CADWALLADER CRANE, zijn zoon
JAN PIETERSE
DOMINEE VAN SCHAIK
JAN DE KITCHAWANK
WOLF NYSEN
AELBREGT VAN DEN POST

IN DE TWINTIGSTE EEUW

In de Kitchawank-kolonie
TRUMAN VAN BRUNT
CHRISTINA VAN BRUNT-ALVING, zijn vrouw
WALTER TRUMAN VAN BRUNT, hun zoon
JESSICA VAN BRUNT-CONKLIN WING, Walters vrouw
LOLA SOLOVAY
HESH SOLOVAY
} Walters pleegouders

In het Shawangunk-reservaat
JEREMY MOHONK SENIOR
MILDRED TANTAQUIDGEON, zijn vrouw
JEREMY MOHONK, hun zoon, de laatste der Kitchawanks
HORACE TANTAQUIDGEON, Mildreds broer

In Van Wartville
ROMBOUT VAN WART, elfde erfgenaam van het Van Wart-goed
CATHERINE VAN WART-DEPEYSTER, zijn vrouw
DEPEYSTER VAN WART, hun zoon en erfgenaam
JOANNA VAN WART, Depeysters vrouw
MARDI VAN WART, hun dochter
PELETIAH CRANE
STANDARD CRANE, zoon van Peletiah
TOM CRANE, zoon van Standard
PIET AUKEMA

DEEL I

MARTELAARS END

Hij begon zich af te vragen
of zowel hij als de wereld om hem
heen niet behekst waren.

Washington Irving,
'Rip Van Winkle'

IN BOTSING MET DE GESCHIEDENIS

Op de dag dat hij zijn rechtervoet verloor was aan Walter Van Brunt een eigenzinnige reeks schimmen uit het verleden verschenen. Het begon 's ochtends, toen hij wakker werd met de lucht van aardappelpannekoeken in zijn neus, een lucht die hem deed denken aan zijn moeder, gestorven van verdriet na de Peterskill-rellen van 1949, en het hield aan gedurende de troosteloze lunchpauze die hij vulde met beurtelings weemoedige herinneringen aan zijn grootmoeder van vaderskant en een dubbele boterham met naar dood vlees en chemicaliën smakende leverworst. Boven het gejank van de draaibank stond hij die middag tot zijn eigen verbazing naar zijn grootvader te staren, een stroeve, buikige man, zo zwaar behaard dat hij een boeman uit een kinderverhaal had kunnen zijn, en vervolgens had hij, even voor vijven, een vaag, kabbelend visioen van een vals grijnzende Hollander met een suikerbroodhoed op en een kniebroek aan.

De eerste schim, de pannekoekenschim, werd te voorschijn getoverd door de vaardige culinaire hand van Lola Solovay, zijn pleegmoeder. Hoewel Walter nog maar halverwege zijn vierde levensjaar was toen zijn eigenlijke moeder het aflegde tegen de krachten der onverdraagzaamheid en verdoolde vaderlandsliefde, herinnerde hij zich haar voornamelijk om haar ogen, die als vleesgeworden zielen waren, en om haar aardappelpannekoeken, die luchtig en smakelijk schuilgingen onder zure room en eigengemaakte appelmoes. Terwijl hij in bed lag en in het niemandsland tussen dromen en waken wachtte tot de wekker hem zou mobiliseren voor zijn helse baan bij de metaaldraaierij-Depeyster, ving hij de geur op van die etherische pannekoeken, en even, een ogenblik maar, was zijn moeder bij hem.

De schim van zijn grootmoeder, Elsa Van Brunt, ging ook gepaard met de geur van eten. Hij pakte de witte boterhammen met leverworst uit die Lola bij het halfduistere ochtendgloren voor hem had gesmeerd, en plotseling was hij tien, in de zomer dat hij bij zijn grootouders logeerde aan de rivier, op een dag als december zo donker, met onweer boven de Dunderberg. Zijn grootmoeder was achter haar pottenbakkersschijf vandaan gekomen om zijn middageten klaar te maken en hem het verhaal van de dochter van Sachoes te vertellen. Zoals Walter wist uit eerdere episoden was Sachoes het opperhoofd van de Kitchawanks, de stam die zich in de koloniale tijd zijn grondgebied had laten aftroggelen door de stichters van Peterskill-aan-de-Hudson. De Kitchawanks, een over het algemeen lethargisch, vredelievend, oester-etend, basthut-bouwend stel lapzwansen, waren destijds schatplichtig aan de woeste Mohawks in het noorden. Die Mohawks waren zulke bloeddorstige, krijgslustige en roofzuchtige woestelingen dat ze het innen van de schatting konden overlaten aan één enkele krijger, en Manitou beware de stam die hem niet onthaalde als een god en overlaadde met *wampumpeak* en *seawant*. *Kanyengahaga* noemden de Mohawks zichzelf, mensen van het vuursteenland; de Kitchawanks en hun Mohikaanse verwanten noemden hen *Mohawks*, mensen die mensen eten, daarmee doelend op hun neiging om wie hun onwelgevallig was te roosteren en te verslinden.

Maar goed. Er werd witbrood op het bord gelegd, er werden tomaten in plakjes gesneden, uit de koelkast werd een staaf leverworst in cellofaan te voorschijn gehaald. Hij had een dochter, zei Walters grootmoeder, die Minewa heette, naar de riviergodin die bliksemschichten rondslingerde. Ze wees uit het raam, over de brede rug van de Hudson, naar waar de bliksem als zenuwuiteinden van de top van de Dunderberg sprong. Zulke.

Op een lome augustusmiddag kwam er een krijger van de Mohawks het dorp binnen gebanjerd, naakt op zijn lendendoek na en beschilderd als de dood en de duivel. Schatting, eiste hij, in een tongval die klonk als het sijfelen van een slang, en terwijl er bloed uit zijn mond en oren liep en de pokputten wit afstaken in zijn gezicht, zakte hij vervolgens in elkaar. Minewa verpleegde hem. Als hij stierf was het gedaan met het oesters eten, het spelevaren in bastkano's en het lospeuteren van het zoete witte vlees uit de holten van blauwe krabben: dan was het gedaan met de Kitchawanks. Dat was de Mohawks wel toevertrouwd.

Een maand lag hij languit bij Sachoes in de hut, met zijn hoofd in Minewa's schoot terwijl zij zijn koorts verlichtte met ottermuskus en hem kruiden en look voerde. Geleidelijk aan herwon hij zijn krachten, tot hij op een dag weer zonder hulp kon staan en zijn eis herhaalde: schatting. Maar dit keer waren het geen bevervellen of *wampumpeak* waar hij om vroeg: het was Minewa. Sachoes aarzelde, maar de Mohawk raasde en tierde en sneed zijn borst op drie plaatsen open ten teken dat het hem ernst was. Hij zou haar meenemen naar het noorden en haar tot koningin maken. Natuurlijk, als Sachoes dat liever had, dan ging de krijger met lege handen naar huis om vervolgens op een donkere nacht met zijn stamgenoten terug te komen voor een strafexpeditie en de Kitchawanks aan flarden te snijden als honden. Sachoes, die zich kort nadien in de luren zou laten leggen door de Nederlandse koopman die Peterskill stichtte op de heilige rots waar de voorouders van het opperhoofd de grote vrouw van Manitou hadden zien nederdalen ter aarde, zei: 'Best, neem haar maar mee.'

Twee weken later stroopte een groep Kitchawanks de naburige vallei af op eikels, kastanjes en rozebottels toen ze de rook van een kampvuurtje zagen. Met omzichtigheid, met moed en nieuwsgierigheid en niet weinig durf – Manitou mocht weten wat er aan de hand was, misschien zat de duivel zelf er wel een plaag te bekokstoven – slopen ze naar de open plek vanwaar de rook opsteeg naar de hemel als een rookmagiërsdroom. Wat ze zagen, zei Walters grootmoeder terwijl ze mayonaise uitsmeerde, was verraad. Wat ze zagen was de Mohawk en Minewa, wat er van haar restte. Van haar onderlijf was niets over, zei zijn grootmoeder terwijl ze de boterham voor hem neerzette – leverworst, met de structuur en de kleur, de lucht zelfs, van mensenvlees – bot en verder niets.

De beelden van moeder en grootmoeder waren opgeroepen door een prikkeling van de olfactorische kwab, maar met de schim van zijn grootvader lag het ingewikkelder. Misschien was het een kwestie van associatie: als het patroon zich eenmaal gevormd heeft, roept het een het ander op en rijgt het geheugen herinneringsbeelden aaneen als kralen aan een snoer. Hoe dan ook, in de hitte van de middag was juist links naast de draaibank de oude Harmanus Van Brunt verschenen, bonkig, buikig, behaard als een beer, met een grote kop en met boorolie en aluminiumschaafsel in het haar op zijn onderarmen en een Goudse pijp tussen zijn tanden geklemd. Heel zijn leven was hij visser geweest, netten binnenhalend met de kracht van zijn schouders en zijn buik als tegenwicht, en hij stierf zoals hij geboren was: aan de rivier. Walter was destijds twaalf of dertien. Zijn grootvader, die op dat moment te oud was voor de grote zegens met daaraan het gewicht van baars of steur, was in de visserij actief gebleven door tandkarpertjes te vangen die hij uitzette in vijvers om te verkopen als aas. Op een middag – en de herinnering was Walter als een heet brandijzer – verloor het gezicht van de oude man alle uitdrukking en klapte hij onder het geweld van de beroerte in tweeën als een knipmes en stortte voorover in de vijver, waar de massa tandkarpers zich boven hem sloot. Tegen de tijd dat Walter hulp had gehaald was de oude man verdronken.

Met die Hollander lag het nog weer anders. Iets wat Walter had gezien in een Amsterdams museum toen het echtpaar Solovay hem had meegenomen naar Europa. Of misschien op een sigarendoos. Hij verbaasde zich er even over en deed het visioen toen af als een kwestie van, in gelijke mate, een genetisch geheugen en een bedorven maag.

Toen om vijf uur de fluit ging, schudde hij zijn hoofd twee keer, als om het te zuiveren, en reed toen op zijn motor naar de Geheven Elleboog om er een vreugdeloze pul bier te ledigen ter gelegenheid van zijn tweeëntwintigste verjaardag.

Maar zelfs in dat heiligdom van het heden met zijn harde neon, zijn bonkende woofers en discolicht, kreeg hij een aanval van het verleden te verduren. Toen hij kwam binnenklossen in zijn nieuwe Dingo-laarzen met de namaak-spoorriempjes, zou hij hebben durven zweren dat hij zijn vader aan de bar zag staan met een meisje in een jurkje zo kort dat de onderste welving van haar billen zichtbaar was. Hij zag het verkeerd. Tenminste, wat zijn vader betrof; de billen van het meisje stonden daar onomstotelijk. Ze droeg een papieren minijurkje, met de hand geverfd door de Shawangunk-Indianen in hun reservaat ten zuiden van Jamestown, met een bijbehorend slipje. De man naast haar bleek Hector Mantequilla te zijn, met zijn ruige bos haar en revers van twintig centimeter. 'Brunt,' zei hij, terwijl hij zich omdraaide, 'hoe is het leven?' Ook het meisje draaide zich nu om, haar in haar ogen, een met make-up aangezet pruimemondje, niet mooi en niet lelijk. Walter had zijn vader al in geen elf jaar gezien.

Walter haalde zijn schouders op. Hij had met zichzelf te doen, hij voelde zich verweesd en gemarteld en afgeleefd, overweldigd door de *merde* van het menselijk bestaan, ziek bij de gedachte af te takelen: hij voelde zich oud. Het was 1968. Sartre was voorpaginanieuws, de *Saturday Review* stelde de vraag: 'Kunnen we het nihilisme overleven?' en *Life* publiceerde een foto van Jack Gelber drijvend op een ijsschots. Walter wist er alles van. Hij was zelf een vervreemde held, hij was een Meursault, een Roquentin, een man van staal en tranen die de wereld bezag zonder hoop, zo doorzeefd met *nausée* als een emmentaler met gaten. En er was geen denken aan dat hij naar huis ging, waar hem de kip-cordon bleu, de asperges met vinaigrettesaus en de glinsterende chocolademousse wachtten die zijn pleegmoeder voor hem had bereid. Geen denken aan dat hij dankbaar het cadeau van zijn vriendin Jessica uit zijn verpakking ging scheuren – een nieuwe valhelm, bronsgeel als de zon, met zijn naam erop in plakplaatjes in de vorm van madeliefjes – om haar vervolgens teder te ontkleden onder de azaleastruik achter in de tuin terwijl de nacht hem als de adem van iemand die slaapt in zijn oor fluisterde. Geen denken aan. Voorlopig niet in elk geval.

'Wat drink je, jongen?' zei Hector, terwijl hij zich aan de bar vasthield. Op zijn shirt, dat eruitzag of het van een synthetisch materiaal was, samengesteld uit keukencellofaan en piepschuim, was een tweetal bloedende oogbollen afgebeeld met daaronder een gladde roze tong die wegdook in de diepten onder zijn broeksband.

Walter reageerde niet meteen, en toen hij uiteindelijk antwoord gaf kwam hij met een non-sequitur. 'Ik ben jarig,' zei hij. Hoewel hij naar het meisje keek, zag hij zijn grootmoeder weer, het lubberende vlees van haar zware armen boven een berg knolleschillen, haar gelaatsuitdrukking toen ze hem vertelde dat ze de telefoon had laten afsluiten omdat haar buurvrouw – een notoire heks – hekseluizen over de lijn stuurde. Ze was bijgelovig op een manier die haar even stevig verankerde in het verleden als de grafzerken wortelden in de grond van de begraafplaats op de heuvel, en de laatste twintig jaar van haar leven had ze keramische asbakken gemaakt in de vorm van de uitschotvissen die haar man uit zijn netten haalde en liet wegrotten op de rivieroever. Dat zijn de ontrechten, zei ze wel eens, met een donkere blik op Walters behaarde grootvader. Schepselen Gods. Ik zie ze in mijn slaap. Vissen, vissen en nog eens vissen.

'Ja, ja!' riep Hector. 'Jarig!' En brulde vervolgens naar Benny Settembre, de barkeeper, om een rondje. Hector was geboren in Muchas Vacas, Puerto Rico, het kind van slaven en Indianen die slaven werden. Maar ook nog het kind van iets anders: zijn ogen waren zo groen als het Vrijheidsbeeld. 'Ik heb iets voor je, jongen – iets bijzonders,' zei hij, en hij nam Walter bij de arm. 'Op de plee, oké?'

Walter knikte. In de jukebox startte een plaat met het geluid van versplinterend glas en stenen tegen de zijkant van bussen. Hector pakte zijn arm beet en begon in de richting van de wc te lopen, bleef toen ineens staan. 'O ja,' zei hij, met een hoofdknik naar het meisje. 'Dat is Mardi.'

Zes uur later moest Walter aan watersport denken. Eventjes maar, en omdat de situatie er aanleiding toe gaf. Hij bevond zich gezien vanuit Peterskill aan de overzijde van de rivier, waterbreed twee kilometer van huis, achttien à negentien met de auto, tot zijn nek in de vettige Stygische vliet van de nachtelijke Hudson. Hij zwom. Hij ging zwemmen. Op het moment liep hij tastenderwijs over het slik op de bodem, zich schrap zettend tegen de stroming, met de volle organische rivierlucht in zijn neusgaten, een geur die kans zag de essences van aquatisch verval, sinaasappelschillen, diesel en, jawel, *merde* tot één melange te verenigen. Voor hem, in het duister, hoorde hij Mardi's lach en het zachte lichte woelen van haar scharende beenslag. 'Kom op,' fluisterde ze. 'Het is heerlijk, echt.' En toen giechelde ze, een geluid zo natuurlijk alsof het afkomstig was van een van de liefdesverdrietige insekten in de bomen die zich op de oever verhieven tot een zwarte, ondoordringbare muur.

'Kut!' vloekte achter hen Hector zachtjes, en er volgde een geweldig gespetter – het geluid van capriolerende dolfijnen, dieptebommen, biervaten die van een pier gegooid worden – en daarna zijn hoge onbeheerste lach.

'Sst!' siste Walter. Hij vond dit niet leuk, helemaal niet leuk. Maar hij was dronken – erger nog, hij was finaal van de wereld door de pillen die Hector hem de hele avond had zitten voeren – en het punt voorbij waarop hij zich nog ergens druk over kon maken. Hij voelde het water hem optillen als de handen van de riviernimfen toen hij zich afzette en in het oppervlak boorde met een steelse schoolslag.

Ze waren om tien uur uit de Elleboog vertrokken en buiten in Hectors dertien jaar oude, van blikschade aan elkaar hangende Pontiac gaan zitten en hadden een pijp doorgegeven. Walter had niet naar huis gebeld – had sowieso weinig anders gedaan dan bierflessen aan zijn mond zetten – en hij dacht met een wrokkig soort welbehagen aan Jessica, aan Hesh en Lola en zijn tante Katrina. Ze voelden inmiddels zijn afwezigheid, dat stond vast. De kip-cordon bleu was uitgedroogd in de oven, de asperges waren slap geworden, de mousse was ingezakt. Hij zag ze voor zich, sip bijeen rond de redwood picknicktafel, boven cocktails waarin het smeltende ijs zijn ontkrachtende werk had gedaan, boven tandestokers gevangen in een laagje vet op de schotel waarvan de Zweedse gehaktballen al geruime tijd verdwenen waren. Hij zag ze voor zich – zijn familieleden, zijn vriendin – wachtend op hem, Walter Truman Van Brunt, het produkt van zijn eigen lot, zielloos, hard, ongevoelig voor conventies en de dubbele last van liefde en plicht, en hij nam de pijp aan van een vreemde. Ze voelden inmiddels zijn afwezigheid, nou en of.

Maar vervolgens voelde hij een schuldbewuste pijnscheut, de vloek van de afvallige, en zag hij zijn vader weer. Dit keer kwam de oude Van Brunt in z'n eentje aanlopen over de parkeerplaats, met zijn handen diep in de zakken van zijn wijd uitlopende streepjesbroek, om zijn nek een mauve sjaaltje dat neerhing voor zijn borst. Hij bleef staan op gelijke hoogte met het raampje van de auto, bukte zich vanuit zijn middel en tuurde naar binnen met die krankzinnige, gekwelde blik waarmee hij ook al was verschenen die keer dat hij uit het niets opdook op Walters elfde verjaardag.

Uit het niets. Als een verschijning. Groot als hij was, met zijn haar kortgeknipt tot rossige stoppels, in een gescheurde, vettige broek en een te klein jasje, had hij eruitgezien als een kruising tussen de Wandelende Jood en de geest van voorbije kerstfeesten, een extaticus die zijn extase kwijt is, een man zonder toekomst, een zwerver. Zo onwerkelijk dat hij Walter niet eens zou zijn opgevallen als het geschreeuw er niet was geweest. Walter, elf jaar oud, onpasselijk van alle taart met roze glazuur, root beer, chocolade-marshmallow in roomsaus en de Marsen, was boven in zijn kamertje in de weer met zijn nieuwe spel – Presidenten, staatshoofden en ministers van de wereld – toen hij voor het huis stemmen door elkaar heen hoorde schreeuwen. De stem van Hesh. Die van Lola. En nog een andere, een stem die klonk alsof hij binnen in zijn hoofd zat, alsof hij voor hem dacht, vreemd, onweerstaanbaar en vertrouwd tegelijk.

De voordeur was open. Hesh stond in de deuropening als een kolos, met Lola aan zijn zij. Voor hen, op het gazon, stond een man met een kop als een pompoen en kleurloze, uitgebleekte ogen. Hij stond zich zeer druk te maken, de man, hij was buiten zinnen haast, op één been dansend van woede en zingend als een sjamaan, de litanie van zijn verwondingen uitspuwend als azijn. 'Vlees van mijn vlees!' riep de man maar steeds.

Hesh, de grote Hesh, met zijn oprechte kale kop en zijn onderarmen als voorhamers, schreeuwde terug tegen die man die eruitzag als een zwerver – tegen Walters vader – alsof hij hem wilde vermoorden. 'Grote hufter die je bent!' tierde Hesh met een schel, geagiteerd stemgeluid, in woorden die afgemeten en duidelijk afgebakend waren. 'Leugenaar, dief, moordenaar! Rot op. Sodemieter op!'

'Kidnappers!' brieste de man terug, terwijl hij zich bukte om op de grond te beuken van woede. Maar toen verscheen plotseling Walter aan de rand van het tableau, bevreemd en beangst, en de man verstomde. Er voltrok zich een verandering in zijn gezicht – het was lelijk en fel geweest en nu ineens was het zo ingetogen als dat van een priester – en hij zeeg neer op één knie en deed zijn armen uiteen. 'Walter,' zei hij, en de toon waarop hij dat zei was het verleidelijkste wat de jongen ooit gehoord had. 'Je weet toch wel wie ik ben?'

'Truman,' zei Hesh, en het was zowel een verzoek als een waarschuwing.

Walter wist het.

En toen zag hij hem. Achter zijn vader, achter die bleke, kortgeknipte armoedzaaier in zijn zwerverskostuum, stond een motor. Een kleine, 98cc-uitgave van de Parilla, rode lak en chroom, glimmend als een plas water in de woestijn. 'Kom hier, Walter,' zei zijn vader. 'Kom bij je vader.'

Walter keek omhoog naar de man die hij kende als zijn papa, de man die hem te eten gaf en in de kleren stak, die hem had bijgestaan in zijn kindernood, die er was als er een bal geworpen of gevangen moest worden, die zijn onderwijzers een grote bek gaf en zijn vijanden terugwees met één blik, die hem houvast en bescherming bood. En toen keek hij naar de man daar op het gazon, de vader die hij nauwelijks kende, en naar de motor achter hem. 'Kom, ik bijt niet.'

Walter ging.

En nu was hij er weer, terug na elf jaar, voor de tweede keer die dag. Alleen was hij nu zwart en nadrukkelijk aanwezig, met rood omrande ogen en een neus die eruitzag of er iemand op was gaan staan. Hij boog zich nu door het raampje van de Pontiac en stak aan Hectors joint een sigaret op en sloot Walters hand in een soul-klem en informeerde – hé man – hoe het leven stond. Hij was nu Herbert Pompey, vaste klant van alle bars in South Street, dichter, bespeler van kornet en neusfluit, part time-danser in *De man van La Mancha*, zondagsjunk.

Walter, overvoerd met historie, met een verleden dat op hem af kwam als een rij gillende brandweerauto's, kon Pompey's handdruk slechts slapjes beantwoorden en kwam niet verder dan een gemompeld oké, maar dat hij wel pijn in zijn kop had, dat hij nogal stoned was en dat hij misschien wat moeite had met kijken. En met horen. En met denken trouwens ook.

Gedurende het interval dat volgde zat Pompey bij hen in het grote luchtschip-interieur van de Pontiac – Hector, Mardi en Walter voorin, Pompey languit op de achterbank met een halve liter Spañada die als door spirituele tussenkomst in zijn hand was verschenen – een interval van woordeloze communicatie met het blikkerige geschetter van de radio, de textuur van de nacht, een groenig schijnsel aan de hemel dat een UFO had kunnen zijn maar waarschijnlijk een weerballon was en het grote besterde firmament dat zich uitstrekte boven de motorkap van de Pontiac als een zee van vilt. Walter voelde de zwaartekracht aan zijn onderlip trekken. De hals van de Spañada-fles dook op aan zijn rechterzijde, de joint aan zijn linkerzijde. Hij was als een lijk zo levenloos. De aanval van de historie was voorbij.

Het was Mardi die met het idee kwam naar de spookschepen te gaan zwemmen. Een idee dat veel aantrekkelijker klonk dan het in de uitvoering bleek. 'Het is fantastisch,' beweerde ze, 'nee, nee, het is echt fantastisch,' alsof iemand haar tegensprak. Dus daar zwommen ze, Walter, Mardi en Hector (Pompey had wijselijk aangeboden op de auto te passen), in de richting van de stille zwarte silhouetten die in negen meter water voor anker lagen ter hoogte van de Dunderberg.

Spreid, sluit, spreid, sluit, scandeerde Walter bij zichzelf, terwijl hij zich probeerde te herinneren of hij met zijn hoofd boven of onder water moest ademhalen. Hij dacht aan watersport. Duiken. Waterpolo. Schoonspringen. Drijven. Hij was geen dooie: hij had het allemaal wel eens gedaan, hij had koppen onder water geduwd en netten doen trillen als de beste, was rivieren over gezwommen, meren, inhammen, troebele oerpoelen en chloraseptische zwembaden, een wonder van wiekende armen en ranselende voeten. Maar dit, dit was anders. Hiervoor was hij te ver heen. Het water was als dikke room, zijn armen voelden of ze van hout waren. Waar was zij?

Ze was nergens te bekennen. De nacht viel op hem vanuit de schuilhoeken van de ruimte, scheerde langs de tijdeloze bergen, de eiken en lariksen en hickory's en versmolt ten slotte tot een zwarte plas met de koude, behekste rivier die van onderen aan hem trok. Spreid, sluit: hij zag niets. Had net zo goed zijn ogen dicht kunnen doen. Maar wacht – daar, tegen de vlakke zwarte kiel van het dichtstbijzijnde schip, was zij dat niet? Die witte vlek? Ja, daar was ze, de kleine pestkop: de bol van haar gezicht was als een nachtbloeier, een baken, een vlag ten teken van een bestandsaanbod of capitulatie. De kiel verhief zich achter haar als een steile rotswand, vleermuizen schoten over het wateroppervlak, insekten sjirpten, en ergens, verloren in het duister, spartelde Hector als een vis in een net; zijn zachte vloeken werd gedempt door de nacht en stierf weg in het oneindige.

Walter dacht eraan terug hoe Mardi, zo nonchalant alsof ze in haar eigen slaapkamer was, in het duister op de oever het papieren jurkje op de grond had laten glijden, hij dacht aan de opschudding die was ontstaan in zijn kruis toen ze zich aan hem vasthield en eerst op het ene en vervolgens op het andere been ging staan om het papieren slipje uit te trekken, dat ze vervolgens in de modder liet vallen. Als een schim, een bleke gestalte tegen het fond van de nacht, was ze in de omarming van het water verdwenen eer hij de kans had gehad om zijn overhemd uit te gooien. Nu concentreerde hij zich op de melkwitte vlek van haar gezicht en zwom met korte slagen naar haar toe.

'Hector?' riep ze, toen hij bij haar langszij kwam. Ze probeerde zich omhoog te slingeren langs de ankerketting, greep het koude puttige staal met naakt vlees, klemde het tegen zich aan, heen en weer zwaaiend boven het oppervlak als het uitgesneden boegbeeld dat in zeemansverhalen tot leven komt.

'Nee,' fluisterde hij, 'ik ben het, Walter.'

Dat leek ze grappig te vinden, en ze giechelde weer. Toen liet ze zich terugvallen in het water met een gespetter dat alle spookzeelieden van alle schepen van de vloot had kunnen alarmeren – of toch in elk geval de bewaker over wie ze in de auto op de heenweg niet uitgerebbeld was geraakt. Walter greep de ankerketting vast en keek omhoog naar het schip dat boven hem opdoemde. Het was, net als de andere die erachter lagen, een koopvaardijschip uit de Tweede Wereldoorlog, schepen van de motteballenvloot, die al sinds Walters geboorte elke dag tweemaal met het tij waren meegerezen en -gedaald. In hun ruimen zat het graan dat de overheid opkocht om te voorkomen dat het vrije ondernemerschap de boeren van Iowa, Nebraska en Kansas de nek omdraaide. Eronder, ergens in een hoekje ter hoogte van Jones Point, lag het wrak van de *Quedah Merchant*, aldaar in 1699 tot zinken gebracht door de mannen van William Kidd. Volgens de overlevering kon je het schip nog steeds zien als het rivierwater helder was, volledig opgetuigd en zeilklaar, nog altijd beladen met schatten uit Hispaniola en van de Barbarijse kust.

Maar Walter was niet uit op schatten. Of berattekeuteld rottend graan, of zelfs maar enige sportieve gezonde lichaamsbeweging. Eigenlijk wist hij, tot hij in het water onder de strakke, roestige ankerketting Mardi tegen zich aan voelde, helemaal niet waar hij op uit was. 'Verrassing,' proestte ze, toen ze naast hem opdook, één arm aan de ketting, de andere om zijn nek. En terwijl ze haar lichaam tegen hem aan drukte – nee, tegen hem aan wreef alsof ze ineens last had van een soort submariene jeuk – fluisterde ze vervolgens: 'Ben je echt jarig?'

Hij was het bijna vergeten. De bedrukte, verwijtende gezichten van Jessica, Lola en Hesh trokken nog eens snel aan hem voorbij, een plotseling symptoom van een weidser vertakte smart, en het volgende moment strekte hij zijn handen graaiend naar haar uit, op zoek naar lichaamsopeningen in een poging tegelijkertijd te kussen, huidcontact te maken, de ankerketting vast te houden, te watertrappelen en te copuleren. Hij kreeg een golf rivier binnen en kwam hoestend boven.

Mardi maakte een zacht, steunend smakgeluid, alsof ze van een bord soep proefde, of een ijsje. Er kabbelden golfjes om hen heen. Walter hoestte nog steeds.

'Luister eens, jarige Job,' fluisterde ze, terwijl ze zich losmaakte en zich toen weer tegen hem aan drukte, 'ik zal heel lief voor je zijn als jij iets voor me zou willen doen.'

Walter stond in brand. Heet, begerig en van alle verstand beroofd. De koude vissestroom was plotseling even warm als een met palmen omgeven bubbelbad. 'Hè?' zei hij.

Wat zij wilde, daar in de kleine uurtjes in de drabbige oude Hudson deinend als een najade, met de grote hoge monumentale v-vormige voorsteven van het schip boven haar, was waaghalzerij. Heroïek. Hoogstandjes van kracht en souplesse. Ze wilde Walter zich op zien trekken langs de ankerketting als een naakte boekanier en hem zien verdwijnen in het bastion van het spookschip om vervolgens aldaar de knoop zijner geheimen te ontrafelen, de indruk van de apparatuur aan boord in zich op te nemen en de situatie aan dek op te slaan in zijn geheugen. Of zo iets. 'Ik heb niet genoeg kracht in mijn armen,' zei ze. 'Zelf red ik het niet.'

In de verte passeerde een sleepboot met een aak achter zich aan. Daarachter zag Walter vaag de lichtjes van Peterskill, nevelig door de afstand en de mistsluier boven het midden van de rivier.

'Toe,' drong ze aan. 'Alleen om eens te kijken.'

Walter dacht aan de naar verluidt aanwezige bewaker, de straffen voor het onbevoegd betreden van staatseigendom, zijn hoogtevrees, de katterige, genarcotiseerde, slaapdronken gesteldheid van lichaam en geest, waardoor elke beweging riskant was, en zei: 'Ja, best.'

Hand over hand, voet over voet besteeg hij de ketting als een rechtgeaarde nihilist en existentialistische held. Wat deed het gevaar ertoe? Het leven had zin noch waarde, een mens leefde alleen voor zijn eigen vernietiging, voor het luchtledige, het niets. Het was gevaarlijk om op een bank te gaan zitten, een vork naar je mond te brengen, je tanden te poetsen. Gevaar. Walter moest erom lachen. Desondanks stierf hij natuurlijk duizend doden.

Toen hij op twee derde was verloor hij zijn houvast, en terwijl er plotseling zes liter bloed in zijn oren pulseerde graaide hij naar de ketting als een wildeman. Onder hem: zwarte duisternis; boven hem: de vage contouren van de reling van het schip. Walter wachtte tot hij op adem gekomen was en klom toen verder omhoog, hoog boven het water bungelend als een grote bleke spin. Toen hij eindelijk boven was, toen hij eindelijk een tastende hand kon uitsteken en huidcontact maakte met het grote koude bastion van de scheepsromp, merkte hij dat de ankerketting verdween in een boosaardig soort patrijspoort dat het monsterlijke, ingeslagen boekaniersoog had kunnen zijn van heel de spookvloot. Hij ging achteroverhangen om de enorme blokletters te kunnen lezen die het oude gevaarte identificeerden als het U.S.S. *Anima*, aarzelde even en wurmde zich toen door het gat.

Hij was nu aan boord, in een onafgebakende ruimte waar een volstrekte, onmogelijke, onversneden duisternis heerste. Zijn naakte voeten gingen over naakt staal, zijn vingers tastten langs de wanden. Er hing een lucht van verwerend metaal, van oliedroesem en dode verf. Centimeter voor centimeter schuifelde hij naar voren tot er zich in het duister schaduwen begonnen af te tekenen en hij zich op het hoofddek bleek te bevinden. Voor hem lag een afgesloten luik; daarboven verhieven zich de grote mast en de laadbomen. De rest van het schip – hutten, reddingboten, masten en kranen – loste op in het duister. Hij had het gevoel dat hij zich ergens op grote hoogte in evenwicht hield, dat hij vloog, alsof hij door het gangpad liep van een straalvliegtuig hoog boven de wolken. Er was hier niets dan schaduwen. En het duizendvoudige gepiep en gekraak van het levenloze in een lichte, ritmische deining.

Maar er was iets mis. Er was iets aan het schip waardoor de vlammen der nostalgie weer leken op te laaien die de hele dag al aan hem lekten. Hij bleef stokstijf staan. Hij hield zijn adem in. Toen hij zich omdraaide was hij niet bijzonder verbaasd zijn grootmoeder op de reling achter hem te zien zitten. 'Walter,' zei ze, met een stem waarin een ruis zat alsof ze hem via een slechte verbinding belde van overzee. 'Walter, je hebt geen kleren aan.'

'Maar oma,' zei hij, 'ik heb gezwommen.'

Ze droeg een lange soepjurk en was even dik als toen ze nog leefde. 'Doet er niet toe,' zei ze, en ze wuifde de kwestie weg met een kwabbige pols, 'ik wilde met je over je vader praten, ik wilde uitleggen... Ik...'

'Nergens voor nodig,' grauwde een stem achter hem.

Walter draaide zich vliegensvlug om. Zo ging het nu de hele dag al – vanaf het moment dat hij zijn ogen had opengedaan – en hij was het zat. 'Jij,' zei hij.

Zijn vader gromde. 'Ik,' zei hij.

Die elf jaar hadden hun werk gedaan. De oude Van Brunt leek nu nog groter, zijn hoofd was opgezwollen tot iets wat je gebeeldhouwd vindt in de kroonlijst van een bouwwerk, of iets wat de wacht houdt bij een oude graftombe. En hij had zijn haar laten groeien, in vettige donkere giftanden die in zijn gezicht pookten en over zijn nek liepen. Het pak – zo te zien hetzelfde dat hij aan had gehad op Walters elfde verjaardag – hing door de jaren verwoest in rafels om hem heen. En er was nog iets. Een kruk. Het ding, als een wichelroede van een boom langs de kant van de weg gehakt, met hier en daar de schors er nog aan, schoorde hem alsof hij breekschade had opgelopen. Walter keek omlaag in de verwachting een podagreuze teen te zien, of een in lappen verbonden voet, maar in de schaduwplas die de onderste helft van zijn vaders lichaam als een lijkkleed opslokte kon hij niets zien.

'Maar Truman,' zei Walters grootmoeder, 'ik probeerde de jongen alleen maar uit te leggen wat ik hem mijn hele leven al heb voorgehouden... Ik probeerde hem duidelijk te maken dat het jouw schuld niet was, dat het door de omstandigheden kwam, en door wat je in je hart geloofde. God weet...'

'Rustig maar, moeder. Ik zeg alleen: niemand hoeft uit te leggen wat ik gedaan heb. Ik zou het morgen weer doen.'

Op dat moment merkte Walter dat zijn vader niet alleen was. Er stonden nog anderen achter hem – een compleet publiek. Hij hoorde ze snuiven en grommen, en nu – plotseling – zag hij ze ook. Zwervers.

Waarschijnlijk een stuk of dertig, haveloos, met rode ogen, kwijlend en stinkend. O ja, hij rook ze nu ook, een lucht van op goederenemplacementen bijeengedreven vee, voetschimmel, ondergoed met pisvlekken. 'Amerika voor de Amerikanen!' riep Walters vader, en zijn schimmige gezelschap nam de kreet van hem over met een gereutel en gepiep dat ten slotte afzwakte tot een verdwaasd gestamel in het donker.

'Je bent dronken!' zei Walter, en hij wist niet waarom hij dat zei. Misschien was het een herinnering aan vroeger, toen zijn moeder gestorven was en voor zijn vader voorgoed verdween, een herinnering aan de zomers bij zijn grootouders, waar zijn vader soms ook een paar weken was. Altijd – of de oude Van Brunt nu lag te slapen op de bank, zijn eigen vader hielp met de netten, met Walter naar de schraagbrug over de Acquasinnick ging om er krabben te vangen of naar de Polo Grounds voor een honkbalwedstrijd – altijd was er de lucht van alcohol geweest. Misschien was het daardoor gekomen die avond, bij de Elleboog. De lucht van alcohol. Die was de sleutel tot zijn vader, zo goed als de aardappelpannekoeken en de leverworst de sleutels waren tot zijn moeder met haar droevige ogen en de bijgelovige vrouw met haar zware armen die de leegte probeerde op te vullen die zij achterliet.

'Nou en?' zei zijn vader.

Op dat moment stapte er een mannetje met een waterspuwerskop te voorschijn uit de schaduwen. Hij droeg de suikerbroodhoed noch de kniebroek – hij ging gekleed in een blauw werkmanshemd en een slobberige broek met plooien en zakken opzij – maar Walter herkende hem. 'Niet dronkener dan jij,' zei de man.

Walter negeerde hem. 'Je hebt me in de steek gelaten,' zei hij, uitvallend tegen zijn vader.

'Daar heeft de jongen gelijk in, Truman,' knetterde zijn grootmoeder, met een stem als vet dat snerkt in een koekepan.

Het leek of het de oude Van Brunt te machtig werd, en de woorden bleven steken in zijn keel. 'Denk je dat ik het gemakkelijk heb?' vroeg hij. 'Ik bedoel: het leven dat ik leid, tussen al die zwervers?' Hij zweeg even, als om zijn zelfbeheersing te herwinnen. 'Weet je wat wij eten, Walter? Stront, dat eten we. Een handje verrotte tarwe, misschien een modderkarper die iemand vangt over de reling of, met geluk, een geroosterde rat. Jezus, als Piet zijn stokerijtje niet had...' Hij maakte de gedachte niet af, maar spreidde zijn hand en liet die vallen als een afgehouwen hoofd. 'Eén lange, absurde val,' bromde hij, 'van de schoot naar de goot.'

En toen begon het kleine mannetje – Walter zag met een schok dat het slechts tot zijn vaders middel reikte – aan de elleboog van de oude Van Brunt te trekken; Truman bukte zich en voerde een gefluisterde samenspraak met hem. 'We moeten weg, Walter,' zei de oude Van Brunt, en hij draaide zich om en wilde vertrekken.

'Wacht!' stootte Walter uit, plotseling wanhopig. Ze waren nog niet uitgepraat, er was iets wat hij moest vragen, moest weten. 'Pa!' En toen gebeurde het; er was een net waarneembare opklaring in de atmosfeer, even maar. Misschien kwam het door de maan, die achter de wolken vandaan viel, of misschien was het moerasvuur, of misschien kwam de gehele bevolking van de Bronx tollend uit bed om eendrachtig het licht in de wc aan te doen – wat het ook was, het verschafte Walter één enkele vluchtige blik op zijn vaders linkerbeen toen de oude Van Brunt zwalkend in het duister verdween. Walter verijsde: de pijp was leeg.

Voor hij had kunnen ingrijpen sloten de schaduwen zich weer als een vuist, en het kleine mannetje kwam bij hem staan, naar hem op loensend als iets wat krom en vies is, als het duiveltje dat de boeman voortport. 'Denk erom, treed niet in je vaders voetsporen, begrepen?'

Het eerstvolgende dat Walter zich herinnerde was dat hij op zijn motor zat (motor: het was een ros, een vuurspuwend, vlokken stront opwerpend gedrocht, een grote, zwaar uitgevoerde Norton Commando die je de vullingen uit je kiezen bonkte) en dat de uitgebleekte, van vogels vergeven dageraad links en rechts aan hem voorbijflitste als het beeld van een draagbaar zwartwit-tv'tje met een slechte horizontale grip. Hij was onoverwinnelijk, onsterfelijk, immuun voor de pijnlijke verrassingen en gevaren van het met honderd vijftig kilometer per uur vanuit Peterskill op hem af komende universum. De weg boog af naar links en hij boog mee; er volgde een afdaling, een stuk omhoog – hij hechtte zich aan de machine als een nieuwe laag verf. Honderd zestig. Honderd zeventig. Honderd vijfenzeventig. De nacht was nog een vage vlek en hij was op weg naar huis – was hij achter in Hectors auto buiten westen geraakt op de terugweg van de Dunderberg? – op weg naar huis, naar het bed van een existentialistische held boven de keuken in de houten driekamerwoning van zijn pleegouders. De weg was bedauwd. Het was nog niet echt licht.

En toen plotseling, alsof er een tik was gegeven tegen een schakelaar in zijn hoofd, nam hij gas terug – wat het ook was geweest dat hem had opgejaagd naar honderd vijfenzeventig: het was ineens weg. Hij ontspande zijn hand om het gashendel, liet zijn snelheid teruglopen – honderd vijftig, honderd dertig, honderd tien – ten slotte toch gewoon sterfelijk. Rechts voor hem (het ding viel hem nauwelijks op, hij was er al duizend keer voorbijgereden, wel tienduizend) stond een gedenkplaat, blauw met geel, een uit de schemering gesneden rechthoek. Was het van ijzer? Letters in reliëf, geel – of goudkleurig – tegen een blauwe achtergrond. De stakkers maakten die dingen waarschijnlijk in Sing Sing of zo. Walter had wel eens gehoord dat hij in een streek woonde met een rijke historie, George Washington en Benedict Arnold en noem maar op, maar de geschiedenis zei hem niet veel. Hij had zelfs nog nooit gelezen wat er op de plaat stond.

Nooit gelezen. Wat hem betrof kon er iets staan ter nagedachtenis aan de stoelgang van Lafayette of aan de ontdekking van de ui; het ding bestond niet voor hem. Iets langs de kant van de weg, meer niet: s-bocht, eikeboom, reclamebord, gedenkplaat, uitrit. En ook nu zou hij er zonder erop te letten voorbijgereden zijn, ware het niet dat er voor hem plotseling een schaduw over de weg schoot. Door die schaduw (het was niet iets herkenbaars – geen konijn, opossum, wasbeer of skunk – alleen maar een schaduw) gaf hij een ruk aan het stuur. En door die ruk verloor hij de controle over zijn motor. Jawel. En daardoor raakte hij een ogenblik het wegdek rechts van hem, met de nieuwe Dingo-laars met het namaak-spoorriempje, en voor hij zich weer had kunnen oprichten knalde hij tegen die blauw-gele plaat met een klap een bonafide god waardig.

Toen hij de volgende middag wakker werd, met om zich heen de avocadokleurige muren, de knetterende intercom en de snijdende lucht van paviljoen-oost van het ziekenhuis van Peterskill, had hij geen pijn. Dat was raar: hij had pijn moeten hebben. Hij bekeek zijn in verband gewikkelde onderarmen, voelde iets trekken ter hoogte van zijn ribben. Er kwam een vlaag paniek over hem heen – Hesh en Lola waren er, die paaiende nietszeggendheden en opbeurende vaagheden voor zich uit prevelden, en Jessica was er ook, met tranen in haar ogen. Was hij dood? Was dat het? Maar op dat moment kregen de medicijnen de overhand en vielen zijn oogleden eigener beweging dicht.

'Walter,' fluisterde Lola, als van heel ver. 'Walter – hoe voel je je?'

Hij probeerde duidelijkheid te krijgen, zijn herinneringen te ordenen. Mardi. Hector. Pompey. De spookschepen. Was hij langs de ankerketting omhooggeklommen? Had hij dat echt gedaan? Hij herinnerde zich de auto, Pompey's gesloopte gezicht, het papieren jurkje van Mardi dat uiteen begon te vallen door het contact met haar natte huid. Hij zat met zijn handen om haar borsten en die van Hector gingen heen en weer tussen haar benen. Ze giechelde. En toen was het ochtend. Vogels die van leer trokken. De parkeerplaats achter de Elleboog. 'Och,' kraakte hij, terwijl zijn ogen weer opengingen, 'gaat wel.'

Lola beet op haar lip. Hesh meed direct oogcontact. En Jessica – de zachte, bepoederde, zoetgeurende Jessica – zag eruit of ze net een dubbele marathon had afgelegd en als laatste was geëindigd. Beide keren.

'Wat is er gebeurd?' zei Walter, en hij verschoof zijn benen.

'Je komt er wel weer bovenop,' zei Hesh.

'Je komt er wel weer bovenop,' zei Lola.

Op dat moment keek hij naar het voeteneind van het bed, naar waar zijn linkervoet als de middelste staander van een tent het laken omhoogprikte, en toen naar de treurige ingezakte linnen duinpan waar zijn rechtervoet had moeten zijn.

O PIONIERS!

Zo'n driehonderd jaar voor Walter een schaduw ontweek en een afdruk achterliet op het snijvlak van de geschiedenis zette de eerste Van Brunt voet in het Hudson-dal. Harmanus Jochem van Brunt, aankomend landman uit Zeeland, stamde uit een geslacht van haringvissers in wier handen de netten waren vergaan. Hij arriveerde in maart 1663 aan boord van de schoener *De Vergulde Beever* in Nieuw-Amsterdam, op veilige afstand van de voorouderlijke netten, die hij aan de zorg van zijn jongere broer had toevertrouwd. Zijn overtocht was gefinancierd door de zoon van een Haarlemse brouwer, ene Oloffe Stephanus van Wart, aan wie, op gezag van de Hoogmogende Heren Staten-Generaal der Verenigde Nederlanden, een patroonschap was verleend in het noorden van het huidige Westchester. Van Warts agent in Rotterdam had het vorstelijke bedrag van tweehonderd vijftig gulden uitgegeven voor de transatlantische oversteek van Harmanus en zijn gezin. In ruil waarvoor Harmanus, zijn vrouw (de goede Agatha, geboren Hoogeboom) en hun kinderen, Katrientje, Jeremias en Wouter, zich voor de rest van hun aards bestaan als contractarbeiders aan de Van Warts verbonden.

Het gezin kreeg een boerderij met vijf *morghen* land toegewezen op ongeveer anderhalve kilometer ten noorden van de handelsnederzetting van Jan Pieterse aan de monding van de Acquasinnick, op grond die tot voor kort het stam-erfgoed van de Kitchawanks was geweest. Er stond een primitief houten optrekje met een rieten dak voor hen klaar. Van de patroon, de oude Van Wart, kregen ze een bijl, een ploeg, een vijftal schurftige hoenderen, een uitgeteerde os en twee melkkoeien, beide op een paar druppeltjes na droog, benevens een keur van gedeukt, geblutst en afgedankt keukengerei. Bij wijze van rendement op zijn investering verwachtte hij vijfhonderd gulden pacht, twee vaam brandhout (gekloofd, afgeleverd en eerbiedig opgestapeld in de spelonken van de houtschuur bij het noorderlandhuis), drie schepel graan, twee paar hoenderen en vijfentwintig pond boter. Verschuldigd en te voldoen over een halfjaar.

Een mindere ziel had zich misschien laten ontmoedigen. Maar Harmanus, in zijn geboortedorp Schobbejacken bekend als Hambonus, een eerbetoon aan zijn kracht, handigheid en omnivore onverschrokkenheid, was geen man die het hoofd snel liet hangen. Met zijn twee zoontjes aan zijn zij (Jeremias was dertien, Wouter negen) had hij eind mei kans gezien één bunder vruchtbare maar stenige grond te ruimen en in te zaaien. Katrientje, een vijftienjarige met bloeiende borsten en een uitdijend achterste, droomde van kool. Halverwege de zomer hadden haar moeder en zij een goed gedijende moestuin aangelegd met erwten, sperziebonen, wortelen, kool en rapen, plus een dubbele rij *Indiaansch kooren* en pompoenen, waarvoor ze het zaad hadden gekregen van Mohonk*, de gedegenereerde zoon van wijlen Sachoes. Dank zij Katrientjes geduldige zorgen herkregen de oude koeien met hun lange koppen – *Booter* en *Kaes*, zoals de kleine Wouter ze hoopvol had gedoopt – geleidelijk aan het zijdeachtig slanke van hun betere jaren. Elke ochtend trok ze aan hun verschrompelde spenen; elke avond voerde ze de beesten een mengsel van zwepenbessen en slangekruid en zong ze toe met een trillende alt die wegdreef over de velden als iets wat is weggerukt uit een droom. Het keerpunt kwam toen ze – een slimmigheidje van Mohonk – de hand wist te leggen op de pas gelooide huiden van twee kalveren, die opvulde met stro en met een stok eronder bij de koeien op stal zette: binnen een week duwden de oude koebeesten hun neus in moederlijke gelukzaligheid tegen de voortbrengselen van Katrientjes handenarbeid en vulden ze de melkemmers zo vlug als zij ze kon legen. En alsof het niet op kon, leken ook de kippen hun jeugd te hebben herwonnen. Geïnspireerd door hun viervoetige collega's begonnen ze te leggen als prijsdieren, en de verpieterde haan kreeg een magnifieke nieuwe pluim staartveren.

Het land was mals, en het gezin-Van Brunt liet zich in zijn weidse omarming vallen als wezen in de schoot van een moeder. De suiker mocht dan wel duur zijn, ze hadden de honing voor het grijpen. Net als de bosbessen, de wilde appelen en het groen van de cichorei en de paardebloem. En het wild! Dat kwam praktisch uit de hemel vallen. Eén knal uit de donderbus leverde een regen van kalkoenen of een korenveld van konijnen op, de herten keken naar binnen door de openstaande ramen, de ganzen en de eenden raakten verstrikt in de kleren aan de drooglijn. Jeremias had zijn roeiboot nog niet het water van de Hudson – dan wel de Noortrivier, zoals hij toen heette – in geschoven, of er sprong een steur of schorpioenvis bij hem aan boord.

Zelfs het huis begon onder het straffe regime van vrouw Van Brunt een draaglijk aanzien te krijgen. Ze vergrootte de kelder, schuurde de vloeren met zand, knutselde met hout en riet enig huisraad in elkaar

* Een inkorting van *Mohewoneck*, ofte wel wasberebontjas, een verwijzing naar het enige kledingstuk waarin men hem ooit zag, 's zomers en 's winters. Afgezien uiteraard van zijn lendendoek.

en bevestigde luiken voor de ramen om de dazen buiten te houden en ook de plotselinge, hevige onweersbuien die ter afronding van drukkende middagen opdoken van achter de top van de Donderberg. Voor het huis plantte ze zelfs tulpen – in twee rijen zo recht alsof er een landmeter aan te pas was gekomen.

En toen, midden in augustus, ging het mis. Van de buitenkant gezien had het leven er nooit fleuriger voor gestaan: de bomen vielen, de houtstapel groeide, het koren stond kniehoog te velde en de rokerij hing vol. Katrientje werd al echt een vrouw, de jongens waren gebruind en stevig en gezond als een vis, Agatha neuriede boven haar stofdoek en bezem. En Harmanus, verlost van de patrimoniale netten, werkte voor vijf. Maar langzaam, onmerkbaar, als de eerste, fluisterzachte beet van de eerste termiet in de vloerbalken, slopen leed en ontbering in hun leven.

Het begon bij Harmanus. Hij kwam op een avond terug van het land en ging aan tafel zitten met een eetlust zo groot dat het leek of die aan hem vrat. Terwijl Agatha bezig was met een hutspot van rapen, uien en reevlees, zette ze een wiel melkkaas van vijf pond op tafel en een bruinbrood van een paar dagen oud, hard als steen. In de lucht hingen vliegen en muskieten; van het erf klonken de kreten van de kinderen, die tikkertje speelden. Toen ze zich omdraaide waren brood en kaas verdwenen en zat haar man met een vreemde holle blik naar de kruimels te staren, malend met zijn harde kaakspieren. ‘Mijn God, Harmanus,’ lachte ze, ‘laat je nog wat over voor de kinderen?’

Pas tijdens het avondeten begon ze zich ongerust te maken. Behalve de hutspot – er was genoeg voor nog ten minste drie dagen – was er een wildpastei, nog een brood, twee pond boter, tuinsla en een stenen pot met vis in room. De kinderen hadden amper tijd hun bord vol te scheppen. Harmanus boorde zich in de eetwaar alsof het *Pinckster* was en hij aanzat bij de jaarlijkse schranswedstrijd in de herberg van Schobbejacken. Jeremias en Wouter liepen van tafel om in het schemerlicht nog een balletje te trappen, maar Katrientje, die binnen was gebleven om af te ruimen, keek met ontzag toe hoe haar vader zich op de pastei stortte, de roomvis naar binnen schoffelde met een hoek brood, de stoofpot schoonschraapte. Hij bleef bijna twee uur aan tafel zitten, en al die tijd kwam er niets over zijn lippen dan nu en dan een gebromd verzoek om water, cider of brood.

De volgende ochtend was het al niet veel anders. Hij was op bij het eerste licht, zoals altijd, maar in plaats van een brood mee te nemen van tafel en de deur uit te gaan met bijl of ploeg, bleef hij rondhangen in de keuken. ‘Wat is er, Harmanus?’ vroeg Agatha, terwijl er iets van angst in haar stem kroop.

Hij zat daar aan de eenvoudige tafel met zijn grote handen voor zich gevouwen en keek naar haar op, en even had ze het idee dat ze een vreemde in de ogen keek. 'Ik heb honger,' zei hij.

Ze was de vloerplanken aan het vegen en haar ellebogen wipten op en neer als muizen. 'Zal ik een paar eieren bakken?'

Hij knikte. 'En vlees braden.'

Op dat moment kwam Katrientje naar binnen met een emmer verse melk. Harmanus liep bijna de tafel omver. 'Melk,' zei hij, alsof hij woord en substantie voor het eerst met elkaar in verband bracht; zijn stem was vlak, dood, toonloos, de stem van een spook. Hij griste haar de emmer uit handen, zette die aan zijn lippen en dronk hem in één teug leeg. Toen gooide hij hem op de grond, boerde en keek door de kamer alsof hij die voor het eerst zag. 'Eieren,' zei hij nogmaals. 'Vlees.'

Inmiddels was heel het gezin bang. Jeremias keek met een wit weggetrokken gezicht toe hoe zijn vader de provisiekast kaalvrat, steur uit de rokerij rukte en een paar kippen plukte voor in de pan. Katrientje en Agatha vlogen door de keuken, hakkend, knedend, bradend en bakkend. Wouter moest hout halen, stoom steeg op uit de ketel. Op het land werd die dag niet gewerkt. Harmanus at door tot in de voormiddag, at door tot hij van de tuin een ravage had gemaakt, tot de kelder leeg was, tot hij een bedreiging was gaan vormen voor alle levende have. Zijn hemd was een lappendeken van vet, eigeel, saus en cider. Hij zag eruit of hij dronken was, als een van de jenever klotsende bedelaar op de Herengracht in Amsterdam. Toen stond hij ineens op van tafel, wankelend alsof hij gewond was, en liet zich vallen op een strozak in de hoek: hij sliep voor zijn lichaam tegen het stro sloeg.

De keuken was verwoest, de potten en pannen zagen zwart; etensresten bevlekten de vloer, de tafel, de haardsteen. De rokerij was leeg – geen reevlees, geen steur, geen konijn of kalkoen meer – en ook het graan en de kruiderijen die ze door ruil hadden verkregen van de Van der Meulens waren weg. Het was of Agatha voor heel Schobbejacken had staan koken, voor een *bruyloft* die een paar dagen had geduurd. Uitgeput zeeg ze neer op een stoel, met haar hoofd in haar handen.

'Wat heeft vader?' vroeg Wouter. Jeremias stond naast hem. Ze stonden allebei angstig te kijken.

Agatha keek hen verdwaasd aan. Ze had zelf nog nauwelijks tijd gehad zich erover te verwonderen. Wat wás er met hem? Ze herinnerde zich dat er iets soortgelijks gebeurd was toen ze als kind in Twistzoekeren woonde. Op een dag had Dries Herpertz, de bakker van het dorp, verklaard dat kersentaart het beste eten was dat er bestond en dat hij voortaan tot zijn dood niets anders meer zou eten. Maar soep toch wel, je moet toch soep eten? zeiden de mensen. Melk. Kool. Vlees. Hij trok zijn neus op en keek op hen neer alsof ze zondig gebroed waren, duivels die tot taak hadden hem in verzoeking te brengen. Een jaar lang at hij uitsluitend kersentaart. Hij werd dik, enorm, zacht als vers deeg. Zijn haar en zijn tanden vielen uit. Een stukje vis, smeekte zijn vrouw. Een lekkere braadworst. Kaas? Druiven? Wafels? Zalm? Hij wuifde haar weg. Ze was de hele dag bezig om de kostelijkste gerechten te bereiden, stroopte de markten af op zoek naar uitheemse vruchten, specialiteiten uit Arabië en de Oriënt, slakken, truffels, de gezwollen levers van overvoerde ganzen, maar door niets liet hij zich in verleiding brengen. Ten slotte viel ze, uitgeput na vijf jaar haar best gedaan te hebben, dood neer, met haar gezicht voorover in een *philosoof*-schotel. Dries bleef onaangedaan. Tandeloos en zo vet als een zeug haalde hij voor zijn bakkerij gezeten de tachtig, het zoete rode goedje van duimen zo groot als spatels likkend. Maar dit, dit was iets anders. 'Ik weet het niet,' zei ze met een fluisterstem.

Tegen het vallen van de avond begon Harmanus te woelen op zijn strozak. Hij riep iets in zijn slaap, kreunend, steeds hetzelfde. Agatha schudde hem zachtjes heen en weer. 'Harmanus,' fluisterde ze. 'Rustig maar. Word eens wakker.'

Plotseling sprongen zijn ogen open. Zijn lippen begonnen te bewegen.

'Ja?' zei ze, over hem heen gebogen. 'Wat is er?'

Hij probeerde iets te zeggen – een enkel woord – maar hij kreeg het niet over zijn lippen.

Agatha draaide zich om naar haar dochter. 'Snel, een glas water.'

Hij ging rechtop zitten en klokte het water in één keer naar binnen. Zijn lippen begonnen te trillen.

'Harmanus, wat is er?'

'Taart,' raspte hij.

'Taart? Je wilt taart?'

'Taart.'

En op dat moment voelde ze iets in zich doorbreken. In al die jaren dat ze getrouwd waren, al die tijd dat hij hulpeloos bij zijn gescheurde netten zat of uit bed gepaaid moest worden om met zijn roeiboot de winderige Schelde op te gaan, in de periode van spanning en onzekerheid over hun emigratie naar de Nieuwe Wereld en tijdens de ontberingen die ze daar hadden doorstaan, had ze zelfs nauwelijks haar stem tegen hem verheven. Maar nu voelde ze plotseling iets knappen. 'Taart?' galmde ze hem na. 'Taart?' En het volgende moment stond ze te rukken aan de plank naast de haard, scheurde zakken en dozen open en gooide ketels, houten kommen, bordjes en lepels op de vloer alsof het afval was. 'Taart!' krijste ze, en met de gietijzeren pan voor haar borst viel ze tegen hem uit. 'En waar wou je dat ik taart van maakte – van vlugkruid en rivierzand? Je hebt alles opgegeten – bakvet, bloem, rookspek, eieren, kaas, zelfs de gedroogde goudsbloemen die ik helemaal uit Twistzoekeren had meegebracht.' Haar adem jaagde. 'Taart! Taart! Taart!' riep ze plotseling uit, en het leek wel de roep van een grote hysterische vogel die wordt verjaagd van zijn roest; één tel later zakte ze hevig snikkend in elkaar in de hoek.

Katrientje en haar broers stonden met witte, kleine gezichtjes plat tegen de muur gedrukt. Het leek of Harmanus hen niet opmerkte. Hij hees zich overeind van het bed en haalde de kamer overhoop op zoek naar eten. Al snel vond hij een zak eikels die Katrientje had geraapt om er spijs van te maken; terwijl hij ze met dop en al vermaalde tussen zijn tanden trok hij het avondgrauwen in en verdween.

Pas na vieren 's nachts vonden ze hem terug. Met een zwak schijnsel in het Van Wart-gebergte als oriëntatiepunt doorwaadden Agatha en haar dochter de Acquasinnick, krabbelden omhoog tegen de steile oever aan de overzijde en vochten zich een weg door een woud van doornstruiken, brandnetels en takken met nachtslierten eraan. Ze waren doodsbang. Niet alleen om het lot van man en vader, maar ook om dat van henzelf. Daar liepen ze – laaglanders, gewend aan polder en dijk en een uitzicht dat door niets belemmerd oploste in de onbepaalde blauwe uitgestrektheid van de zee – in een barbaarse nieuwe wereld waar het wemelde van de demonen en dwergen en onbekende dieren en halfnaakte wilden, aan alle kanten ingesloten door bomen. Ze sloegen de aanvallen van paniek af, beten op hun lip en ploeterden verder. Uiteindelijk kwamen ze dodelijk vermoeid uit op een open plek die werd verlicht door het onrustige flakkeren van een kampvuur.

Daar zat hij. Harmanus. Zijn grote kop en tors wierpen macabere schaduwen op de spookachtig verwrongen stammen van de witte berken achter hem en hij hield een bout zo groot als een dijbeen voor zijn gezicht. Ze liepen dichter naar hem toe. Zijn hemd was gescheurd en bevlekt met bloed en vet; hompen vlees – vlees zo roze en vetgeribd als dat van een klein kind – spetterden aan een primitief spit boven de vlammen. En toen zagen ze het, daar bij zijn voeten: de kop en schouders, de ogen en de oren, het gezicht met de nietsziende blik van de dood. Geen kind. Een varken. En niet zo maar een varken. De oude Volckert, Van Warts prijsbeer.

Harmanus was gedwee, zelf een kind, toen Agatha zijn polsen bij elkaar bond op zijn rug en het henneptouw aantrok dat ze een halfuur eerder in de zak van haar boezelaar gestopt had in de ravage van de keuken. Vervolgens sloeg ze hem een halster om zijn nek en bracht hem naar huis als een weggelopen kalf. Het was al bijna licht toen ze thuiskwamen. Agatha loodste haar man door de deur terwijl de jongens stil toekeken en ze legde hem op de strozak als een lijk. Toen bond ze zijn voeten bijeen. 'Katrientje,' slikte ze, met een stem even strak als de knopen in de touwen. 'Haal Mohonk.'

Aangezien ze zo'n eind verwijderd was van de centra der wetenschap en kwakzalverij, en aangezien de enige arts in Nieuw-Amsterdam destijds een éénogige Waal was die Huysterkarkus heette en op het eiland van de Manhatto's woonde, op ongeveer zes uur zeilen, kon Agatha haar toevlucht niet nemen tot de gangbare methoden van diagnose en behandeling. En al waren de grote geneesheren van Utrecht of Padua bij de hand geweest, dan hadden die ook niet veel meer kunnen doen dan snijden en bidden, of uitgetrokken okselharen in een glas kinawijn voorschrijven, of de in koeiedrek verpakte menses van de relmuis. Maar de grote geneesheren waren niet bij de hand – het zou nog zo'n vijf à zes jaar duren eer de grote Nipperhausen zijn eerste kreetje slaakte, en dat dan nog in de Palts – en dus zochten de kolonisten in extreme gevallen hun heil bij de kunsten en bezweringen van de Kitchawanks, Canarsees en Wappingers. Vandaar Mohonk.

Een halfuur later kwam Katrientje weer binnen, overschaduwd door Sachoes' jongste zoon. Mohonk was tweeëntwintig, verslaafd aan sangaree, jenever en tabak, zo lang als de schoorsteen en zo mager als een ooievaar. Zoals hij daar voorovergebukt in de deuropening stond, met al dat haar van de wasberebontjas om hem heen, leek hij net een uitgebloeide paardebloem. 'Ah,' zei hij, en werkte vervolgens zijn hele Nederlandse vocabulaire af: 'Astoebliefdankoekeendank.' Hij kwam naar binnen geschuifeld, met een zwaar wasbere-aroma om zich heen, en boog zich over de patiënt.

Harmanus keek naar hem op als een gekastijd kind, een en al gedweeheid en berouw. Zijn stem was nauwelijks hoorbaar. 'Taart,' kreunde hij.

Mohonk keek naar Agatha. 'Hij eet te veel,' zei ze, en ze beeldde het probleem uit. 'Eten. Te veel.'

De Kitchawank stond een ogenblik bevreemd te kijken. 'Eten?' papegaaide hij. Maar toen Agatha een houten lepel greep en er verwoed mee in de richting van haar mond begon te poken, brak er in het gezicht van de Indiaan een blik van eerst herkenning en toen ontzetting door. Hij sprong als door een wesp gestoken bij Harmanus vandaan en ging met zijn lange koperkleurige handen op niets af aan de riem van zijn jas staan friemelen.

Agatha slaakte een zucht, de kleine Wouter begon te snotteren, Jeremias keek naar zijn voeten. De Indiaan liep al achterwaarts naar de deuropening toen Katrientje een stap naar voren deed en hem bij zijn arm pakte. 'Wat heeft hij?' vroeg ze. 'Wat is er?' Ze sprak in de taal van zijn voorouders, de taal die hij haar over de rug van de koeien heen geleerd had. Maar hij wilde geen antwoord geven – hij likte alleen aan zijn lippen en trok de riem van zijn jas strakker, hoewel het al dertig graden was en de temperatuur nog opliep. 'Mijn moeder,' zei hij ten slotte. 'Ik moet mijn moeder halen.'

De vogels hadden in de bomen een slaapplaatsje gevonden en de muskieten waren met al hun machten en heerschappijen opgestegen uit de moerassen toen hij terugkeerde met een verschrompelde oude squaw met vuile beenkappen en een boezelaar. Ze zag eruit – verdroogd als een zaaikorenaar, kromgetrokken en beverig, met een gezicht als een zinkput – of ze was opgegraven uit een veenmoeras of van een haak gehaald in de Catacomben. Toen ze zes was en zo gaaf als een goudappel, had ze met de overige stamleden tot haar middel in het rivierwater gestaan en toegekeken hoe de *Halve Maen* in stilte tegen de stroom op laveerde. Het schip was een mirakel, een visioen, een teken van de ongenaakbare goden, die zich hadden omgord met bergen om hun doen en laten aan de ogen der stervelingen te onttrekken. Volgens sommigen was het een geschenk van Manitou, een grote witte vogel die wijding kwam geven aan hun leven; anderen zagen er, minder welgemoed, een zeeduivel in die hen kwam vernietigen. Ze had sedertdien meegemaakt hoe haar man in de luren werd gelegd door Jan Pieterse en Oloffe van Wart, haar dochter in handen viel van een kannibaal, haar jongste zoon zich een hersenverweking dronk en een derde van haar stam werd weggevaagd door pokken, bleekzucht en allerlei geslachtsziekten die door de Walen werden toegeschreven aan de Nederlanders, door de Nederlanders aan de Engelsen en door de Engelsen aan de Fransen. Ze heette Wahwahtaysee.

Mohonk zei iets in zijn eigen taal wat Agatha ontging, en zijn moeder, Wahwahtaysee de Vuurvlieg, stapte behoedzaam de kamer binnen. Ze bracht een netje mee met daarin duivels uitdrijvende parafernalia (de hoektanden van opossum en wolvin, de chorda van de steur, allerhande veren, gedroogde bladeren en verscheidene verkleurde brokken organisch materiaal zo esoterisch dat zelfs zij vergeten was waartoe ze dienden of waar ze vandaan kwamen) en verder een garstige, wilde geur die Agatha deed denken aan laagtij in Twistzoekeren. Na een terloopse blik op Harmanus, die weer lag te woelen op zijn strozak en om taart riep, slofte ze naar de tafel en schudde er zonder ceremonieel het netje op uit. Toen riep ze naar haar zoon in korte nijdige lettergrepen die van haar lippen spatten als wespen die de korf uit zwermen. Mohonk zei op zijn beurt iets tegen Katrientje, die zich onmiddellijk naar Jeremias en Wouter keerde. 'Ze wil dat er een vuur wordt gestookt – een groot vuur. Vlug, naar de houtstapel, rennen!'

Er heerste in de kamer al snel een helse hitte – een hitte als in een Finse sauna – en de oude squaw, wier zweet de tint had van de ranzige nertsolie waarmee ze zich insmeerde ter bevordering van haar gezondheid en vitaliteit, begon haar amuletten een voor een in de vlammen te werpen. Al die tijd onderhield ze een rasperig, monotoon gezang dat goed was tegen *pukwidjinnies*, de spookgeest *Jeebi* en duivels van uiteenlopende signatuur. Ze trachtte, zoals Katrientje later van Mohonk zou vernemen, de verderfelijke geesten uit te drijven die zich in het huis hadden verzameld en Harmanus op de een of andere manier in hun greep hadden. Want de optrek, een jaar of zes eerder gebouwd door Wolf Nysen, een Zweed uit Pavonia, stond precies op de plek waar de jagers Minewa gevonden hadden.

Na ongeveer een uur stootte de oude vrouw haar hand in de vlammen – en hield hem daar tot Agatha de lucht van geroosterd mensenvlees meende te kunnen ruiken. Vlammen lekten omhoog tussen de gespreide vingers, dansten over de opgezwollen aderen die zich aftekenden op de rug van haar hand, maar Wahwahtaysee gaf geen krimp. De seconden bloedden voorbij, Harmanus bleef stil liggen, de kinderen keken ontzet toe. Toen de squaw uiteindelijk haar hand terugtrok uit het vuur, mankeerde die niets. Ze hield hem voor zich en keek er lange tijd naar, alsof ze nog nooit eerder vlees en bloed gezien had, pees en bot; vervolgens hees ze zich overeind, schuifelde door de kamer en legde haar hand plat op Harmanus' voorhoofd. Geen reactie; hij lag daar en keek naar haar op zonder belangstelling of emotie, net zoals toen ze een uur eerder was binnengekomen. Zo ongeveer het enige verschil was dat hij niet om taart vroeg.

Maar 's ochtends leek hij de oude weer. Hij was op bij het ochtendgloren en maakte grapjes met de jongens. Meintje van der Meulen, die had gehoord wat hun was overkomen, had een vijftal kleine ronde broden gestuurd, en Harmanus koos het kleinste ervan uit, deed dat in zijn knapzak en trok met de bijl over zijn schouder de velden in. Tussen de middag kwam hij terug en nam een paar lepels erwtensoep – 'Neem nog een beetje, Harmanus,' drong Agatha vergeefs aan – en 's avonds at hij een gefileerd stukje riviervis, een paar blaadjes sla en twee kolven *Indiaansch kooren* om vervolgens voldaan in slaap te vallen. Agatha had het gevoel dat er haar een ondraaglijke last van haar schouders was genomen; ze was opgelucht en dankbaar. Goed, de tuin had zwaar te lijden gehad en de rokerij was leeg en de oude Van Wart eiste vijfenzeventig gulden schadevergoeding voor zijn beer, maar ze had tenminste haar man terug, het gezin was tenminste weer bij elkaar. Ze bad die nacht tot Sint-Nicolaas.

Het gebed vond een dovemans oor. Of misschien is het onderschept door Ruprecht, de boosaardige knecht van de heilige. Of misschien mocht Agatha niet verwachten dat de opvatting van bidden die zij uit Twistzoekeren had meegebracht zoden aan de niet aanwezige dijk zou zetten in de Nieuwe Wereld, met al haar raadselen en veelsoortige, concurrerende godheden. Hoe dan ook, het verval zette door in toenemend tempo; de eerste de beste dag al na Harmanus' terugkeer naar de wereld der matigen kreeg Jeremias een ongeluk.

Bezien we de dag; het was een hete dag, onbewolkt, en de lucht was zo taai dat je niet flauw kon vallen al zou je willen. Jeremias hielp zijn vader bij het ruimen van een ruigte op een heuveltje gelegen aan het Van Wart-diep, ofte wel Wapatoosik Water, en hij werkte als een machine, even ongevoelig voor de steek van de muskiet als voor de beet van de daas. Hij was waarschijnlijk al wel twintig keer langs de dofbruine vijver gesjouwd – zijn armen afgeladen, ogen die schrijnden van het zweet – toen hij op het idee kwam zijn kleren op de grond te gooien en verfrissing te zoeken. Naakt waadde hij over de modder aan de rand van de vijver. Hij zette voorzichtig de ene voet voor de andere, terwijl de modder aan hem trok als een levend wezen, toen plotseling de bodem van de vijver wegviel en iets hem bij zijn rechterenkel pakte met een greep zo fel en onverbiddelijk als die van de Dood. Het was de Dood niet. Het was een bijtschildpad, *Chelydra serpentina*, groot als een karrewiel. Tegen de tijd dat Harmanus met zijn bijl ter plaatse was, zag het water rood van het bloed en moest hij er tot zijn knieën in gaan staan om de boosaardige, verhoornde, antediluviale kop van het dier op te kunnen sporen en die af te hakken even voor het rugschild. De kop liet niet los. De rest van het monster gleed met spartelende poten terug in het troebele duister.

Thuis wrikte Harmanus met een smidstang de vergrendelde kaken los, waarna Agatha de wond zo goed ze kon verbond. Het zou natuurlijk nog omstreeks tweehonderd jaar duren eer de werktuigen des sepsis werden geïdentificeerd (wie had dat gedacht: onzichtbare micro-organismen, terwijl ieder kind wist dat een wond zwart werd van nachtelijke dampen en ging etteren door de aan- dan wel afwezigheid van kometen), en dus werd de enkel van Jeremias in oude lappen gewikkeld en de uitkomst afgewacht. Na vijf dagen had het onderbeen van de jongen de kleur van een verrotte tulbandkalebas en liep er bleek, weiachtig vocht onder het verband uit. Hij kreeg koorts. Mohonk schreef beverwater vers uit de blaas voor, maar elke bever die hij schoot was zo kinderachtig zich te ontlasten voor hij aan wal kon worden getrokken. De koorts werd erger. Op de zevende dag verscheen Harmanus in de deuropening met de trekzaag die bij de houtstapel lag. Op bijna een kilometer afstand probeerden Mohonk, Katrientje en de kleine Wouter, met Jan Pieterse en een vaatje Barbados-rum op de rand van de Blauwe Rots gezeten, hun oren te sluiten voor het ontzinnende, verbijsterde, ademloze gegil dat de vogels deed verstommen als het vallen van de avond.

Wonder boven wonder overleefde Jeremias dit. Harmanus niet. Toen het bot openspleet en de strozak van zijn zoon een brij van vlees en schuimende vloeistoffen werd, gooide hij de zaag weg en stoof hals over kop de bossen in, kermend als een in de buik geschoten paard. Hij rende drie kilometer door en wierp zich toen voorover in het struikgewas, waar hij volledig over zijn toeren bleef liggen tot na zonsondergang. De volgende dag begon hij last te krijgen van jeuk, en uiteindelijk verschenen er over zijn hele lijf puisten; aan het eind van de week lag hij languit op de strozak naast die van zijn zoon, met zijn gezwollen ogen dicht en een gezicht als iets uit de angstdroom van een melaatse. Weer werd Mohonk erbij geroepen, dit keer om sassafraskompressen aan te brengen op de zweren; toen die niet bleken te helpen, deed Agatha een beroep op de patroon en smeekte hem om Huysterkarkus erbij te laten halen. Het speet Van Wart, maar hij kon niets voor haar doen.

Het was Katrientjes schuld niet. Goed, misschien was ze met haar gedachten bij Mohonk, bij hoe hij haar de week daarvoor had aangeraakt toen ze uit het ijskoude water van de Acquasinnick kwamen waarin ze wat hadden rondgespetterd, en misschien had ze inderdaad haar pols verstuikt bij het aanschoffelen van een nieuw lapje koolgrond, maar het had iedereen kunnen overkomen. Dat met die gestoofde reebout. Ze liep ermee naar de tafel, in dat toch al krappe kamertje, piepklein, onbewoonbaar, ongeveer zo groot als hun kakhuis vroeger in Zeeland, toen ze over de melkemmer struikelde, op haar klompen over de vloer sjeesde en de hele pan – heet genoeg om belegeraars af te slaan vanaf de kasteelmuren – bij haar vader in zijn hemd stortte.

Het was Harmanus z'n dood. Hij verhief zich van de strozak in één verbazingwekkende luchtsprong die hem een volle vijf seconden als een marionet omhooghield voor hij zich zonder één kik dwars door de nieuwe luiken boorde en het geboomte in holde, blind heen en weer carambolerend tussen de stammen terwijl het gezin de achtervolging inzette. Hij werd teruggevonden op de scherpe rotsen aan de voet van het Van Wart-gebergte, onder aan een steile helling van zo'n vijftig meter. Jeremias had moeite met het verloop van de gebeurtenissen in dat jaar, maar voor zover hij zich herinnerde, was het ongeveer een maand later dat de bliksem insloeg, waardoor het huis tot de grond toe afbrandde, zijn moeder en Wouter meesleurend in de ondergang. De volgende dag veroordeelde Katrientje zich tot het vuur van de hel door er met de heiden Mohonk vandoor te gaan naar de Indiaansche Hoeck.

Toen in november de vervaldag voor de pacht aanbrak, ging de rentmeester van Van Wart op pad vanuit het zuiderlandhuis in Croton, met achter zich een op en neer wippende zadeltas volgepropt met zijn boekhouding. Hij verwachtte wel problemen bij huize Van Brunt – de man was achterstallig met brandhout én bij de aflevering van landbouwprodukten – maar eenmaal aangekomen aan het eind van het karrespoor dat naar de kavel leidde, was hij verbijsterd. Waar ooit het huisje had gestaan was nog slechts as. Het koren was verdord op het land, vervolgens neergeslagen door de eerste najaarsstorm en ten slotte aaneengevroren tot verspreide plukjes. Van de levende have was helemaal niets meer te bekennen: hier en daar getuigde een hoopje veren van het lot van het pluimvee, maar van de os en de melkkoeien restte geen spoor. Nu was de rentmeester een zakelijk ingesteld man, een nauwgezet man, bolgebuikt en zwaargebroekt. Hoewel hij zich het liefst naar de handelsnederzetting van Jan Pieterse zou hebben gespoed om er met een pot bier voor het haardvuur plaats te nemen, gaf hij zijn rijdier niettemin een tik tegen de koude flank en hobbelde verder om de zaak nader te onderzoeken.

Hij draaide een rondje om de witte eik die voor het huis stond, stuitte bij de half afgemaakte ommuring op een roestige ploeg, tuurde omlaag in de put. Net toen hij het op wilde geven zag hij een sliertje rook opstijgen uit het spichtige geboomte voor hem. Na een korte pauze om zijn pijp weer aan te steken en te gaan verzitten in het ijzige zadel, stak de rentmeester van Van Wart de open plek over en drong het winters kale kreupelhout aan de overzijde binnen. Het eerste wat hij zag was de os, of liever: wat ervan over was, aan gebeente vastgevroren vel, ogen, oren en lippen weggepikt door de aaseters van het bos. Erachter stond een primitief windscherm. 'Hé daar!' riep hij. Geen antwoord.

Toen zag hij de jongen. Gehuld in lompen en uitgevallen bontvellen, ineengedoken op een koeiehuid in de beschutting van het windscherm. Met zijn ogen op hem gericht.

De rentmeester manoeuvreerde het paard naar voren en schraap-

te zijn keel. 'Van Brunt?' vroeg hij.
Jeremias knikte. Het vroor een graad of tien en de wind kwam uit het noordwesten, uit Canada. Hij trok zijn goede been onder zich. Het andere, het been dat uitliep in een houten pen als dat van de houwdegen Pieter Stuyvesant, lag bloot, ongevoelig voor de kou. Hij keek zwijgend toe hoe de dikke man boven hem zich omdraaide in het zadel en van ergens achter hem een groot, in leer gebonden boek te voorschijn haalde. De dikke man bladerde door het boek, markeerde de juiste plek met de steel van zijn pijp en keek naar hem omlaag. 'Voor het genot en het vruchtgebruik van deze grond onder het patroonschap van Oloffe Stephanus van Wart in de Van Wartwyck-concessie bent u thans verschuldigd twee vaam brandhout, drie schepel graan, twee paar hoenderen, vijfentwintig pond boter en vijfhonderd gulden jaarlijkse pacht. Vermeerderd met een speciale heffing groot vijfenzeventig gulden ter vergoeding van één ontvreemd varken van het mannelijk geslacht.'
Jeremias zweeg. Hij boog voorover om in de kolen van het vuurtje te rakelen, en de rook prikte hem in zijn ogen. De dikke man droeg schoenen met zilveren gespen, een flanellen broek, een bontjas en oorwammers van konijnevacht onder zijn hoge hoed. 'Welaan, Van Brunt: versta je me niet?' vroeg de rentmeester.
Er tikte een lange seconde voorbij in dat winterse, als een graf zo stille bos. 'Ik ben nog maar een jongen,' zei Jeremias ten slotte, met een stem die verstikt was door het gewicht van al wat hij had doorstaan. 'Vader en moeder zijn dood, en de anderen ook.'
De rentmeester verschoof in zijn zadel, schraapte zijn keel ten tweeden male, trok vervolgens aan zijn pijp. Een windvlaag rukte de rook van zijn lippen. 'Je bedoelt dat je het niet hebt?'
Jeremias wendde zijn blik af.
'Dan rest mij niets anders,' zei de rentmeester een ogenblik later, 'dan u hierbij in gebreke te stellen ten aanzien van de verplichtingen die u krachtens overeenkomst bent aangegaan met de patroon. U zult het perceel helaas dienen te ontruimen.'

VOOROUDERLIJKE GROND

Depeyster Van Wart, de twaalfde erfgenaam van het Van Wart-goed, het laat zeventiende-eeuwse landhuis dat even buiten Peterskill in Van Wart Ridge lag, met een weids uitzicht over de vuilnisbelt van de stad en het kolkende, in het afval stikkende water van Van Wart Creek, was een geofaag. Dat wil zeggen: hij at grond. Niet gewoon bladaarde of ingelopen vuil, maar een heel bijzonder soort grond, kurkdroog en vaag ruikend naar de dood van de biljoenen microscopische wezentjes waaruit hij was opgebouwd, grond die in geen driehonderd jaar daglicht gezien had en koel en steriel tussen je vingers door liep, op zijn manier even bijzonder als wat er besloten ligt onder de tempel van Angkor Vat of wat er ligt te vergaan in het graf van Grant. Wat hij at was vooroudelijke grond, met een tuinschep opgelepeld uit de koele, klimaatloze spelonken onder het huis. Ook nu, terwijl hij stil aan zijn ceremoniële bureau zat achter de matglazen deur van zijn kamer in de metaaldraaierij-Depeyster en dacht aan de lunch, het middagblad en de aankoop van onroerend goed, was de vensterenvelop in zijn binnenzak er voor de helft mee gevuld. Van tijd tot tijd bevochtigde hij, in gedachten verzonken, het topje van zijn wijsvinger en doopte het heimelijk in de envelop alvorens het naar zijn lippen te brengen.

De een rookt; de ander drinkt, speelt vals aan de kaarttafel of slaat zijn vrouw. Maar Depeyster permitteerde zich alleen deze onschuldige persoonlijke eigenaardigheid, zijn enige slechte gewoonte. Hij was nog maar een peuter, pas twee, toen hij voor het eerst wegliep bij zijn oppas (een stokoude zwarte vrouw die Ismailia Pompey heette en al zo lang bij de familie was dat ze zich er niet aan stoorde dat Lincoln de slaven had bevrijd), de gebleekte, verveloze deur op een kier zag staan en zich naar binnen werkte, naar de weldadige koele diepten van de kelder. Stilletjes trok hij de deur dicht en zette zich aan zijn eerste feestmaal. Terwijl hij daar op zijn hurken in het donker zat en vuil vermaalde tussen zijn melktanden, het boetseerde met zijn tong, de vage faecale smaak tot zijn papillen liet doordringen, woedde er boven zijn hoofd een zoekactie die tot de familielegenden zou gaan behoren. Hij moet, teruggetrokken in de koestering van het voorouderlijk duister, zijn naam wel duizend keer hebben horen roepen, ondertussen luisterend naar het paniekerige metrum van de voetstappen boven zijn hoofd, zijn moeders stem aan de telefoon, zijn tierende, van kantoor teruggeroepen vader, het nijdige getik van karaf en glas. Hoe vaak was de deur naar zijn heiligdom niet opengegooid zodat hij in een rechthoek van licht het zorgelijke gezicht zag van de ene gekwelde volwassene na de andere? Hoe vaak hadden ze zijn naam niet het echoloze duister in geslingerd voor hij uiteindelijk, na zonsondergang, toen ze aan het dreggen waren in de vijver, te voorschijn was gekomen, zijn lippen besmeurd met zijn geheim? Zijn moeder had hem aan haar boezem gedrukt in een nimbus van lichaamswarmte en parfum en zijn vader, die humor- en gewetenloze man, was in tranen uitgebarsten: het eigenzinnige kind was terug.

Hij was nu geen kind meer. Hij was een vijftigjarige – in oktober werd hij eenenvijftig – gedistingeerd, knap, een man met een accent waarin de rijke, patricische emfaze doorklonk van de Roosevelts, Schuylers, Depeysters en Van Rensselaers die hem waren voorgegaan, telg uit de Van Wart-dynastie en in naam directeur van de metaaldraaierij-Depeyster, een man in de kracht van zijn leven, gebronsd, rijzig, steunpilaar van de gemeenschap. Hij was ook een man die zijn verdriet, evenals die envelop met grond, in het verborgene meedroeg. Dat verdriet was een pijnscheut in de lendenen, snelvuur gericht op het hart – de gedachte eraan was een gedachte aan ondergang, de zwarte onverschilligheid van het heelal, de zinloosheid van het menselijk bestaan en het menselijk streven: hij was de laatste der Van Warts.

In de drieëntwintig jaar dat hij getrouwd was met een vrouw die hem één kind geschonken had – een dochter – en die daarna haar seksuele energie had verlegd naar winkelen, gezichtsbehandelingen, etnisch koken en welzijnswerk onder de Indianen, had hij er al het denkbare aan gedaan om een wettige erfgenaam voort te brengen. Aanvankelijk, toen er nog sprake was van een huwelijkse verhouding, had hij het geprobeerd met zalfjes, smeerseltjes en kwalijk riekende brouwsels die hij betrok bij schuins wegkijkend winkelpersoneel in de Chinese wijk. Hij las, gestoken in historische kledij, zijn vrouw zinnelijke passages voor uit *Lolita*, *The Carpetbaggers* en het Oude Testament, ging te rade bij therapeuten, psychologen, medici, seksuologen, kwakzalvers en paardenfokkers, maar niets baatte. Niet alleen werd Joanna niet meer zwanger, maar ze begon hem ook te ontlopen tegen bedtijd, in de ochtend, tussen de middag en in de onmiddellijke nabijheid van een van de zes toiletgelegenheden. Hij zette haar te zeer onder druk, zei ze. Seks was een verplichting geworden, een last, afwisselend klinisch en pervers, alsof ze heen en weer pendelden tussen een laboratorium en de hut van een medicijnman. Wat dacht hij wel dat ze was, een fokzeug of zo? Niet lang nadien ontdekte ze de Indianen.

Een ander zou misschien echtscheiding hebben aangevraagd, maar Depeyster niet. Er was nog nooit een Van Wart gescheiden, en hij was niet van plan de eerste te zijn. Bovendien hield hij van haar, op zijn manier. Ze was een opvallende verschijning, met haar grote schrikogen, haar fijne gestel en de manier waarop ze zich presenteerde als een cadeau op een blad, en soms voelde hij zich naar haar verlangen zoals ze vroeger was. Maar het kwam ook voor dat hij zijn fantasie de vrije loop liet en zich haar voorstelde als slachtoffer van een dodelijk verkeersongeluk of een kwaadaardig virus. Er zou een begrafenisplechtigheid zijn. Hij zou rouwen. En een rouwband dragen. En zich vervolgens een struise, fertiele jonge amazone of acrobate zoeken. Of een van de behaloze, leegogige studentes die onder auspiciën van zijn dochter blootsvoets het huis in en uit glipten. Vruchtbare grond. Die had hij nodig. En als de tijd kwam dat het euvel bij hem lag, wanneer het mechanisme niet meer deed waar het voor gemaakt was, dan was er altijd nog de diepvries bij Trilby, Inc., waar een tiental pakketjes met zijn zaad in staat van permanente paraatheid lag opgeslagen.

Depeyster zuchtte en nam nog een snufje grond. Het was te heet om te gaan golfen – het was al vijfendertig graden, en dat bij een luchtvochtigheid die tegen het breekpunt zat – en de gedachte alleen al dat hij de *Catherine Depeyster* zou moeten optuigen was voldoende om hem alle energie te benemen. Hij keek op zijn horloge: kwart over een. Te vroeg om al naar huis te gaan; aan de andere kant: wie hield hij nu eigenlijk voor de gek? Al het personeel in de fabriek, tot en met het puisterige dikke meisje dat twee dagen eerder was aangenomen voor in de pakkamer, wist dat hij geen berliner van een aximax kon onderscheiden en er niet van wakker lag. Dus wat zou hij zich van hen aantrekken? Hij ging naar huis, nam hij zich voor, terwijl hij opstond en bedachtzaam de envelop in zijn binnenzak streelde, gebruikte een bescheiden lunch met een glas ijsthee en de middageditie van de *Peterskill Post Dispatch Herald Star Reporter*, deed een dutje en reed dan, als het later op de dag wat was afgekoeld, langs het stuk grond van de Cranes en dagdroomde dat de oude Crane het aan hem verkocht had.

Terwijl hij, thuisgekomen, een tomaat in plakjes sneed op het mahoniehouten werkblad, aan Pierre Van Wart aangeboden door markies de Lafayette in 1778 als blijk van zijn oprechte erkentelijkheid voor de anderhalve maand dat hij onder diens dak verpleegd was toen hij ziek het bed moest houden, liet Depeyster zijn ogen over de koppen gaan van de krant, die nog opgevouwen naast hem lag. VERGADERING SCHOOLBESTUUR, las hij. MURIEL MOTT TERUG VAN TOCHT DOOR TANZANIA. De tomaat kwam vers uit de tuin en was nog warm. Hij sneed hem in dikke plakken, schilde een Bermuda-ui en pakte uit de koelkast ham, witte cheddar en mayonaise. RUSSEN VALLEN TSJECHOSLOWAKIJE BINNEN. De oeroude planken kreunden onder zijn voeten, de Virginia-ham en de pikante witte kaas bedekten een grote snee volkorenbrood; hij sneed de ui in plakken, smeerde mayonaise uit en liep met bord en krant naar de kersehouten tafel, die al meer dan tweehonderd jaar familiebezit was. AANLIJNGEBOD OPGEHEVEN. AFVALVERWERKINGSBEDRIJF FAGNOLI GETROFFEN DOOR STAKING. Er stond een Delfts blauw peper- en zoutstel op tafel in de vorm van twee klompjes. Hij bestrooide de plakken tomaat met beide, wierp vervolgens een blik over zijn schouder en liet zijn hand in zijn binnenzak glijden voor een snufje vuil. Uitgestrooid was het nauwelijks te onderscheiden van de andere specerijen.

Verachtelijk snuivend vouwde hij de krant open. Dat schoolbestuur was een lachertje, aan Muriel Mott had hij altijd een hekel gehad – sterker nog, hij had gehoopt dat ze aan stukken zou zijn gescheurd door hyena's ergens in een verzengend hete uithoek – van een staking bij Fagnoli had hij geen last en elke hond die hij tegenkwam op zijn landgoed schoot hij natuurlijk gewoon dood. Wat de Russen betrof, in die kwestie was hij het altijd eens geweest met zijn oude commandant, generaal George S. Patton. Maar meer naar onder op de pagina viel zijn oog op een minder vette kop:

STADGENOOT GEWOND BIJ MOTORONGELUK

> De tweeëntwintigjarige Walter Truman Van Brunt, woonachtig in de Baron de Hirsch Road 1777 in de Kitchawankkolonie, is vanmorgen vroeg gewond geraakt toen hij even buiten Peterskill op Van Wart Road de macht over het stuur van zijn motor kwijt raakte. Van Brunt, die met gebroken rib en schaamwonden in zijn gezicht is overgebracht naar het ziekenhuis, verloor bij het ongeluk zijn rechtervoet. Burleigh Strang, eigenaar van de gelijknamige kustmestfabriek, ariveerde op de plaats van het ongebadend in zijn bloed,' aldus Strang, 'en het was zo mistig dat ik hem bijna had overreden.' Naar alle waarschijnlijk heeft Strang het leven gered van Van Brunt, die volgens de doktoren van het Peterskill-gasthuis zou zijn doodgetwaalf aanwezigen. Rausch, inspecteur bij het middelbaar onderwijs, ging nader in op het probleem van aparte kleedruimtes voor de meisjes die hochey tegenwoordigheid vangeest en hem in de laadbok van zijn auto heeft gelegd,

waarbij hij ook nog de losse voet meenam in de hoop dat de doktoren die weer konden aanhechten. Van Brunt is inmiddels buiten levensgevaar.

Van Brunt. Truman Van Brunt. Hij had die naam al jaren niet meer gehoord. Al járen niet meer. Waren het er vijftien, twintig? Hij keek op van de krant, en daar in keuken verscheen boven de ui, de ham en het snufje stamgrond, plotseling het gezicht van Truman, precies zoals het er had uitgezien in 1949, op de avond van de rellen. Het met zweet beladen, rossig-donkere haar dat zich rond zijn voorhoofd sloot als een doornenkroon, opgedroogd bloed in zijn mondhoek, zijn lichte, uitgebleekte ogen – ogen de kleur van rivierijs – verwezen van de schok. Ik kom mijn dertig zilverlingen halen, zei hij, en vervolgens was Joanna er ook, aan de voordeur, met een glimlach die verwelkte als een snijbloem. Ze was jong, haar benen waren gaaf en stevig, ze hield de kimono vast voor haar borst; make-up had ze niet nodig. Pardon? zei ze, terwijl Depeyster al opstond uit zijn stoel. Vraag maar aan hem, zei Truman; hij stapte door de deuropening om een met bloed besmeurde vinger uit te steken en was het volgende moment verdwenen.

Depeyster schudde zijn hoofd als om het te zuiveren en boog zich met het brood aan zijn lippen weer over het artikel. Truman Van Brunt, dacht hij. Niks dan ellende en trammelant. En nu zijn zoon weer – amper volwassen, invalide voor het leven.

Hij las het stukje nogmaals, zette toen zijn brood neer en haalde de bovenste helft van het brood van het beleg. Er kleefden stukjes ui in de mayonaise, die een rozeachtig schijnsel had overgenomen van de tomaat. Hij bestrooide het geheel met een talismanisch snufje keldergrond en sloeg juist toen zijn dochter, Mardi, de kamer in slofte zijn ogen op.

Als ze iets had gezien, dan liet ze er niets van blijken; ze sukkelde naar de koelkast in een vuile ochtendjas, met de make-up van gisteravond in uitgelopen vegen om haar ogen. Ze zag er verwilderd uit, als een harpij, een junk, een dronken straatzwerfster. Ze zou wel weer de hele nacht op stap zijn geweest. Hij wilde iets zeggen, iets scherps en bijtends, kritisch, bitter. Maar hij raakte milder gestemd toen hij terugdacht aan het kleine meisje dat ze geweest was en vervolgens verwonderd dat schepsel gadesloeg dat zich bukte om in de helder verlichte diepten van de koelkast te kijken, met haar blote voeten en de strengen donker kroezend hippiehaar, die raadselachtige volwassene, die vrouw, de enige vrucht van zijn lendenen.

'Goeiemorgen,' zei hij ten slotte, en hij gaf er een ironische wending aan.

'Heb jij het sinaasappelsap gezien?'

Hij dacht hier een ogenblik over na, nam een bezonnen hap van zijn brood en depte zijn lippen met een papieren servetje. Zijn blik viel even op de sluwe ogen en de enigszins verbaasde glimlach van generaal Philip Van Wart (1749-1831), wiens portret, van de hand van Ezra Ames, sinds zijn dood naast het keukenraam hing. 'Wat dacht je van het vriesvak?'

Mardi rukte zonder commentaar het plastic deurtje van het vriesvak open. Terwijl hij toekeek hoe ze het opzichtige blik naar zich toe graaide en aan de elektrische blikopener prutste, overviel hem plotseling het verlangen haar door elkaar te rammelen, haar door elkaar te rammelen tot ze wakker werd, tot ze haar haar afknipte, haar minirokjes en netkousen in de vuilnisbak gooide, waar ze thuishoorden, en zich weer bij de mensheid voegde. Voor zover hij kon nagaan deed ze met haar leven niets anders dan achter een stel figuren aan lopen die eruitzagen of ze te voorschijn waren gekropen uit een grot ergens op Nieuw-Guinea, uitslapen tot rond de middag en zich onder het avondeten opwerpen als pleitbezorgster van de seksuele revolutie en de bevrijding van de onderdrukte volkeren van Azië. Ze was in juni afgestudeerd aan Bard College, en sindsdien was haar meest gerichte gooi naar een arbeidsleven vervat geweest in een terloopse opmerking over een café in Peterskill: als die-en-die in het najaar vertrok naar Maui, kon zij misschien twee avonden in de week achter de bar staan. Nog niets definitiefs natuurlijk.

Rammel haar door elkaar! tierde een stem in zijn hoofd. Tot je haar botten hoort kraken!

'Moeder nog gezien?' mompelde ze, terwijl ze de kan van Engels graffito te vol goot. Er droop een vagelijk geel vocht uit de kan op het aanrecht, van het aanrecht op de vloer: drup – drup – drup.

'Wat?' vroeg hij, hoewel hij haar duidelijk had verstaan.

'Moeder.'

'Wat is daarmee?'

'Of je haar nog gezien hebt.'

Ja, die had hij wel degelijk gezien. 's Ochtends in alle vroegte. Toen ze met de stationcar achteruit het pad af reed om naar Jamestown en het Indiaanse reservaat te gaan. De wagen was zo overbeladen met oude overhemden, lorren, gedeukte hoeden en buitenmaatse, amodieuze schoenen dat hij vervaarlijk overhelde, als een vrachtvaarder die onder buitenlandse vlag de haven binnenloopt met een lading kogellagers. Joanna, met krulspelden in haar haar, had een stijve, vreugdeloze hand naar hem opgestoken en aangeduid dat ze de volgende dag weer thuis zou zijn, zoals gewoonlijk. Hij had zonder veel animo teruggezwaaid. Wie hen had gezien – zoals hij daar met zijn grootvaders Djakartaanse, zijden badjas aan in de gevederde vrede van het ochtendgloren stond, zoals zij boven op haar berg rommel het pad af reed, grimmig, onopgemaakt en fleurloos – had waarschijnlijk gedacht dat hij zo juist de meid had ontslagen of bedenkelijke zaken deed met het Leger des Heils. Hij keek op naar zijn dochter. 'Nee,' zei hij. 'Ik heb haar niet gezien.'

Van deze informatie was Mardi niet merkbaar onder de indruk. Ze dronk een glas sinaasappelsap leeg, schonk er nog een vol en wankelde naar de tafel, waar ze, met het glas in vertwijfeling in haar hand geklemd, op een stoel stortte en een tirannieke greep naar de krant deed. 'Jezus,' bromde ze, 'ik voel me klote.' Het was haar mededeelzaamste moment van de laatste tijd.

Hij wilde juist gaan informeren naar oorzaak en herkomst van dit gevoel, om aldus wellicht nader tot haar te komen, te delen in haar lijden, een brug te slaan over de generatiekloof, toen ze een sigaret opstak, de rook uitblies in zijn gezicht en zei: 'Staat er nog wat in dit vod vandaag?'

Plotseling voelde hij zich nederig, vermoeid, een liplezer in tegenwoordigheid van het Grote Raadsel. Op zijn meest behoedzame toon, de toon die hij gewoonlijk reserveerde voor zijn medeleden van het historisch genootschap-Van Wartville, zei hij: 'Gek genoeg wel, ja. Daar onderaan. Een stukje over de zoon van een man die ik vroeger gekend heb – een en al ellende – en die zoon heeft vannacht een ongeluk gehad. Dat is heel sterk, want...'

'Wat kan mij dat nou schelen?' grauwde ze, terwijl ze zich afzette tegen de tafel en met haar vrije hand de krant verfrommelde. 'Wie geeft er ene flikker om jou en je oude handlangers – een stel communistenvreters en racisten.'

Nu was ze te ver gegaan. De drang om haar door elkaar te rammelen, om eens wat bewustzijn in die zelfgenoegzame, levenloze ogen te meppen, greep hem als een stel klauwen. Hij sprong overeind. 'Hoe waag je het zo'n toon tegen mij aan te slaan, jij, jij... Moet je jezelf zien!' sputterde hij, en hij verloor zich in een tirade die niets heel liet van haar hippiecredo, haar gedrag en gewoonten, van haar knarserige betonmolenmuziek tot haar ongewassen, ongeschoren stambroeders, en hij besloot een en ander met een filippica tegen een van die broeders in het bijzonder, die knul van Crane. 'Het miezerigste, vuilste, goorst uitziende...'

'Je bent gewoon pissig omdat zijn grootvader jou je begeerde grond niet wil verkopen.' Ze doorkliefde de lucht met de zijkant van haar hand, zo beslist en onverbiddelijk als een rechter die een doodvonnis

velt. 'Is dat het enige waar je aan kunt denken? Het verleden en geld?'
'Hippie,' siste hij. 'Zwerfster.'
'Snob. Grondvreter.'
'Jezus,' schreeuwde hij. 'Ik probeer een gesprek te voeren, eens aardig te zijn, voor de verandering. Dat is alles. Ik heb zijn vader gekend, van die Van Brunt, dat is alles. We zijn twee mensen, ja? Vader en dochter. We communiceren, ja? Nou, ik heb die man gekend, dat is alles. En ik vond het ironisch, op een macabere manier interessant, toen ik zag dat zijn zoon zijn voet had verloren.'
Mardi's gelaatsuitdrukking was veranderd. 'Hoe zei je dat hij heette?' vroeg ze, terwijl ze zich over de krant bukte.
'Van Brunt. Truman. O nee, de zoon heet anders. William of Walter of zo.'
Ze lag op haar knieën en streek de krant glad op de driehonderd jaar oude planken van de keukenvloer. 'Walter,' prevelde ze, hardop voorlezend. 'Walter Truman Van Brunt.'
'Ken je hem?'
De blik die ze hem toewierp was als een dolkstoot. 'Kennen? Ja,' zei ze. 'En bekennen komt nog.'

PROTHESE

Walter had geluk.

Twee weken na zijn botsing met de geschiedenis verliet hij het ziekenhuis van Peterskill met een nieuwe, vleeskleurige voet van plastic, hem aangeboden door de doktoren Ziss en Huysterkark, de polishouders van de schadeverzekeringsmaatschappij Pensacola en Hesh en Lola. Dokter Ziss was na drie energieke tennissets in de vroege ochtend naar de eerste hulp geroepen om te zorgen voor een veilige dichting van de wond. Hij toiletteerde het beschadigde weefsel, recesseerde kuit- en scheenbeen, trok twee lappen huid en spier omlaag om de zaak op te sluiten en hechtte ze visbekvormig aan elkaar over het bot. Dokter Huysterkark was de volgende middag verschenen om hoop te verschaffen en de prothese te demonstreren. De polishouders voldeden samen met Hesh en Lola de rekening.

Walter lag te doezelen toen Huysterkark bij hem kwam; hij werd wakker en zag de dokter op de rand van de bezoekersstoel zitten met de plastic voet in zijn schoot. Walters ogen gingen onmiddellijk van 's mans plukkerige haar en onveranderlijke glimlach naar de prothese, een ding met een bult bij wijze van enkel en inkepingen die zich moesten aftekenen als tenen. Het zag eruit alsof het van een etalagepop was gerukt.

'Je bent wakker,' zei de dokter, amper zijn dunne, zalmroze lippen bewegend. Hij droeg een operatiepak en tweekleurige schoenen, en hij had het optreden van een man die ijs kan verkopen aan de Eskimo's. 'Goed geslapen?'

Walter knikte werktuiglijk. In feite had hij geslapen als een gevangene die op zijn terechtstelling wacht, belaagd door irrationele angsten en de demonen van het onbewuste.

'Ik heb de prothese bij me,' zei Huysterkark, 'en enig' – hij begon in een dossiermap te rommelen – 'illustratiemateriaal.'

Hoewel Walter een universitaire opleiding achter de rug had (een studie die bestond uit een globaal overzicht van de wereldliteratuur, een hoorcollege over besnijdenisrituelen op de Trobriand-eilanden en werkgroepen landbouwgeschiedenis, de luit in de middeleeuwen en hedendaagse wijsbegeerte met het accent op de doodsproblematiek en het existentialisme, om een paar zwaartepunten te noemen), was de term hem niet bekend. 'Prothese?' zei hij de dokter na, met zijn ogen strak op de plastic voet gericht. Plotseling werd hij overweldigd door paniek. Die obscene klomp plastic, die poppepoot, zou op de een of andere sinistere wijze aan zijn eigen afgescheurde, behoevende ik worden gehecht. Hij dacht aan Ahab, aan Long John Silver, aan de oude Joe Crudwell die een paar huizen verderop woonde en in de bossen bij Belleau beide benen plus zijn rechteronderarm had moeten prijsgeven aan een Duitse granaat.

Huysterkark was op zoek in de map en keek nauwelijks op. 'Een vervangstuk. Uit het Grieks: iets wat ergens bij gedaan wordt, een toevoeging.'

'En dat is hem?'

Huysterkark negeerde de vraag maar sloeg zijn ogen op en vestigde een sluwe, taxerende blik op Walter. 'Je moet het zo zien,' zei hij een ogenblik later. 'Stel dat je lichaam een machine was, Walter – laten we zeggen: een auto. Stel dat je een Cutlass-convertible was. Hm? Glimmend, gestroomlijnd, pas uit de showroom?' Walter wist niet wat hij daarop moest zeggen. Hij wilde niet over auto's praten – hij wilde over voeten praten, over mobiliteit, hij wilde praten over de rest van zijn leven. 'Het kan best dat je jarenlang probleemloos rijdt, Walter, maar als de kilometerstand oploopt zal vroeg of laat iets het begeven, snap je wat ik bedoel?' Huysterkark boog zich naar hem toe. 'Laten we zeggen dat in jouw geval een van de wielen aan vervanging toe is.'

Walter probeerde de blik van de dokter te beantwoorden maar kon het niet. Hij keek naar zijn handen, de mouwen van zijn ziekenhuishemd, de plooien in de lakens.

'Dus wat doe je dan? Hm?' Huysterkark zweeg even. De voet lag als een steen in zijn schoot. 'Je gaat naar de garage en haalt een nieuwe, zo simpel ligt het.' De dokter keek zelfingenomen, hij keek of hij net de ontdekking had bekendgemaakt van één enkele remedie tegen kanker, hart- en vaatziekten en framboesia. 'We hebben hier alles in huis, Walter,' zei hij, met een brede armzwaai die heel het ziekenhuis omvatte. 'Ogen, benen, knieschijven, plastic hartkleppen en stalen wervelkolommen. We hebben mechanische handen die een druif kunnen pellen, Walter. Over een paar jaar hebben we kunstnieren, -levers en -harten. Misschien zijn we ooit nog wel eens in staat defecte circuits in de hersenen te vervangen.'

Er zat geen adem in Walters lichaam. Hij wist amper hoe hij de vraag moest inkleden en hij voelde zich haast schuldig dat hij haar stelde, maar hij moest het echt weten. 'Kan ik – ik bedoel, zal ik – zal ik ooit weer kunnen lopen?'

De dokter vond dit kostelijk. Zijn hoofd vloog achterover en zijn uitdijende lach ontblootte een triade van vlekkerige tanden en mayonaisekleurig tandvlees. 'Lopen?' joelde hij. 'Voor je het weet sta je weer op de dansvloer.' Vervolgens liet hij zijn hoofd weer zakken, sloeg zijn benen over elkaar en begon te schuiven met zijn papieren. Terwijl hij daarmee bezig was, gleed de voet van zijn schoot, viel met een doffe plof op de vloer en schoot weg onder de stoel. Hij leek het niet te merken. 'Ah, hebbes,' zei hij, en hij hield een foto omhoog van een man in een sportbroekje die op gymschoenen liep te joggen langs een teerweg. Het been van de man hield ongeveer vijftien centimeter onder de knie op, en vanaf dat punt liep een stalen pijp omlaag naar een vleeskleurige enkel van plastic. De hele zaak werd op zijn plaats gehouden met banden die boven aan de dij vastzaten. 'De Ia Drang-vallei,' zei de dokter. 'Onfortuinlijk contact met een van de vijandelijke, eh, antipersoneelmijnen, geloof ik dat ze genoemd worden. Ik heb hem zelf aangebracht.'

Walter wist niet of hij hier met opluchting of weerzin op moest reageren. Zijn eerste impuls was het bed uit te springen, onder luid gejank de gang door te hinken en zich uit het raam te werpen. Zijn tweede impuls was voorover te gaan hangen en de dokter zijn therapeutische glimlach van zijn gezicht te meppen. Zijn derde impuls, die waaraan hij uiteindelijk gevolg gaf, was stokstijf te blijven zitten en zijn tanden op elkaar te klemmen als een catatoon.

Aan de dokter ontging dit alles. Die was doende Walters voet onder de stoel vandaan te vissen, hem ondertussen instruerend over gebruik en onderhoud van het ding als was het een kasplant in plaats van een inerte klomp plastic vervaardigd te Weehawken, New Jersey. 'Je moet jezelf natuurlijk niet voor de gek houden,' zei hij, terwijl hij met de hervonden voet in de hand rechtop ging zitten. 'Je bent nu geen honderd procent meer' – hij zweeg even – 'en je zult enigszins in je bewegingsvrijheid beperkt zijn. Maar zoals het zich nu laat aanzien denk ik dat je over een tijdje in staat zult blijken tot nagenoeg alles wat je vroeger gewend was te doen.'

Walter luisterde niet. Hij keek strak naar de voet in Huysterkarks schoot (de dokter zat er onder het praten onbewust mee te jongleren, van de ene hand in de andere), en er sloop een gevoel van hopeloosheid en onherstelbaar onheil als een soort infectie door zijn aderen; hij voelde zich berecht en veroordeeld en kwam tegelijkertijd in opstand tegen de onrechtvaardigheid van een en ander. De oude Joe had de moffen op wie hij zijn woede kon ontladen, Ahab die walvis. Walter had een schaduw en het beeld van zijn vader.

Waarom ik? dacht hij maar steeds, terwijl de dokter met die vreemdeling, die voet, speelde of het een snuisterijtje of presse-papier was. Waarom ik?

‘Nee, nee, Walter,’ zei Huysterkark op dat moment, ‘je hebt in feite veel geluk gehad. Echt veel geluk. Als je iets hoger tegen dat bord gevlogen was en je been verloren had ergens boven de knie, tja...’ Zijn handen maakten de gedachte af.

De zon hing in de boomkruinen aan de andere kant van het raam. Daar op de snelweg reden mensen naar de tennisbaan, naar het winkelcentrum, naar het zwembad, de golfbaan, naar de jachthaven van Peterskill om zeilboten op te tuigen of naar de Elleboog voor een koud glas. Walter lag tussen de stijve witte lakens, verstard van zelfmedelijden, afgeschreven. Maar hij had geluk gehad. Echt. Hij had geluk gehad, geluk.

Nadat de avond tevoren Hesh en Lola en Jessica waren vertrokken en de verdoving hem was beginnen los te laten, had Walter gedroomd. Het bleke schijnsel uit de gang was overgegaan in mist en het gefluister van de intercom werd vervormd tot het kabbelen van vuil water rond het paalwerk, bij een tij dat afliep met een lucht zo snijdend als al wat er ooit geleefd heeft en is gestorven op aarde. Hij was krabben aan het vangen. Met zijn vader. Met Truman. Op bij de dageraad, vallen achter in de Studebaker, aas in een krant gewikkeld, te voet over de schraagbrug over de Acquasinnick, waar bij hoog tij de stroom zich verbreedt tot aan Van Wart Creek. Niet tussen de rails lopen, waarschuwde zijn vader hem, en Walter tuurde in de mist, half en half verwachtend dat de trein van twintig over zes uit Albany los zou breken uit de ochtend en hem in tweeën zou rijten. Maar zo gemakkelijk kwam hij er niet af. Deze droom was subtieler, de afrekening gruwelijker.

Het aas? Wat was het? Bedorven vis, overdekt met vliegen. Botjes. Merg. Kipperuggen zo verrot dat je hand er een week naar stonk als je ze aanraakte. Als mensen verdronken in de rivier, als ze bleek en opgezwollen in de modder lagen, beklemd onder een gevelde boom of het skelet van een auto, als ze zacht begonnen te worden, kwamen de krabben erop af. Zijn vader praatte er nooit over. Maar de buurtkinderen wel, de riviervissers wel, de zwervers die in de van hieruit zichtbare bouwseltjes aan de waterkant woonden – die wel. Maar goed, misschien is de trein van twintig over zes voorbijgeraasd met een gedender zo apocalyptisch of hij de brug van zijn palen zou rukken, en misschien ook niet. Maar Walter trok aan de lijn, en het net bleef haken, er zat geen beweging meer in. Zijn naar alcohol ruikende vader zette, met een sigaret tussen zijn lippen geklemd en half toegeknepen ogen tegen de rook, zijn bier neer om hem te helpen. Voorzichtig loshalen, gromde hij. We kunnen niet hebben dat de lijn breekt. Het volgende moment was het net los en kwam het omhoog in zijn richting, zwaar alsof het vol zat met bakstenen.

Het waren geen bakstenen. Er was geen val. Het was Walters moeder, zij met de bezielde ogen, een wolk haar om haar hoofd en krabben over haar hele lichaam, een onderlijf waar niets van over was. Bot en verder niets.

Het volgende dat hij zich herinnerde was dat de verpleegster bij zijn bed stond. Dat wil zeggen, een grote vrouw van middelbare leeftijd in een rond heupen en dijen buitengewoon gevuld uniform kwam de kamer binnengestormd, om zich heen maaiend naar het lichtknopje en de jaloezieën, zwaaiend met steek en injectiespuit, de rectale thermometer hanterend als een degen. Het zonlicht viel schreeuwerig door het raam naar binnen, zij floot iets martiaals – was het Sousa of de mariniershymne? – en hij werd een korte fluctuatie gewaar in de pijncalculus toen het infuus uit zijn arm werd gesjord en vervolgens opnieuw werd ingepoot.

De droom – op zich al afgrijselijk genoeg – liet geleidelijk los, en Walter werd wakker in een ondraaglijke realiteit. Alles vloog hem aan, de stem van de ontwakende rede siste iets in zijn oor als een bulletin van het front: *Je ligt in het ziekenhuis, je ribben staan in brand, je arm is één grote schaafwond. En wat dacht je hiervan: je mist een voet. Een complete voet. Er zit niets meer. Je bent invalide. Kreupel. Kreupel voor het leven.*

Vervolgens kwam het ontbijt. Met water aangelengde sinaasappelpuree, eierprak, sojavlees met baconsmaak. Gebracht door een verpleegster zo incommunicatief dat ze voor een gelofte van stilte haar hand niet zou hebben omgedraaid en een weelderige zestienjarige medisch vrijwilligster die op het raamkozijn aan de overkant een vogel zag zitten en daar zolang haar verblijf in de kamer duurde tegen stond te koeren: 'Oeoeoeh, duifie, kleine, kleine duifie.' Walter had geen trek.

Toen zij vertrokken waren, ging hij rechtop zitten en voelde voorzichtig aan zijn been. Er zat een doffe, kloppende pijn in zijn knieschijf, een vlijmende in zijn kuit, waar twintig hechtingen in zaten. Zijn vingers dwaalden verder omlaag, kropen over zijn scheen, aarzelend, terugdeinzend voor zekerheid. Hij voelde verband – gaas en plakband – en vervolgens, tastend met zijn vingers alsof hij een heet strijkijzer verwachtte, de vlakke, afgehouwen stomp waarin zijn been uitliep. Hij wierp de lakens van zich af. Daar was het. Zijn been. Nee, dit was het been van iemand anders, geknot en verwoest, aanstootgevend, vreemd, doods als een blok hout. Hij moest denken aan brood, stokbrood, overdwars afgehakt. Hij moest denken aan leverworst.

Vervolgens sliep hij weer. Uitgevloerd. Neergetrokken door morfine en Demerol viel hij van de ene nachtmerrie in de andere. In zijn slaap beleefde hij het ongeluk opnieuw. Er was de schaduw, de gedenkplaat, het gevoel van hulpeloosheid en voorbestemming. En toen was hij een oude man, krom, grijs, bekwijld met eigen speeksel, leurend met potloden op een straathoek in de Bowery of languit op een strozak in een tehuis voor onbehuisden met nog honderd andere mankepoten en zotten. In zijn slaap zag hij het lijk van zijn grootvader en de wolk tandkarpers die zich erboven sloot. In zijn slaap zag hij zijn vader.

De oude Van Brunt zat in een stoel bij het bed. Zijn haar was in een scheiding geknipt en pas gekamd; hij droeg een pak van mohair en een zijden stropdas, en zijn ogen stonden sereen. Het vreemde was alleen: hij had geen schoenen aan. Of sokken. En toen Walter zijn hoofd omdraaide om hem aan te staren, tilde Truman nadrukkelijk eerst zijn ene voet op en vervolgens de andere en legde ze op de rand van het bed alsof hij ze tentoonstelde. Vervolgens wriemelde hij met zijn blote tenen en keek strak terug naar Walter.

'Maar, maar ik dacht...' pruttelde Walter.

'Je dacht wat?' zei de oude Van Brunt. 'Dat ik ook invalide was?' Hij kromde zijn tenen en zette vervolgens beide voeten op de vloer. 'Maar dat ben ik ook, Walter, dat ben ik ook,' zei hij, terwijl hij zijn ogen sloot en over de brug van zijn neus wreef, 'je kunt het alleen niet zien, dat is alles.'

'Op die boot, dat schip...' begon Walter.

Truman wuifde met zijn hand alsof hij rook wegwapperde. 'Een zinsbegoocheling,' zei hij. 'Een waarschuwing.' Hij ging vooroverzitten, met zijn ellebogen op zijn knieën. 'Dat je je uit de voeten moest maken, Walter.'

Op dat moment had Walter een ingeving, op dat moment begreep hij wat hij had willen vragen daar op dat spookschip. Heel zijn leven had hij geloofd in het door Hesh en Lola vertelde verhaal alsof het in graniet gebeiteld stond op Anthony's Nose – zijn vader was een verrader, een gewetenloze vriend die hen had verraden, hen had verkocht, en zijn moeder was eraan gestorven. En toch wist niemand het zeker, zelfs Hesh niet. 'Negenenveertig,' zei Walter. 'De rellen. Wat heb je haar aangedaan? Wat was dat precies?'

Truman zweeg.

'Daar is ze aan gestorven, hè?'

De ogen van zijn vader waren verhard, wederom had de blik van de dolle profeet zich er genesteld. Vervolgens zei hij: 'Ja, zal wel.'

'Volgens Hesh ben je een pure moordenaar...'

'Hesh.' Truman spuugde de naam uit alsof hij zijn tanden in iets bedorvens gezet had. 'Wil je het weten?' Hij zweeg weer even. 'Dan moet je teruggaan en dat bord eens bekijken.'

'Bord? Welk bord?'

De oude Van Brunt was inmiddels gaan staan, een merkwaardige combinatie van wat hij elf jaar eerder was geweest en de man die zich sindsdien had opgewerkt in de wereld. Hij had haast iets kwieks. 'Dat moet je mij niet vragen,' zei hij, terwijl hij omlaagkeek naar Walters been, zich vervolgens omdraaide en met grote passen de kamer uit liep.

De scène op het spookschip herhaalde zich. 'Kom terug!' riep Walter. 'Kom terug, hufter!'

'Ik zit hier naast je, Walter.'

Hij deed zijn ogen open. Eerst wist hij niet waar hij was, kon hij zijn blik niet scherp stellen op het bleke witte vlak dat boven hem hing, maar vervolgens bracht haar geur – crèmespoeling, My Sin, tutti-fruttikauwgum – hem de herkenning. 'Jessica,' mompelde hij.

'Je hebt alleen maar gedroomd.' Haar hand rustte op zijn voorhoofd, haar borst drukte in zijn gezicht. Hij verhief zich, verdoofd als hij was, en begon – alsof het gezien de omstandigheden de normaalste zaak van de wereld was – aan de knoopjes van haar blouse te frunniken. Het leek haar niet te storen. Met zijn verstand op nul en vingers als soepstengels frunnikte hij zo een tijdje door, en toen had hij haar borsten in zijn handen, woog en kneedde ze, trok ze naar zijn lippen alsof hij een zuigeling in de wieg was. Maar wacht even: hij wás een zuigeling, zijn moeder boog zich over hem heen met haar peilloze ogen, de wereld was zo puur en ongecompliceerd als het spikkellicht van de ochtendzon op de wanden van de kinderkamer...

Jessica drukte haar lippen tegen zijn voorhoofd, fluisterde zijn naam. Op dat moment viel heel die grote, bedrijvige, snaterende instelling stil – de tv's waren uit, de intercom zweeg, de gangen waren betoverd. Iedere arts, iedere verpleegster, broeder, elke pasgeboren baby en zenuwachtige bloeddonor hield de adem in. Nergens gleed een naald in arm of bil, nergens gilde een door een hond gebeten kind. Er waren geen voetstappen op de gang, geen vogels in de bomen, geen weerspannige automotoren op de parkeerplaats. Er was alleen stilte. En midden in het centrum van die oceanisch diepe stilte lagen Walter, met zijn ingekorte been, en Jessica. In zijn angst, zijn eenzaamheid, overmand door verdriet en vertwijfeling, klemde hij zich dankbaar aan haar vast als iets halfverdronkens dat zich vastgrijpt aan een rots midden in een maalstroom. Was hij krankzinnig geweest die nacht? Het was tot daar aan toe om hard, zielloos en ongevoelig te zijn; maar om te worden afgesneden van de bemoediging en gezamenlijkheid van het mensdom, dat was nog weer een ander verhaal. Hij was een invalide, een paria. En hier was ze: Jeanne d'Arc, Calypso en Florence Nightingale verenigd in één persoon. Wat wilde hij nog meer?

'Jessica,' fluisterde hij, terwijl zij boven hem heen en weer wiegde en hem met het zachtjes golvende blonde wandtapijt van haar haar beschutte tegen de benauwende muren, de ondraaglijke bloemen, het nachtkastje met zijn voddige exemplaren van *Argosy* en *Reader's Digest*, de walging en de pijn, 'Jessica, ik denk... ik bedoel... zou het niet beter zijn als we trouwden, denk je?'

De stilte hield aan. Een sprookjesachtige stilte, dromerig, magisch, een stilhangend moment verfijnd tot buiten elk verband met de myriade momenten waaruit een mensenleven bestaat. De stilte hield aan tot zij die verbrak – met geprevelde instemming.

Hij had geluk gehad, geluk.

NEELTJE ZWAAIDE TERUG

Jeremias had minder geluk. Hij trok zich in zichzelf terug, sloeg de dunne vellen dichter om zich heen en bleef stijf als een ijssculptuur zitten terwijl Van Warts rentmeester zat te schuiven in zijn zadel, brieste, paaide en dreigde. De rentmeester probeerde het met redelijkheid, hij probeerde hem klein te krijgen en hem angst in te boezemen – hij probeerde het zelfs met een beroep op het betere ik van de jongen en zong 'Bepleit mijn zaak, o Heer, bij hen die mij weerstreven' met een hoge, iele tenor die in tegenspraak was met zijn massa. De wind kwam huilend omlaag uit de bergen. Jeremias keek hem niet eens aan. Ten slotte zwenkte de rentmeester zijn paard en roffelde ervandoor om de sterke arm erbij te halen.

Tegen de tijd dat hij terug was met de schout waren de weersomstandigheden verslechterd. Niet alleen was het gaan sneeuwen – grote, donzige vlokken die van de borst van de hemel waren gerukt en zich ophoopten tegen de gevelde bomen en varens als een teken van opgekropte kosmische toorn – de temperatuur was ook nog eens gedaald tot veertien graden onder nul. De schout, die toezag op de handhaving van de wet voor de patroon, van de patroon en namens de patroon, was een magere, roofdierachtige man die Joost Cats heette. Hij kwam gewapend met een ontruimingsbevel voorzien van het merkteken van zijn werkgever (een v gekoppeld aan een w, vw, het embleem dat Oloffe Stephanus gebruikte om zijn edicten te authentiseren, zijn have en goed te merken en zijn onderbroeken te tooien) en het rapier, de bandelier en de hoed met zilveren pluim die de versierselen van zijn ambt waren.

'Zo'n jonge leegloper,' zei de rentmeester, terwijl de sneeuw hem om zijn kakement dwarrelde. 'Slacht het vee en laat de hoeve verkommeren. Ik zie hem net zo lief opgehangen als ontruimd.'

Joost gaf geen antwoord; zijn zwarte, strak voor zich uit kijkende ogen gingen schuil onder de rand van zijn hoed, het spitse baardje zat als een vlek op zijn kin. De hem eigen lichaamshouding had zijn rug verbogen tot een sikkel en hij zat zo laag in het zadel dat je alleen aan de zwierige, tussen de oren van zijn paard hotsende pluim zag dat hij er aankwam. Hij gaf geen antwoord omdat hij de smoor in had. Daar reed hij, in een uithoek van het diepste nergens, onder een hemel als een gebarsten kruik en met sneeuw op zijn zwarte *huyck*, zodat hij er zo langzamerhand uitzag als een *olykoeck* met poedersuiker, en waarvoor? Om naar het gezeur van die dikke, roodhoofdige, zelfingenomen windbuil naast hem te luisteren en een éénbenig kind de muil van het grote barre onbewoonde in te jagen. Hij schraapte rumoerig zijn keel en spuwde verachtelijk.

Tegen de tijd dat ze bij de naakte witte eik kwamen die in betere tijden het gezin Van Brunt in de schaduw had gehouden, was de sneeuw een stuk minder geworden en was de temperatuur nog een paar graden gezakt. Links van hen, tegen het bolwerk van het geboomte, stond de half afgemaakte muur van veldstenen waaraan Wolf Nysen was begonnen voor hij mataglap werd, zijn gezin uitmoordde en de heuvels in trok. Hij had ze in hun slaap de hals afgesneden – een zus, zijn vrouw en twee tienerdochters – en ze prijsgegeven aan de ontbinding. Toen de voorganger van Joost, de oude Hoogstraten, hen ten slotte vond, waren ze zo ver heen dat ze van pap leken. Er werd gezegd dat de Zweed zich nog steeds ergens in de buurt ophield en leefde als een Indiaan, gehuld in dierevellen en konijnen slachtend met zijn blote handen. Joost keek slecht op zijn gemak om zich heen. Pal voor hem lag het verkoolde geraamte van de optrek, door de huid van sneeuw prikkend als een gecompliceerde breuk.

‘Dat bedoel ik,’ hijgde de rentmeester, ‘moet je zien wat een ravage ze ervan gemaakt hebben.’

Joost liet er een minuut overheen gaan, terwijl zijn paard met zijn snuit in de opgewaaide sneeuw zocht als een oude man die in bad stapt, voor hij antwoord gaf. ‘Zo te zien kan de patroon deze grond beter opgeven. Niets dan ellende.’

De rentmeester sloeg hier geen acht op. ‘Daar,’ zei hij, wijzend met een dikke vinger in de richting van Jeremias’ windscherm. Joost liet de teugels vallen en stak zijn verkleumde handen in zijn zakken terwijl zijn paard – een éénogige knol met een goed ontwikkelde eetlust en een waterzuchtig exterieur – sullig achter de merrie van de rentmeester aan hobbelde.

‘Van Brunt!’ riep de rentmeester, terwijl ze neerkeken op het verlaten windscherm en het sneeuwheuveltje dat het kadaver van de onfortuinlijke os voorstelde. ‘Kom onmiddellijk te voorschijn!’

Geen reactie.

De rentmeester kreeg een aanval van getergde buitenademigheid en trad al in termen als brutaal, vermetel en schaamteloos, toen Joost wees op een half dichtgesneeuwd spoor achter het windscherm. Even verderop bevond zich een soortgelijke afdruk, en weer even verder nog een. Bij nadere beschouwing, en na een volle zestig seconden besteed aan redeneren in de deductieve trant, stelde de rentmeester vast dat dit de voetsporen waren van de jonge Van Brunt; te weten het spoor van één schoen – de linker – met daarnaast in een min of meer parallelle lijn een ondiepe groef tussen een tweetal stokgaten.

Het sneeuwde weliswaar niet meer, maar er was een krachtige wind opgestoken, en het daglicht week voor het avondlijk duister. Joost vond het zo mooi genoeg – de jongen was weg, daar ging het toch om? Maar de rentmeester achtte zich, nauwgezet als hij was, gehouden zekerheid te verkrijgen. Na een gedachtenwisseling over de kwestie – Waar dacht je dat hij heen is, vroeg Joost op een bepaald moment, terug naar Zeeland? – ging het tweetal traag ploegend op pad om de jongen op te sporen en hem volgens de regels van de kunst te ontruimen.

Het spoor kronkelde zich als een rafelig lint door het bos, een dicht stuk geboomte binnen waar sneeuwhoenders klokten en kalkoenen op de lagere takken zaten. Voorbij de bomen lagen heuvels zonder tal, opgerold als stekelvarkens, met timmerhout in plaats van stekels, habitat van korhen, duif, hert, fazant en eland en de lynxen, katachtigen en wolven waarvoor zij prooidier waren. En achter de heuvels lagen de woeste schimmige bergen – de Donderberg, het Suycker Broodt, de Klinkersberg – die de rivier verzwolgen en overgingen in het Kaaterskil-gebergte en de naamloze uitgestrektheden daar weer achter, helemaal tot waar de zon onderging. Terwijl hij bij het invallende duister naar die ongetemde wildernis keek met al haar onvermoede gevaren, en geen gevoel meer had in zijn gelaarsde tenen, gaf Joost zijn paard de sporen en bad dat de opsporingsactie hen naar de gloeiende lichtjes en de ruim bemeten haard van het noorderlandhuis zou voeren.

Helaas. Jeremias was in zuidoostelijke richting gegaan, om de grote hofstede heen, in de richting van de plaats van de Van der Meulens. Joost en de rentmeester zagen waar hij was blijven staan om te plassen in de sneeuw of om een paar laatste, verschrompelde besjes in zijn mond te steken en op een stuk schors te kauwen; ze zagen het houten been zwaarder worden en diepere gaten maken in de sneeuw. En uiteindelijk zagen ze tot hun onuitsprekelijke opluchting dat het spoor hen inderdaad over de Meulenbeek zou leiden, langs de grote houten deuren van Staats van der Meulens schuur, de warme, door kaarsen verlichte en naar brood geurende keuken binnen van niemand minder dan vrouw Van der Meulen zelf, vermaard tot in Croton om haar honingkoeken en appelbeignets.

Als ze gastvrijheid hadden verwacht, als ze niet alleen de warmte van Meintje van der Meulens keuken zochten maar ook die van haar lach, dan kwamen ze bedrogen uit. Ze begroette hen in de deuropening met een uitdrukking die in elk opzicht zo koud was als de avond achter hen. 'Goedenavond,' zei de rentmeester, met een zwierige boog zijn hoed afzettend.

Vrouw Van der Meulens ogen schoten achterdochtig van rentmeester naar schout en weer terug. Achter zich hoorden ze het gedempte geloei van het vee in de stal, waar Staats bezig was hooi van de zolder naar beneden te schuiven. Zonder de groet van de rentmeester te beantwoorden deed Meintje een stap terug en zette de deur verder open zodat ze naar binnen konden.

Ze betraden de hemel. De voorkamer, die over de hele lengte van het huis liep en het leeuwedeel van de totale ruimte in beslag nam – achterin bevonden zich kleinere slaapvertrekken – was zo warm als een veren bed met een flinke vrouw en twee honden erin. In de enorme haard gloeiden flakkerende kooltjes, en uit de grote geblakerde ketel die erboven hing kwam een bedwelmend bouillon-aroma. Er lagen broden in de stenen bakoven – Joost kon ze ruiken, ambrozijn en manna – en boven een handvol kooltjes op de haardsteen stond op een treeft een steelpannetje met maïsmeelpap. De kastdeuren stonden open en de tafel was half gedekt. In de verste hoek tilde een oude waterhond vermoeid zijn kop op en twee kleine, witharige Van der Meulentjes keken met cherubijnenkopjes strak naar hen omhoog.

'Wel, wel,' zei Meintje ten slotte, terwijl ze de deur achter hen dichtdeed, 'wat mag het zijn dat de weledele *commis* en zijn collega de schout naar onze afgelegen boerderij brengt op een avond als deze?'

De rug van Joost was lang niet meer zo krom als toen hij te paard zat, maar evengoed stond hij nog half voorover. Terwijl hij de gepluimde hoed ronddraaide in zijn handen wilde hij, tegen het deurkozijn geleund, een verklaring geven. 'Van Brunt,' begon hij, maar de mond werd hem gesnoerd door die dienstklopper van een rentmeester, die de aanklacht van de patroon tegen Harmanus' enig en treurig overgebleven erfgenaam uiteenzette alsof hij een pleidooi hield ten overstaan van een hof bestaande uit medestanders van de beklaagde (hoewel een dergelijk hof natuurlijk bestond noch nodig was, aangezien de patroon op zijn grondgebied rechter, jury en aanklager was en de schout en de beul in dienst had om zorg te dragen voor de rest). Hij besloot zijn betoog, dat hij tevens had aangegrepen om een paar meter op te schuiven in de richting van de haard en zijn paradijselijke aroma's, met de verklaring dat ze het spoor van de onverlaat waren gevolgd tot aan de stoep van de goede vrouw zelf.

Meintje liet hem uitspreken en pakte toen een pollepel uit de kast en begon hem uit te schelden – begon hén uit te schelden; Joost bleek tot zijn ontzetting mede-voorwerp van haar toorn. Zíj waren geboefte

– nee, erger nog, satansgebroed, bokspotige *duyvels*, volgelingen van Beëlzebub en zijn onzalig slag. Hoe haalden ze het in hun hoofd die verweesde stakker te verjagen van het armzalige beetje dat hij in deze wereld zijn thuis kon noemen? Hoe haalden ze het in hun hóófd? Waren zij christenen? Waren zij mannen? Mensen zelfs maar? Een volle vijf minuten lang kapittelde Meintje hen, al die tijd zwaaiend met de pollepel als was het het zwaard der gerechtigheid. Met elk nadrukkelijk armgebaar drong ze de rentmeester verder achteruit, tot hij zijn zwaar bevochten plaats in de buurt van de haard kwijt was en zijn achterste tegen de koude onverzettelijke planken van de deur voelde drukken alsof hij er elk moment mee kon versmelten, terwijl Joost van schaamte en gêne zo diep voorovergebukt stond dat hij zijn laarzen had kunnen losgespen met zijn tanden.

Op dit penibele moment gooide Staats, met om zich heen een oude stallucht en een jekker vol kou, de deur open. Daarmee verlegde hij bij de rentmeester diens zwaartepunt, zodat de man wiekend met zijn armen de kamer in schoot en ergens halverwege tegen de berkehouten schommelstoel tot stilstand kwam met een blik vol gekrenkte waardigheid. Staats was een potige man met een grote neus, een ruw vel en een oogopslag zo doordringend dat die aankwam als een klap in je gezicht. Hij leek volledig perplex door de aanwezigheid van *commis* en schout, hoewel hij buiten toch hun met een deken afgedekte paarden moest hebben zien staan. 'Goeie God in den hemel,' klonk het dreunend. 'Wat is er aan de hand?'

'Staats,' riep Meintje, terwijl ze op hem toe rende en zijn naam nog twee keer herhaalde met een klaaglijke uithaal, 'ze komen de jongen halen.'

'De jongen?' zei hij haar na, alsof het woord nieuw voor hem was. Zijn ogen dwaalden door de kamer op zoek naar een aanknopingspunt, en hij tilde zijn nertsmuts op om zich over een hoofd te krabben zo hard en haarloos als een kastanje.

'De kleine Jeremias,' fluisterde zijn vrouw ter verduidelijking.

Joost keek hen slecht op zijn gemak aan. Naar hij later zou vernemen was de jongen een uur of twee eerder aan komen lopen, smekend om onderdak en iets te eten. Vrouw Van der Meulen had eerst met afgrijzen de deur voor hem dichtgegooid – er was een *spoock* bij haar op de stoep verschenen, verschrompeld en verminkt, een dolend lijk – maar toen ze nog eens keek, zag ze alleen het half verhongerde kind moederloos in de sneeuw staan. Ze had hem tegen zich aan gedrukt, had hem goed ingepakt voor de haard gezet, hem soep gevoerd, warme chocolademelk en honingkoek, terwijl haar eigen nieuwsgierige viertal elkaar om hem verdrong. Waarom was hij niet eerder gekomen? vroeg ze. Waar had hij al die tijd gezeten? Wist hij niet dat Staats en zij en de familie Outhuyse dachten dat hij ook was omgekomen bij de brand die zijn arme moeder het leven had gekost?

Nee, had hij gezegd, schuddend met zijn hoofd, nee, en zij had zich afgevraagd of hij daarmee antwoord gaf dan wel een of andere verschrikking loochende waar zij geen weet van had. De brand, mompelde hij, en zijn stem was traag en haperde, de stem van de kluizenaar, de paria, de anachoreet die aan boom en vogel slechts aanspraak had. Ze waren die noodlottige middag allemaal buiten geweest, op het land, onkruid wiedend en rammelend met pannen om de maïsdieven uit het gewas te houden – allemaal behalve Katrientje, die ergens heen was met Mohonk de Kitchawank. Jeremias was destijds weer op krachten gekomen en wist zich aardig te redden op de stut die hij uit een stuk kersehout had gesneden, maar zijn zorgzame moeder had hem erop uit gestuurd om de vogels te verjagen, terwijl Wouter en zij het zwaardere werk deden. Toen het onweer losbarstte had hij ze uit het oog verloren, en voor hij het wist stond hun huis in brand. Toen Staats en hij van Outhuyse waren komen kijken, had hij zich met de beesten verborgen in het bos, ontredderd, beangst en beschaamd. Maar nu kon hij zich niet langer verbergen.

'Jeremias?' zei Staats haar na, terwijl het besef van wat er aan de hand was zijn gelaatstrekken binnendrong als water dat binnendruppelt door een lek in het dak. 'Ik druk ze liever eigenhandig de strot dicht,' zei hij, met een woedende blik op Joost en de rentmeester.

Op dat moment verscheen de inzet van het geschil in de deuropening naar de achterkamer – een magere jongen, maar schonkig en lang voor zijn leeftijd. Hij had een wollen hemd aan, een kniebroek en één enkele dikke sok die hij had geleend van Van der Meulens oudste zoon, en hij stond wijdbeens, uitdagend op zijn houten pen steunend. Zijn gelaatsuitdrukking was iets wat Joost nooit zou vergeten. Het was een uitdrukking vervuld van haat, van uitdaging, van verachting voor gezag, voor rapieren, bandelieren, zilveren pluimen zowel als grootboeken, een uitdrukking die niet was geweken voor de patroon zelf als die aanwezig was geweest om het ertegen op te nemen. Zijn stem was ingehouden, zacht, de stem van een kind, maar de minachting erin was onmiskenbaar. 'Moest u mij hebben?' vroeg hij.

In de zomer die volgde zou zich een drastische, alomvattende verandering voordoen in Nieuw-Amsterdam en de slaperige nederzettingen aan de oevers van de Noortrivier. Het was een warme stille ochtend aan het eind van augustus toen Klaes Swits, een mosselvisser uit Breukelen, opkeek van zijn hark en vijf Britse oorlogsschepen voor anker zag liggen op het smalste punt van de Engte. In zijn haast om de gouverneur en diens medebestuurders op de hoogte te stellen van deze buitengewone ontdekking, verspeelde hij helaas zijn anker, versplinterde ook nog eens allebei zijn riemen plus zijn hark en zag zich uiteindelijk genoodzaakt om peddelend op z'n Indiaans het hele eind af te leggen van de Zuidbreukelensche Bocht naar de Batterij. De mosselvisser, bleek later, had zich de moeite kunnen besparen – zoals heel Nieuw-Amsterdam drie uur later zou weten stonden de schepen onder bevel van kolonel Richard Nicolls van de koninklijke Britse marine, die de onmiddellijke capitulatie en overgave eiste van heel de provincie aan Karel II, koning van Engeland. Karel maakte aanspraak op heel het kustgebied van Noord-Amerika tussen Cape Fear River in het zuiden en de Fundy Baai in het noorden, op grond van Engelse verkenningen die verder teruggingen dan de verschalking van de Manhatto's door de Hollanders. John Smith was er eerder geweest dan welke Hollandse kaaskop ook, beweerde Karel, en Sebastian Cabot eveneens. En of dat nog niet genoeg was: het eiland van de Manhatto's en de rivier die erlangs stroomde waren ontdekt door een Brit, ook al voer die dan in Nederlandse dienst.

Pieter Stuyvesant was er niet van onder de indruk. Hij was een onbehouwen, ruwe, vechtlustige, onstuimige Fries die een been had verloren in de strijd tegen de Portugezen en voor geen mens opzij ging. Hij tartte Nicolls te zien hoe ver hij kwam: wat er ook gebeurde, hij zou zich doodvechten tegen die Engelanders. Maar de goede *burghers* van Nieuw-Amsterdam, die de West-Indische Compagnie haar monopoliepositie betwistten, het systeem van *taxation without representation* verwensten en de despotische gouverneur haatten als was hij de *duyvel*, onthielden hem helaas elke steun. En zo werd Nieuw-Amsterdam na vijfenvijftig jaar Nederlands bewind op 9 september 1664 New York – naar de broer van Karel, Jacobus, de hertog van York – en werd de grote, groene, vertroebelde, breedgerugde Noortrivier de Hudson, naar de rechtgeaarde Brit die hem had ontdekt.

Ja, het waren ingrijpende veranderingen – plotseling was er nieuw geld in omloop, moest er een nieuwe taal worden geleerd, plotseling zwermden er yankees uit Connecticut als muskieten uit over de vallei – maar geen van deze veranderingen had veel effect op het leven in Van Wartwyck. Oloffe Stephanus gedijde onder Nederlands bestuur, hij gedijde, breidde zijn bezit uit en gedijde nog beter onder de Engelsen. De nieuwe overheid, afkomstig uit een land dat toch al niet bekendstond om zijn voorliefde voor radicale verandering, handhaafde de status quo – dat wil zeggen de landheer boven en de pachter onder. Oloffe's welstand en politieke macht namen toe. Zijn oudste zoon en erfgenaam, Stephanus, die eenentwintig was toen Stuyvesant capituleerde, zou de oorspronkelijke Nederlandse concessie van vierduizend hectare ruim zien verachtvoudigen toen Willem en Mary het Van Wart-goed in de nadagen van de eeuw van een koninklijk charter voorzagen.

Wat Joost betrof, die verrichtte zijn taken precies zoals vroeger, verantwoording verschuldigd aan niemand behalve de oude Van Wart, die over zijn landerijen een feodaal bewind bleef voeren. De schout bewerkte zijn kleine lapje grond aan de rivier de Croton, op roepafstand van het zuiderlandhuis, oogstte ter bestemder tijd, jaagde, viste en ving krabben als de kalender aangaf dat het daar het seizoen voor was, bracht zijn drie dochters ontzag voor de wetten van God en mens bij en stemde zijn werkgever tevreden met de spoed en bekwaamheid waarmee hij geschillen onder de pachters regelde, misdadigers opspoorde en achterstallige pacht inde. Over het algemeen was de periode die volgde op de Engelse overname vrij rustig. Een paar yankees bouwden optrekjes in de buurt van Jan Pieterse's nederzetting, waar ze later de stad Peterskill zouden stichten, en Reinier Outhuyse bedronk zich en stak zijn eigen schuur in brand, maar afgezien daarvan deed zich niets bijzonders voor. Joost, in slaap gesust door de vredigheid van die jaren, was Jeremias al haast vergeten toen hij, in gezelschap van zijn oudste, de kleine Neeltje, hem op een middag tegen het lijf liep bij de Blauwe Rots.

Het was eind mei, de grond was ingezaaid en de ochtenden waren zacht als een kus op de wang. Joost was bij het eerste licht vertrokken uit het zuiderlandhuis met een bundeltje kleren voor de vrouw van de patroon, Gertruyd, die in retraite was in het noorderlandhuis, en met opdracht van de patroon om te bemiddelen bij een geschil tussen de yankee Hackaliah Crane, de nieuwe pachter, en Reinier Outhuyse. Neeltje, die een maand eerder vijftien was geworden, had gesmeekt om mee te mogen, zogenaamd om haar vader gezelschap te houden, maar in feite om bij Pieterse een stuk lint of kandij te kopen van de *stuyvers* die ze had verdiend met het trekken van votiefkaarsen voor vrouw Van Wart.

Het was een onbewolkte, mooie dag, en in de zon waren de moerassen en het broekland opgedroogd die een maand geleden de weg nog vrijwel onbegaanbaar hadden gemaakt. Ze hadden de twaalf kilometer van Croton naar het noorderlandhuis met bekwame spoed afgelegd en hadden al voor het middaguur zowel Crane als Outhuyse gehoord. (Reinier, die zoals gewoonlijk dronken was, beweerde dat de langneuzige yankee hem had uitgescholden voor 'ouwe hond' nadat hij, Reinier, de jongste zoon van de yankee, ene Cadwallader, een draai om zijn oren had gegeven omdat hij, die zoon, een toom broedende hennen van hun nesten had gejaagd. Reinier had op de belediging gereageerd door 'die yankee zijn grote flaporen om te draaien en hem met de vlakke hand een klap op die bezemsteel van een neus van hem te geven', waarop de yankee hem onmiddellijk 'op achterbakse wijze tegen de grond [had] gewerkt en hem een trap [had] gegeven op een gevoelige plek'. Crane, een gestudeerde telg uit het voornamelijk in Connecticut gevestigde geslacht Crane, een familie die was voorbestemd de koloniën te overspoelen met een eindeloze stroom rondtrekkende pedanten, pottenbakkers en leurders met kwakzalversgoed, ontkende alles. De schout, die Reiniers dronkenschap kon bevestigen en zich wellicht enigszins liet intimideren door de eruditie van de yankee, stelde Outhuyse in het ongelijk en legde hem een boete op van vijf gulden, te voldoen in de vorm van verse eieren en af te leveren bij vrouw Van Wart in het noorderlandhuis – rauwe eieren waren namelijk het enige voedsel dat ze tot zich nam als ze het vagevuur der religieuze ontzegging doorstond – in hoeveelheden van vier per dag.) Naderhand gebruikten vader en dochter tussen de dikke muren van de grote, koele keuken in het noorderlandhuis het middageten, bestaande uit paling, elftekuit en baars met kool in het zuur. Toen gingen ze langs bij Jan Pieterse.

De handelsnederzetting omvatte een primitieve veekraal, een provisorisch omheinde kippenren en een lange donkere loods, slechts verlicht door twee smalle raampjes aan voor- en achterkant en het daglicht dat binnenviel door de deur, die openstond van mei tot september. Jan Pieterse, van wie werd gezegd dat hij tot de rijkste mannen in het dal behoorde, sliep op een met maïsvliezen gevulde matras achter in de loods. Zijn voornaamste handel dreef hij aanvankelijk met de Indianen – *wampumpeak*, messen, bijlen en ijzeren ketels in ruil voor pelzen – maar omdat in zowel bever als Indiaan de klad zat en het Boer en yankee voor de wind ging, was hij lappen geïmporteerde stof gaan inkopen, landbouwwerktuigen, vishaken, pijpen wijn en vaatjes gepekelde varkenspoten om in te spelen op de vraag van zijn veranderende clientèle. Maar daarmee was niet alles gezegd over de handelspost – naast de molen die Van Wart had laten bouwen aan de rivier was de handelsnederzetting dé plaats van samenkomst voor de gemeenschap. Je kon er een vijftal onopvallend rondsluipende Kitchawanks of Nochpeems aantreffen (er bestond een streng verbod op de verkoop van rum aan de Indianen, maar die waren juist daar verzot op, en Jan Pieterse voorzag, met een oog zo open voor de commerciële wetten als geloken voor de staatsrechtelijke, in hun behoefte), of dominee Van Schaik bezig met collecteren voor de bouw van een kerk van gele baksteen aan de Verplanckweg. Of anders trof je er een stel boeren in paltrokken van eigen makelij, met punthoeden op het hoofd en klompen aan de voeten, vergezeld van hun vrouw en hun stevig in de arm geklemde huwbare jonge dochters, die de indruk wekten dat de mode van de vorige eeuw dernier cri was, en natuurlijk de grijnzende jonge boerenpummels met vereelte handen en verhitte koppen die elkaar enigszins terzijde in de ribben stonden te porren.

Toen Joost op die bewuste dag zijn dochter van haar rijdier hielp, zag hij alleen Jan Pieterse en Hendrick ter Hark samen een pijp roken op de veranda, terwijl een Indiaanse krijger, een Wappinger, languit in een lapje gifsumak naast het pad lag, ladderzat en met zijn genitaliën open en bloot. De rivier, aan gene zijde van de Indiaan, was zo vlak en stil als platgeslagen tin, en in de verte bestormde de diepblauw beschaduwd oprijzende Donderberg de horizon.

'Vader,' zei Neeltje, nog voor ze op de grond stond, 'mag ik meteen naar binnen?' Sinds ze die ochtend uit Croton vertrokken waren, had ze het over niets anders gehad dan linten, popeline en fluweel. Mariken van Wart had de prachtigste zijden jurken en een rok van blauw satijn, en die was pas dertien, al was ze dan het nichtje van de patroon. En lint van *armosyn* – vader had het moeten zien!

Joost zette haar neer, richtte zich een ogenblik op en nam toen weer zijn gebruikelijke voorovergebukte houding aan. 'Ja,' fluisterde hij, 'ja, natuurlijk, ga maar,' en vervolgens slenterde hij naar de veranda voor een praatje met Jan Pieterse en boer Ter Hark.

Hij hing al zo'n tien minuten tegen een stijl van de veranda, broederlijk meepuffend aan zijn Goudse pijp, zich koesterend in de rijkdom van de middagzon, en hij wilde juist Jan Pieterse vragen een pot bier met hem te drinken, toen hij merkte dat zijn dochter in de winkel met iemand stond te praten. Het viel hem alleen maar op omdat hij ervan uitgegaan was dat er zich niemand in de winkel bevond. Er stonden maar twee paarden – zijn eigen eenogige stuk verdriet en de ranke, lichtbruine merrie die hij zolang uit de Van Wart-stal had gevorderd ten behoeve van zijn dochter – en onder de kastanje stond één kar, die van boer Ter Hark. Dus met wie zou zij kunnen praten? vroeg hij zich af, maar Hendrick ter Hark zat net midden in een verhaal over Wolf Nysen – of hij nu nog leefde of niet, de Zweedse renegaat was de boeman van de omgeving geworden en kreeg overal de schuld van, van de vermissing van een kip tot de spataderen van iemands *huysvrouw* – en Joost stond er verder niet bij stil.

'O, ja, ja,' zei boer Ter Hark, energiek knikkend. 'Hij kwam te voorschijn uit het moeras bij die paddenvijver waar zijn boerderij vroeger stond, zo zwart als de duivel, geen draad aan zijn lijf en van kruin tot zolen bedekt met modder, en hij had een enorme bijl in zijn handen, met een blad waar bloed aan koekte...'

Joost probeerde zich dat monster, die Nysen, voor te stellen, toen hij zijn dochter heel duidelijk hoorde giechelen in het schemerige magazijn. Hij rekte zijn nek uit zover hij kon om door de donkere deuropening te turen, maar hij zag niets, afgezien van de stapel ruige pelzen en de grijs behaarde snuit van Jan Pieterse's retriever, die erbovenop lag te slapen. 'Is er iemand binnen?' vroeg hij, zich omdraaiend naar de handelsman.

'Ze was daar paddestoelen aan het zoeken, mijn Maria, toen hij onverhoeds op haar af kwam stormen, brullend als een dier...'

'Ja, ja, en hij had zeker bokspoten en rook naar zwavel?' zei Jan, en vervolgens, voorovergebogen naar Joost en met gedempte stem: 'Ja – die hinkepoot, weet je wel, die jongen van Van Brunt.'

Alles kwam in een golf weer bij hem boven – die avond bij de Van der Meulens, de uitdrukking van onblusbare haat op het gezicht van de jongen, zijn eigen gevoel van schaamte en opgelatenheid – en zijn eerste reactie was vrees om zijn dochter. En hij had zich zelfs al afgewend van de andere twee en zijn schouders gerecht ter voorbereiding op krachtdadig optreden, toen hij zich inhield. Het was maar een jongen, een wees, een van de misdeelden en vertrapten der aarde – niet een soort wildeman. Hij had zich opgejaagd gevoeld die avond, dat was alles.

'Het is eerlijk waar, God is mijn getuige,' zei boer Ter Hark, en hij sloeg zijn armen over elkaar voor zijn borst.

Op dat moment verscheen Neeltje in de deuropening, naglimlachend als om een binnenpretje, een mooi meisje in een jurk en een strak getailleerde overrok. Achter haar torende een man van zo'n één meter negentig boven haar uit, met schouders die de naden van zijn wollen hemdrok hadden doen knappen. Hij liet haar voorgaan en kwam toen zelf te voorschijn in het zonlicht, en de houten pen bonkte op de planken van de vloer als een vuist op een deur. Joost zag dezelfde onverzettelijke gelaatsuitdrukking, dezelfde arrogantie, die hij had waargenomen bij het kind. Als Jeremias hem herkende, dan liet hij dat niet blijken.

'Zo, jongeman,' zei Jan Pieterse, terwijl hij de pijp uit zijn mond nam, 'heb je een keus kunnen maken?'

Jeremias knikte, en antwoordde dat hij, jawel, meneer, zijn keus had kunnen maken. Hij stak een grote werkhand uit met daarin vijf vishaken en twee glanzende klontjes kandij en betaalde met een muntstuk dat eruitzag of het al vijf keer in de grond was gestopt en weer opgegraven. En vervolgens drukte hij Neeltje zonder acht te slaan op Joost een klontje kandij in haar hand alsof het een juweel uit Afrika was, stak het andere achter zijn wang en sjokte ervandoor, en de houten stut porde ritmisch mee in de aarde met elke afzet van zijn been.

Zwijgend keken ze toe – Joost, Neeltje, boer Ter Hark en Jan Pieterse – hoe hij het erf af zwalkte, houterig en sierlijk tegelijk. Zijn rechterarm zwaaide uit als een tamboer-majoorstok, hij liep met zijn schouders naar achter en de lange donkere lemmeten van zijn haar sneden in de kraag van zijn hemd. Ze keken hoe hij een wegschrompelende stronk omzeilde en tussen twee met korstmos begroeide rotsblokken door liep, keken hoe hij de schaduwen aan de bosrand binnenging en zich omdraaide om te zwaaien.

Joost stond met zijn handen in zijn zakken, boer Ter Hark en Jan Pieterse tilden hun arm halfhartig op, alsof ze bang waren de ban te breken. Neeltje – alleen Neeltje – zwaaide terug.

DE LAATSTE DER KITCHAWANKS

Rombout Van Wart, de verwekker van Depeyster, echtgenoot van Catherine Depeyster en elfde erfgenaam van het Van Wart-goed, sprong na de ineenstorting van de economie in het najaar van 1929 niet van het dak van het beursgebouw en verhing zich evenmin onder de voorname gevelspitsen van het noorderlandhuis. Maar een opdonder kreeg hij wel, letterlijk en figuurlijk. In de figuurlijke zin verspeelde hij een fortuin. De houthandel, een familiebedrijf, ging ten onder; voor de metaalgieterij – die destijds keukengerei produceerde, maar gedurende de oorlog tijdelijk was overgeschakeld op stootbodems voor veldgeschut – braken moeilijke tijden aan; hij verloor een niet na te cijferen som op aandelen die hij op prolongatie gekocht had en vergokte op één grimmige middag in Belmont Park tweeduizend dollar. De andere opdonder, de letterlijke, kreeg hij toegediend van een migrant met een haviksneus en een teint van gebrande omber die zich Jeremy Mohonk noemde en beweerde de laatste der Kitchawanks te zijn, een stam waar geen hond in de Peterskill/Van Wartville-regio ooit van gehoord had. Zich beroepend op voorvaderlijke grondrechten flanste hij van asfaltpapier iets bewoonbaars in elkaar op Nysenswerf, een onverpachte hoek grond van het Van Wart-goed waarop Rombout kort voordien de wilde kalkoen had geherintroduceerd na een aanval van feodale weemoed.

Het was Rombout zelf die zijn ongenode gast ontdekte. Gezeten op Pierre, een vosruin die bijna even hoog in het bloed stond als hijzelf, was de landheer zich aan het vertreden in de verfrissende najaarslucht (daarbij tegelijkertijd trachtend de demon van zijn financiële tegenspoed te verdrijven met behulp van een zilveren flacon gemerkt met het beproefde embleem van de familie Van Wart) toen hij stuitte op het bouwseltje van de indringer. Hij was ontsteld. Onder de eerbiedwaardige witte eik waarin zijn overgrootvader, Oloffe III, zijn initialen had gekerfd, stond nu een soort zigeunergeval, een schilferig, onooglijk, uit elkaar vallend stuk armoedzaaiersonderkomen zoals je het verwacht ergens achter op een varkensfokkerij in Alabama of Mississippi. Toen hij naderbij kwam, viel zijn oog op een voddige gestalte die over een kampvuurtje gebogen zat, en toen hij vervolgens het armetierige, met rotzooi bezaaide erf op galoppeerde, herkende hij het geplukte, onthoofde, aan een spit spetterende kadaver van een kalkoen.

Dit bestond niet. Hij sprong van zijn paard met de rijzweep in zijn vuist geklemd, en de haveloze bedelaar schoot verschrikt overeind. 'Wat moet dat hier godverdegodver?' tierde Rombout, met de zweep voor het gezicht van de booswicht.

De Indiaan – want dat was hij wel degelijk – liep achteruit, beducht voor een plotselinge uithaal.

'Jij... jij bent in overtreding!' riep Rombout. 'Dit is vandalisme. Stroperij. Het is hier eigen terrein!'

De Indiaan liep niet meer achteruit. Hij was gekleed in een goedkoop flanellen hemd, een gescheurde werkbroek en een gedeukte bolhoed die eruitzag of hij hem uit een urinoir had gevist; hij was ondanks de eerste kou van het seizoen blootsvoets. 'M'n rug op, met je eigen terrein,' zei hij; hij legde zijn armen over elkaar en vatte de landheer in een koude, uitdagende, groenogige blik. (Een *Indiaan*? zou Rombout later ongelovig snuiven. Wie heeft er ooit gehoord van een *Indiaan* met groene ogen?)

Rombout was buiten zichzelf van woede. Vermeld moet worden dat hij tamelijk beschonken was, aangezien hij zijn cognac-consumptie had afgestemd op de omvang van de zorgen die zij moest verdringen – en die zorgen, geldelijk van aard, waren monumentaal, massief en ondoordringbaar als marmer. Nog maar twee dagen eerder had hij een medelid van de Yale Club toevertrouwd dat hij financieel gezien zonk als een zeef in een zinkput. Nu brulde hij de Indiaan ineens toe: 'Weet jij wel wie ik ben?' daarbij elke stentoriaanse syllabe accentuerend met een zwieper van de karwats.

In opperste kalmte, alsof hij de grondbezitter was en Rombout de indringer, knikte de Indiaan ernstig met zijn hoofd. 'Een misdadiger,' zei hij.

Rombout was met stomheid geslagen. In geen vijfentwintig jaar had iemand hem recht in zijn gezicht beledigd – niet meer sinds een brutale ouderejaars op de universiteit hem een 'holle bolle bal' had genoemd en bij wijze van prompte vergelding een resonante draai om zijn oren had geïncasseerd. En nu werd hij hier op zijn eigen grond getart door die indringer, die groezelige, haakneuzige, zwervende voddenbaal.

'Een misdadiger en een onteigenaar,' vervolgde de Indiaan. 'Een verarmer van de arbeidende klasse, een pooier van het hoerenkoppel kapitalisme en privilege en een vervuiler van het land waarmee mijn voorouders zevenduizend jaar in harmonie hebben geleefd.' De Indiaan zweeg. 'Wou je nog meer horen? Nou?' Hij stond inmiddels te wijzen met zijn vinger. 'Jij bent de indringer, makker, niet ik. Ik eis alleen mijn geboorterecht op.'

Op dat moment sloeg Rombout hem – één keer maar – een venijnige uithaal met de rijzweep gericht tegen die kille, hatelijke, onlogische groene ogen. Het geluid, als één enkele uitbarsting van hardvochtig applaus, stierf dadelijk weg in de antiseptische lucht, tot er een ogenblik later niets dan de herinnering van over was.

De klap leek de Indiaan haast welkom. Hij gaf nauwelijks een krimp, hoewel Rombout er alles in had gelegd wat hij in zich had. Toegegeven, dat was niet veel, gelet op het feit dat hij halverwege de veertig was en een zittend leven leidde dat slechts af en toe werd onderbroken door een spelletje golf of een kalme galop over het landgoed. De Indiaan daarentegen leek begin twintig; hij was lang en fijnbesneden, gehard door werk en ontbering. Er begonnen dauwdruppeltjes bloed te verschijnen in een kring rond zijn ogen en over de brug van zijn neus, als een blauwdruk voor een bril.

'Schavuit,' vloekte Rombout, trillend van de chemische afscheidingen die zijn woede in zijn bloedbaan had gebracht. Hij kreeg geen kans zich verder uit te spreken, want de Indiaan bukte zich, griste een stuk brandhout van de grond ter grootte van een honkbalknuppel en haalde daarmee uit naar de zijkant van zijn hoofd als de onsterfelijke Bambino wanneer hij een home-run in gedachten had. Later bleek – bij het proces tegen de Indiaan – dat Rombouts belager het niet bij één klap liet, en er ook nog trappen, vuistslagen en knielandingen aan had toegevoegd, maar Rombout registreerde slechts die eerste en het zwarte niets dat er pal op volgde.

Hij was niet dood – nee, hij overleefde het, herstelde en kwam weer op krachten (om vervolgens een jaar of tien later bij Delmonico een fatale rauwe oester naar binnen te laten glijden) – maar hij had het best kunnen zijn. Er zat geen enkele beweging meer in hem. Drie uur lag hij daar, bloedend en stollend, stollend en bloedend. Een paar keer kwam hij korte tijd bij, zag een wereld die tien vaam onder het oceaanoppervlak leek te liggen, proefde zijn eigen bloed en daalde weer af in de halfduistere diepten van het onbewuste. Al die tijd deed de Indiaan niets – hij zette geen nieuwe aanval in, deed geen poging zijn slachtoffer te helpen, hem zijn portefeuille af te nemen of te ontkomen met Pierre, de magnifieke vosruin. Hij bleef gewoon in de deuropening van zijn optrekje zitten, draaide een sigaret en keek overtuigd van zijn gelijk voor zich uit.

Het was Herbert Pompey – chauffeur, stalknecht, tuinman, manusje-van-alles, duvelstoejager, butler en zoon van Ismailia de kinderoppas – die de landheer uiteindelijk te hulp kwam. Toen Rombout na een aantal uren nog niet terug was, ging Herbert zijn moeder om raad vragen. 'Dan zal hij wel dronken wezen,' gaf zij als haar mening.

'Onder zeil gegaan tegen een boom, of misschien is hij gewoon van dat beest gevallen en heeft hij een gat in zijn hoofd.' Vervolgens zei ze hem de ene voet voor de andere te zetten en hem te gaan zoeken.

Pompey probeerde het eerst bij de boerderij. Rombout reed daar wel eens heen om er een kop zwarte koffie en een glaasje grappa te drinken met Enzo Fagnoli, wiens familie al tachtig jaar koeien molk voor de Van Warts. (De familie Fagnoli had de zaak overgenomen van de Vandermuils of Van der Meulens, pachters op het Van Wart-goed sinds het begin van de wereld. Toen hij ervan in kennis werd gesteld dat de wetgevende macht van de staat op het punt stond het patroonsysteem in het Hudson-dal af te schaffen en aan de pachters het eigendomsrecht over te dragen van de grond die ze al generaties lang bewerkten, had Rombouts overgrootvader, Oloffe III, de Hollanders ontruimd ten faveure van de onverschrokken Italianen, die van de boerderij een melkveebedrijf maakten en werkten voor een jaarloon. Het viel Oloffe zwaar eraan te wennen dat hij zijn mensen moest betalen in plaats van andersom, maar de onlesbare horden van de stad New York schreeuwden om zijn melk, boter en kaas, zijn veestapel vermenigvuldigde zich tot de heuvels er zwart van zagen, en mettertijd was hij in staat bij zichzelf toe te geven dat het een verandering ten goede was.) Enzo, met zijn overall en borsalino, begroette Pompey geestdriftig en bood hem een teug appelwijn aan uit een groene kruik, maar moest tot zijn spijt meedelen dat hij Rombout al bijna een week niet gezien had.

Daarna was de Blue Rock Inn aan de beurt, waar de landheer de vermoeienissen van zijn hippische inspanningen placht te onderbreken voor een kopje subversieve bourbon met de eigenaar, Charlie Oothouse, die strikt genomen, in meer symbolische zin, zijn gasten onthaalde op spuitwater en orange pekoe-thee. Pompey keerde op zijn schreden terug, passeerde het landhuis binnen roepafstand – nee, nog steeds geen Rombout – en vervolgde de tocht naar waar de herberg zich verhief, pal aan de oever van Van Wart Creek, op het punt waar die uitmondde in de Hudson. Charlie was ergens achter bezig met het plukken van kippen voor het avondeten. Hij had Rombout ook niet gezien. Pompey liep verder, om Acquasinnick Ridge heen en langs de oever van de stroom, en boog uiteindelijk af naar het noorden en Nysenswerf.

Met benen zwaar van vermoeidheid omhoogstampend tegen de steile helling besteeg hij het stenige pad dat door Blood Creek voerde (zo genoemd omdat Wolf Nysen het water ervan had gekleurd met het bloed van zijn dochters toen hij het van zijn handen probeerde te wassen). Zijn moeder, een roddelzuchtige, bijgelovige vrouw, vergaarbak van plaatselijke folklore en hoedster van de familiegeschiedenis van de Van Warts, had hem verhalen verteld over Wolf Nysen, de krankzinnige, moordzieke Zweed. En over de weerwolf, de *pukwidjinnies* en het weeklagende wijf van de Blue Rock, dat was omgekomen tijdens een sneeuwstorm en wier stem nog altijd kon worden gehoord als het 's nachts hevig sneeuwde. Het bos was hier dicht – er was nooit gekapt – en de schaduwen klonterden dik rond de knoken van gevallen bomen. Het was een ongeluksoord waar ook 's zomers een vreemde stilte hing, en Pompey had het als jongen en als man gemeden. Maar nu kon hij, hoewel hij op het pad tot zijn enkels in de bladeren stond, zien dat hier kort geleden een paard voorbij was gekomen, en hij voelde niets dan opluchting.

Toen hij boven aan de helling het bos achter zich liet, was hij even verbaasd als zijn werkgever was geweest een primitief bouwseltje van ingekeepte jonge boompjes en asfaltpapier aan te treffen onder de grote oude witte eik die daar de wacht hield. Het volgende waar zijn oog op viel was Pierre, die met het zadel nog op zijn rug rustig stond te grazen onder de boom. Toen hij vervolgens naderbij kwam, bemerkte hij in de deuropening van de hut een vreemdeling – een zwerver zo te zien – en achter hem, weggegooid in het stramme hoge gras, iets wat eruitzag als een hoop vodden. Maar waar was Rombout nu?

Zonder een moment te aarzelen, hoewel zijn maag samenkromp van bange voorgevoelens, beende Pompey op de hut en de confrontatie met de vreemdeling af. Met zijn handen in zijn zij bleef hij op anderhalve meter afstand van hem staan. *Wie ben jij in godsnaam?* – de woorden lagen op zijn lippen toen hij neerkeek op de stapel vodden. Rombout zag eruit alsof hij lag te slapen, maar hij had bloed opzij van zijn hoofd. Zijn rijlaarzen – Pompey had ze die ochtend nog gepoetst – blonken in het bleke najaarslicht.

'Wat is hier gebeurd?' eiste Pompey te weten van de Indiaan, die nauwelijks zijn hoofd had opgeheven om hem op de hut te zien toe komen. Een grote onheilszwangere oerangst maakte zich van Pompey meester toen hij neerkeek op de languit in het gras liggende blanke man.

De Indiaan zweeg.

'Jij dit gedaan?' Pompey was bang. Bang en boos. 'Nou?'

De Indiaan bleef zwijgen.

'Wie ben jij eigenlijk? Wat moet je hier?' Pompey's blik gleed rusteloos van de Indiaan naar het paard en van het paard naar die vreselijke, roerloze bundel kleren op de grond.

'Ik?' zei de Indiaan ten slotte, terwijl hij langzaam zijn hoofd hief en die fanate ogen op hem richtte. 'Ik ben de laatste der Kitchawanks.'

De rechtszitting duurde nog geen uur. De Indiaan werd beschuldigd van huisvredebreuk, mishandeling en poging tot doodslag. Zijn raadsman, hem toegevoegd door de rechtbank, had nog op school gezeten met Rombout. Ook de sheriff, de griffier, de officier en diens assistent hadden nog met Rombout op school gezeten. De rechter had nog op school gezeten met Rombouts vader.

'Edelachtbare,' pleitte de advocaat van de Indiaan, 'mijn cliënt is duidelijk niet toerekeningsvatbaar.'

'O?' reageerde de rechter, een grote, norse, reactionaire man, niet bekend om een overmaat van begrip voor landlopers, bedelaars, zigeuners en meer van zulk soort volk. 'Hoezo niet?'

'Hij beweert Indiaan te zijn, edelachtbare.'

'Indiaan?' De rechter fronste zijn wenkbrauwen terwijl iedereen in de rechtszaal tersluiks een blik wierp op de Kitchawank, die kaarsrecht in de beklaagdenbank zat.

De rechter wendde zich nu tot hem. 'Jeremy Mohonk,' begon hij, en keek vervolgens naar de griffier. 'Mohonk? Klopt dat?' De griffier knikte, en de rechter wendde zich weer tot de beklaagde. 'Begrijpt u aard en ernst van de tegen u ingediende aanklacht?'

'Ik verdedigde lijf en goed,' grauwde de Indiaan, terwijl zijn ogen de zaal striemden. Rombout, met zijn hoofd nog in het verband en een opgezette, verkleurde linker gezichtshelft, keek de andere kant op.

'*Uw* goed?' vroeg de rechter.

De advocaat van de Indiaan veerde overeind. 'Edelachtbare,' begon hij, maar de rechter wuifde hem weg.

'Is het u bekend dat het goed dat u het uwe noemt al eigendom was van de familie Van Wart vóór dit land zoals wij het kennen zelfs maar bestond?'

'En daarvoor?' mepte de Indiaan terug. Zijn ogen waren als klauwen die hij in elk gezicht in de rechtszaal zette. 'Daarvoor was het eigendom van míjn familie – tot het ons werd afgetroggeld. Net als trouwens de grond waar dit gerechtsgebouw op staat.'

'Dus u beweert echt Indiaan te zijn?'

'Voor een deel. Mijn bloed is verontreinigd.'

De rechter bleef geruime tijd naar hem zitten kijken, van tijd tot tijd met zijn lippen smakkend en zijn bril tot tweemaal toe schoonvegend aan de mouw van zijn toga. Ten slotte sprak hij. 'Larie. Er zijn Indianen in Montana, Oklahoma, de Black Hills. Hier zijn geen Indianen.' Vervolgens maande hij de advocaat te gaan zitten en vroeg hij de officier of die nog vragen had aan de beklaagde.

De jury, waarvan acht leden nog met Rombout op school gezeten hadden, was binnen vijf minuten terug. Haar uitspraak: schuldig op alle punten van de aanklacht. De rechter veroordeelde Jeremy Mohonk tot twintig jaar Sing Sing, een gevangenis die, ironisch genoeg, is genoemd naar de Sint Sinks, een sinds lang uitgestorven stam die in de verte verwant was aan de Kitchawanks.

Rombout had recht gedaan zien worden, maar dat stuk grond – hem betwist door een gek en eigenlijk toch al nooit ergens goed voor – bleek een te zware last om te dragen. Een halfjaar nadat Jeremy Mohonk was afgevoerd naar de gevangenis en zijn onderkomen met de grond gelijk was gemaakt, zag Rombout zich genoodzaakt het stuk te koop aan te bieden. In de loop van de jaren was, door nieuwe wetgeving, bevolkingsdruk, verdeling onder erfgenamen en andere vormen van afkalving, het oorspronkelijke Van Wart-goed geslonken van vijfendertigduizend hectare tot minder dan tachtig. Nu ging er nog eens twintig van af.

Het waren voor iedereen moeilijke tijden. De grond lag twee jaar te koop zonder dat er één bod op kwam, totdat Rombout ten slotte een advertentie plaatste in de *Peterskill Post Dispatch* (die korte tijd later zou fuseren met de *Herald* en de *Star Reporter*). De dag na het verschijnen van de advertentie kwam er een glimmend, recent vierdeursmodel Packard traag en flatulent het pad naar het landhuis op gereden. Achter het stuur zat Peletiah Crane, hoofd van de plaatselijke school en afstammeling van de legendarische wetgever-pedagoog. Hij ging gekleed in het krijtstreepje van zijn ambt, compleet met vlinderdas, celluloid boord en strohoed, en hij had het soort zwarte koffertje bij zich waarmee doktoren hun ronde doen.

Pompey ging de onderwijsheld voor naar de helder verlichte achterkamer, waar Rombout en zijn dertienjarige zoon Depeyster over een schaakbord gebogen zaten. ‘Peletiah?’ riep Rombout verrast uit, terwijl hij opstond en zijn hand uitstak.

De rector glimlachte – nee, grijnsde – tot hij eruitzag als een walnoot die elk moment kan openspringen. Depeyster trok zijn hoofd in. Hij kende die grijns. Ze was een variant op de grijns waarvan het vogelbekdier, zoals hij werd genoemd, zich bediende alvorens zijn rietje van de wand te nemen en het te laten neerkomen op het achterste van de een of andere booswicht. De grijns van nu, breder, minder terughoudend met tandvlees en gecomprimeerder rond de lippen dan die van het rietje, was gereserveerd voor speciale momenten van triomf, zoals die keer dat Dr. Crane de hele school bijeen had geroepen om bekend te maken dat zijn eigen zoon de opstelwedstrijd ter nagedachtenis aan de stichting van Peterskill had gewonnen of die keer dat hij voor de periode van een maand het aantal gymnastieklessen halveerde omdat Anthony Fagnoli de doucheruimte had ontwijd met een anatomische schets. Depeyster, met zijn dertien jaar en zijn doodsangst voor die glimlach, voelde er veel voor naar de kelder te glippen voor een snufje grond. Maar in plaats daarvan concentreerde hij zich op het schaakbord.

Het hoofd zwengelde zijn vaders hand blijmoedig op en neer en pakte toen een stoel. 'Meneer Van Wart,' zei hij, 'Rombout,' en hij klopte daarbij veelbetekenend en bezitterig op het zwarte koffertje in zijn schoot alsof het de steen der wijzen bevatte, of de kladversie van de toespraak waarin Roosevelt de New Deal zou aankondigen, 'ik kom een bod doen op de grond.'

DE VINGER

Het was februari, guur, koud en grijs. Walter, een jongeman met twee voeten als ieder ander, studeerde nog en probeerde, gezeten aan zijn bureau met een pot tarwekiemen en een pak yoghurt met pruimenmoes, wijs te worden uit Heidegger. In de garage achter het huis waar hij een kamer huurde, at, sliep, scheet en zich bezon op vragen aangaande 's mensen lot in een onverschillig universum, stond zijn motor, eenzaam tussen een kluwen tafels met drie poten, fauteuils ontdaan van hun ingewanden en schemerlampen met niet-bijpassende kapjes. Hij had hem voorlopig niet nodig. Buiten vroor het dertig graden, hij bevond zich op vijfhonderd vijftig kilometer plus een hele wereld afstand van de houten driekamerwoning in de Kitchawank-kolonie en het sissende inferno van de metaaldraaierij-Depeyster en hij had nog drie oneindig lange maanden te gaan voor hij uit de levervlekkerige handen van rector Crumley zijn diploma in ontvangst kon nemen om daarna Heidegger zijn bladzijden uit te trekken met datzelfde trage, boosaardige genoegen waarmee hij als kind vliegen hun vleugeltjes had uitgetrokken.

Jessica studeerde ook nog. In Albany. Ze had Walter al sinds de kerstvakantie niet meer gezien en hem de afgelopen week drie keer geschreven zonder antwoord te krijgen. Ze had ook universiteiten aangeschreven. Scripps, Miami, de universiteit van New York, Mayaguez. Van Walter wilde ze liefde, trouw en een duurzame band; van Scripps, Miami, N.Y.U. en Mayaguez wilde ze een kans om hydrobiologie te gaan studeren. Op het moment zat ze over het typoscript gebogen van haar eindscriptie, die op haar bureau lag naast de zoveelste brief aan Walter. Ze zat met haar benen over elkaar, en aan haar roze geglaceerde tenen bungelde een donzige slipper in de vorm van een konijn maar vervaardigd van katoen. Bij het zien van de titel kwam er een kleine golf van voldoening over haar heen: *Het effect van temperatuurschommelingen tussen de getijlijnen op de vanadiumconcentratie in tunicata*, door Jessica Conklin Wing. Ze wachtte tot de golf gepasseerd was, sloeg de bladzijde om en begon te lezen.

Tom Crane, kleinzoon van Peletiah, vriend en biechtvader van Jessica en Walters gezworen kameraad, studeerde niet. Sinds twee weken niet meer. Nee, hij niet. Mooi niet. Hij was afgehaakt, en hij was er trots op. Cornell was wat hem betrof door en door bourgeois, repressief, reactionair en overdonderend duf. Hij had zijn laatste kikker ontleed, zijn laatste rat gefolterd en hij had voor het laatst geworsteld met twaalf kilo zware naslagwerken afgeladen met illustraties, tekeningen en aanhangsels. Hij had zijn kamer schoongemaakt en de hele handel verkocht – tafel, stoel, schaarlamp, rekenliniaal, studie- en woordenboeken, zijn natuurhistorische veldgids en een twee jaar oude kalender met afbeeldingen van de in het wild voorkomende bloemen van het Noordoosten gefotografeerd tegen de achtergrond van de natte vulvae van naakte Portoricaansen met zwarte tepels – voor zesentwintig dollar, had zijn ondergoed in een rugzak gepropt en was naar huis gelift.

'En wat ga je nu doen?' vroeg zijn grootvader toen hij thuis was.

Hij haalde zijn schouders op, voorovergebogen en vuil, met de twee en een halve meter lange, kanariegele sjaal om zijn nek geslagen als een boa en zijn Duitse vliegeniersjas uit de Eerste Wereldoorlog open tot aan zijn middel. 'Kweenie,' zei hij. 'Ergens een baantje zoeken, of zo.'

Zijn grootvader, in vroeger dagen het lichtend baken van het schoolwezen in Van Wartville en Peterskill, overtuigd van de adel van de arbeid en de juistheid van John Dewey's principes, snoof verachtelijk. Hij was zevenenzeventig, en zijn wenkbrauwen rezen en daalden als grote witte stotende uilen.

'Ik wilde u vragen of ik niet in de hut kon gaan wonen.'

De oude man was een ogenblik sprakeloos. 'De hut van de Indiaan?' zei hij ten slotte, terwijl er dun, beverig, geërgerd ongeloof meetrilde in zijn stem. 'Daar helemaal in het niks? Goeie God, je zou doodvriezen.'

O nee, doodvriezen zou hij niet. Zomer vorig jaar had hij er een nieuwe houtkachel in gezet, de ramen vervangen en de kieren gedicht met afvalhout en stopverf. En de zomer daarvoor had hij er een veranda aan gebouwd, een chemisch toilet in geplaatst en genoeg afgedankt grof vuil aangesleept om er iets bewoonbaars van te maken. Bovendien had hij een prima donzen slaapzak en twintig bunder brandhout.

Zijn grootvader, Hij-met-de-scherpe-Crane-snavel-en-verzengende-Crane-ogen, was verknocht aan hem geweest sinds hij lag te trappelen in de wieg, en nu zijn eigen zoon er niet meer was, klampte de oude man zich aan hem vast met een bezetenheid waarin alle wanhopige liefde van stervend bloed school. Kortom, hij was met een natte vinger te lijmen. 'Als je dat per se wilt,' zei hij ten slotte, en hij slaakte een zucht die gordijnen had kunnen openen.

Dus nu leefde hij als kluizenaar, een man van het gebergte, een woudheilige en volksheld, bevrijd van de kleinzielige geldzorgen die middenstander en werkman kwellen. Oké, het was frisjes, en jawel, hij was genoodzaakt naar Van Wart Road te sjouwen en te voet de drie kilometer af te leggen naar het huis van zijn grootvader voor een warme maaltijd en, op z'n tijd, het rituele afstropen van de lange onderbroek en de onderdompeling in een heet bad, maar hij deed het toch maar. Hij had zich onafhankelijkheid verworven! Zelfbestemming! De vreugde der lediggang! Hij lag de hele ochtend in bed, slaapzak dicht om zich heen, armen tegen zich aangedrukt onder het gewicht van een onbecijferbare hoeveelheid Indiaanse dekens en een oude, kwalijk ruikende wasberebontjas die hij had gevonden in de klerenkast van zijn grootmoeder, en keek hoe zijn adem bleef hangen in de lucht. Soms stond hij op om een blik ingelegde maïs open te maken en op het petroleumstel te verwarmen of misschien een kop warme chocolademelk of kruidenthee te zetten, maar meestal lag hij daar gewoon, luisterend naar het groeien van zijn baard en genietend van zijn vrijheid. Om een uur of tien of elf – weten deed hij het niet, hij had klok noch horloge – ging hij lezen. Hij begon doorgaans met iets lichts, een sprookje of SF, met Tolkien of Vonnegut of Salmón. Na het middageten – een puree van kikkererwten met bruine rijst en linzensaus, uit de twintig-literpan – boog hij zich over de zwaardere kost. Lenin, Trotski, Bakoenin, goedkope uitgaven met een grijs of groen omslag, gedrukt op krantenpapier. Wat moest hij met een leren band en een lorrige inhoud? – hij studeerde voor de revolutie.

Maar nu, op deze barre winteravond, terwijl Walter een nacht doorwerken voor de boeg had en Jessica met haar gedachten bij de holothuriën was, trok Tom Crane zijn lage, roze suède veterlaarzen aan (met de deerlijke vegen motorolie die hij had proberen te verwijderen met een oplossing van tetrachloorkoolstof en wasbenzine) en de pied de poule-broek met de olifantspijpen die strak om zijn knokige knieën sloot en racewagenblokken maakte van zijn voeten. Hij greep de vliegeniersjas, mummificeerde zijn nek met de sjaal en liep de deur uit, vervuld van een opwinding die zijn lange, knokige voeten over de veranda deed klakken of ze losgeschoten waren: hij ging naar een concert. Een rock-concert. Een wild, vreugdevol, van oerwoudgebonk aaneenhangend huldebetoon aan de geneugten der huwbaarheid, opstandigheid, geestverruiming, dienstweigering, seksuele bevrijding en libidineuze ontremming. Hij had er drie hele dagen naar uitgekeken.

Aan de hemel hing een laag, zwart, kabbelend wolkendek, en door het warmere weer van de afgelopen dagen was het kwik gestegen tot toch gauw min tien. Op de tast zocht hij het pad naar de weg, want de dunne, springerige lichtbundel uit de zaklantaren was zo zwak dat die niet veel meer deed dan zijn nieuwsgierigheid bevredigen naar welke natrillende laaghangende tak het was die hem in zijn oog had gepriemd of het rafelige eind van zijn sjaal niet wilde loslaten. Eerst een kleine kilometer over het stenige, holle pad naar Van Wart Creek en het houten voetbruggetje dat een of andere mensenvriend er in vroeger dagen overheen had geslagen, en dan nog een halve kilometer door een drassig weiland, habitat van grazende koeien en als een mijnenveld bespikkeld met hun koekepanvormige uitwerpselen. Het pad kronkelde dan door een bosje naakte beuken en dicht opeenstaande sparren, liep tegen een korte helling op en kwam uiteindelijk uit bij de roerloze zwarte macadamrivier die Van Wart Road heette.

(Wat zou het, dat de tocht van en naar de weg saai en lastig was, des te lastiger als hij moest worden afgelegd met een vracht scheurende zakken met linzevlokken, pinto-bonen of zemelkorrels? Het afgelegene van de hut had ook zijn voordelen. Zo hoefde de volksheld en woudheilige niet bang te zijn voor veel aanloop of representanten van het wettelijk over district en gemeente aangesteld gezag, zoals de taxateur van de belasting, inspecteurs van de afdeling bouw- en woningtoezicht of de sheriff en zijn trawanten. Evenmin had hij veel last van vertegenwoordigers, collectanten, Avon-dames en Jehova-getuigen, aangezien die, als ze voorbijkwamen over de weg, alleen maar een ononderbroken muur van elkaar beschaduwende bomen zagen. Voor intimi evenwel, voor zijn geprivilegieerde gasten, had Tom Crane de wieldop van de Packard bedacht. Wie vaart minderde in de buurt van een bepaalde, ziekelijk uitziende iep die honderd vijftig meter voorbij een bepaalde bres in de vangrail stond en de wieldop zag hangen aan een spijker in die bepaalde iep, parkeerde en liep het bos in: Tom was thuis. Lag de wieldop op de grond, dan kon je je de moeite besparen.)

Aangekomen op de weg trok Tom zijn hertsleren handschoenen uit – een van de zestien paren die zijn vader hem zonder wilsinspanning had nagelaten. Hij had ze gevonden, sommige nog verpakt in cadeaupapier met sneeuwpoppen en zuurstokken erop, toen hij in zijn vaders bureau snuffelde een week nadat de eerste vakantie van zijn ouders in twintig jaar tijd ergens boven San Juan tot een voortijdig einde was gekomen als gevolg van een fout van de gezagvoerder. Hij stak de handschoenen in de riemlussen van zijn vliegeniersjas, liet de nagenoeg nutteloze zaklamp in de achterzak van zijn broek glijden en haalde de wieldop van zijn spijker in de boom. Vervolgens blies hij zich in de handen en draaide zich om teneinde zijn aandacht te wijden aan de lange zwarte schaduw die zich in de berm uitstrekte als de toegang tot een peilloos diepe grot.

Dat was de Packard zelf, een overblijfsel uit een ver verleden, geschilderd in de kleur van slaap en vergetelheid en pokdalig van de roest. De raampjes stonden muurvast open, van de remmen restte nog slechts de herinnering, en waar vroeger de vloer zat bevond zich nu enig delicaat traceerwerk, zodat de pedalen in een niets hingen waar de weg onderdoor gleed als een lopende band. Het oude gevaarte, een waarachtig artefact, op zijn manier even illustratief voor een vroegere beschaving als de speerpunt of potscherf, was een jaar eerder opgedolven in de schuur achter het huis van zijn grootvader. De oudste Crane had een opeenvolgende reeks Packards bezeten en deze, uit het eind van de jaren veertig, had de rij afgesloten. ('Na de oorlog zijn ze hard achteruitgegaan,' beweerde de oude baas, terwijl authentieke woede de vleugels vulde van zijn imposante neus. 'Schroot. Schroot op wielen, meer niet.') Nu was hij van Tom.

Mechanisch werkte hij de startprocedure af: motorklep openwrikken, vastzetten en luchtfilter verwijderen. Hij was juist bezig ether te verstuiven in wat hem, in het duister, de carburateur leek, toen hij de vliegende schotel bemerkte. Het trillende en lichtgevende ding kwam hevig schokkend aangedreven door de lucht, hield pal boven hem abrupt halt en bleef zoekend hangen, alsof het uitkeek naar een landingsplaats. Tom bleef stokstijf staan. Hij bekeek het ding zonder vrees en met een scherp, klinisch oog (het was, jawel, schotelvormig, en het gaf een bleek, uitgewassen licht af), verbaasd, maar niet al te zeer. Hij geloofde in helderziendheid, reïncarnatie, astrologie en de economische theorieën van Karl Marx, en terwijl hij daar stond, voelde hij zijn stelsel van geloofsovertuigingen zich verwijden en verrijkt worden met een onwankelbaar vertrouwen in het bestaan van buitenaards leven. Wat niet wegnam dat hij na een minuut of tien pijn in zijn nek kreeg en wou dat die wonderbaarlijke verschijning eens wat deed – vuur spuwde, zich opende als een oog, overging in modder of gelei – in plaats van daar maar een beetje dom boven zijn hoofd te blijven hangen. Op dat moment voelde hij steels met zijn hand naar de lamp die hij in zijn achterzak gestopt had, met het vage voornemen de buitenaardse wezens iets te beduiden in morse of iets dergelijks.

Hij had de zaklamp evenwel nog maar nauwelijks aangeraakt of het buitenaardse ruimtevaartuig verdween in de schaduw van een grote hand; toen hij het ding losliet verschenen de gewiekste indringers weer, hangend op dezelfde plek. Hij begon zich een beetje dwaas te voelen. Hij bleef het spelletje met de zaklamp nog een tijdje spelen en gaf de schotel toen prijs aan de ondergang in de inktzwarte uitgestrektheid van het heelal en draaide zich weer om naar de auto. Het oude gevaarte startte met een vulkanisch gebulder en een felblauwe steekvlam uit de carburateur; de woudheilige worstelde zich naar buiten om het luchtfilter weer op zijn plaats te doen en de klep dicht te knallen. En vervolgens was hij, met knarsend stuur en kermende banden, vertrokken, op weg om zijn ziel in de Dionysische vervoering van het concert te storten.

Het concert, met als hoofdattractie een bekende undergroundband waarvan de leden elke cent recette die ze verdienden belegden in preferente aandelen, werd gehouden in Poughkeepsie, in de sporthal van Vassar College. Tom liet zijn kaartje zien en schuifelde met de rest van het amandelogige, langharige, met kralen rammelende publiek naar binnen, blij dat hij de kou achter zich kon laten. Het was hem niet bekend dat Poughkeepsie een woord uit het Algonkian was en 'veilige haven' betekende, maar hierin verschilde hij niet van de rest van de toeschouwers. Er waren er maar weinig voor wie de notie dat er een historie aan hen voorafgegaan was enig werkelijkheidsgehalte had. Ze wisten, in abstracto, iets van de pelgrims en de dankdag voor de oogst, van Washington, Lincoln, Hitler en John F. Kennedy, van de crisisjaren – waar hun ouders namelijk niet over uitgezeurd raakten – en ze herinnerden zich vaag de bouw van het plaatselijke winkelcentrum in een ver verwijderd, formatief tijdperk van hun leven. Maar dat waren triviale, op zichzelf staande dingen, het soort kennis dat handig was als je in de zesde klas keuzetests moest invullen, of als je bij een tv-quiz ook eens een vraag goed wilde beantwoorden. Reëel en van belang was alleen het heden. En het heden werd beheerst door hen en hen alleen – zij hadden het bestaan van seks, haar, marihuana en de elektrische gitaar ontdekt, en de beschaving vond in hen haar begin- en eindpunt.

Hoe dat ook zij, de woudheilige betrad de zaal die avond als een zeilbootje dat een ruwe zee heeft doorstaan. De koude wind in zijn rug woei de sjaal omhoog tot rond zijn oren als een loevend zeil, en een rilling over zijn hele lichaam deed hem sidderen tot de dolboorden. Hij stampte en rolde en slingerde en zijn ellebogen staken uit als trillende laadbomen toen hij centimeter voor centimeter vorderde, ingesloten door schouders en hoofden, door zware overjassen, legerjekken en vesten met rafelranden. De geur van koude lucht hing aan opgezette kragen, steeg op van sjaals, dreef mee in de vegetatieve haarexplosie, maar hij loste snel op en werd geabsorbeerd door de warmte van de menigte. Het volgende ogenblik stond hij binnen; het publiek verspreidde zich, uit de grote elektrische blazers kwamen tropische windvlagen, aan het plafond hingen zachte lampen en het geroezemoes rimpelde om hem heen als golfjes die kabbelen rond een pier.

En meteen voelde hij het in zich opwellen, een gevoel van verrukking, van liefde zo zuiver als sneeuw op de Himalaja, van broederschap en vreugdevolle saamhorigheid, te vergelijken met wat Gandhi moet hebben gevoeld te midden van de ongewassen horden van Delhi of Lahore. Hij was te lang kluizenaar geweest (bijna twee weken inmiddels), hij had te lang geen contact gehad met de energie van het volk en het élan vital van het tijdperk. Bovendien was hij sinds september, toen hij Amy Clutterbucks hand mocht vasthouden in een donkere bioscoop in Ithaca, niet meer binnen een straal van vijftig centimeter van een meisje geweest. En nu zag hij ze waar hij keek.

Here a blonde, there a blonde, everywhere a blonde, blonde, klakte hij bij zichzelf terwijl hij zich een weg baande naar de zittribune en de rijen besteeg met grote, stampende, houterige passen. God, dit was geweldig! De geuren alleen al! Parfum, wierook, hasj, tabak, Sen-Sen! Hij was haast duizelig van opwinding toen hij een plek ergens midden op de tribune tot de zijne maakte, zich neerwierp op de koude harde plank en per ongeluk met zijn knieën de rug van het meisje voor hem aanstootte. Maar het was niet zo maar een kwestie van aanstoten – het leek wel of er een strakke veer in die lange stelten van hem zat, of de scherpe, tot het minimum gereduceerde botten van zijn knieschijven messen waren – nee, het was een gemene, vlammende uitval naar de nieren van het slachtoffer, dat geschrokken overeind schoot en zich naar hem omdraaide als een harpij.

Hij zag een klein wit gezichtje, verzwolgen door haar, ogen als viooltjes onder glas, een kloof vol woede tussen twee volmaakte, ongeëpileerde wenkbrauwen. 'Wat zullen we godverdomme nou krijgen?' spoog ze hem toe, en de kracht van de gutturaal snerpte door tot in de wortels van zijn baardharen.

'Ik – ik – ik,' begon hij, alsof hij moest niezen. Maar toen herwon hij zich, om zich vervolgens te verliezen in een verontschuldiging zo diepgemeend, zo oprecht, ootmoedig en alomvattend dat zelfs Ho Tsjiminh zich er waarschijnlijk door zou hebben laten vermurwen. Tot besluit bood hij haar een plaatje kauwgum aan. Dat ze aannam.

'Ja, ja, lange benen,' zei ze, en ze ontblootte haar tanden in een volle kleine glimlach.

Hij knikte; de scherpe Crane-snavel pikte naar de lucht en de rattestaart in zijn haar sloeg tegen zijn kraag. Kwam hij uit de buurt? wilde ze weten. Nee, hij kwam uit Peterskill, was net van Cornell gegaan – het was daar een doodgeslagen grafzooi, wist ze wat hij bedoelde? – en hij had nu zijn eigen stek, in het bos, heel relaxed.

'Peterskill?' kirde ze. 'Serieus?' Zij kwam zelf uit Van Wartville. Jawel, geboren en getogen. Had er op een particuliere school gezeten. Zat nu op Bard. Had hij een auto?

Had hij.

Ze dacht erover dit weekend naar huis te gaan, de lessen van maandag te laten lopen en te kijken of haar vader haar niet terug wilde rijden. Was dat wat hem betrof oké – een lift?

Hij knikte tot zijn nek er pijn van deed, grijnsde zo energiek dat alle gevoel uit zijn mondhoeken verdween. Ja, tuurlijk, hem best, geen probleem. 'Tom Crane,' zei hij, en hij stak zijn hand uit.

Zij pakte die, en haar hand was zo koud als een van de talloze, dom uit hun ogen starende baarzen die hij had opengesneden in het biolab. 'Mardi,' zei ze.

Hij wilde iets nietszeggends te berde brengen, gewoon om het gesprek gaande te houden, iets als 'Ik ben een weegschaal,' maar juist op dat moment werd het licht gedimd en de band aangekondigd. Het was ook het moment waarop de avond een eigenaardige wending nam. Want in plaats van de bandleden, met hun woeste haar en hun hooghartige grijns, verscheen er plotseling een andere figuur bij de microfoon – een decaan of zo, met een pak en een stropdas – die met half overslaande stem meedeelde dat er een ongeval had plaatsgevonden en het publiek om medewerking verzocht. Mensen begonnen om zich heen te kijken. Er klonk geroezemoes. Het scheen dat iemand die geen kaartje had kunnen krijgen geprobeerd had binnen te komen via een van de grote lange ramen die over de gehele lengte van de muren liepen, ruim zes meter boven de grond. De indringer was naar binnen geklommen, had een tijdje aan het kozijn gehangen en had zich toen in het publiek laten vallen. Aldus althans de decaan.

Het geroezemoes werd luider. Vroeg hij – een vertegenwoordiger van het imperialistische grootkapitaal – hun, het publiek, het volk, een hunner uit te leveren? Te verklikken, te verlinken, te verraden? Tom was als door de bliksem getroffen. Met stijgende verontwaardiging bezag hij de kruin van Mardi's hoofd, de scheiding in haar haar, de glooiing van haar schouders. Maar nee. Zo zat het helemaal niet. De indringer had zich verwond. Zijn ring was blijven haken achter een grendel van het raam toen hij zich op de grond liet vallen: de ring was, mét de vinger waar hij omheen gezeten had, van zijn hand gescheurd. Of het publiek even de tijd wilde nemen om die vinger te zoeken, zodat die niet verloren ging.

Het geroezemoes zwol aan tot geschreeuw. Iedereen was inmiddels gaan staan, en er was in de zaal een groot geluid van geschuifel en gesteun, als van een omvangrijke kudde die zich in beweging zet; er stond paniek op de gezichten geschreven. Ergens in hun midden, in een schoot of handtas of vermalen onder iemands hak, bevond zich een bloedende vinger, nog levend vlees: je zou er, op handen en voeten, van gaan bassen als een hond. Tom voelde zich ziek, alle vreugde en verrukking was uit hem weggelopen als lucht uit een ballon. Er was alom geweeklaag en tandengeknars. 'Er is geen reden tot paniek!' stond de decaan door de microfoon te roepen, maar kennelijk hoorde niemand hem.

Mardi was bij alle commotie stokstijf blijven staan, één tree lager dan de woudheilige, en ging met haar ogen over de menigte. Nu draaide ze zich naar hem om, haar haren uitwaaierend met een reflexmatige ruk van haar nek, en daar was hij: de vinger. Hij viel als een bleke rups uit het verstrikte web van haar haar en viel op de zitplaats naast haar. 'Daar!' riep Tom, wijzend vol afschuw en fascinatie. 'Daar ligt hij!' Ze keek omlaag. En omhoog naar hem. Haar gelaatsuitdrukking – geen ontzetting, walging of schrik, ze gilde niet, ze stond niet op haar tenen te dansen – was onvergelijkbaar met enige andere die Tom ooit had gezien. Of nee: het was de uitdrukking van een wild dier. Zij was een kat, en dit stukje vlees was iets wat ze uit een nest had weten te trekken, of uit een gat in een boom. Langzaam begon er een glimlachje om haar lippen te krullen, tot ze, midden tussen alle opwinding, de kreten en het ongemakkelijke, bij vlagen opstijgende gelach waarvan de zaal weergalmde als een verblijf der verdoemden, naar hem stond te stralen. 'Het concert kan zo niet beginnen,' riep de decaan, maar Mardi sloeg geen acht op hem. Nog steeds stralend, met haar ogen gericht op Tom, bukte ze zich heel lichtjes vanuit haar heupen en schoot de vinger weg in de donkere spelonken onder de tribune.

VADERLIJK ERFGOED

Het was of Walter wakker was geworden uit een lange slaap, alsof die dikke twintig jaar waaruit zijn verleden bestond de waanvoorstelling was en dit – de dromen en visioenen, de geschiedenis en haar hardnekkigheid – de realiteit. Hij had nergens meer zekerheid. Heel het empirisch fundament van de wereld – de wet van Boyle, de newtoniaanse fysica, de leerstellingen der evolutie en erfelijkheid, de tv, de zwaartekracht, het maatschappelijk verdrag, *merde* – was plotseling verdacht geworden. Zijn grootmoeder had al die tijd gelijk gehad. Zijn grootmoeder – de vissersvrouw, met haar tot om haar enkels afgezakte kousen en haar vaag besnorde bovenlip die meerees en -daalde met een eindeloze stroom bezweringen – had een scherpere kijk gehad op de wereld dan filosofen en presidenten, farmaceuten en reclamemakers. Zij had door de sluier van Maya heen gekeken en de wereld gezien zoals zij was: een behekst oord waar je nergens vreemd van op moest kijken en niets was zoals het leek, een oord waar de schaduwen giftanden hadden en het verderf zich uitzaaide in het bloed. Walter had het gevoel of hij elk moment kon wegzweven in het heelal, kon exploderen als een aardappel die te lang in de oven gelegen heeft, haar zou kunnen zien groeien aan de binnenkant van zijn handen of zou kunnen veranderen in druivengelei. Waarom niet? Als er verschijningen waren, schaduwen op duistere buitenwegen, stemmen die spraken in de ontwortelde nacht, waarom dan ook geen aardmannetjes en gnomen, geen God, geen droes, UFO's en *pukwidjinnies*?

Hij verliet het ziekenhuis op een stralend zonnige ochtend in augustus, en het eerste wat hij deed – voor hij een glas bier nam of een monsterburger met augurk, piccalilly, mayonaise, mosterd en driesterren chilisaus, voor hij Jessica de trap op werkte naar zijn kamer boven de keuken om af te maken wat hij was begonnen op het harde vlakke ziekenhuisbed in paviljoen-oost – was dit: hij ging terug om de tekst te lezen op het bord langs de kant van de weg, zoals de blootsvoets verschenen schim van zijn vader hem had aangeraden. Jessica reed. Ze droeg een hemdjurkje van flinterdunne lingeriestof, ze had sandalen aan, sieraden om, make-up op, ze had zich geparfumeerd. Door het raampje zag Walter de bomen voorbijflitsen, de ene na de andere, in een eindeloze, aaneengesloten rij, een groen zo fel dat hij zijn hand voor zijn ogen moest houden; Jessica neuriede mee met de radio. Zij was spraakzaam, luchthartig, vrolijk en spontaan; hij was stil en teruggetrokken. Zij ratelde door over de voorbereidingen op het huwelijk, maakte grapjes, prutste aan het vergulde folie om de hals van de fles Moët et Chandon die ze tussen haar dijen geklemd hield en praatte hem bij over hun kennissen – Hector, Tom Crane, Susie Cats – alsof hij een jaar weg geweest was. Hij had niet veel op te merken.

Het bord – de gedenkplaat dus – had nauwelijks te lijden gehad onder het geweld dat Walter erop had uitgeoefend. Waar de voetsteun de staander had geraakt zat een groef, en het hele ding was een paar graden naar achter gekanteld, zodat het opschrift zich het makkelijkst liet lezen vanaf de onderste takken van de esdoorn aan de overkant van de straat, maar per saldo was Walter er veel slechter afgekomen dan het instrument van zijn mutilatie. Dat zag hij al meteen toen ze de auto in de berm zetten. Toen hij naar buiten kroop uit Jessica's Volkswagen als een krab die zijn schaal afwerpt, zocht hij steun bij zijn krukken – steeds als hij zijn volle gewicht op de nog gevoelige stomp van zijn rechterbeen zette, voelde die aan of hij in brand stond – en hobbelde naar het bord om de tekst te ontcijferen die voor hem zo gewichtig en geheimnisvol was geworden als de tafelen van de Sinaï geweest moeten zijn voor de stammen Israëls. Hij had Jessica of Lola of Tom Crane kunnen vragen eens te gaan kijken in de tijd dat hij hulpeloos in bed lag, gekweld door het beeld van zijn vader en de wrede vermenging van waan en werkelijkheid, maar hij deed het liever op deze manier. Hij was tenslotte niet tegen een boom, brievenbus, brandkraan of lantarenpaal aan gevlogen, maar tegen een bord – symbool, teken en duider – jawel, een bord, tot dusver door hem zo volledig genegeerd dat hij niet beter wist of er stonden hiërogliefen op. Maar er was hier een boodschap. Hij haakte naar opheldering.

Het was warm. Nazomer. De voorbijschietende auto's zogen een vacuüm achter zich aan. Op de weg lag geen bloed, geen olievlek – er was alleen dat bord, met zijn groef. Hij las:

> Op deze plek heeft Cadwallader Crane, aanvoerder van een groep gewapende opstandelingen op het Van Wart-goed, zich in 1693 overgegeven aan de autoriteiten. Met zijn mede-komplotteur Jeremy Mohonk is hij in 1694 opgehangen op Gallows Hill in Van Wartville.

Hij las, maar van opheldering was geen sprake. Hij stond daar als een man van steen en liet de tekst woord voor woord op zich inwerken. Nadat er vervolgens een moment was verstreken waarin hij zijn dromen, zijn vader en het historisch genootschap van de staat vervloekte, draaide hij zich om op zijn krukken en hompelde terug naar de auto.

Thuis – de wereld was onder zijn voeten overgegaan in een andere versnelling, had een kentering ondergaan zo onmiskenbaar en onherroepelijk alsof ze was getroffen door een komeet of bezocht door een delegatie driekoppige Alfa-Centauriërs, en desondanks was hier alles onveranderd, tot en met de getemperde, als een benedictie over het Turkse tapijt vallende stroken zonlicht en de beide lampekappen met de tint en textuur van oud perkament – stond Walter onbeholpen midden in de overvolle woonkamer en gaf zich over aan Lola's pezige omhelzing. Aan de gelambrizeerde muren hingen nog altijd de vage bruinige foto's van Lola's ouders in hun Moldavische overjassen, galoches en bontmutsen; de zwart-witfoto's van Walter in zijn eerste honkbalpakje; het overbelichte kiekje van Lola en Walters moeder als middelbare-schoolmeisjes, gearmd en met lange haren; en het opgeblazen staatsieportret van Lenin dat de ereplaats innam boven de schoorsteenmantel. De rietplant in de hoek was nog steeds dood, en op de bodem van het lege aquarium koekte nog steeds een kartelige laag versteend slib. Weggedoken tussen de verschoten ruggen en half vergane stofomslagen van boeken die zo lang Walter zich kon herinneren niet van hun plaats geweest waren stonden in de boekenkast de keramische tijgers en olifanten, de ivoren paarden, torens en pionnen waarmee hij had gespeeld als kind, alles precies zoals hij het had achtergelaten op die verre morgen van de aardappelpannekoeken. Hij was op de kop af twee weken weg geweest. Alles was eender, en alles was anders. 'Zo,' zei Lola. 'Zo. Daar ben je weer.'

Jessica stond naast hem te friemelen aan haar handtasje. Haar gezicht vertoonde een ongemakkelijke glimlach. Ook Lola glimlachte, maar haar lach was mat en weemoedig. Walter bleek zijns ondanks naar haar terug te lachen. Zijn glimlach was evenwel weinig geruststellend. Hij was te zeer ontregeld, te zeer overdonderd door de schim van het vertrouwde, die steeds als hij omlaagkeek naar zijn rechtervoet begon te gillen als iets wat wordt gewurgd in de bosjes, om te lachen als een spontane, liefhebbende zoon. Nee, zijn glimlach was meer het ontbloten van tanden.

Wilde hij iets eten? vroeg Lola. Een bordje borsjt misschien? Met een plak roggebrood? Thee? Koekjes? Wilde hij gaan zitten? Was het te warm? Moest ze de ventilator aanzetten? Wat zou Hesh opgetogen zijn als hij thuiskwam van zijn werk!

Walter wilde geen borsjt. En roggebrood, thee of koekjes evenmin. Het was niet te warm. De ventilator hoefde van hem niet aan. Hij verheugde zich erop Hesh weer te zien. Maar voorlopig – hier wierp hij een veelbetekenende blik op Jessica – wilde hij alleen maar naar boven en naar bed. Om te rusten, wel te verstaan. Nee, hij nam geen glas champagne, hij wilde geen bier, geen monsterburger en geen daad van liefde en bekrachtiging met zijn aanstaande. Hij zou de trap op lopen naar zijn jongenskamer als een uit de strijd teruggekeerde soldaat, als een martelaar, liet er de rolgordijnen zakken en ging languit op het bed liggen kijken hoe de schaduwen zich verlengden tot de avond viel.

De volgende ochtend werd hij wakker met de lucht van aardappelpannekoeken in zijn neus, een lucht die hem wekte als een klap in zijn gezicht. Overvallen door angst en weerzin ging hij rechtop zitten in bed. De hele cyclus begon opnieuw. Zijn moeders bedroefde ogen hadden zich al losgemaakt uit het duister in de hoek achter het bureau. Nog even en zijn grootmoeder zou meekijken over zijn schouder; nog even en zijn vader maakte zich weer vrolijk over hem of bracht hem nog eens zo'n cryptische boodschap. Het was onduldbaar. Moest hij nog meer ponden vlees opofferen? Nog meer ledematen? Hij prutste aan de riemen van de prothese, sjorde zich in zijn kleren, greep de krukken en wierp zich de trap af alsof er jacht op hem gemaakt werd.

Het was zeven uur. Uit de keuken klonken de zachte mompelstemmen van Hesh en Lola, met op de achtergrond de huiselijke geluidjes die hij had gemist in het ziekenhuis: water dat door leidingen vloeide, het brommen van de vaatwasser en de koelkast. Buiten viel het zonlicht schuin door de iepen en esdorens en stroomde uit over het gazon en de tuin. Walter ging een ogenblik voor het raam staan om zijn zelfbeheersing te herwinnen. Hij zag maïs. Tomaten. Pompoenen en komkommers. Hesh had ze in de grond gezet. In mei. Voor Walter bij Depeyster was gaan werken, voor hij de Norton had opgeknapt en een schim ontwaarde in de geur van een pannekoek. En daar stonden ze dan, geworteld in de grond.

In de keuken zette hij zijn krukken tegen de muur en ging tegenover Hesh aan tafel zitten. Lola stond aan het gasstel pannekoeken te keren. 'Je lievelingskostje, Walter,' zei ze.

De lucht was ondraaglijk. Dodelijk. Hij had nog liever de walm van brandend plastic opgesnoven, van zenuwgas, bloed en vuilnis en stront. Naast zijn bord stond een glas melk. Hij nam een slok. De melk was warm. 'Ik heb geen honger,' zei hij.

'Geen honger?' zei Hesh hem na. Hij zat over zijn muffin gebogen als een arend die zijn prooi uit het zicht houdt. Zijn onderarmen bolden op tegen de tafelrand. 'Kom op, jò, zet het van je af. Je bent je voet kwijt. Oké. Het leven gaat door.'

Walter zette het glas melk neer. 'Echt niet, Lola,' zei hij, terwijl hij zijn nek verdraaide om over zijn schouder te kijken, 'niet nu. Ik krijg geen hap door mijn keel.' Vervolgens wendde hij zich weer naar Hesh, die boter van zijn vingertoppen likte en zat te kauwen met een ritmische cadans van zijn grote, gladgeschoren kaken, en zei: 'Daar gaat het niet om. Echt niet. Het gaat erom' – hij wist niet hoe hij het hem zeggen moest – 'dat ik de laatste tijd heb nagedacht over mijn vader.'

Hesh was gestopt met kauwen. 'Je vader?' herhaalde hij, alsof hij hem niet goed verstaan had. Hij pakte het botermesje en legde het weer neer. 'Je weet hoe ik over je vader denk.'

Dat wist Walter. Maar de oorsprong van wat er was misgegaan met hem bevond zich hier – in de rellen, op de spookschepen, in het cryptogram op de gedenkplaat en de last der erfelijkheid. 'Ja, weet ik. Maar er zijn dingen veranderd, en ik heb er recht op te weten wat voor verschrikkelijks hij jou en Lola en mijn moeder dan wel heeft aangedaan, en ik heb er recht op te weten waar hij nu is. Ik heb er recht op hem er zelf naar te vragen.'

De ogen van Hesh waren veranderd. Ze stonden open en waren strak gericht op die van Walter, maar hij had ze net zo goed stijf dicht kunnen hebben. Hij had het kauwen hervat, maar langzamer, en zo te zien zonder smaak. 'Natuurlijk,' zei hij ten slotte, terwijl Lola bij het fornuis met pannen stond te rammelen. 'Je hebt het volste recht van de wereld. Maar je moeder heeft ons tot jouw voogd benoemd en niet hem. Hij heeft je in de steek gelaten, Walter. En ook die keren dat hij 's zomers terugkwam, denk je dat hij er toen over piekerde om zijn verantwoordelijkheid ten opzichte van de opvoeding van zijn zoon op zich te nemen, hoeveel drukte hij ook steeds weer maakte? Nou? Denk je dat?'

Walter haalde zijn schouders op. Die pannekoeken vlogen hem aan. Hij had het gevoel of hij elk moment kon beginnen te huilen.

'Ga hem maar opzoeken, ga je gang. Waar je moet zoeken mag Joost weten. Maar wat mij betreft is het een schooier. Een judas. Persona non grata. Wat mij betreft zijn de boeken gesloten.'

Maar de boeken zijn nooit gesloten.

Hesh vertrok naar zijn glaswinkel in Houston Street en Lola ging aan tafel zitten en vertelde Walter voor de honderdste keer het verhaal van de rellen. Hij kende elke nuance, zag al haar stiltes en stembuigingen aankomen alsof hij zelf aan het woord was, maar hij luisterde deze keer alsof het verhaal nieuw voor hem was, luisterde zoals op de dag na zijn elfde verjaardag, toen Lola hem op een stoel zette en probeerde uit te leggen waarom Hesh en zijn vader bijna slaags waren geraakt over zo iets onschuldigs en wonderbaarlijks als een Italiaanse motorfiets met rode spatborden en een verchroomd stuur. Hij luisterde.

Zij had niet eens in de buurt van het terrein kunnen komen – het terrein waar het concert gehouden zou worden. Maar Hesh wel. En Walters vader en moeder ook. De organisatie had hun gevraagd wat eerder te komen om de stoelen neer te zetten en de lampen en de luidsprekers op te stellen. Daarna zou Christina de programma's en het propagandamateriaal voor haar rekening nemen, terwijl Hesh en Truman zich onder het publiek zouden mengen om een oogje in het zeil te houden. Het zou een bijzondere bijeenkomst worden: de warmte van de zomeravond als een grote collectieve deken, sterren aan de hemel, duizend stemmen in gezang vereend. Al weken hadden ze het nergens anders over gehad.

Will Connell zou van de partij zijn met zijn gitaar en zijn liederen over de arbeiders van Amerika (later, toen heel het land was aangetast door het relvirus, zette van Maine tot Californië elke platenmaatschappij, iedere muziekuitgever, impresario en theaterdirecteur hem op de zwarte lijst). Er kwam ook een Newyorkse actrice zingen. En er waren twee sprekers, één namens de bond van textielarbeiders, de ander een partijlid dat nog had meegevochten in de Abraham Lincoln-brigade. Maar de grote trekpleister – de man naar wie iedereen kwam kijken – was Paul Robeson. Paul Robeson was neger en communist, hij was toneelspeler en actief in de burgerrechtenbeweging, hij was een grote enorme leeuw van een vent die de oude spirituals kon zingen tot je ze voelde in het merg van je botten.

Lola had hem het jaar daarvoor nog gezien in het buitenpaviljoen van de Kitchawank-kolonie. Er waren die keer een tweehonderd mensen naar hem komen luisteren, voornamelijk bewoners van de kolonie zelf, de vergrijzende anarchisten en socialisten die de gemeenschap in de jaren twintig hadden opgericht omdat ze het verziekte stadsleven wilden ontvluchten en hun kinderen in vrijheid willen opvoeden, en de partij-communisten die hen geleidelijk verdrongen. De mensen hadden brood meegenomen en zaten in het gras – oudere echtparen, kinderen, vrouwen in verwachting. Er hadden zich geen moeilijkheden voorgedaan. Ontspanning voor jong en oud. Beetje cultuur in de provincie.

Maar het jaar daarop – in augustus, eind augustus – was het een ander verhaal. Lola stond toen halve dagen achter de toonbank in de oude bakkerij van Vandermeulen in Peterskill en kon dus niet zo vroeg weg als Hesh en Truman. Maar Walters moeder wel. Christina smeerde een paar boterhammen en vulde een thermoskan met ijsthee, bracht Walter naar zijn grootmoeder – hij was toen net drie, wist hij dat nog? – en stapte toen met haar man en zijn vriend Piet bij Hesh in diens vooroorlogse Plymouth.

Lola richtte haar hoofd op en keek door de kamer. Voor háar op tafel stond een kop zwarte koffie koud te worden. Ze stak een sigaret op, doofde de lucifer en ademde uit. 'Dat was me er een, die Piet,' zei ze. 'Klein manneke, kwam mij tot mijn kin. En altijd rare streken – waar je vader een groot liefhebber van was.' Ze nam een slok koude koffie. 'Die twee waren altijd in de weer. Altijd malligheid. Handpalmzoemers en spuitende anjers, noem maar op. Ik vraag me af wat er van hem geworden is – van Piet, bedoel ik. Bij je vader kon hij geen kwaad doen.'

Die avond werden er geen grapjes gemaakt. Hesh reed. Christina zat voorin, met de thermoskan en de boterhammen en de doos met programma's en propagandamateriaal; Truman en Piet zaten op de achterbank ingeklemd tussen geluidsapparatuur. Lola was van plan zich bij hen te voegen zo gauw ze uit haar werk kwam. Er was tijd genoeg – zij was om zeven uur vrij en het concert zou pas om halfacht beginnen. Ze hoopte dat ze een plaatsje voor haar vrij zouden houden.

Maar goed, het concert zou plaatsvinden bij de rivier, even voorbij Van Wart Road, op een stuk grond van Peletiah Crane, het toenmalige schoolhoofd van Peterskill. (*Ja, die ja*, had Lola gezegd toen ze hem het verhaal voor het eerst vertelde, *de opa van Tom*.) Peletiah was zelf geen partijlid, maar hij sympathiseerde en gaf al jaren zijn steun aan culturele manifestaties in de kolonie. Toen men aan zag komen dat bijeenkomst en concert veel massaler zouden uitvallen dan het jaar daarvoor – een demonstratie van solidariteit met de progressieve krachten waar misschien wel twee-en-een-halfduizend mensen uit New York op af zouden komen – besefte het afdelingsbestuur van de Kitchawank-kolonie dat men voor zoveel publiek de ruimte noch de faciliteiten had, waarna het zich als organisator van het evenement terugtrok. Daarop greep Peletiah in. Hij stelde Robeson en zijn mensen gratis zijn stuk land ter beschikking; hierdoor aangemoedigd bracht een van de vakbonden het geld bijeen voor de huur van de stoeltjes, de geluidsinstallatie en de schijnwerpers. Sasha Freeman, de schrijver, en Morton Blum, de aannemer, waren de voornaamste organisatoren. Ze verwachtten geen moeilijkheden, maar je kon nooit weten. Ze vroegen Hesh en Truman, beiden partijleden en grote kerels, gehard door oorlog en tegenspoed, om de orde te bewaken.

Hesh had toen nog al zijn haar en was, bij al zijn brommerigheid, eigenlijk een kleine teddybeer. Truman was de mooiste man van Peterskill, een drieste waaghals die een vliegtuigje huurde en ermee onder de Bear Mountain Bridge door vloog – ondersteboven ook nog – waarna de CAA hem zijn brevet afnam. Hesh en hij waren dikke vrienden (*Ja*, had ze die eerste keer gezegd, *zoals Tom en jij*) – ze waren allemaal vrienden. Lola en Christina hadden samen op school gezeten, eerst op de vrije school van de kolonie, later op de middelbare school van Peterskill. Toen Christina na de oorlog met Walters vader aan haar arm verscheen, viel iedereen voor hem. (Hij woonde in Verplanck – bijna, maar niet helemaal, een jongen uit de buurt – en had op de Hendrick Hudson-school gezeten. Hesh had nog tegenover hem gestaan bij football, en Lola herkende hem onmiddellijk als de triomfator over het puikje van Peterskill, de drievoudige bedreiging die haar zo vaak de moed had benomen als hij weer eens een honkbal over de afrastering mepte, op de basket af dribbelde in zijn zijden korte broek of door een bres in de muur slalomde met zijn bemodderde kuiten en de boze zwarte vegen onder zijn ogen.) Hij werkte in de oude metaalgieterij-Van Wart, die in de crisisjaren had moeten sluiten en weer in bedrijf was gesteld door een eenarmige oorlogsveteraan uit Brooklyn, en volgde in de avonduren colleges Amerikaanse geschiedenis aan het City College. 'Geschiedenis,' zei Lola, de lettergrepen een voor een benadrukkend, 'daar kreeg hij nooit genoeg van.

De vader van je moeder, partijlid en voorzitter van het afdelingsbestuur van de kolonie, gaf Truman propagandamateriaal en praatte met hem over het zelfrespect van de arbeider, meerwaarde en de consumptiecultus – dat deden we allemaal, we hebben allemaal op hem in gepraat – en het duurde niet lang of hij werd ook lid. Het was natuurlijk je moeder die hem echt over de streep trok, maar dat is een ander verhaal. Ze trouwden in het najaar en huurden een tweekamerwoning, achter het huis van de Rosenbergs – dat huis herinner je je toch nog wel?'

Lola zweeg even om haar sigaret uit te drukken. 'De volgende zomer, Walter, de zomer van zesenveertig, werd jij geboren.'

Walter wist wanneer hij geboren was. Hij kende de datum al sinds zijn derde of vierde levensjaar, en mocht die hem ooit ontschieten, dan kon hij altijd even in zijn rijbewijs kijken. Dat van dat huis, het huis waar hij de eerste obscure jaren van zijn leven had doorgebracht, wist hij ook, zo goed als hij wist wat er nu komen ging. Toch ging hij vooroverzitten.

Truman werd dus lid van de partij. Truman trouwde. Truman zat twee avonden in de week in de collegebanken naar verhalen over de Amerikaanse revolutie te luisteren en vijf avonden in de week bij Hesh en Lola in de voorkamer aan de kaarttafel. De ene avond maakte Christina een pan gevulde kool of een hutspot die ze van haar moeder geleerd had, of haar knapperige aardappelpannekoeken; de andere avond bakte Lola een kugel met kaas en noedels. Zo ging dat. Lola kon zelf geen kinderen krijgen. Maar toen Walter geboren was, kwam Truman naar haar toe en vroeg of Hesh en zij de peetouders van het kind wilden worden, en de avonden bleven zoals ze geweest waren, behalve dat nu de wieg van de kleine Walter erbij stond in een hoek.

En toen was het 1949. Augustus. En de partij wilde Paul Robeson een concert laten geven in Peterskill, en Sasha Freeman en Morton Blum kwamen naar Hesh en Truman. In verband met de bewaking. Niet dat er gevaar bestond voor gewelddadigheden. Nee, dat dachten ze niet. Het zou een vreedzame avond worden, negers en blanken door elkaar, arbeiders, vrouwen en kinderen en ouden van dagen, bijeen voor een mooi concert en misschien een paar politieke redevoeringen, mensen bezig met de uitoefening van hun recht van vergadering, hun recht impopulaire denkbeelden te uiten. Maar Sasha Freeman en Morton Blum kwamen naar Hesh en Truman. Voor alle zekerheid.

Hesh draaide vanaf een zandweg Van Wart Road op, anderhalve kilometer van het terrein, en het eerste wat hem opviel was het aantal mensen dat zich langs de kant van de weg had verzameld. Sommigen slenterden zonder haast in de richting van het land van Crane, in groepjes van vier of vijf, met bierflessen in de hand; anderen stonden alleen maar aan de kant van de weg te wachten, alsof er een optocht voorbij zou komen. Het volgende moment al stuitte hij op de auto's. Tientallen auto's, geparkeerd langs de kant van de weg, links en rechts in de berm, zodat er nog maar een smalle éénrichtingsstrook overbleef. Het was pas halfzeven.

Hesh begreep er niets van. Peletiah had speciaal een weiland ter grootte van drie voetbalvelden gereserveerd als parkeerplaats, en nu stond iedereen ineens pal langs de kant van de weg, als taxichauffeurs bij het vliegveld, waardoor de toegang tot het terrein praktisch werd afgeknepen. Er moesten nog bussen door, bussen uit New York en kampeertrucks en nog meer bussen uit de zomerkolonies in Rockland County en de Catskills. Om nog maar te zwijgen van de honderden personenauto's. Wat was hier aan de hand? Waarom had men niet geparkeerd bij het terrein zelf?

Hij hoefde niet lang op antwoord te wachten.

Tot ze bij de haag van geparkeerde auto's kwamen had niemand zelfs maar naar hen gekeken, maar toen ze de doorgang naar het terrein bereikten, begonnen er zich hoofden om te draaien. Een man met een vechtpetje op riep iets obsceens en vervolgens schampte er iets langs de zijkant van de auto. Deze mensen waren niet voor het concert gekomen – ze waren gekomen om te verhinderen dat het doorging.

Sasha Freeman en Morton Blum verwachtten geen gewelddadigheden – hoewel de krant van Peterskill de afgelopen maand bol had gestaan van anticommunistisch, anti-joods en anti-zwart sentiment, hoewel de plaatselijke afdeling van de oudstrijdersorganisatie gedreigd had met een 'loyaliteitsbetoging' om te protesteren tegen het concert, hoewel de vlag krijgslustig had gewapperd vanaf elke veranda in de stad en er achter etalageruiten aanplakbiljetten tegen Robeson waren verschenen – maar het was nu dus toch raak. Bij de ingang stuitte Hesh op een grotere, dichtere menigte – minstens tweehonderd man – die in gejoel en gescheld uitbarstte toen duidelijk werd dat zijn passagiers en hij geen geestverwanten maar concertgangers waren. Ze draaiden de raampjes dicht, hoewel het buiten dertig graden was, en Hesh schakelde terug toen hij bij het begin van de smalle zandweg kwam die naar het land van Peletiah leidde.

'Nikkervrienden!' riep iemand.

'Smouzen!'

'Linkse joodse honden!'

Een tiener met achterovergekamd plakhaar en een van haat rood aangelopen gezicht sprong te voorschijn uit de menigte en spoog over de voorruit, en plotseling was Hesh het zat en drukte hij zijn voet tegen de vloer. De Plymouth spoot vooruit en de menigte week uiteen met een schreeuw, er klonk het bons-bons-bons van boze vuisten en voeten tegen spatborden en portieren, en het volgende moment waren ze erdoorheen en verdween de menigte in de achteruitkijkspiegel.

Geschrokken parkeerde Hesh naast een gehuurde bus. Er stonden nog drie bussen, een vrachtwagen met daarop de tekst 'Kamp Wahwahtaysee' en een stuk of vijftien personenauto's. Christina zag wit. Truman en Piet zwegen. 'Gedonder,' bromde Hesh, 'verdomme. Daar zijn we mooi klaar mee.'

Het werd zeven uur en later. Er verscheen geen Robeson, geen Freeman, geen Blum. Op de weg zat alles muurvast. De toegangswegen waren versperd of zaten verstopt met de auto's en bussen van gestrande concertgangers, en niemand kon meer voor- of achteruit. Behalve dan de patriotten, die hun vingers over boksbeugels en bandelichters lieten gaan of hekken sloopten en de stevigheid van de palen beproefden, over de geasfalteerde weg slenterend alsof zij er de dienst uitmaakten. Wat ze die avond een aantal uren ook inderdaad deden. De weinigen die de pech hadden daadwerkelijk door te dringen tot Van Wart Road, met de bedoeling om gezeten op een deken met een blikje cola of bier in de hand naar een concert te luisteren, werden om het geblokkeerde terrein heen geleid, uit hun auto gesleurd en in elkaar geslagen. In de wijde omgeving van Peterskill en de Kitchawank-kolonie was geen politieman te bekennen.

Er waren misschien een honderd vijftig mensen bijeen voor het podium toen Hesh en de anderen arriveerden. Meest vrouwen en kinderen die vroeg gekomen waren om te genieten van een mooie avond tussen de beboste hellingen van noordelijk Westchester. Behalve Hesh, Truman en Piet waren er onder hen ongeveer veertig mannen; boven hen, aan de andere kant van de rij bomen die Peletiahs land begrensde, stormden vijfhonderd patriotten op en neer over de weg, op zoek naar communisten.

Hesh nam de leiding. Hij stuurde vijf tieners – drie jongens en twee meisjes uit Staten Island die waren komen helpen met serveren – naar de ingang om daar de zaak in de gaten te houden. 'Als ze één voet op het terrein zetten laat je me het weten,' zei hij. 'Meteen. Duidelijk?' Hij vroeg Truman en Piet zich met nog zes mannen te bewapenen met alles wat ze vinden konden en zich te verspreiden over het veld om te zorgen dat de zeloten hen niet in de rug zouden aanvallen. Vervolgens stelde hij de overige mannen op in rijen van acht, met de armen in elkaar, en trok met hen op naar de weg. De vrouwen en kinderen – onder wie Walters moeder – bleven bij elkaar rond het lege podium. In de verte konden ze het geluid van versplinterend glas horen, gesmoorde kreten, het getier van de menigte.

Walter kende de oude weg naar het land van Crane toch wel? Het was tegenwoordig niet meer dan een voetpad, afgesloten sinds de rellen, maar destijds was het een vrij veel gebruikte zandweg met een grasrichel in het midden. Maar wel smal, met aan weerskanten steile bermen en ondoordringbaar struikgewas – doornige heesters en gifsumak en zo meer. De weg slingerde omlaag naar de wei, ging voorbij het riviertje achter in het land over in een pad en liep dan weer omhoog naar de heuvelrug. Mensen reden erheen als ze een plek zochten waar het rustig was – een plek om met de autoradio aan te vrijen en bier te drinken. Soms stonden er 's avonds wel tien auto's daar bij het weiland. Maar goed, er was dus maar één andere toegangsweg en die was alleen te voet begaanbaar, aan de overkant van het weiland, een kleine kilometer verderop, waar Van Wart Road weer terugboog. Hesh hield het erop dat ze weinig te vrezen zouden hebben zolang ze de weg in handen konden houden. Aangenomen dat het echt tot vechten kwam. Hij hoopte dat de politie zou verschijnen eer het zover was.

Er verscheen geen politie.

De eerste schermutselingen braken uit rond halfacht. Hesh en de zijnen hadden zich net uit het zicht van de menigte opgesteld op het punt waar de weg het smalst was, met de kampeertruck achterstevoren in hun flank ter verdere versperring van de doorgang. Als de gemoederen zo verhit raakten dat de patriotten in de aanval gingen – met een overmacht in de orde van vijftien tegen één – dan moesten ze hier worden tegengehouden; als ze doordrongen tot het podium, en de vrouwen en kinderen, kon er van alles gebeuren. Dus daar stonden ze, met de armen ineen, en wachtten. Tweeëndertig vreemden. Een zwarte stuwadoor in een trui en een spijkerbroek, een handvol mannen in het uniform van de koopvaardij, buikige autohandelaars en slijters en cargadoorsbedienden, een vertegenwoordiger in encyclopedieën uit Yonkers en drie bange zwarte theologiestudenten die, net als het vooruitgeschoven vijftal, vroeg gekomen waren om te helpen. Ze stonden daar en luisterden naar het gejoel en gescheld van de menigte en wachtten tot de politie haar zou verspreiden. Niemand wilde meer een concert, niemand wilde redevoeringen of zelfs maar de onvervreemdbare rechten die de grondwet hun waarborgde; het enige dat ze stuk voor stuk wilden was: weg.

En toen begon het. Er steeg geschreeuw op uit de menigte, gevolgd door een aanhoudend gesis en gekraak dat klonk of een stormstoot van een tropische orkaan de bomen geselde, en vervolgens verscheen om de bocht ineens het vijftal van bij het hek, de drie jongens en twee meisjes, rennend voor hun leven in een regen van stenen en flessen. De blik in hun ogen kende Hesh nog – van Omaha Beach, van Isigny, Saint-Lô en Nantes. De twee meisjes snikten en een van de jongens – hoogstens vijftien – bloedde uit een wond boven zijn rechteroog. Ze holden door de linies, waarna Hesh en zijn rekruten de armen weer in elkaar haakten.

Het volgende moment stortte de menigte zich op hen. De groep, aangegroeid tot meer dan vijfhonderd man, maar ingeklemd in de trechter van de smalle weg als vee op een koebrug, stormde met stokken zwaaiend als bezeten in op de verdedigers. Hesh werd midden in zijn gezicht geraakt, kreeg even achter zijn oor een houw en ving het meeste geweld met zijn onderarmen op. 'Vermoord de communisten!' klonk het in spreekkoor uit de menigte. 'Lynch de nikkers!'

Het duurde maar een paar minuten. De mannen van Hesh hadden blauwe plekken en wonden, maar de eerste aanvalsgolf was afgeslagen. Schuimbekkend, scheldend met overslaande stem en gooiend met stenen en stukken hout en alles wat werpbaar was, trok de menigte zich een dertig meter terug om zich te hergroeperen. Het merendeel was dronken, uitzinnig van irrationele haat, verteerd door vooroordelen die schrijnden als open wonden, maar er waren er ook – ze stonden op een kluitje, wit overhemd aan, stropdas om, legionairspet op – die koelbloedig bleven als veldmaarschalken. Depeyster Van Wart bevond zich onder deze laatste groep, stijf en vormelijk, zijn gezicht in de plooi, maar met ogen die gaten hadden kunnen vreten in de kampeertruck. Hij stond te overleggen met zijn broer – de broer die zou sneuvelen in Korea – en LeClerc Outhouse, die rijk was geworden van zijn restaurants. Herinnerde Walter zich hem nog?

Walter knikte.

'Ga terug naar Rusland!' schreeuwde een man met geheven vuist, en de hele menigte nam het van hem over. Men wilde net de gelederen verbreken en weer in de aanval gaan toen er drie agenten verschenen. Ze waren van het plaatselijke politiekorps, niet van het staatskorps, en de patriotten kenden ze met naam en toenaam.

'Luister, jongens,' hoorde Hesh een van hen zeggen, 'wij moeten hier net zomin wat van hebben als jullie, maar we houden het wel netjes, oké?' En terwijl zijn collega's de menigte susten met meer van zulk soort opmerkingen – 'Als het aan mij lag maakte ik ze af als honden, hier en nu, maar dat gaat nou eenmaal niet; niet in Amerika in elk geval' – hees de eerste spreker zijn broek op, maakte ruimte in zijn kruis en slenterde naar waar Hesh en zijn gehavende rekruten stonden, de armen over elkaar, hun huid opengehaald.

'Wie heeft hier de leiding?' wilde hij weten.

Op dat moment herkende Hesh hem: Anthony Fagnoli. Ze hadden nog samen op school gezeten. Fagnoli zat twee klassen lager, een crimineel type met vet in zijn haar dat steeds van school gestuurd werd omdat hij rookte op het toilet of dronken in de klas zat. Hij was voortijdig van school gegaan en chauffeur geworden op een van de vuilniswagens van zijn oom. Nu was hij bij de politie.

Hesh keek om zich heen. Sasha Freeman was er niet door gekomen. En Morton Blum evenmin. 'Ik, geloof ik,' zei hij.

'U gelooft van wel?' Fagnoli gaf geen blijk van herkenning.

'Rotjood!' schreeuwde een patriot. 'Hitler heeft je niet te pakken gekregen, maar wij zullen zijn werk afmaken!'

'En zou u me dan willen uitleggen wat dit allemaal te betekenen heeft?' zei Fagnoli.

'U weet net zo goed als ik wat dit te betekenen heeft.' Hesh keek hem strak in zijn ogen. 'Wij oefenen hier vreedzaam ons recht van vergadering uit – en nog op eigen terrein ook.'

'Vreedzaam?' Fagnoli hoonde hem bijna weg met het woord. 'Vreedzaam?' zei hij nog eens, en vervolgens priemde hij met een duim over zijn schouder in de richting van de menigte. 'Noemen jullie dat vreedzaam?'

Hesh gaf het op. 'Luister,' zei hij, 'zo hoeft het voor ons niet. Het concert is afgelopen. Voorbij. Afgelast. We willen nu alleen nog maar weg.'

Fagnoli stond inmiddels vals te grijnzen. 'Weg?' zei hij schouderophalend. 'Als jullie zelf rotzooi maken, ruim je die ook zelf maar op.' Daarop draaide hij Hesh zijn rug toe en liep terug.

'Agent. Alstublieft. Als u ze zegt naar huis te gaan, dan doen ze dat.'

Fagnoli maakte een halve pirouette alsof hij van achteren geraakt was. Zijn gezicht was als een gebalde vuist. 'Sterf de moord maar,' siste hij.

Nagekeken door Hesh slenterde hij terug over de weg en drong door tot in het hart van de menigte, waar hij een ogenblik bleef staan om te overleggen met Van Wart en Outhouse en de andere raddraaiers. Toen draaide hij zich om naar zijn beide consorten en zei, zo luid dat het ook voor Hesh en zijn mannen hoorbaar was: 'Ze willen weg, jongens. Wat zeggen jullie daarvan?'

Een man met een vechtpetje op brieste plotseling: 'Weg! Jullie komen hier nooit meer weg! Alle vuile rotnikkers blijven hier vanavond dood liggen! Alle vuile rotjoden blijven hier vanavond dood liggen!' En de menigte hief een gebrul aan. Fagnoli en de andere twee agenten waren verdwenen.

Meteen daarop werd de tweede aanval ingezet. Schreeuwend stormden de patriotten over de smalle weg, zwaaiend met stukken hout en bandelichters, gooiend met stenen en flessen, en opgestuwd door de vaart en razernij van degenen achter hen hakten ze in op de linies van Hesh. Hesh week niet, worstelde met een man die wilde uithalen met een paal en zette zijn vuist midden in diens gezicht tot hij er iets voelde meegeven. Ook nu weer duurde het strijdgewoel niet langer dan een paar minuten en vielen de aanvallers terug. Maar Hesh was gewond. Evenals zijn mannen. Gewond en bang. Ze moesten de buitenwacht waarschuwen, moesten de politie bellen, de gouverneur, *The New York Times* – ze moesten hulp hebben. En gauw. Het stond voor iedereen vast dat enkelen van hen daar op de weg het leven zouden laten die avond als er niet snel hulp kwam.

Hier lag een taak voor Truman. Net als Hesh was hij op dat moment al bijna vier jaar uit de actieve dienst, maar in tegenstelling tot Hesh en de meeste andere veteranen had hij zijn conditie op peil gehouden. Hij hield zich fit met het dagelijkse programma van gymnastiekoefeningen, rennen en gewichtheffen waaraan hij gewend was geraakt toen hij met de inlichtingendienst van het leger in Engeland zat. Op zijn eenendertigste had hij nog nauwelijks terrein hoeven prijsgeven aan de achttienjarige dynamo die Hendrick Hudson in twee takken van sport naar de top van het district had gevoerd. Toen Hesh besefte dat er iemand uit de omsingeling moest zien te breken, wist hij dat Truman de aangewezen man was.

Nadat hij zijn manschappen opdracht had gegeven om ten koste van alles stand te houden, keerde hij terug over de weg naar het weiland, langs de verlaten auto's en bussen van de concertgangers en om het podium heen, waarvoor duizend onbezette klapstoeltjes stonden. In zijn haast ving hij een glimp op van Christina, die bleek en mistroostig achter haar tafel met pamfletten zat, en van de andere vrouwen, die in groepjes bijeenstonden rond het lege podium. Hier en daar speelden kinderen, maar met gedempte stemmen en bewegingen als uit de choreografie van een onderwaterballet. Een van de onfortuinlijke serveersters, een meisje van zestien, zat in haar eentje onder het podium, met bij de kraag van haar blouse een helderrode anjer van bloed.

Truman stond tegen een boom geleund op een punt vanwaar hij uitkeek over het weiland tot helemaal aan de weg aan het andere eind ervan. Piet was bij hem, en ze stonden op gedempte toon te overleggen als een stel militaire strategen die de situatie op een slagveld opnemen – wat niet ver bezijden de waarheid was. Hun groepje had twee patriotten onderschept in het open veld en verjaagd, maar verder was het rustig. Hesh zette de stand van zaken uiteen en vroeg Truman of hij wilde proberen weg te glippen om bij een telefoon te komen. Het was riskant, en hij zou Christina hier achter moeten laten, maar het zag ernaar uit dat er de verschrikkelijkste dingen gingen gebeuren als er niet iemand door de omsingeling brak.

Truman haalde zijn schouders op. Hij wilde het wel proberen.

'Oké,' zei Hesh. 'Oké. Als ze bij de politie weten dat we gebeld hebben, als ze weten dat we de kranten hebben gewaarschuwd, dan hebben ze geen uitvlucht meer – dan zullen ze ons moeten komen ontzetten.'

Truman stond naar zijn voeten te kijken. Hij keek op naar Hesh en keek vervolgens weer weg. In de verte konden ze de menigte tekeer horen gaan. 'Oké,' zei hij, 'ik ga. Maar Piet moet mee.'

Hesh wierp een blik op Piet. Diens gezicht was uitdrukkingsloos en bleek, en zijn oren leken onnatuurlijk groot in verhouding tot de rest van zijn lichaam. Hij mat waarschijnlijk nog geen anderhalve meter, en als hij veertig kilo woog, dan zat de helft in die malle ouderwetse gesplaarzen die hij altijd droeg. 'Mij best,' bromde Hesh. 'Neem hem maar mee.' Piet stond hier toch buiten – die was gekomen voor de lol – en al had hij gewild, dan nog was hij waarschijnlijk niet eens in staat geweest de grootmoeder van een van die proleten te stuiten. 'Weet je zeker dat hij je niet ophoudt?'

Truman antwoordde dat Piet mans genoeg was om op zichzelf te passen, en vervolgens draaide hij zich om en liep het weiland in, en het kleine manneke draafde achter hem aan om hem bij te houden, nog net zichtbaar in het stugge hoge gras. Het was het laatste wat Hesh – en ieder ander – die avond van hen zag.

Lola zweeg. Ze had weer een sigaret opgestoken en liet die uitbranden. De koffiebeker was leeg. De eerste keer dat Walter het verhaal hoorde, was hij haar op dit punt in de rede gevallen met de vraag wat er toen gebeurde; nu wilde hij het nogmaals horen. 'En wat gebeurde er toen?'

Dat wist niemand zeker. Het was of Piet en hij in het niets verdwenen waren. Nergens bleek uit of er gebeld was naar de politie of de kranten, het klonk hol toen Hesh de volgende ochtend op de dubbele deur van Piets gemeubileerde kamer in Peterskill klopte en in geen van de ziekenhuizen in de omgeving lag iemand die voldeed aan hun signalement. Hesh was bang dat ze dood waren, gelyncht door de menigte en in een greppel langs de kant van de weg gegooid. Hoewel hij een hoofdpijn had die als een voorhamer tekeerging in zijn schedel, hoewel hij tien hechtingen in zijn onderarmen had en vijf boven zijn rechteroor, en hoewel hij doodop was van de spanning en het slaapgebrek, stond hij de ochtend na de rellen op bij het eerste licht om in het struikgewas aan weerszijden van Van Wart Road te gaan zoeken. Hij vond niets. Hij kon het op dat moment niet weten, maar het zou bijna vijftien maanden duren eer Truman Lola en hem weer onder ogen zou komen. En Piet – Piet was voorgoed verdwenen.

Twee dagen na de rellen stond Truman ineens weer in de woning achter het huis van de Rosenbergs. Christina was inmiddels volledig over haar toeren. Walter was drie. Hij greep zich vast aan zijn vaders knieën en riep 'Papa, papa,' maar Truman sloeg geen acht op hem. Truman grijnsde zwakjes naar Christina en begon zijn spullen in te pakken. 'We dachten dat je dood was,' zei ze. 'Wat is er gebeurd? Wat doe je?' Hij wilde geen antwoord geven. Ging door met pakken. Truien, ondergoed, boeken – zijn geliefde boeken. Walter huilde. 'Ben je in elkaar geslagen, is dat het?' riep Christina. 'Truman, geef antwoord!'

Er stond een auto op het pad. Het was een Buick, en er wordt gezegd dat het de auto van Depeyster Van Wart was. Piet zat, nauwelijks zichtbaar boven het dashboard, op de passagiersplaats. 'Het spijt me,' zei Truman, en toen was hij weg.

Bijna een jaar na de begrafenis dook hij weer op. Ongeschoren, dronken, treurig kijkend en in kleren die om hem heen hingen als de lompen van een bedelaar, stond hij ineens bij Lola op de stoep en eiste zijn zoon te zien. 'Hij was onbeschoft, Walter,' zei Lola. 'Compleet veranderd. Hij heeft me uitgescholden voor alles en nog wat.' Dit was niet de man die zij kende – dit was een straatidioot op een hoek van Times Square, een vagebond. Toen Hesh naar boven kwam uit de kelder om te kijken wat er allemaal aan de hand was, probeerde Truman hem opzij te schuiven, waarna Hesh hem een paar keer raakte, eerst in zijn gezicht en toen in zijn maag. Truman ging neer op handen en voeten, voor op de veranda, snakkend naar adem tot de tranen hem in zijn ogen stonden. Hesh deed de deur dicht.

Tegen die tijd waren de mensen ervan overtuigd dat Truman ze verraden had, dat hij altijd al had gesympathiseerd met de 'patriotten' en dat hij uit kille berekening zijn gezin en zijn vrienden op een harteloze manier de rug had toegekeerd. Rose Pollack, die de bewuste avond niet had weten door te dringen tot het terrein, had hem, even voor zo'n schoft een baksteen door haar voorruit gooide, op de weg zien staan in gezelschap van Depeyster Van Wart en LeClerc Outhouse, en op de dag dat hij opdook in de kolonie om het lot van Walters moeder te bezegelen en zijn boeken en zijn ondergoed in te pakken, had Lorelee Shapiro hem achter het stuur van Van Warts auto zien zitten. Beweerde ze althans. Lola wist niet wat ze ervan denken moest, en Hesh evenmin. Hij was hun innig dierbaar geweest, die uitbundige, goedlachse man, hun kameraad en vriend, de man van Christina Alving, de vader van hun petekind. Na de rellen waren de mensen hysterisch – ze zochten naar zondebokken. Lola – en Hesh ook, Hesh ook – had in hem willen geloven, maar hij had alle schijn tegen. Zo was er de manier waarop hij verdwenen was. En er was die vreselijke, noodlottige avond van de rellen zelf.

Truman heeft de staatspolitie nooit gebeld; hij heeft de *Times* nooit gebeld. En twintig minuten nadat hij op pad was gegaan door het weiland kwam er uit de richting waarin hij verdwenen was een golf van honderd patriotten – vuilbekkend en door niemand gestuit. 'Zou dat toeval geweest zijn, Walter? Zou het?' Lola stelde nu de vragen. Walter zweeg.

Het werd donker, en op de weg was de menigte Hesh en zijn verdedigers beginnen te bekogelen met stenen ter grootte van een vuist en groter, honderden stenen, die tegen de zijkant van de kampeertruck beukten en de mannen in hun gezicht troffen, tegen hun borst en benen, in hun kruis. Een van de theologiestudenten sloeg languit tegen de vlakte, met zijn neus aan pulp; de stuwadoor, een reusachtige zwarte man die een opvallend doelwit vormde, bloedde al uit een hoofdwond toen een stortvloed van stenen hem op de knieën dwong.

De patriotten bevonden zich op nog maar tien meter en drongen op. Hun armen zwiepten naar voren, stenen bonkten van de truck op de grond, schoten over de weg, troffen doel met een doffe natte plof.

Hesh hoorde dat geluid, het geluid van een slagersbijl op een lap vlees – plof, plof, plof – en wist dat het met hen gedaan was. Hij zag de stuwadoor neergaan en voelde het volgende moment zijn beide benen geraakt worden; tegelijkertijd schampte er een steen langs zijn wang, en toen hij zijn arm voor zijn gezicht hief kreeg hij een bierfles tegen zijn ribben. Dit sloeg nergens meer op. Het was zinloos. Suïcidaal. Hij was geen martelaar. 'Terug!' brulde hij ineens. 'Omdraaien en rennen!' Bloedend, gehavend en met hun pakken en zomerse overhemden aan flarden lieten de verdedigers zich terugvallen, drongen om de truck heen en stortten zich hals over kop in het duister waarin de weg was gehuld. Achter hen rukten de patriotten luid schreeuwend op.

Aanvankelijk trokken Hesh en de zijnen zich in paniek terug en zochten ieder voor zich een goed heenkomen. Dat veranderde op slag toen ze in de arena kwamen. Het veld was helder verlicht – een van de vrouwen had het aggregaat gestart en de podiumverlichting ontstoken toen de avond viel – en Hesh en zijn verwezen kameraden zagen zich ineens geplaatst voor de aanblik van een honderd woest uit hun ogen kijkende mannen die huishielden te midden van hun vrouwen en kinderen. Dit was onduldbaar. Zonder aarzeling, zonder zelfs de pas in te houden, sloten ze zich weer aaneen en dreven een wig in het gewoel, rammend met stokken en vuisten, misselijk, doldriftig en bereid te sterven. De patriotten weken terug onder het geweld van de aanval, en de vrouwen en kinderen, die in het open veld waren overvallen, stoven op het podium af alsof het een reddingssloep in een kolkende zee was. Hesh en zijn mannen worstelden een ogenblik met hun tegenstanders en namen vervolgens zelf de wijk naar het podium toen de patriotten die hen hadden achtervolgd zich boven op hen stortten. Toen vertrok uit een onbekende hand de fles die Hesh velde. Het ene moment tilde hij een kind op het podium, het volgende lag hij languit op de grond.

Hesh heeft nooit geweten hoe lang hij buiten westen is geweest – een halfuur? Drie kwartier? Maar toen hij bijkwam verlichtte een vuur voor het podium de pikdonkere nacht en waren de patriotten verdwenen. Ze hadden hun woede gekoeld op de klapstoeltjes, de pamfletten, de tafels en de geluidsapparatuur. Een van hen had de verlichting gedoofd, waarna ze – stoeltjes stuksmijtend, boeken en pamfletten verbrandend, stenen gooiend door de ruiten van de geparkeerde auto's en bussen – een spoor van verwoesting hadden getrokken over het terrein. Het leken wel Indianen zoals je ze ziet in de bioscoop, zei Christina later. Wilden. Krijsend, brullend als beesten. Ze vernielden alles wat ze te pakken konden krijgen en toen ineens vertrokken ze, als op een afgesproken teken. Er waren enkele vrouwen gewond geraakt in het tumult, een tiental andere was hysterisch (onder wie Christina, die nergens een spoor van Truman of Hesh zag en het ergste vreesde), en verscheidene mannen hadden gebroken armen of benen en wonden die moesten worden gehecht, maar niemand was gelyncht, niemand was gestorven.

Net toen Hesh weer bij zijn positieven was, verschenen er zes paar koplampen op de zandweg boven hen, die de patriotten welwillend hadden vrijgemaakt door de kampeertruck omver te duwen in het struikgewas en het hekwerk aan de kant van Van Wart Road onder de voet te lopen. Verstijfd, voorbereid op een nieuwe verraderlijke zet, keken de op het podium bijeengepakte concertgangers toe hoe de koude stralenbundels naderbij kwamen. Toen gingen plotseling de rode zwaailichten aan, en een vrouw riep: 'God zij dank, daar zijn ze eindelijk!'

Walter wilde het vervolg niet horen. Wilde niet horen dat Lorelee Shapiro ten slotte gehoor had gekregen bij de staatspolitie, die al lang van de situatie op de hoogte was, maar zelf wel bepaalde hoe snel ze uitrukte, dat zijn moeder overstuur was, dat Lola had meegeholpen bij de organisatie van het tweede concert, een week later op dezelfde, bebloede grond, een concert waarop Paul Robeson en Will Connell wél aan zingen toe gekomen waren en dat was bezocht door twintigduizend mensen en verliep zonder één wanklank – totdat de concertgangers weer naar huis wilden. Hij wilde niets horen over de tweede botsing, over de auto's en de bussen die door een regen van stenen over Van Wart Road naar de snelweg moesten, over de onwil van de politie om in te grijpen, over de rechtsrabiate veteranen van de eerste rellen die nu met mouwbanden rondliepen met daarop WORD WAKKER, AMERIKA: PETERSKILL IS U VOORGEGAAN! Het was geschiedenis. Het enige dat hij wilde horen was dat zijn vader geen verrader was, geen overloper, geen judas, geen verklikker.

'De week daarop was het nog erger, Walter,' zei Lola, die nu opging in haar eigen verhaal, met een verse sigaret voor zich in de asbak, maar Walter luisterde niet meer. Hij herinnerde zich die scène bij hen in de keuken als gold het een nachtmerrie van lang geleden, herinnerde zich dat hij zich aan zijn vaders benen vastgreep terwijl zijn moeder tekeerging, herinnerde zich hoe zijn vader rook, het zweet als katermuskus, de zoete verrottingslucht van alcohol. Nee! gilde zijn moeder. Nee! Nee! Nee!

'Maar het moest, Walter – we konden dit niet over onze kant laten gaan. We moesten ze tonen dat we hier in Amerika zijn, dat we konden zeggen en denken en doen wat we wilden. Een opkomst van twintigduizend, Walter. Twintigduizend.'

Schorem. Zijn vader was schorem. Een man die zijn vrienden had verraden en zijn vrouw en zoon in de steek liet. Wat had het voor zin het te bestrijden? Dat dacht Walter toen hij opkeek van de tafel en bij het fornuis zijn vader zag staan, ingelijst tussen Lola's hoofd en de stijf geheven wijsvinger van haar rechterhand. Hij zag eruit zoals destijds in het ziekenhuis – netjes, stropdas om, haar geknipt en gekamd, maar nog steeds blootsvoets. *Laat je niks wijsmaken*, grauwde Truman.

Lola zag hem niet, hoorde hem niet. 'Beesten, Walter. Het waren beesten. Tuig. Nazi's.'

Eén kant, Walter, zei zijn vader. *Je hoort maar één kant van het verhaal.*

Plotseling viel Walter haar in de rede. 'Oké, Lola. Bedankt. Nu weet ik het wel.' Hij drukte zich op tegen de tafel en worstelde met zijn krukken. Buiten zaten de vogels roerloos in de bomen en tuimelden lichtgele vlindertjes als confetti door kathedralen van zonlicht. Truman was weg. 'Hij moet een reden gehad hebben,' zei Walter. 'Mijn vader, bedoel ik. Niemand weet wat er precies gebeurd is, of wel soms? Jij was er niet eens bij en mijn moeder is dood. Ik bedoel: niemand weet het zeker.'

Lola trok lang en traag aan haar sigaret voor ze antwoord gaf. Haar ogen stonden ver en vreemd, haar gelaatstrekken werden versluierd door rook. 'Ga het Van Wart maar vragen,' zei ze.

ONDER DE WILDEN

Ze woonde in een basthut aan de uiterste rand van een nederzetting van de Weckquaesgeeks, uitgestoten door zowel Boer als roodhuid, en ze had haar hoofd kaalgeschoren met een oesterschelp ten teken van versterving en boetedoening. Op die noodlottige dag drie jaar terug, toen de wrake Gods de eik ontzag maar hun huis trof en haar familie wegvaagde, had Katrientje, die met de anderen op het land had horen zijn, met hen in het huisje had horen schuilen toen de bliksem insloeg, zich op een beschaduwd plekje afgezonderd met Mohonk, zoon van Sachoes, en een kruik jenever. Ze streelde zijn borst, zijn dijen en zijn kruis, zoals hij haar streelde, en ze nam af en toe een slok jenever om haar wroeging te sussen over de dood van haar vader. (Ja zeker, die wroeging kwelde haar dag en nacht. Ze hoefde maar een stoofpot te zien en ze zag haar vader, en de gedachte aan reebout in welke van zijn verschijningsvormen dan ook was zo ontoelaatbaar dat ze zelfs van de aanblik van een verschrikte hinde op een bospad al draaierig werd en een weeë smaak voelde opstijgen.) Toen een Kitchawank-jongetje naar hen toe kwam in de wigwam waar ze schuilden voor het onweer, buiten adem, met verwilderde ogen en een relaas over de uit de hemel neergeregende verwoesting op zijn lippen, greep de wroeging haar verstikkend bij de keel. 'Moeder,' snikte ze, en zakte toen in elkaar alsof haar benen onder haar vandaan gemaaid waren. Terwijl ze verwezen en sprakeloos naar Mohonk zat te kijken, naar Wahwahtaysee en de gezichten van de wilde beschilderde vreemdelingen die zich over haar heen bogen, voelde ze hoe een nieuw, onverwerkbaar besef zich vastzette in haar aderen: zij had hen allemaal vermoord. Jawel. Vermoord, zo goed of ze hen op een rij had gezet en neergeschoten. Eerst haar vader en nu dit: zij had bij een heiden gelegen, en dit was Gods vergelding. In haar verdriet, in haar vertwijfeling, bewerkte ze haar hoofdhuid met een gewette schelp en kroop weg bij Mohonk.

Een jaar later werd haar zoon Squagganeek* geboren. Zijn ogen waren groen, als die van Agatha, en deze eigenaardigheid veroorzaakte de nodige opschudding onder de Kitchawanks. Het waren de ogen van de hebzucht, betoogde de ene partij, de ogen van een duivel, een to-

* Bladoogje.

venaar, een blanke, en het kind moest worden uitgestoten en prijsgegeven aan de verlatenheid. Maar een andere partij, waartoe Wahwahtaysee behoorde, betoogde dat hij de zoon was van de zoon van een opperhoofd en zijn plaats had in de stam. Uiteindelijk deden geen van beide standpunten veel ter zake. Het was Mohonk, en niemand anders, die zou beslissen over het lot van zijn zoon.

Maar er was iets met Mohonk. Sinds het afscheren van haar haar had Katrientje hem zien veranderen. Hij was prikkelbaar. Hij was wrevelig. Hij stak met dikke tong eindeloze tirades af tegen de onschuldigste voorwerpen – stenen, kluiten, gevallen bladeren. Hij dronk jenever en werd er raar van in zijn hoofd. Sneeuwuil, noemde hij haar, en wees dan spottend naar haar geschoren schedel. Haar haar had vroeger de kleur gehad van de onderbuik van de havik, het rood van koper, geheiligd en onbereikbaar. Nu, met haar gladde witte schedel, als een geschilde ui, en die ogen die voor zich uit staarden met al hun kolossale, overweldigende verdriet, zag ze eruit als de sneeuwuil. Op een avond, na drie dagen dronkenschap met behulp van de jenever die hij had gejat bij Jan Pieterse, kwam hij wankelend overeind en boog zich over haar heen terwijl zij de zuigeling de borst gaf. 'Sneeuwuil,' zei hij, en het licht van het vuur verlengde zijn jukbeenderen en hulde zijn ogen in schaduwen, 'ga een muis vangen.' Toen trok hij de wasberebontjas dicht om zich heen en zwalkte op stakerige benen de nacht in. Ze heeft hem nooit meer gezien.

In de ogen van de Weckquaesgeeks was ze een verdwaasde heilige, zo'n zwervende gekkin aan wie visioenen vergund zijn. (En ze had inderdaad haar visioenen. Huiverend in de hut, met Squagganeek aan haar borst, zag ze Harmanus macabere danspassen maken, schuifelend met zijn bij de val vervormde benen; ze zag Agatha met haar in woede geheven bezem; ze zag Jeremias en het vreselijke, uitgeharde litteken waarin zijn been uitliep.) De dag nadat Mohonk bij haar was weggelopen had ze haar spullen bij elkaar gepakt, Squagganeek op haar rug gebonden en was de rivier gevolgd naar het noorden; twee dagen later stuitte ze aan de voet van het Suycker Broodt op het kamp dat de Weckquaesgeeks hadden gebouwd op een armzalig, winderig stuk zandstrand. Met haar kaalgeschoren hoofd, haar rafelige jurk en die trillende, onophoudelijk prevelende lippen dook ze op in hun midden als een verschijning, een bleke schim, en ze kwamen om haar heen staan om zich te verbazen over haar en het monstertje van een kind dat ze in haar armen hield. Uitgeput leunde ze tegen een boom en zakte neer op de grond; een paar minuten later sliep ze.

Toen ze 's ochtends wakker werd, bleek er iemand een berevel over haar benen te hebben geworpen en een kom maïspap op de boomstronk naast haar te hebben gezet. De Weckquaesgeeks – een onfortuinlijk stel, een stam die links en rechts vingers, tenen en ogen verloor, haveloos, geplaagd door ziektes – stonden op eerbiedige afstand naar haar te kijken. Langzaam, met beverige handen en verwilderde ogen, bracht ze de kom naar haar lippen en at. Nadat ze gebaren van dank gemaakt had en Squagganeek de borst had gegeven, stond ze vervolgens op en bouwde een primitief hutje tegen de stam van een boom. Vanaf die dag vond ze elke ochtend een kom pap of steur of eikelmeel op haar drempel, en soms een duif of een konijn (maar geen reevlees – nee, nooit reevlees). De seizoenen gingen in elkaar over. Squagganeek werd groter. Zij hurkte in de hut en kauwde op dierevellen tot ze zacht waren, droeg mocassins en een leren voorschoot als een squaw, en steeds als haar hand haar schedelhuid beroerde en daar stoppels voelde opkomen, schoor ze zich kaal. De hut, benauwd, vuil, een broedplaats van teken, zandvlooien, muggen en knijten, was niet veel meer dan het leger van een dier. Maar wat wou ze? Dit was haar verdiende loon.

Op een bepaald moment overwoog ze om, ter wille van haar zoon, terug te keren naar Van Wartwyck en de patroon te smeken om genade, onderdak en werk, maar ze wist dat er voor haar geen genade was. Ze had het blanke ras verraden met haar bastaard, ze was een hoer; er stonden straffen op wat zij gedaan had. De Nederlandse wet, inmiddels vervangen door een op dit punt nog ongespecificeerde Engelse, bestrafte de vleselijke omgang met een squaw met een boete van vijfentwintig gulden, een bedrag dat opliep tot vijftig als zij zwanger werd, honderd als ze baarde; de notie dat een blanke vrouw ooit zou hoereren met een vettige, met muskus ingesmeerde wilde was zo volstrekt ondenkbaar dat de goede burgers en boeren zich de moeite van wetgeving daartegen hadden bespaard – als de nood aan de man kwam zouden lichamelijke verminking en verbanning volstaan.

Dus zo was de stand van zaken – een leven als een opeenvolging van verwondingen, nergens vreugde buiten het kind, de zich zinloos herhalende wisseling der seizoenen – toen in het begin van de zomer een dagdroombeeld vlees werd en haar verloste.

Ze zat ineengedoken in haar hut op dierevellen te kauwen en hoorde vaag de kreten van Squagganeek, die om zijn groene ogen en zijn krankzinnige blanke moeder werd getreiterd door de Weckquaesgeek-jongens, toen er een gezicht verscheen in de deuropening. Het was een gezicht dat ze wel duizend keer gezien had in haar slaap of in de sintels van het vuur, maar het zag er toch op de een of andere manier anders uit; het was niet langer het gezicht van een jongen – nee, het was voller, harder, geprononceerder. Ze kneep haar ogen dicht en prevelde een bezwering. Er gebeurde niets. Het gezicht bleef daar hangen in die deuropening, die zo laag was dat zelfs een hond zich zou hebben moeten bukken om binnen te komen, het hing daar als ontlijfd, en de gelaatstrekken die haar zo vertrouwd en toch zo vreemd waren vertoonden geschrokken, verbijsterde rimpels. Ze wilde juist een gil geven en zijn naam uitschreeuwen – iets doen om de ban te breken – maar Jeremias was haar voor. Met een stem die trilde van schrik en ongeloof sprak hij één enkel woord: 'Katrientje?'

Ze hadden hem aan hun borst gesloten, Staats en Meintje, hadden hem te eten gegeven en in de kleren gestoken en hem behandeld als een van hun eigen kinderen. Zij aan zij met Staats en diens oudste, Douw, werkte hij op het land, zeis en mathaak hanterend als een volwassene, hoewel hij pas zestien was en gehinderd werd door zijn handicap. Als ze aan tafel gingen, wist Meintje voor hem altijd een goed stuk vlees te vinden, of een klont suiker voor in zijn warme chocolademelk, en ze wilde hem steeds van alles nog een beetje opscheppen, als om hem de schade te laten inhalen die hij had opgelopen in zijn tijd van leed en ontbering, toen er geen hand was om hem te voeden. Ze gaven hem genegenheid en ze gaven hem hoop, en Jeremias heeft dat nooit vergeten. Maar als hij dacht aan Van Wart, die zich volvrat aan de vrucht van andermans arbeid, als hij dacht aan die sikkelrug van een schout en die paardereet van een rentmeester, die hem van de boerderij hadden verdreven waar zijn vader gestorven was, voelde hij de wraakzucht in zich opborrelen als etter in een wond.

Twee en een half jaar leefde hij in vrede met zichzelf, zonder aan het verleden of de toekomst te denken: om de paar maanden, als hij de oude was ontgroeid, sneed hij zich een nieuwe stut voor zijn been, hij plukte aan de acne die als broodschimmel op zijn gezicht en hals gedijde, hij jaagde in het bos en viste in de rivier. Maar toen liep hij op een middag naar de winkel van Jan Pieterse – om een paar vishaken, hield hij zichzelf voor, maar in werkelijkheid omdat hij rusteloos was, ruimte nodig had, een nieuw, onbestemd soort onvrede voelde en gewoon een paar uur weg wilde van de boerderij – en toen veranderde ineens alles. Hij was achter in de winkel, genoot van de geuren, de rust, de rijke, roerloze schaduwen die als de achtergrond waren van een schilderij dat hij vroeger wel eens had gezien in het schip van de kerk in Schobbejacken, bleef staan tussen de bontvellen, die fluisterden van geheimzinnige wilde streken, de vaatjes bier en zoute haring, de zakken met kruiden, de rollen stof en de kruiken met sterkedrank. Van buiten, door de openstaande deur, drongen de loom in de middagzon wegdrijvende stemmen door van Jan Pieterse en boer Ter

Hark. Met de warm geworden vishaken in zijn hand leunde Jeremias achterover tegen een plank met bontvellen en sloot zijn ogen.

Toen hij ze weer opendeed stond er een meisje tegenover hem met haar rug tegen de muur, en ze keek of ze zo juist een pad in de botervloot ontdekt had. 'O,' zei ze; ze keek weg, zocht zijn oog en keek weer weg, 'ik wist niet dat er iemand binnen was.' Ze stond met een stuk lint in haar hand en was gekleed in een sajetten overrok, een linnen muts en een witte blouse die haar armen even boven de elleboog insnoerde.

'Eh, ja, ik ben hier binnen,' zei Jeremias. Hij voelde zich dwaas; hij had spinnewebben in zijn hoofd. 'Ik bedoel, eh, ik wilde een paar haken kopen.' Hij opende zijn hand en stak die naar haar uit om ze te laten zien.

'Ja,' zei ze, 'en ik kom voor lint.' Ze hield een eind zwart *armosyn* in de lucht en glimlachte.

Hij glimlachte terug en zei dat hij haar hier nog nooit gezien had.

Ze haalde haar schouders op alsof ze zeggen wilde: pech gehad, en vond het toen nodig om op één been te gaan staan en een vinger in haar haar te draaien voor ze hem vertelde dat ze in Croton woonde, bij het Van Wart-goed. Terloops zei ze er nog achteraan: 'Vader neemt me wel eens mee als hij hier in de buurt moet zijn.'

Er viel een stilte, en Jeremias bespeurde buiten een nieuwe stem – een stem die hij eerder gehoord had, stembuigingen die ergens diep in zijn geheugen lagen opgeslagen. Hij hoorde boer Ter Hark tekeergaan over Wolf Nysen, hoorde de spottende reactie van Jan Pieterse en daarna die andere stem, en hij verkilde.

'En jij?' zei ze ten slotte.

De hond van Jan Pieterse ging met een sybaritische grom verliggen tussen de bontvellen. Jeremias keek recht in een paar ogen als het Delfts blauw van de rijken: een glazuurglans en een kleur zo diep als de Schelde. 'Ik?' zei hij. 'Ik woon op de boerderij van Van der Meulen, maar ik ben een Van Brunt. Jeremias van Brunt. Ik word van de zomer zeventien.'

'Ik heet Neeltje Cats,' zei ze. 'Ik ben net vijftien geworden.' En vervolgens, met trots: 'Mijn vader is de schout.'

O ja. Natuurlijk. De schout. Jeremias' ogen verhardden zich en hij knarsetandde.

'Wat...?' begon ze, en toen stokte haar stem. Ze stond naar de lege pijp van zijn broek te kijken. 'Hoe is dat gekomen?'

Hij keek omlaag naar zijn houten been alsof hij het voor het eerst zag. De stemming was ineens omgeslagen. In plaats van de pelzen zag hij de klauwtjes mat glanzen in het zachte licht dat door de deur-

opening viel. 'Ik heb een ongeluk gehad,' zei hij. 'Op mijn veertiende.'
Ze knikte als om te zeggen: ja, ik snap het, het zit niet altijd mee in het leven – meende ze althans van haar ouders begrepen te hebben. 'Volgens mijn vader was Pieter Stuyvesant een groot man.'

'Was hij ook,' zei Jeremias. 'Is hij nog steeds.' En plotseling voelde hij iets losschieten in zijn binnenste, een snaar die te strak gespannen was geweest, en van het ene moment op het andere hing hij de dorpsidioot uit: hij sjeesde over de vloer op zijn houten stut, met het haar voor zijn ogen en een van woede vertrokken gezicht, en ging met een denkbeeldig zwaard de Engelanders te lijf als de grote man zelf.

Neeltje lachte. En het was die lach – een zuivere, onbekommerde lach, iets even wonderbaarlijks als de harmonie der sferen – waarvoor hij viel. Nee, hij stortte niet voorover in het vat met gepekelde varkenspoten – hij prikte zijn vinger niet eens aan een van de vishaken – maar vallen deed hij wel. Die lach was een openbaring. Hij keek haar aan, inmiddels zelf ook lachend, nam haar gezicht in zich op terwijl zij daar stond te giechelen met een stuk lint in haar hand en zag zijn toekomst.

Zodra hij terug was op de boerderij informeerde hij naar haar bij Staats. Zijn pleegvader stond opzij van het huis op een stoel de muur te schilderen met een witsel op basis van verpulverde oesterschelpen. 'Cats?' zei hij, terwijl hij zijn werk onderbrak, zijn breedgerande hoed naar achteren schoof en met een hand over zijn kale schedel wreef. 'Ik heb vroeger in Schiedam wel een Cats gekend. Vuile schooier. Hondsbrutaal.'

Jeremias stond daar in de dichter wordende schemering en luisterde beleefd naar het gedetailleerde verslag van zijn pleegvader over de misdragingen en het onfatsoen van deze infame Cats – de voornaam van die *galgebrock* was Staats ontschoten – van zo'n twintig jaar geleden in Schiedam, aan de andere kant van de aardbol. Toen Staats een moment zweeg om adem te halen, loodste Jeremias hem met zachte drang terug naar het hier en nu. 'Maar de schout dan – Joost Cats?'

Staats gaf niet meteen antwoord. 'Joost?' zei hij, want hij zag zo gauw het verband niet. 'O, ja. Joost. Maar die heeft toch geen dochter, of wel?'

Aan Meintje had hij evenmin iets. Er verscheen een strijdbare blik in haar ogen toen het woord 'schout' viel, en ze raadde Jeremias aan het verleden te laten rusten. 'Als ik jou was,' zei ze, 'bleef ik bij hem uit de buurt, en bij zijn dochter.'

Er kropen vier weken voorbij. Jeremias ruimde stukken grond, stak stronken in brand, stapelde veldstenen tot muurtjes, molk en voerde de koeien, wiedde de gerstakker en verspreidde koeiestront. Hij at vis, wild en gevogelte, at maïskoeken, pap en bruinbrood, dronk cider en 'Sopus-bier. Hij sliep samen met Douw van der Meulen op een met maïsvliezen gevulde matras, pikte tabak die hij uitprobeerde achter de schuur, zwom naakt in de Van Wart-rivier. En dan waren er de lange hete middagen waarop hij niet veel anders deed dan naar de oude boerderij slenteren en er staren naar de as. Maar bij dat alles verliet hem nooit het beeld van Neeltje Cats.

Toen kwam de dag waarop er werd aangeklopt door een pokdalige Kitchawank in een ruim bemeten broek. Het was half juni, het licht was als een fijne nevel, en Jeremias was net met het hele gezin aan tafel gegaan voor het avondeten. Meintje zette de deur op een kier, alsof ze in Schiedam was en een marskramer op de stoep vermoedde. 'Ja?' zei ze.

Maar tot verbazing van Jeremias, Douw en de drie jongere kinderen was Staats al overeind gesprongen. 'Nee maar, daar hebben we de oude Jan,' zei hij, en Meintje zette de deur verder open.

De Kitchawank, die geen hemd droeg, had een tors als een landkaart van littekens, ontvellingen en ontstoken insektebeten en liep op bemodderde en gescheurde mocassins. Hij stond in de omgeving bekend als oude Jan en scharrelde zijn onderhoud bij elkaar door het doen van klusjes en het overbrengen van boodschappen, in ruil voor een paar duiten of een pul bier, van het ene naar het andere dorp waar hij doorheen trok. Hij had de pokkenepidemie overleefd die zo'n dertig jaar tevoren had huisgehouden onder zijn stamgenoten, maar had er wel zijn verstandelijke vermogens grotendeels bij ingeschoten. Staats kende hem van bij Jan Pieterse. Meintje zag hem voor het eerst.

'Wat is er, Jan?' zei Staats. 'Heb je een boodschap voor ons?'

De Indiaan stond daar onaandoenlijk in de deuropening, met een gezicht zo puttig en verweerd als de bodem van een kloof. 'Ja, is boodschap,' zei hij in zijn gebrekkige, rudimentaire Nederlands. 'Voor hem,' en hij wees naar Jeremias.

'Voor mij?' Verbaasd stond Jeremias op van tafel. Wie kon hem nu een boodschap sturen? Behalve de buurtjongens en zijn tafelgenoten kende hij op heel de wijde wereld geen mens.

De oude Jan knikte. Toen draaide hij zich om en wees naar een opening tussen de bomen achter de schuur, en Jeremias, die inmiddels met Staats en Meintje, met Douw en Barent, Klaes en de kleine Jannetje bij de deur stond, zag een uitgemergelde figuur met een wasberebontjas om zich heen te voorschijn komen uit de schaduw. 'Jouw zuster,' begon oude Jan, terwijl hij zich weer omdraaide naar hem, en van het ene moment op het andere voelde Jeremias het bloed bonzen in zijn oren. Katrientje. Al in tijden had hij niet meer aan haar gedacht. Hij wist niet beter of ze was dood, zo volledig als ze uit de gemeenschap verdwenen was. 'Jouw zus,' zei de Indiaan nog eens, maar zijn stem zakte weg. Hij keek Jeremias aan en zijn ogen sliepen.

'Nou? Wat is daarmee?' zei Staats.

Van de overkant van het veld klonk de stem van Mohonk, ongeduldig en autoritair, en het hoofd van oude Jan schoot omhoog alsof hij betrapt was tijdens een dutje. 'Zij denkt,' mummelde hij, 'jij verbrand en dood. Zij is...' en zijn stem begaf het weer.

'Jan, Jan – wakker worden,' gromde Staats, en hij pakte de Indiaan bij de arm, maar het was het geluid van Mohonks stem dat hem weer bij zijn positieven bracht. Mohonk zette zijn handen voor zijn mond en schreeuwde een tweede keer, en de ogen van oude Jan klaarden een moment op. Hij ging hun gezichten langs met een verre blik en zei: 'Glas bier.'

'Ja, ja, bier,' zei Staats. 'Maar eerst de boodschap.'

Hij keek hen aan of hij net ter wereld was gekomen. 'Jouw zus,' zei hij voor de derde keer, 'hoer bij Weckquaesgeeks.'

Staats van der Meulen was een barmhartig man. Er was voor haar geen plaats in het huis, maar hij legde een strozak voor haar neer in de barak bij de schuur, en Katrientje kroop met haar kind op de zak als een kale, verstoten madonna. De ossen snoven, de koeien loeiden, de zwaluwen schoten door de schaduwen. Meintje verbeet zich en stuurde een mandje met oud brood en een stuk melkkaas naar de schuur. 'Dit is maar voor tijdelijk,' waarschuwde ze Staats, haar pollepel geheven in zijn richting. 'Morgen' – en het was of ze het had over een moedermoordenaar of een melaatse – 'is zij vertrokken.'

Morgen werd overmorgen en toen de dag daarop. 'We kunnen haar niet zo maar terugsturen naar de wilden,' betoogde Staats, maar Meintje was onverbiddelijk. Ze was een gevallen vrouw, een ondermijnend element, schuldig aan rasschennis, zonder berouw; ze moesten om de kinderen denken. 'Ik geef je nog tot het eind van de week,' waarschuwde ze.

Jeremias had intussen totaal geen weet van dit broeiende conflict. Hij zat de meeste tijd bij Katrientje en Squagganeek in de schuur, waar het verleden voor hen weer tot leven kwam, en hij was te verrukt om veel in de gaten te hebben. Nog maar een week geleden had hij een vader, een moeder noch bloedverwanten gehad, behalve een oom in Schobbejacken die hij nauwelijks kende. En nu had hij niet alleen zijn zus terug, maar was hij wonder boven wonder zelf ook nog oom geworden. Hij zat urenlang met Squagganeek te kaarten of *trock* te spelen, staarde het kind in de ogen en zag zijn vader, zijn moeder, zag de kleine Wouter. Hij twijfelde er geen moment aan: natuurlijk zouden Staats en Meintje hen opnemen. Natuurlijk.

Maar toen de week voorbij was, nam Meintje het heft in handen. Zonder tranen, driftbuien, stemverheffing of verwijten. Toen Staats en de kinderen bij het eerste licht wakker werden met in hun oren het geblaat van ongemolken geiten en het opstandige gekakel van ongevoerde kippen, troffen ze een koude haard en een Meintje die, nog in haar nachthemd, in haar schommelstoel zat aan de overzijde van de kamer. Sterker nog, ze had haar handen gevouwen, als in gebed, en zat met haar gezicht naar de muur. 'Meintje – wat is er?' riep Staats uit, terwijl hij op haar toe rende. 'Is er iets? Heb je griep?' Ze zei niets. Hij pakte haar handen. Die waren levenloos, dood. Ze bleef strak naar de muur kijken.

Binnen enkele minuten was het huis in rep en roer. Meintje, die heel haar leven nog nooit was gaan zitten, behalve om erwten te doppen of sokken te stoppen, en wier handen nog nooit stil hadden gestaan, was getroffen door een verschrikkelijke, verlammende aandoening – ze was een levende dode geworden: ze hoorde niet, ze zag niet, ze bewoog niet. 'Moeder!' riep de kleine Jannetje, en ze wierp zich aan haar moeders voeten, terwijl het wiegekind, de kleine Klaes, lag te gillen alsof de smart der wereld hem plotseling in haar volle omvang duidelijk was geworden. Meintje draaide zelfs haar hoofd niet om. Jeremias hield zich verlegen op de achtergrond en wisselde blikken uit met Douw. Vervolgens ging hij naar buiten om bij zijn zus te kijken.

Meintje bleef zes dagen zitten. Niemand zag haar zich verroeren, zelfs niet om op te staan en zich te ontlasten. Soms waren haar ogen gesloten; soms waren ze star en zonder te knipperen op de muur gericht. Wie tegen haar praatte – vroeg of ze wilde eten, slapen, of de dokter moest komen dan wel haar oude moeder uit Schiedam – kon zich net zo goed tot een steen richten. Het gezin redde zich intussen zo goed en zo kwaad als het ging. Douw en Barent beproefden hun kooktalent, Staats deed de was, en één keer deed Jeremias een vertwijfelde poging tot het bakken van maïskoeken, die qua aanzien en smaak uitvielen als restanten van een schoorsteenbrand. Al gauw was Meintjes keuken – bron van jaloezie tot in de wijde omtrek, fonkelend als een ijsbaan, schoongeschrobd tot in de kieren tussen de planken – een kiemkrachtige zwijneboel van etensresten, binnengelopen vuil en stukgevallen serviesgoed. Ten slotte, aan de vooravond van de zevende dag, sprak ze.

Het gezin schrok zich een ongeluk. Iedereen was zo gewend geraakt aan haar stilzwijgen en onbeweeglijkheid dat men vergeten was dat ze er zat. Dit was niet de vrouw en moeder van een week eerder, dit was een meubelstuk, een voetenbankje, een kapstok. De vloer om haar heen was verslibd met allerlei rotzooi: sokken, schillen, een half opgekauwde wortel. De pop van Jannetje lag met de neus omlaag in haar schoot, de muts van Klaes bungelde aan de rugleuning van de stoel en het *trock*-bord was op de een of andere manier tussen haar schouder en de armleuning terechtgekomen. Nu ze sprak, veerde ineens iedereen verschrikt overeind, alsof de planken van de vloer hadden geroepen: 'Ga van me af met die grote voeten!' of de ketel het op een gillen had gezet toen de aanmaakhoutjes eronder vlam vatten. Bij dat alles liet de inhoud van haar mededeling niets aan duidelijkheid te wensen over. Staats sloeg zich voor zijn hoofd, Jeremias verijsde. Meintje sprak slechts vier, tot de muur gerichte woorden, stuk voor stuk afgebeten of ze duizend gulden kostten: 'Is ze al weg?'

Voor Jeremias was de zaak duidelijk. Hij zwenkte om zijn as, stampte door de deur naar buiten en beende het erf over en de schuur in. Vijf minuten later kwam hij weer te voorschijn met Squagganeek op zijn rug en de kaalgeschoren, verwilderd kijkende Katrientje aan zijn zij. Hij nam niets mee: geen kleren, geen werktuigen, geen eten. Hij keek niet achterom.

Het kostte Staats bijna een week hem terug te vinden. Hij trok naar het zuiden, helemaal tot aan het dorp Sint Sink, naar het noorden naar Cold Spring, naar het oosten naar Crom's Pond. Hij klopte aan bij boerderijen, stak zijn hoofd naar binnen in hutten, wigwams en herbergen en kreeg overal waar hij informeerde hetzelfde antwoord: niemand had iets gezien, geen eenbenige jongen, geen kaalgeschoren meisje, geen kleine halfbloed – het leek wel of ze van de aardbodem verdwenen waren. Maar Staats hield vol. Hij moest ze vinden, moest Jeremias zeggen hoe hij erover dacht, moest zich verantwoorden en vrijpleiten. Het was Meintje – er was geen land met haar te bezeilen. Als het aan hem had gelegen, had hij onder zijn dak wel ruimte gemaakt voor Katrientje, en ook nog wel voor haar bastaard. Wel degelijk. Dat wist Jeremias. Alleen was Meintje een vastberaden vrouw, een vrouw die vasthield aan haar principes...

Staats was een man van weinig woorden, maar terwijl hij door het bos zwoegde of zijn paard over de glinsterende slikbanken van de rivier leidde, oefende hij zijn toespraakje als een echte redenaar. Maar als Douw er niet geweest was, had hij misschien nooit de kans gekregen het af te steken. Jeremias was niet in Croton, niet in Crom's Pond, Beverswyck of Poughkeepsie. Dat had Douw hem meteen kunnen vertellen. Ze hadden niet voor niets twee en een half jaar in één bed geslapen, samen door de heuvels gezworven, over een ABC-plankje gebogen gezeten bij Crane in de voorkamer, pompoenen gejat en zij aan zij nestelende kwartels en dommelende kikkers beslopen – Douw kende hem zo goed als hij zichzelf kende. Toen zijn vader er ten slotte aan dacht hem ernaar te vragen en Douw hem liet weten waar Jeremias vrijwel zeker heen was, keek Staats hem een ogenblik sprakeloos aan en vervloekte zich toen. Natuurlijk: de oude boerderij.

Die avond nam Staats een haastig bord pap met brood bij wijze van avondmaal en ging toen te voet naar de plaats van de Van Brunts. Eer hij er was schemerde het: glimwormpjes boorden gaten in de schaduwen, de boomstammen schoven in en uit het gelid, de cicaden sjirpten, de muskieten hadden het luchtruim gekozen. Aanvankelijk zag hij niets – of liever gezegd: hij zag bladeren en bomen, de resten van de optrek, de witte eik in al zijn glorie – maar toen hij dichterbij kwam zag hij dat Jeremias' half vergane windscherm, het windscherm van zijn verwezing en ballingschap, was opgelapt met nieuwe stukken iepeschors. Er drong nu ook een bepaald geluid tot zijn oren door, een geschraap of gerasp dat niet afkomstig kon zijn van enig hem bekend dier.

Jeremias zat voorovergebukt een konijn te villen met een steen met een aangescherpte rand. Katrientje en Squagganeek, die brandhout aan het sprokkelen waren, keken op met verschrikte gezichten. 'Jeremias,' zei Staats, en toen de jongen hem over zijn schouder een blik toewierp, waren diens ogen dierlijk en koud.

Staats zei de naam nog twee keer en stak toen met horten en stoten zijn toespraakje af. Hij had een bijl en een mes meegebracht, en die bood hij Jeremias nu aan, met een mandje met voedsel – brood, gerookte elft en kool – dat Meintje hem had meegegeven. Jeremias zweeg. 'Zou je niet liever thuiskomen?' vroeg Staats, bijna fluisterend.

'Dit is mijn thuis,' zei Jeremias.

Het was krankzinnig. Hopeloos. Onverantwoord. Het was juni, alles zat al in de grond, en Jeremias wilde het er voor zichzelf op wagen. Een invalide met een halfgekke zus en haar kleine buitenechtelijke broekeschijter, en hij wilde de boerderij herbouwen, het land ontginnen, de grond alsnog inzaaien en oogsten voor de winter. Meintje klakte met haar tong toen ze ervan hoorde, Douw keek omlaag in zijn beker cider. Maar de volgende ochtend waren Staats, Douw en de tien jaar oude Barent present met hun spullen en een pakmand met genoeg etenswaren om de Engelse vloot te bevoorraden. Jeremias omhelsde hen plechtig, een voor een. Toen begonnen ze te ploegen.

In de loop van de weken droeg de hele gemeenschap een steentje bij. Reinier Outhuyse hielp met het timmerwerk, Hackaliah Crane kwam langs met zijn span, oom Egthuysen gaf een melkkoe in bruikleen die eigenlijk van de patroon was en Meintje zamelde onder de *huysvrouwen* beddegoed, keukengerei en kopjes zonder schoteltje en schoteltjes zonder kopje in. Zelfs Jan Pieterse liet zich niet onbetuigd en schonk twee vaten 'Sopus-bier, een zak pootuien en een nieuw ploegijzer plus rister. Het was niet veel, maar genoeg om een begin te kunnen maken. In de eerste week van juli had Jeremias graan en maïs in de grond, lag er naast de deur een lapje uitlopende pompoenen, kalebassen en rapen en stond de inmiddels bijna negentienjarige Katrientje voor het eerst in haar jonge leven in haar eigen keuken. Pal boven de verkoolde resten van de oude optrek was in twee weken tijd een nieuwe verrezen, en hoewel het een primitief, vochtig, benauwd en bedompt bouwseltje was, konden ze er de winter tenminste in overleven. Het ging de goede kant op.

Hoe de patroon er lucht van kreeg was Staats een raadsel (de oude Van Wart was in knokkel en teen getroffen door een virulente uitbarsting van jicht en had al ruim een halfjaar geen voet meer buiten Croton gezet), maar hij kreeg er lucht van. De patroon was razend. Er werd misbruik gemaakt van het feit dat hij het bed moest houden. Illegalen op Nysenswerf, klaplopers, zwervers die stiekem als wilden waren binnengedrongen en zich zijn grond toeëigenden zonder zich te storen aan zijn soevereiniteit of een regeling te treffen voor de pacht. Het was onduldbaar. Een schanddaad tegen de wetten van mens en God, een lange neus recht in de fysionomie van een rechtvaardige samenleving. Hij stuurde de schout op onderzoek uit.

Joost had weinig trek in de opdracht. En hij had Neeltje ook niet mee willen hebben. Echt niet. Niet dat hij moeilijkheden verwachtte – niet in dit stadium tenminste – maar hij was bang dat ze iets te zien zou krijgen wat ze beter niet kon zien. Wie wist wat voor mensen het waren. Het konden wel verdorven dronkaards zijn die in zonde leefden en orgaanvlees aten en oesters leegslurpten; het konden wel halfbloeden zijn of yankees of weggelopen slaven. Hij wist alleen dat er zich een gezin – een man, een vrouw en een kind – had gevestigd op Nysenswerf en dat het zijn taak was óf ze officieel in te schrijven als pachters van de patroon óf ze te ontruimen. Nee, hij wilde zijn dochter beslist niet mee hebben. Maar Neeltje dacht er anders over. 'Vader,' smeekte ze, en ze keek hem aan met een blik waarvan een engel spontaan in de rui zou zijn gegaan, 'mag ik niet mee? Alstublieft?' Het kwam zo handig uit, drong ze aan. Hij bracht haar naar Jan Pieterse, deed zijn werk en kwam haar dan naderhand weer ophalen. Moeder had een hele lijst met dingen die ze nodig had, dus als zij die nu haalde scheelde het hem weer tijd. En ze kon gelijk een paar cadeautjes uitzoeken voor de kleintjes. 'Toe, papa, toe, mag het?' bedelde ze, en

Ans en Trijntje, respectievelijk negen en tien, keken toe met hoopvolle gezichtjes. 'Er zijn zoveel dingen die we nodig hebben.'

Dus had hij zijn eenogige knol gezadeld en de merrie uit de stal van de patroon gehaald, waarna ze voor het eerst sinds het voorjaar en het geschil-Crane/Outhuyse weer op pad waren gegaan naar het noorderlandhuis. Joost was in mineur gestemd. Het was heet, de dazen waren een kwelling, een bezoeking, de bandelier schuurde over zijn schouder en de zilveren pluim hing hem voor zijn ogen, en bij elke strompelende stap die zijn paard zette kon hij wel vloeken als hij bedacht dat hij op hetzelfde moment krabben had kunnen staan steken in de baai, maar toch ging hij voort, met de roep van zijn plicht in de oren. Neeltje had daarentegen niet de minste last van de hitte. Of van de dazen. Zij ging naar Jan Pieterse, en haar zusjes niet. Dat was haar voldoende.

Ze reden langs het noorderlandhuis om er iets te eten tussen de zware, één meter dikke muren, waar het zo koel was als in een kelder. Vrouw Van Bilevelt, die samen met Cubit de slaaf en diens vrouw op het huis paste, serveerde hun een koude crèmesoep met krabkoekjes. Ze brachten een kort bezoek aan Gerrit Jacobsz de Vries en diens gezin, die sinds het overlijden van de broer van de patroon verantwoordelijk was voor de boerderij en de molen bij het landhuis, en reden toen naar de Blauwe Rots zodat Neeltje inkopen kon doen terwijl Joost poolshoogte ging nemen bij de indringers op Nysenswerf. Maar toen ze daar aankwamen, bleek de handelsnederzetting verlaten en de deur vergrendeld. Op haar lip bijtend van teleurstelling probeerde Neeltje de klink wel zestien keer, en ze bleef op de deur staan kloppen tot Joost dacht dat haar knokkels open zouden barsten. Toen zag ze het briefje van Jan Pieterse liggen. Op de grond. *Op krabbenvangst*, las ze hardop. *Terug tegen zessen.* Joost schudde zijn hoofd. Het was nog maar net halfdrie. Er zat niets anders op dan Neeltje mee te nemen.

Toen ze voorbij de Acquasinnick heuvelop gingen, door het bos waar zich de schimmen van vermoorde Kitchawanks en de ongelukkige dochters van Wolf Nysen ophielden, zei hij tegen haar dat hij geen moeilijkheden verwachtte, maar dat ze voor de veiligheid aan de rand van de open plek moest blijven en dat ze in geen geval moest proberen tussenbeide te komen of te praten met die mensen. Was dat duidelijk? Neeltje keek droevig naar de afgesplinterde rotsen en half vergane boomstammen om haar heen, naar de schaduwen, die als plassen in de buik van een grot waren, en ze knikte. Die plek en die mensen interesseerden haar niet, net zomin als wat haar vader er te zoeken had. Het ging haar maar om één ding: de winkel van Jan Pieterse, en die moest uitgerekend vandaag gesloten zijn. Ze was zo teleurgesteld dat ze nog het liefst was gaan gillen tot haar longen zich binnenste buiten keerden. En dat had ze gedaan ook als haar vader er niet bij was geweest – en als het hier niet zo doodstil geweest was, zo somber.

Spoedig waren ze boven aan de helling, waar een open plek lag die werd beheerst door de hoge kruin van één enkele boom. Links daarvan stond een bouwvallige muur en rechts een primitief onderkomen van ingekeepte groene boomstammetjes. Er was geen schuur, geen vijver, geen boomgaard en, op een ziekelijk uitziende koe na die aan een touw onder de boom stond, ook geen vee. Het leek er uitgestorven. 'Blijf jij hier,' zei haar vader, en hij richtte zich op in het zadel en sjokte het erf op. 'Hé daar!' riep hij. 'Is er iemand thuis?'

Geen gerucht.

Haar vader riep nog een keer, en de koe wierp een onheilspellende blik op hem alvorens haar kop te laten zakken naar een pluk gras aan de rand van de cirkel die ze bestrijken kon. Op dat moment verscheen er om de hoek van het huis een vrouw met een emmer in haar hand. Het eerste wat Neeltje aan haar opviel waren haar voeten. Die waren ongeschoeid en smerig, vers glanzend van de modder, alsof ze net te voorschijn was gewaad uit een moeras of zo. En dan die jurk – duidelijk een afdankertje, opgelapt, verschoten en vlekkerig, en zo versleten dat je de huid erdoorheen zag. Maar dat was het ergste nog niet. Toen de vrouw dichter op haar vader toe liep, zag Neeltje tot haar schrik dat dat helemaal geen muts was die ze op haar hoofd had – dat was geen linnen, dat was huid. De vrouw was kaal! Dat hoofd – gescalpeerd, geplukt, ontbloot – was zo glad, bleek en onvruchtbaar als dat van dominee Van Schaik. Neeltje voelde iets ineenkrimpen in haar buik. Hoe kon een vrouw zich zo iets aandoen? vroeg ze zich af. Het was zo... zo lelijk. Had ze luizen, was dat het? Was ze een lichtekooi, verjaagd uit Connecticut? Een katholieke non? Was ze in handen gevallen van de Indianen en... en *geschonden*?

'Ik vertegenwoordig hier het gezag,' hoorde ze haar vader zeggen. 'Joost Cats is de naam. De wettige eigenaar van deze grond stuurt mij om te informeren wat uw aanwezigheid hier te betekenen heeft.'

De vrouw keek bevreemd en verwilderd om zich heen, alsof zij degene was die hier voor het eerst kwam, in plaats van Neeltje. Verstond ze eigenlijk wel Nederlands?

'U hebt geen enkel recht hier te zijn,' zei Joost. 'Wie bent u en waar komt u vandaan?'

'Katrientje,' zei de vrouw ten slotte, terwijl ze haar emmer neerzette. 'Ik ben Katrientje.'

Maar toen verschenen er nog twee gestalten om de hoek van het huis – een kind, met lichte ogen in een donker gezicht, en een man die aan kwam wankelen op een modderige houten pen. Het duurde even – het was ook allemaal zo anders, het was zo'n vreemde omgeving – voor ze hem herkende. *Jeremias.* Die naam had eerder op haar lippen gelegen. In het voorjaar. Na het laatste uitstapje was die naam ongeveer een maand lang op de gekste momenten bij haar geweest – in de vroege ochtend, onder het bidden, als ze aan het weefgetouw zat of achter de boterkarn. *Jeremias.* Maar wat moest hij híér?

Haar vader was niet minder verbaasd dan zij. Het hoofd van de schout vloog achterover alsof iemand hem in de kraag greep, en hij schoot als een duveltje-uit-een-doosje omhoog vanuit zijn gebruikelijke kolensjouwershouding. 'Van Brunt?' stiet hij uit, met een stem die oversloeg van ongeloof. 'Jeremias van Brunt?'

Jeremias kwam over het erf aanlopen naar waar de schout zich boven op zijn eenogige rijdier in het zadel hield. Pal voor hem bleef hij staan, op niet meer dan een meter afstand, en hij nam hem op met een onbewogen blik. 'Jawel,' zei hij. 'Ik ben er weer.'

'Maar dit kan niet... Dit is eigen terrein.'

'M'n rug op, met je eigen terrein,' zei Jeremias, en hij bukte zich om een eind brandhout op te rapen. De vrouw deinsde achteruit en drukte het kind tegen zich aan.

Joost gaf een boze ruk aan de teugels, en het paard sidderde en protesteerde door zijn tanden te ontbloten. Er was niets met de jongen te beginnen. Hij was rebels. Kansloos in het leven. Hij had geen eerbied voor het gezag, geen kennis van de wereld en geen ander middel van bestaan dan die eigengerechtige grijns. Joost herinnerde zich het uitdagende gezichtje bij de Van der Meulens in de deuropening, de hooghartige veerkracht van de schouders bij Jan Pieterse, de lach van zijn dochter en het stukje suikergoed dat ze zich liet toestoppen, als een inbreuk op zijn vaderschap. Hij was buiten zichzelf. 'Jij staat nog in het krijt bij de patroon,' grauwde hij.

'De patroon kan barsten,' zei Jeremias, en dat ging Joost te ver. Voor hij besefte wat hij deed, had hij zich op hem gestort: het dienstzwaard schoot uit zijn schede als een plotselinge, klievende straal licht, de vrouw klemde het kind tegen zich aan en Jeremias wankelde achteruit voor het steigerende paard. 'Nee!' gilde Neeltje, en Jeremias, met het stuk hout voor zich uit om zich te verweren, draaide zijn hoofd naar haar – zij zag hem, hij draaide zijn hoofd naar haar – op het moment dat het zwaard viel. Ook de vrouw gilde. Vervolgens werd het stil.

IN HOOFDZAAK ECHTELIJK

Walter nam dus contact op met de twaalfde erfgenaam van het Van Wart-goed, zoals de met rook omkransde gestalte van zijn pleegmoeder hem had getart te doen, en zes weken later trad hij, onder de oeroude, verwrongen witte eik die zich boven het huisje van Tom Crane verhief als een grote, schotelvormige hand, in het huwelijk met Jessica.

Strikt genomen was het geen contact opnemen wat hij deed; hij liep Depeyster Van Wart bij vergissing tegen het lijf, alsof het voorbeschikt was dat zij tweeën elkaar zouden ontmoeten. Hij stond die ochtend op van tafel, in die keuken waar het nog naar aardappelpannekoeken rook, greep zijn krukken en zei tegen Lola dat hij dat zou doen ook: het Depeyster Van Wart vragen. Hij leende haar gedeukte Volvo – wist hij het nu wel zeker? Moest hij geen rust nemen, zo pal uit het ziekenhuis? – en reed achteruit het smalle grindpad af, langs de met vogels opgetuigde bomen, langs de kinhoge maïsstengels, de opgebonden tomaten en de in het wilde weg uitdijende pompoenen in de tuin van Hesh, het zachte asfalt van de Baron de Hirsch Road op.

Hij mocht dan al die jaren geslapen hebben, zich niet bewust zijn geweest van de invloed van de historie en de mythen die bepalend waren voor zijn leven, maar dat wilde nog niet zeggen dat hij nu wel volledig wakker was. Zo had hij nooit het verband gelegd tussen deze Depeyster Van Wart en de naamgever van de helse metaaldraaierij waar hij sinds twee maanden tegen het minimumloon in dienst was, nooit enig verband gezien tussen dit personage uit een duistere legendencyclus en het oorverdovende, tenebreïsche hol waar hij het snerpen van de draaibank had leren vrezen als was het het krijsen van een roofvogel die elke dag zijn 's nachts aangegroeide lever kwam uitrukken. Nee: metaaldraaierij-Depeyster was gewoon een naam, meer niet. Net zo iets als Kitchawank-kolonie, Otis Elevator of Fleischmann's Yeast. Als Peterskill of Poughkeepsie. Betekenisloos.

Hij schakelde en schoot naar voren, met de nieuwe voet dood op het gaspedaal, en hij was al bij het eerste kruispunt toen hij pas besefte dat hij geen idee had waar hij heen moest. Van Wart. Waar moest hij Van Wart zoeken? Alleen al in Peterskill woonden waarschijnlijk dertig Van Warts. Toen hij op de rem trapte en om zich heen speurde op zoek naar inspiratie, viel zijn oog plotseling op Skip's Texaco, met zijn twee pompen en zijn telefooncel, pal aan de overkant van de straat. Hij reed ernaar toe, hees zich uit de auto en sloeg het telefoonboek open.

VAN WART, las hij, DEPEYSTER R., VAN WART RD. 18, VAN WARTVILLE.

Hij had een voet verloren, had schimmen gezien uit het verleden, zwijgend het verhaal aanhoord van zijn vaders trouweloosheid en verraad: er ging hem geen licht op. Van Wartville. Het zei hem niets. Gewoon een adres.

Via de Mohican Parkway reed hij naar het verste eind van Van Wart Road, omdat hij niet wist hoe de huisnummers liepen, en ontdekte tot zijn ergernis dat ze aan die kant de vijfduizend gepasseerd waren. De eerste brievenbus die hij tegenkwam maakte hem dat duidelijk. Op het roestige, geblutste ding, slachtoffer van talloze te krap genomen bochten en andere gemotoriseerde beoordelingsfouten, stond in letters die eruitzagen of ze aan het Azteeks ontleend waren: FAGNOLI 5120. Zonder op of om te kijken reed Walter terug in de richting van Peterskill, door een landschap dat hem zo vertrouwd was dat hij er geen aandacht meer aan had besteed sinds hij als veertienjarige deze route nam op weg naar muziekles. Hij had geen haast – het had jaren geduurd eer hij zich was gaan interesseren voor de schim van zijn vader, dus waarom zou hij nu ineens geen tijd te verliezen hebben? – en toch reed hij voor hij het wist harder dan toegestaan, met die lichaamsvreemde voet dood op het gaspedaal, tussen brandkranen en brievenbussen door die voorbijflitsten als pagina's in een openvallend boek. Hij vloog langs batterijen iepen, eiken en esdoorns, langs autowrakken, opschrikkende voetgangers, schrapende honden. Hij passeerde het waarschuwingslicht bij Cats' Corners met negentig kilometer per uur, schakelde terug voor de s-bocht die erachter lag en had onder aan de helling een snelheid van honderd twintig. Pas toen hij voorbij het onderkomen van Tom Crane stoof, met de wieldop aan de boom en het veelbewogen stuk weiland daarachter, begon hij het rempedaal op te zoeken.

De huizen stond hier dichter op elkaar, op gazons die aan beide zijden van de weg terugweken als groene baaien of inhammen; er was een kerk, een begraafplaats, weer een knipperend oranje licht. Hij zag aan zijn rechterhand een stationcar achteruit een pad af komen, en even verderop aan de overkant stond als het restant van een nachtmerrie de cryptische gedenkplaat waarmee het allemaal begonnen was. Jeremy Mohonk, bromde hij bij zichzelf. Cadwallader Crane. In een vlaag van inspiratie zag hij zich dwars over de andere weghelft de berm in zeilen om vervolgens in een stofwolk op dat geniepige bord af te stormen en het weg te vagen met behulp van anderhalve ton wraaklustig Zweeds staal. Maar hij zag zich genoodzaakt de stationcar te ontwijken – terugschakelen, een uitval naar het rempedaal – en het volgende moment had hij het nog steeds schuin hemelwaarts gerichte, treiterige bord achter zich. Even later vond hij, juist voor hij de stadsgrens van Peterskill bereikte, wat hij zocht: nummer 18 – cijfers die in de stenen zuil gebeiteld stonden voor de poort naar het oude landhuis op de heuvel. Het Van Wart-goed. Van Wartville. Van Wart Road. Er begon hem iets te dagen.

De vrouw die de deur opendeed was van middelbare leeftijd en zwart, ze droeg een katoenen hemdjurk met schort, en ze kwam hem zo bekend voor dat hij dacht dat hij weer was beginnen te hallucineren. 'Wat kan ik voor u doehóéóén?' zei ze, het laatste woord uitrekkend tot twee volle klaroenstoten, als een misthoorn haast.

Walter stond op een veranda zo groot als het halfdek van een van de spookschepen die ter hoogte van de Dunderberg voor anker lagen. Het huis waar de veranda aan vastzat verhief zich boven hem, verdween onder hem en strekte zich uit aan weerszijden van hem als een groot levend wezen, een groot voorwerelds monster dat uit de diepte was opgestegen om hem te verslinden. Hij zag kale steen, zwart van ouderdom en opgedolven uit de aarde in een ver verleden; hij zag eikehouten balken die eeuwen geleden bomen waren geweest; hij zag geschulpte leitjes, houten luiken, gevels, schoorstenen, een dak in de kleur van een winterse ochtendhemel. Hoe vaak was hij er niet voorbijgekomen, hoe vaak had hij niet zonder een sprankje benul opgekeken naar het huis? Nu stond hij hier op de veranda, aan de voordeur, en hij voelde zich zoals destijds op de ochtend van de pannekoeken. 'Eh,' zei hij. 'Kan ik meneer Van Wart misschien even spreken?'

Hij had zich onderweg in de auto een voorstelling gevormd van het tafereel. Daar was hij dan, de zoon van de vader, vooroverhangend op zijn krukken. Van Wart deed de deur open, Van Wart zelf. Het monster, de boeman, de uit inktzwarte duisternis te voorschijn gekropen rechtsrabiate nazistische kwade genius die had aangezet tot de rellen die zijn vader te schande hadden gemaakt en het lot van zijn moeder hadden bezegeld. Van Wart. De man die eens voor al de naam Truman Van Brunt kon verdoemen of zuiveren. *Hallo*, zou Walter zeggen, *ik ben de zoon van Truman Van Brunt.* Of nee. *Goeiedag, ik ben Walter Van Brunt. U schijnt mijn vader gekend te hebben.* Maar nu stond hij op de bordestreden van een landhuis, een groot bonk suikerbakkerswerk dat eruitzag of het was ontleend aan de bladzijden van Hawthorne of Poe, waar hij stond te praten met een dienstmeid die leek op... op... op Herbert Pompey, en hij begon zich gedesoriënteerd en onzeker te voelen.

'Nee, het spijt me,' zei ze, terwijl ze strak naar zijn krukken keek, naar het haar dat te lang was geworden in zijn nek en over zijn oren kroop, naar de zevenentwintig zwarte stipjes op zijn bovenlip die misschien een snor voorstelden maar misschien ook niet, 'die is er op het moment niet.' De stem van de vrouw klaroende niet meer, en haar gezicht was een en al achterdocht. 'Wat moet u van hem?'

'Niets,' mompelde Walter, en hij wilde er juist op nog zachtere en slechter verstaanbare toon achteraan mompelen dat hij een andere keer wel terugkwam, in gedachten al bij de bibliotheek van Peterskill en de catalogusbak met handgeschreven systeemkaarten waaruit hij op de middelbare school materiaal had gehaald voor scripties over Alaska, John Steinbeck en de Baltimore and Ohio Railroad en waarin hij nu misschien iets zou kunnen vinden over Mohonk of Crane, toen van ergens uit het binnenste van het huis een stem riep: 'Lula? Lula, wie is daar?'

Door de openstaande deur zag Walter zware donkere meubelstukken, een versleten oosterse loper en aan de wand een somber portret. 'Niemand,' riep de vrouw over haar schouder, waarna ze zich weer tot Walter wendde. Hij had dit kunnen opvatten als zijn teken om in te rukken, hij had zich om kunnen draaien op zijn krukken om de treden af te sjokken, het pad af te lopen en in zijn auto te stappen, maar hij deed het niet. Nee, hij bleef daar gewoon staan, geschoord onder zijn oksels, en wachtte tot de voetstappen tot stilstand kwamen bij de voordeur en hij in het gebruinde, vragende gezicht keek van een vrouw die hem zo bekend voorkwam dat het was of ze in een droom aan hem verscheen.

De vrouw was zo te zien van Lola's leeftijd – of nee, jonger. Rond de veertig. Ze droeg een corduroy broek en mocassins en een soort Indiaanse, met plastic kraaltjes bezette hoofdband. Ze keek hem bevreemd aan, wierp een blik op de dienstmeid en wendde zich toen weer tot hem. 'Wat kan ik voor u doen?' zei ze.

Hij hallucineerde, dat was duidelijk. Had de dienstmeid de brugloze neus en de puilogen van Pompey, deze vrouw, met haar ijsblauwe ogen, haar hoge jukbeenderen en krachtige kaaklijn, deed hem ook al zo griezelig sterk aan iemand denken. Maar aan wie? Hij had een déjà vu-ervaring, voelde de huid inscheuren toen hij neerging op het harde koude plaveisel, hoorde het hoongelach van de zwervers aan dek van het U.S.S. *Anima*. Hij was er bijna – hij had het bijna, dat gezicht – toen haar stem weer tot hem doordrong, zachter nu, ongerust zelfs. 'Is er iets?'

'Ik ben de zoon van Truman Van Brunt,' zei hij.

'De zoon van wie?'

'Van Truman Van Brunt. Ik heet Walter. Ik dacht dat ik misschien kon praten met meneer Van Wart... over mijn vader.'

Ze vertrok geen spier toen de naam viel, sloeg haar hand niet voor haar gezicht om het te verbergen en plofte niet in katzwijm ter aarde. Maar haar ogen, die heel licht waren begonnen te ontdooien, verijsden weer. 'Het spijt me,' zei ze. 'Ik kan u niet helpen.'

Tot zover het 'contact opnemen'.

Nadat hij de volgende dag een uur lang vergeefs had gezocht in de bibliotheek (hij vond wel iets over de Moho, Mohole, Moholy-Nagy, de Balans van Mohr en Mohsin-ul-Mulk, maar geen Mohonk, terwijl de Cranes vertegenwoordigd waren door de juridische memoires uit omstreeks 1800 van ene I.C. Crane), reed hij naar de metaaldraaierij-Depeyster om zijn cheque op te halen en tegen Doug, de voorman, te zeggen dat hij zich over ongeveer een week weer zou melden maar niet meer aan de draaibank kon staan vanwege zijn voet. De fabriek was gevestigd in een oud bakstenen gebouw in Water Street in Peterskill, tussen de vervallen magazijnen en de wankele bouwvallen van de kachel-, hoepel-, hoeden- en zeildoekfabrieken die stamden uit de dagen van Peterskills economische hoogtij aan het eind van de vorige eeuw. Men had de rivieroever gekozen voor al die nijverheid vanwege de beschikbaarheid van koelwater, de mogelijkheden tot afvallozing en de goede bereikbaarheid per schip en trein. Maar de truck met oplegger had de aak en de wagon verdrongen, zeildoek was geweken voor formica, potkachels hadden plaats gemaakt voor fornuizen op gas en elektriciteit, de vraag naar baleinen voor hoepelrokken was nogal over zijn hoogtepunt heen en niemand droeg meer een hoed. Voor Walter waren de bouwvallen in Water Street uiteraard even onbevattelijk als Stonehenge of de piramiden van Gizeh. Iemand had daar vroeger iets gemaakt. Wie daar wat gemaakt had met welk doel – wat interesseerde hem dat?

Hij zette de Volvo op de parkeerplaats voor het personeel naast de dertien jaar oude, van menievlekken mazelige Chevy van Peter O'Reilly, wisselde een gebromde groet met de norse zwarte dikkop die op het laadperron werkte en T-shirts droeg met verheffende leuzen als 'Kill de kit' en 'Huey vrij' en schuifelde toen door de grote stalen deur waar PERSONEELSINGANG op stond. Helaas raakte hij door het gewicht van de deur uit balans, zodat hij als een dronken straatventer tegen de muur van kabaal in de werkplaats op schoot, waarbij zijn benen verstrikt raakten in zijn krukken en hij zich wild graaiend vast moest grijpen aan de prikklok om te voorkomen dat hij voorover tegen de betonnen vloer sloeg. Het volgende moment scheelde het geen haar of hij was overreden door een idioot op een vorkheftruck; ten slotte pakte Doug hem bij de arm en liep met hem langs de puttige vale bakstenen muur naar zijn kantoor.

Walter was bijna drie weken weg geweest, en in de loop van die tijd was hij vergeten hoe troosteloos deze hal precies was. Wie die donkere krocht zo zag, bij tussenpozen verlicht door flakkerend neon dat neerhing van het plafond aan aluminium stangen, stinkend naar boorolie en ontvettingsmiddel en meedreunend met het onophoudelijke machinelawaai, waande zich in een van de onderaardse peesholen uit *Metropolis*. De mensen renden rond in vieze groene stofjassen, doken onder in en op uit een walm met de kleur van ginger ale en beschreeuwden elkaar boven het rumoer uit als bleke, bezeten darren. Na een minuut had Walter het al weer gezien: dit was niets voor hem. En terwijl hij voorthobbelde naast Doug, knikkend naar zijn collega's – van achter een rooksluier sloegen ze waterig hun ogen op van hun draaibanken – besefte hij ineens dat hij niet meer terugkwam. Nooit meer. Zelfs niet als ze hem een zittend controlebaantje aanboden, zelfs niet als ze hem voorman, directeur, voorzitter van de raad van bestuur maakten. Het was Hesh die erop had aangedrongen dat hij hier zou gaan werken. Voor tijdelijk, ter overbrugging, tot hij wist wat hij wilde met zijn diploma. Dat lag nu allemaal anders.

'Tja,' zei Doug, toen hij hem had binnengetrokken in een groezelig kantoortje opgesierd met vettige dotten poetskatoen en een tot het plafond wankelende stapel bakken met afgekeurde berliners en aximaxen, 'we hadden het al gehoord, van je voet.'

Binnen, achter de vlekkerige glazen deur, werd de herrie gedempt tot een dof, onophoudelijk geronk, het geluid van een falanx tandartsen die in de verte klaarstaat met de boor in de aanslag. Walter haalde zijn schouders op. Hij leunde zwaar op zijn krukken, en zijn stomp deed zeer. 'Tja,' zei hij.

Doug was rond de dertig, levenslang veroordeeld tot de metaaldraaierij-Depeyster, een man met als markantste uiterlijke kenmerk een bovenlip zo breed, kaal en beweeglijk als die van een chimpansee. Toen Walter zich een keer hardop had afgevraagd of zijn draaibank wel juist stond afgesteld, had Doug hem eraan herinnerd dat hij niet werd betaald om na te denken, waarna hij hem achteloos de veelzeggende sleutel tot zijn eigen succes had onthuld. 'Ik ben anders dan de rest hier, weet je dat?' had hij met een veelbetekenend knikje gezegd. 'Neem dat maar van mij aan – ik heb een IQ van honderd en vijf.' Nu stak hij een sigaret op, keek naar Walters voet en vroeg: 'Heb je er pijn aan?'

Walter haalde zijn schouders weer op. 'Luister, Doug,' zei hij, 'ik weet niet of ik ooit nog aan het werk kan. Ik kwam alleen mijn cheque halen.'

Doug was beginnen te hoesten. Hij schraapte zijn keel, nam nog een trekje van zijn sigaret en bukte zich toen om in de afvalmand te rochelen. Zijn ogen traanden en hij keek verbouwereerd, alsof Walter hem gevraagd had een dansje te maken of de wortel uit 256 te trekken. 'Die heb ik niet,' zei hij ten slotte. 'Daarvoor moet je bij de administratie zijn.'

Zo kwam het dat Walter even later over de vaste vloerbedekking van een gang planeerde op zoek naar de kamer van juffrouw Egthuysen, terwijl er een verkoelend windje om hem heen woei en violen en cello's uit weggewerkte luidsprekers langs zoetvloeiende melodielijnen zijn gehoor masseerden. Er stonden plantenbakken, er hingen ingelijste aquarellen; de wanden zagen eruit of ze gisteren geschilderd waren en door de dakramen viel het zonlicht naar binnen als gouden regen. Het contrast ontging hem niet. Op dertig meter van waar hij had staan zweten aan de draaibank en de oneindige reeks minuten had afgeteld tot om vijf uur de fluit ging, bevond zich dit. Walter voelde zich genomen.

Juffrouw Egthuysen was de secretaresse. Doug had haar naam en het nummer van haar kamer op een vodje papier gekrabbeld – no. 1, of misschien no. 7; Walter kon het niet zien – en had hem uitgeleide gedaan door de deur aan het eind van de werkplaats en hem het heilige der heiligen gewezen. Vervolgens had hij zich zonder nog een woord omgedraaid en was vervloeid met het duister van de werkplaats. Walter liep geluidloos te vloeken – hij vervloekte Doug, vervloekte de uren die hij had verspild in die spelonk achter hem, vervloekte Huysterkark en mevrouw Van Wart, vervloekte het verachtelijke en perfide van een wereld die in elk opzicht zo rot was als Sartre had beweerd in werkgroep 451 – toen hij no. 1 vond, een matglazen deur met geen andere aanduiding dan dat ene cijfer. Hij voelde aan de deur. Die zat op slot. Op zijn kloppen werd niet gereageerd.

Doorvloekend – op juffrouw Egthuysen en de bazen die haar in dienst hadden genomen, op de witte stofjassen met stropdas die eens per maand via deze gang de werkplaats binnen kwamen gewandeld om aantekeningen te maken in hun losbladige mappen – draaide hij zich om en keek nog eens op het papiertje in zijn hand. Wat hij had aangezien voor een één kon in feite heel goed een zeven zijn. Of een negen. Het krabbeltje van Doug was nagenoeg niet te ontcijferen – maar ja, je kon van Doug met zijn duizelingwekkend IQ niet in gemoede verwachten dat hij zijn kostbare geestvermogens spendeerde aan zo iets fantasieloos als de kunst van het leesbaar schrijven. Walter sjokte terug door de gang, vond no. 7 en voelde aan de deur.

Die was open.

Met luid gekletter zijn krukken hanterend zette hij zijn schouder tegen het geribbelde glas en duwde zich naar binnen. Hij zag een bureau, een stoel, een dossierkast. Planten. Ingelijste reprodukties. Maar ho even: er klopte iets niet. Dat was juffrouw Egthuysen niet die hem daar gealarmeerd aanstaarde, een envelop in het bureau moffelde en de la dichtgooide met een knal of er een kanon afging, dit was de man in het toffeekleurige zomerkostuum wiens hoofd hij wel eens tussen de stofjassen had zien meeloeren bij de toegang tot de werkplaats. 'Ik, eh...' begon Walter.

De man richtte inmiddels ogen als snijbranders op hem, boorde zich in hem met een blik zo woest dat Walter plotseling wou dat hij in de werkplaats dampen stond in te ademen of weer in het ziekenhuis lag, overal wilde zijn maar niet hier. 'Eh, ik zoek juffrouw...' mompelde Walter, waarna zijn stem stokte. Op het bureau van de man stond een naamplaatje. Natuurlijk.

'Wat kom je hier doen?' eiste Van Wart te weten. Hij was inmiddels gaan staan en hij keek verontrust. Hij keek boos. Defensief. 'Ben jij gisteren ook al niet bij mij thuis geweest?'

'Ja, maar' – schuldig, schuldig, waarom voelde hij zich toch altijd schuldig? – 'ik... ik werk hier.'

Van Warts gezicht verloor alle uitdrukking. 'Jij werkt bij míj?'

'Nog maar sinds eind mei, maar ik wist niet... ik bedoel, ik heb er nooit bij stilgestaan dat...'

Maar de man naar wie de metaaldraaierij-Depeyster genoemd was luisterde niet. 'Hoe bestaat het,' zei hij, en hij liet zich in zijn draaistoel zakken alsof hij slap in de benen was geworden van het nieuws. 'In de werkplaats?'

'Eh, aan een draaibank, ja.'

'Hoe bestaat het,' zei Van Wart nog eens, en plotseling sprong er een grijns in zijn gezicht als een scheur die door een ijsvlakte vliegt. 'De zoon van Truman Van Brunt.' Toen keek hij omlaag naar Walters voet, en zijn glimlach verflauwde. 'Je hebt een ongeluk gehad, hè?' Er viel een stilte. 'Heet je geen Walter?'

Walter knikte.

'Ik heb er iets over gelezen in de krant.'

Walter knikte weer.

'Ik heb je vader gekend.'

Walter zweeg. Hij wachtte.

'Jaren geleden.'

'Weet ik.' Walter sprak zachtjes, fluisterend bijna. Er viel weer een stilte, en Van Wart trok de la open en begon in zijn papieren te rommelen. 'Daarom ben ik gisteren ook bij u thuis geweest,' bekende Walter. 'Daar wilde ik het met u over hebben. Over mijn vader.'

Van Wart leek afgeleid. Hij zag er oud en, op dat moment, kwetsbaar uit. Zonder de envelop uit de lade te halen stak hij een snufje van het een of ander in zijn mond. 'Truman?' zei hij ten slotte. 'Hoezo, hij is toch niet boven water gekomen, mag ik hopen?'

Van Wart leek opgelucht door Walters ontkennende antwoord. Hij nam nog een snufje van wat hij daar in zijn kostbare envelop had zitten en keek toen omlaag naar zijn onberispelijke manchetten en gemanicuurde handen. Dus dit was die onmens, dacht Walter, de boeman, de fascist, het brein achter de slachtpartij onder de onschuldigen, het schrikbeeld uit de verhaaltjes-voor-het-slapen-gaan van een hele generatie kinderen in de kolonie. Hij beantwoordde niet helemaal aan zijn signalement. Met zijn fraaie, schoongewassen, kortgeschoren haar, zijn krachtige gebit en gelijkmatig bruine teint, zijn welvarend aanzien en precieze, hiëratische spraakklanken, had hij eerder iets van het engelachtige, geduldige prototype van de televisievader, iets van een rechter, een geleerde, een pianist of dirigent.

Maar van dat alles was het volgende moment ineens niets meer over. Van Wart keek op en zei plotseling: 'Niet geloven wat ze zeggen, Walter. Niet eens naar ze luisteren. Jouw vader deugde. Hij was een vent die zich niet liet inpakken door dat zootje met zijn kwaadaardige rotleugens.' Zijn blik hield die van Walter gevangen, en er lag niets sympathieks in. Het waren getergde, ontzagwekkende ogen, ogen die tot alles in staat waren. 'Jouw vader,' zei hij, terwijl hij voorover-leunde en zijn stem onder controle probeerde te houden, 'jouw vader was een patriot.'

Toen kwam de bruiloft.

Walters leven werd hem dan misschien laag voor laag afgepeld, als was het een grote, ondoordringbare ui, de mysterieuze gedaanten waarin dat leven zich manifesteerde – het ongeluk, de gedenkplaat, de schimmen en pannekoeken, het gezicht in de deuropening van het Van Wart-goed, Van Wart zelf – waren dan misschien stukjes van een legpuzzel: de bruiloft was als een frisse wind, de bruiloft was tenminste duidelijk. Walter, de voormalige zwartgallige vervreemde held die het aangaan van verplichtingen of een huwelijk meed als de pest, hield van Jessica, en zij hield van hem. Nee, het was zelfs meer dan dat. Of minder misschien. Walter had haar nodig – hij stond nog maar met één been op de grond – en zij had het nodig dat iemand haar nodig had.

De plechtigheid werd gehouden in een veld met weelderig, kniehoog gras op een steenworp afstand van Tom Crane's huisje, met op de achtergrond het slaperige gezoem van zijn bijen. De familie van Jessica had aangedrongen op een traditionele huwelijkssluiting met orgelmuziek en een zeven lagen hoge bruidstaart en het werpen van jarretelbandjes, met een officiële plechtigheid in de episcopale kerk van Peterskill, maar bruid én bruidegom hadden dat zonder meer van de hand gewezen. Zij waren geen slaven van de traditie. Zij waren creatief, vrijdenkers, ongebonden en stoutmoedig, en binnen vijf minuten waren ze het eens geworden over de ideale locatie voor hun trouwerij: het land van Tom Crane.

Konden ze het zich, welbeschouwd, mooier wensen? Geen gecorrumpeerde institutie die haar sombere schaduw over de plechtigheid zou werpen en in plaats daarvan de natuur zelf als voorganger. Een trouwerij in de open lucht, vrijmoedig en ongeremd, met een barbecue – en broodjes tahoe voor de vegetariërs. En er zou worden voorgelezen uit Gurdjieff of Kahlil Gibran – wel even wat anders dan het stomvervelende geneuzel van bij de burgerlijke en kerkelijke huwelijkssluiting – en de muziek zou worden verzorgd door Herbert Pompey met zijn neusfluit in plaats van die dooie Mendelssohn. De bruid zou bloemen dragen in haar haar. De bruidegom zou bloemen dragen in zijn haar. De gasten, gekleed in poncho's en suède met franjerand, laarzen aan de voeten, zouden bloemen dragen in hun haar. Waar natuurlijk nog bij kwam dat dat weiland daar voor Walter een speciale betekenis had.

Walter was vroeg. Na zijn vrijgezellenavond, die was begonnen in de Elleboog met verscheidene rondjes whiskey en bier en was geëindigd met kooksherry en kief bij een van zijn oude schoolkameraden – bij wie wist hij niet meer – voelde hij zich dood en katterig. Hij was uiteindelijk om vier uur in zijn bed beland, maar hij had zijn ogen nog niet dicht of er trok een gestage stroom gedenkplaten door zijn kamer op de maat van 'Yankee Doodle Dandy', en zijn dromen waren de dromen van een man die zijn jeugd achter zich weet. Hij werd om zeven uur wakker, gebroken en onverkwikt, met een hevige jeuk aan zijn rechtervoet. Hij besloot zijn trouwplunje aan te trekken en naar Tom Crane te gaan.

Het was eind september, een warme, heiige ochtend, en het licht kwam tot hem in een bundel boven de boomkruinen. Hij keek omhoog naar het web van takken boven de voorruit en zag dat de esdorens verkleurd waren, en ondanks het vroege uur bespeurde hij in de lucht de vaag bijtende geur van brandende bladeren. Sinds zijn ongeluk, nu bijna twee maanden geleden, had hij zich niet meer geschoren, en onder het rijden streek hij zich over de stoppelplekken die waren verschenen onder zijn neus en op de vlakken aan weerszijden van zijn gezicht. Hij was in het wit, als een goeroe of Paschal Lamb, en droeg het mao-hemd en de katoenen olifantspijpen die Jessica had uitgezocht voor zijn trouw-ensemble. Zijn haar hing, naar de heersende mode, tot op zijn schouders. Hij droeg de bekende Dingo-laarzen, en omwille van het kleuraccent én bij wijze van mascotte had hij de riem omgedaan die zijn diepbezielde, diepbedroefde moeder had gevlochten van roze en blauwe plastic draadjes toen ze als meisje een keer op zomerkamp was.

Zonder veel moeite daalde hij de helling af die naast de weg lag – hij wende aan de prothese zoals hij zich aan zijn eerste schaatsen had gewend, en hij was met gewichten in de weer geweest om de lange spieren in zijn bovenbenen te verstevigen ter extra ondersteuning. Het was eerder zijn hoofd waar hij last van had dan zijn been. Die kooksherry was een vergissing geweest, dat stond vast. Toen hij, af en toe een koeievla omzeilend, het pad af liep, dat ruwweg het tracé van de oude weg volgde, begon hij jaloers te worden op Tom Crane, die na twee pils was vertrokken, naar hij beweerde omdat hij premaritale verantwoordelijkheden had. Hij bleef een ogenblik staan in het nevelige weiland dat werd begrensd door het riviertje, dacht *Hier stond het podium, daar was de parkeerplaats*, draaide zich toen om en kloste over het voetbruggetje, tot schrik van de zwaluwen die eronder nestelden. Hij ging trouwen. Hier. Uitgerekend hier. De keuze voor deze plek, begreep hij, was niet zo willekeurig als hij zichzelf misschien had willen wijsmaken.

Walter liep tegen het steile pad op voorbij Van Wart Creek, met het driftige zijriviertje dat bekendstond onder de naam Blood Creek links van hem en Tom Crane's bijenkorven en zijn nog volop bloeiende moestuin met daarin dikke courgettes, pompoenen en late tomaten rechts van hem, toen hij stuitte op de eerste ongenode gaste. Ze stond met haar rug naar hem toe, de dikke kousen waren neergeslagen over de randen van haar schoenen en de aderen tekenden zich duidelijk af op haar benen. Meteen bij de eerste keer dat zijn hart oversloeg herkende hij haar. Ze stond voorovergebukt en zocht iets – nee, ze trok onkruid uit de grond, met haar knieën ongebogen en dat grote achterwerk dat meedeinde in de wind als een schietschijf op de kermis. Hij herinnerde zich de dag nog dat hij geen weerstand kon bieden aan die schietschijf en haar had bekogeld met kluiten terwijl zij voorovergebogen stond tussen haar tulpen voor het huis in Verplanck, en hij herinnerde zich de straf waarop dat hem was komen te staan toen zijn grootvader thuiskwam bij zijn netten vandaan en hem kennis liet maken met het bittere eind van een oud stuk zeilval. Op zoek naar onkruid. Echt iets voor haar. Hij herinnerde zich nog de tijd dat elke harige penwortel en iedere pol bloedgierst in aanmerking kwam voor een bezwering in het Nederduits dat al een eeuw niet meer gesproken werd en waarmee zij dat varken van een mevrouw Collins, de overbuurvrouw, vervloekte, of Nettie Nysen, de heks die haar had genoopt de telefoon te laten afsluiten. In het voorjaar stak ze met elk nieuw zakje zaad de dodeman van een krab – oogsprieten en hersenen – mee in de grond. 'Oma,' zei hij, en ze draaide zich abrupt om, alsof hij haar had laten schrikken.

Wat zou het? – hij was kwaad. Hij dacht dat hij dit soort dingen gehad had, dacht dat hij de dromen en visioenen achter had gelaten in het ziekenhuis of langs de kant van de weg, dacht dat het offer van een voet voldoende was. Maar hij vergiste zich.

Ze glimlachte nu, dik en welgedaan zoals weinig-kieskeurige eters dat zijn, een vrouw die haar hele leven elke ochtend had ontbeten met kippers, puddingbroodjes en zoete koffie zo dik en zwart als motorolie. 'Walter,' zei ze zachtjes, met haar snerkende stemgeluid, 'ik wilde je alleen maar het beste toewensen op je trouwdag.' En vervolgens met alle tact van de buurtroddelaarster: 'Hoe is het nu met je voet?'

Zijn voet? Plotseling wilde hij haar toeschreeuwen: *Hebt u daar wat mee te maken gehad? Nou?* Maar hij opende zijn mond tegen de stronk van een boom die Jeremy Mohonk had omgehakt na zijn vrijlating uit de gevangenis in 1946. Zijn grootmoeder was weg. Nog meer historie. Hij voelde zich ineens moe. Hij werd bevangen door weemoed, wijn ging over in azijn, en vanuit de bomen die elkaar als een mensenmenigte rond hem verdrongen floten de vogels hem uit. Hij had geprobeerd het allemaal van zich af te zetten, had zich voorgehouden dat hij zijn vader haatte en dat het hem niet kon schelen waar hij uithing, dat hij een eigen leven had, een eigen zijn dat uitsteeg boven dat van het in de steek gelaten jongetje, het moederloze jongetje, het jongetje dat was opgegroeid te midden van vreemden. Hij had geprobeerd zijn gedachten te concentreren op Jessica, op de verbintenis die hem zou verlossen en vervolledigen. En nu dit weer: nog meer historie.

Hij zwoegde tegen de heuvel op, en zijn lichaamloze grootmoeder fluisterde hem nog eens een van zijn lievelingsverhalen in het oor – het verhaal dat hij mooier vond dan dat over het verraad van Minewa of de verschalking van Sachoes – het verhaal van de bruiloft van zijn ouders. Wat hadden ze aan? vroeg hij altijd. Hoe zag mijn moeder eruit? Vertel nog eens van het meer.

Je moeder leek wel een kroonprinses, vertelde ze. En je vader was de knapste man in de wijde omtrek. Een sportman, iemand met wie je kon lachen, opgeruimd en altijd klaar voor een grapje. Hij trouwde in zijn uniform, met medailles op zijn borst en sergeantsstrepen op zijn schouder. Je moeder was een Alving. Zweeds. Haar vader was Magnus Alving, de architect – van hem was het ontwerp voor de vrije school in de kolonie, wist je dat? – en haar moeder was van Nederlandse afkomst, een Opdam. Ze droeg haar moeders trouwjurk – Japanse zijde, afgezet met zaadpareltjes en Madeira-kant. Haar haar was opgestoken en ze had witte schoenen met hoge hakken aan, alsof ze zo was weggelopen uit een sprookje. Het huwelijk werd gesloten in de open lucht, op het strand bij het Kitchawank-meer, hoewel het najaar was, aan de frisse kant, en toen de rechter zei 'U kunt elkaar een kus geven' en je vader je moeder in zijn armen nam, begonnen alle ganzen rond het meer te snateren en wierpen de vissen zich op de kant als zilverpapiertjes. Hesh was ceremoniemeester.

Hij was bijna boven aan de heuvel toen er een andere stem doordrong tot zijn bewustzijn. Hij keek op. Recht voor hem stond bleek, o-benig en naakt als een bosgeest Tom Crane. De woudheilige hield een fles babyshampoo in zijn ene hand geklemd en in de andere een handdoek zo stijf als karton. Hij grijnsde en zei iets over vrijersvoeten, maar Walter verstond het niet helemaal omdat zijn oren nagonsden van zijn grootmoeders stem. *Walter, Walter*, zei ze nog, met een bedroefde, wegstervende stem, *veroordeel hem niet. Hij hield van haar. Echt. Alleen hield hij... diep in zijn hart... meer van zijn land...*

'Hé, Walter – Brunt! – wakker worden.' De naakte heilige stond nu op een halve meter tegenover hem en tuurde hem in de ogen alsof hij in het uiteinde van een telescoop keek. 'Loop je nog na te suizen van gisteravond of zo?'

Ja, dat was het, ja. Hij stelde nu voor het eerst zijn blik scherp op Tom Crane en zag dat het magere fysiek van de heilige werd ontsierd door puistjes, plekjes en insektebeten. Tom krabde zich in zijn baard. Zijn ribben waren latten in een schutting, zijn voeten zo wit, lang en plat dat het leek of ze van deeg waren dat niet wilde rijzen. Nu bewogen zijn lippen en zei hij iets over wakker worden, een duik in de rivier en verse koffie met bourbon bij hem in het huisje. Walter berustte erin dat hij weer terug moest, de heuvel af, het voetbruggetje over en tussen de varens door naar de waterkant.

Het riviertje stond laag in dit jaargetijde, maar de woudheilige had het, wakend over zijn toiletgelegenheid, ingedamd onder de brug – met als resultaat een plas ongeveer zo diep als een badkuip en drie keer zo breed. Tom hield een ogenblik zijn pas in om zijn handdoek over de oksel van een tak te hangen en stapte vervolgens in de plas, waarbij hij het vlakke bleke posterieur uitstalde dat zich niet meer had mogen koesteren in de omhelzing van een katoenen onderbroek sinds hij vier jaar geleden naar Cornell was gegaan en zijn moeder de zeggenschap over zijn bewassing verloor. Hij liet zich neer in het riviertje als een gemuteerde waterloper, met zijn kont eerst, en de schok van de confrontatie ontlokte hem geloei.

Walter nam er meer tijd voor. Na veel gestrompel stond hij buiten adem en doordrenkt van het zweet weer onder aan de helling. Zijn been voelde ineens of het van knie tot prothese was ingesmeerd met jalapeño-olie en zijn ogen stelden hem nog steeds voor verrassingen. Niets ernstigs – de bomen namen niet de gedaante aan van klauwen of ijslollies en zijn grootmoeder was nergens te bekennen – maar alles leek uit het lood en onscherp, de wereld van het zichtbare was een complex van bewegingen, alsof hij een druppel vijverwater bekeek onder een microscoop. De bladeren boven hen, het verveloze voetbruggetje, de schors van de bomen en de structuur van het gesteente: alles was teruggebracht tot zijn samenstellende delen, tot een ruitjespatroon van nietige dansende stipjes. Hij hield het erop dat het door de vorige avond kwam. Door de kooksherry. Dat moest haast wel. Hij zette zich neer op een rotsblok en begon aan zijn linkerlaars te sjorren.

Tom maaide spastisch met zijn armen en benen in het rond en haalde adem in diepe teugen als een naar lucht happende zeeleeuw.

'Koud?' vroeg Walter.

'Nee, hoor,' zei Tom, iets te snel. 'Net lekker.' Hij wendde zijn blik af toen Walter de laars van zijn andere voet haalde.

Walter trok het mao-hemd over zijn hoofd, liet zijn broek en onderbroek zakken en stond daar naakt tussen de varens en de jonge boompjes. Hij voelde de modder van de oever tussen de tenen van zijn linkervoet; de rechtervoet, de inerte, stond erbij als een steen. Niemand had hem ooit zo gezien, zelfs Jessica niet. En Tom Crane, zijn oudste vriend en intellectuele mentor, keek niet.

'Zal ik je eens wat vertellen?' zei Tom, terwijl hij een blik wierp op Walter, die zich in het water liet zakken, en vervolgens weer wegkeek. 'Auto's? Wagens? Weet je dat ze die oorspronkelijk elektromaten hadden willen noemen?' Hij lag te hinniken bij het idee. 'Elektromaten,' zei hij nog eens.

Het water was zo koud als een gletsjerbeek. Walter gaf geen schreeuw, hapte niet naar adem, vloekte noch spartelde. Hij ging gewoon op zijn rug liggen, en de stroom tilde zijn genitaliën op en maakte in een subtiele lijn plaats voor zijn nek en schouders. Even later tilde hij zijn rechterbeen uit het water en legde de plastic voet op een steen

aan de rand van de plas.
'Oliemotieven,' zei Tom. 'Dat was ook een kandidaat.' Maar het luchtige was uit zijn stem verdwenen. 'Dus dat is hem?' zei hij. En vervolgens: 'Hoe voelt zo iets?'
'Op het moment doet het knap zeer.' Walter zweeg en bezag de plastic sculptuur aan gene zijde van zijn been. 'Volgens de dokter zal ik ermee leren leven.'
De tussen de bomen omhoogkomende zon verstevigde de schaduwen en stortte over het kreupelhout een rijk gouden licht uit dat aan de bladeren bleef hangen als beslag. Walter telde de veren aan de varen naast hem, zag de witvisjes meedrijven met de stroom en tot stilstand komen tussen zijn benen, luisterde naar het geroffel van de specht en de roep van de vireo. Een ogenblik voelde hij zich één met dit alles, een bewoner van het oerbos van vóór het asfalt, gecarboneerd staal en de plastic prothese, maar vervolgens haalde het gesputter van een motor op Van Wart Road hem terug. 'Oké,' zei hij, terwijl hij zich overeind hees uit de plas op de trage, tastende wijze van een tachtigjarige. 'Het gaat wel weer.'
'Pak mijn handdoek maar als je wilt,' zei Tom. Hij zat rechtop, nog steeds blazend en puffend, en de lange natte staart van zijn haar hing neer over zijn puisterige rug als iets wat zich aan hem had vastgeklemd en was verdronken.
Walter ontvelde zich met de stugge stinkende handdoek terwijl om hem heen de muskieten jengelden en tussen zijn tenen de modder omhoogkwam. Zeker, hij voelde zich opgefrist. Zijn hoofdpijn was minder geworden, de bladeren en twijgen die hem wilden pakken hadden zich weer in hun eigen bereik teruggetrokken en de pijn was weg uit zijn verkleumde been. En op dat moment, toen hij daar op de modderige oever stond te rillen in het vroege ochtendlicht, werd hem iets geopenbaard. Van het ene moment op het andere besefte hij dat heel het gedoe van het dagelijks leven hem geen belang inboezemde, dat hij niet wilde praten over koetjes en kalfjes, het niet wilde hebben over elektromaten, het feest van gisteravond, drugs, zenuwgas of revolutie in Latijns-Amerika. Het enige onderwerp van gesprek dat hem echt interesseerde was zijn vader. Hij wilde zijn ziel blootleggen aan de huiverende, miserabele, knokige massa kippevel die nu naast hem stond te druipen en hem zeggen dat hij zich voor de gek gehouden had, hem zeggen dat het hem – nu zo goed als altijd – wel degelijk wat uitmaakte waar zijn vader was en dat hij niets liever wilde – niets, Jessica niet, het vlees en de botten die hem ontrukt waren niet – dan hem opsporen en ter verantwoording roepen en hem de bloederige prop van het verleden onder de neus duwen om aldus zichzelf te herwin-

nen. Hij wilde niet over zijn trouwerij praten of over muziek of gezonde voeding of UFO's. Hij wilde het hebben over de motteballenvloot en genealogie, over zijn grootmoeder, over een schim in de geur van een pannekoek en de problemen die hij had met zijn ogen, waardoor het verleden tot leven kwam in het heden.

Maar hij kreeg de kans niet.

Want de verwoed met de sjofele handdoek over zijn wijd uiteenstaande schouderbladen en kale scrotum rossende, van de kou blauwe, met al zijn tanden klapperende, tot in zijn knoken rammelende woudheilige zei plotseling: 'Maar wat had je nou eigenlijk uitgespookt met Mardi?'

Mardi. Ze was een schaduw, een geheugenfragment, een vlek op zijn bewustzijn – nog een schim. 'Wie?'

'Mardi, weet je niet? Mardi Van Wart.'

Walter wist het niet. Wilde het niet weten. Er klonk gegil in zijn oren, een vreselijk, onbedaarlijk rumoer dat ineens opsteeg van de bebloede grond voor zijn voeten. Hij hoorde de kreten van de slachtoffers, zijn moeders tedere stem tot het uiterste gespannen, het woeste getier en gescheld van de mannen met stokken en bandelichters en stukken hout in hun hand. Rotjood, nikker, linkse hond; hij bevond zich in het oog van de storm. *Van Wart*? Mardi *Van Wart*?

'Ze zegt dat ze bij jullie was, bij jou en Hector, in de nacht van eh, van jouw ongeluk. Ze zegt dat ze je dringend wil spreken.'

Hij voelde het aan hem trekken, iets oneerbaars, iets onzaligs, iets onweerstaanbaars. 'Ken jij die dan?'

Tom Crane zag er bespottelijk uit. Naakt, nadruppelend, met de stinkende handdoek onder zijn arm geklemd en een nonchalant aan zijn onderlip bungelende tandenborstel, nam hij de tijd om zijn geitegebit te ontbloten en Walter breed en veelzeggend toe te grijnzen. 'O, jawel,' zei hij, terwijl de kreten der schuldelozen rond hem weergalmden, 'die ken ik.'

Jessica droeg een moeizaam door ondervoede boerenvrouwen aan het andere eind van de wereld met frivolitésteekjes in elkaar gezette kanten jurk, een paar onopgesmukte witte sandaaltjes en de uit ivoor gesneden broche van haar grootmoeder. Over haar haar, dat glansde met een blonde schittering waar de vikingen zelf de ogen voor hadden moeten toeknijpen, lag het zachte schijnsel van bruidssluier en teunisbloem. Walter stond naast haar in de voormiddag, omfladderd door onbekommerde bijen en vlinders, geflankeerd door Hesh en Lola en de ouders van Jessica met hun roze gezichten, terwijl Tom Crane een stuk uit een science fiction-roman over buitenaardse voortplanting voorlas en Herbert Pompey ronddanste met de last van bloemen in zijn haar en op zijn neusfluit de ondulerende melodieën van de Indiase slangenbezweerders vertolkte. Vervolgens droeg Jessica een tweetal verzen voor over de onderwerpen liefde en vis van de hand van een obscure rijmelaar, waarna Hesh een stap naar voren deed om de zinnen uit te spreken waarin de traditionele huwelijksceremonie culmineerde ('Neem jij, Walter Truman Van Brunt, deze vrouw... tot de dood jullie scheidt?'). 'Ja,' zei Walter, en hij kuste de bruid in een opwelling van emoties – in liefde en dankbaarheid, zich ten volle bewust van zijn leven en zijn jeugd – die hem een ogenblik optilden uit het moeras van verwarring waarin hij sinds het ongeluk was weggezonken. Op dat moment hield Hector Mantequilla een lucifer bij een sliert zevenklappers en konden de festiviteiten echt beginnen.

De familieleden van Jessica, zowel de Conklins als de Wings, waren weer snel vertrokken. Grootmoeder Conklin, een stroeve oude patricische met een doodse witte huid, een neerwaarts gerichte neus en schildpadogen, was met een deken om zich heen de heuvel op gedragen. Omringd door oude familieleden uit Connecticut zat ze op een klapstoeltje in de schaduw van de eik misprijzend haar afkeuring van het geheel te laten blijken, met op haar zwarte lakleren pumps een duidelijke veeg koeiestront. Een halfuur nadat de taart was aangesneden en de punch rondgeserveerd hield ze het voor gezien. De oude familieleden volgden kort daarop en daarna kwam John Wing zelf – kraak- en smaakloos, schutterig maar knap, als de ster in een komische serie over vader-die-het-beter-weet – op Walter toe om hem ten afscheid de hand te drukken en te zeggen dat hij goed voor zijn kleine meid moest zorgen. Halverwege de middag waren alle vertegenwoordigers van de oudere generatie vertrokken, krabbend aan insektebeten, zakdoeken tegen de zonneblaren op de gezichten gedrukt. Hesh, Lola en Walters tante Katrina (vér boven haar theewater en vechtend tegen haar tranen) waren van hen de laatsten.

Het onweer kondigde zich aan rond een uur of vier. Jessica gaf Nancy Fagnoli met klare ogen en een dikke tong een uitvoerig overzicht van het leven van Herbert Axelrod, schutsheilige der tropische vissen, Walter stond in de buurt van de bijenhoogbouw een joint te roken met Herbert Pompey en zich vol te gieten met chemische champagne, en Tom Crane zat met Hector en een vijftal andere epithalamiumvierders in rookwolken gehuld op de veranda. Susie Cats, een zwaargebouwd, labiel meisje met weekhartige ogen, was op het veldbed van Tom Crane onder zeil gegaan na veertien kopjes tequila-punch en twee uur onafgebroken huilen. Nu lag ze te slapen, en haar gedempte, ritmische gesnurk golfde over de open plek naar waar Walter en Her-

bert Pompey stonden. Ergens in het bos zat iemand gitaar te spelen.
Walter zag de lage buik van de hemel aan komen glijden over de boomkruinen, omlaagzakken in het dal aan de voet van de heuvel achter hem en opbollend voor de zon schuiven. In een paar minuten tijd was het donker. Met zijn ogen toegeknepen tegen de rook stak Herbert Pompey hem de vergeelde peuk van een joint toe. 'Zo te zien krijg je regen op je feestje.'

Walter haalde zijn schouders op. Hij voelde zich nogal suffig. Champagne, hasj, een scheut van dit, een trekje van dat, de bourbon in zijn koffie die ochtend en de uitspattingen van de vorige avond: het cumulatieve effect was nivellerend. Hij was getrouwd en daar bij de eik stond zijn bruid, dat wist hij in elk geval. Hij wist ook dat ze over een paar uur met de trein naar Rhinebeck zouden gaan en er hun intrek zouden nemen in een pittoresk hotel met allemaal duistere hoekjes en stoffige prullaria en dat ze daar zouden vrijen om vervolgens in elkaars armen in slaap te vallen. En wat voor weer het was of werd zou hem aan zijn reet roesten. 'Dat moet dan maar,' zei hij, terwijl hij de fles in het gras gooide. Toen pakte hij Pompey bij de arm en ging op zoek naar een nieuwe.

Het duurde nog een uur eer de bui losbarstte, en toen had de tweede ongenode gaste zich gemeld. Hoewel hij zich ertegen verzette, begreep Walter heel goed hoe weerloos hij juist op dit moment was tegen de geschiedenis, weemoed en de patronen van het verleden, en de hele dag al hield hij er rekening mee dat ineens zijn vader zou kunnen opduiken op de rand van de veranda tussen Tom Crane en Hector Mantequilla, of tussen het hoge gras, met een fles goedkope champagne in zijn grote ijzeren vuist geklemd. Maar het was niet zijn vader die te voorschijn kwam uit de schaduwen tussen de bomen toen Walter tegen de zijkant van het huisje stond te urineren – het was Mardi.

Ze kwam recht op hem af, met een halve glimlach om haar lippen en een in juwelierszijde gewikkeld pakje in haar hand. Hij probeerde nonchalant te zijn, maar uiteindelijk bleek hij de reeks van handelingen – het lozen der urine, het opbergen van de werktuigen en het sluiten van de rits – te haastig te hebben afgewerkt, en hij draaide zich naar haar toe met een warme vochtige plek op zijn dij en in het kruis van zijn broek. 'Hoi,' zei ze. 'Ken je me nog?'

Ze was blootsvoets, droeg een minirokje (geen papier dit keer, geen materiaal dat tot ontbinding zou kunnen overgaan onder zijn natte handen, maar leer) en een glinsterende, laag uitgesneden blouse in de kleur van haar ogen. Ze had Indiaanse kraaltjes om haar hals en ze droeg oorbellen gemaakt van kleine schelpjes en veren. Ze leek op haar moeder. Ze leek op haar vader. 'Ja,' zei Walter, 'natuurlijk ken ik je nog,' en ze keken allebei omlaag naar zijn voet.

'Ik heb dit voor je meegebracht,' zei ze, en ze gaf hem het pakje.

'Ach, dat had toch niet...' begon hij, terwijl hij onwillekeurig achteromkeek of hij Jessica zag, maar er was niemand. Ze stonden alleen achter het huisje; de vogels waren plotseling stilgevallen en de hemel zag eruit als de onderkant van een droom. Het pakje was klein en zwaar. Hij trok het papier eraf. Koper en hout, het stevige gewicht van metaal: hij hield een telescoop in zijn hand. Of nee: het was een telescoop met nog iets anders eraan, een dofkoperen kwartcirkel waarop een graadverdeling was aangebracht en waar aan alle kanten vleugelmoeren, schroefjes en spiegeltjes uit staken. Ze keek hem aan. Hij sloeg zijn ogen op en staarde toen weer naar het ding in zijn hand, en hij probeerde er deskundig en waarderend bij te kijken. 'Leuk... eh... ding. Heel leuk.'

'Weet je wat het is?'

Hij schudde langzaam zijn hoofd. 'Niet precies.' Het koper zag groen van ouderdom, het hout van de telescoop was afgesplinterd en gegroefd alsof er in vervlogen tijden een op een onbewoond eiland achtergelaten zeeman op had zitten knagen. 'Ziet er oud uit,' zei hij, als teken van goede wil.

Mardi stond naar hem te grijnzen. Ze had geen make-up op, of misschien een vleugje. Haar benen waren onbedekt en stevig, en haar voeten – egaal gebronsd, met een fijn beenderstel en volmaakte holten en een traceerwerkje van volle blauwe aderen – waren prachtig. 'Het is een sextant,' zei ze. 'Die gebruikten ze vroeger bij het navigeren. Mijn vader had hem ergens liggen.'

'O ja,' zei Walter, alsof hem dat de hele tijd al duidelijk had horen te zijn. Hij was pas getrouwd, hij was stoned en geëxalteerd, de hemel spleet open boven hem en de bliksem hing tussen de bomen. Hij stond met een sextant in zijn handen en vroeg zich af waarom.

'Het is meer een grapje,' zei ze. 'Zodat je de weg naar mij weet te vinden, snap je wat ik bedoel?' Hij snapte het niet, maar de woorden brachten hem in beroering. 'Weet je het niet meer? Toen bij de rivier?'

Hij keek haar suffig aan: misschien wist hij het nog wel en misschien ook niet. Er was zoveel gebeurd die nacht. Plotseling begon zijn ontbrekende voet krankzinnig te jeuken.

Ze diepte iets op uit een leren handtasje: Walter zag een kam, een spiegeltje, een staafje lippenstift. 'We zouden nog een keer afspreken, bedoel ik.' Ze vond wat ze zocht – sigaretten – en ze schudde er een uit het pakje en stak hem op. Walter zei niets, maar hij keek naar haar alsof hij nog nooit een sigaret en een lucifer had gezien. 'Het jacht van mijn vader,' zei ze. 'Ik zou je een keer meenemen naar de spookschepen.' Ze keek naar hem op, en haar ogen waren koud en hard als stuiters. Door het rugpand van zijn overhemd voelde hij de eerste zware druppels regen. De donder rommelde. 'Dat was je toch niet vergeten?'

'Nee,' loog hij. 'Nee, nee,' en op datzelfde moment wist hij dat hij haar aan de afspraak zou houden, wist hij dat hij terug zou gaan om over de verlatenheid van de roestige dekken te lopen, zoals hij was teruggegaan en hunkerend en perplex voor de gedenkplaat had gestaan, wist hij dat zijn lot op een beangstigende en ondoorgrondelijke manier aan haar verbonden was.

'Hoe voelt het?' vroeg ze plotseling.

'Wat?' zei hij, maar dat had hij niet hoeven vragen.

'Nou, je voet natuurlijk.'

De regen kwam inmiddels neer in grote zwangere druppels die zijn hoofdhuid kietelden en zijn wangen bevochtigden. Hij haalde zijn schouders op. 'Het voelt níét,' zei hij. 'Het voelt dood.'

En net toen hij zich om wilde draaien om op een sukkeldrafje om het huisje heen te lopen en met de anderen te schuilen onder Tom Crane's lekke dak, pakte zij zijn arm en trok hem naar zich toe. Haar stem was niet meer dan een rasperig gefluister. 'Laat eens zien.'

Het onweer ontlaadde zich knallend in de bomen, een bliksemschicht verlichtte de grote witte eiketakken die boven hen uit kronkelden. Hij wist niet hoe hij er op dat moment uitzag, maar aan zijn gezicht moet te zien geweest zijn wat er in hem omging. Ze liet hem los. 'Niet nu,' hoorde hij haar zeggen, toen hij zich omdraaide en wegdook door de snel heviger wordende regen, met op zijn netvlies weer eens de mistsluier, de gedenkplaat en de vluchtige, voorbijschietende schaduw, 'het hoeft niet nu.' Hij liep door. 'Walter!' riep ze. 'Walter!' Hij was al bij de hoek van het huisje en zag voor zich Jessica, Tom en Hector schuilen onder het afdak toen hij bleef staan om achterom te kijken. Mardi stond daar nog steeds, zonder zich wat aan te trekken van de regen. Het natte haar plakte aan haar gezicht, haar handen strekten zich smekend uit in zijn richting. 'Niet nu,' zei ze nog eens, en de hemel barstte boven haar open.

MET WELNEMEN VAN DE PATROON

De tot dusver kerkloze dominee Van Schaik moest voor de doop het hele eind naar de boerderij van Van Brunt te voet afleggen. Na een nacht op een strozak in het noorderlandhuis en een ontbijt met water en droge beschuit had hij een ochtenddienst gehouden voor vrouw Van Wart, met aansluitend twee straffe uren van gebed en vrome overpeinzing ('straf' was niet te veel gezegd; de vrouw was fanaat). Terwijl hij het primitieve voetbruggetje over schuifelde en tegen het steile, rotsige pad omhoogploeterde naar de boerderij, voelde hij alle amens nog in zijn knieholten.

Het was eind september, bewolkt maar heet – drukkend heet – en toen hij halverwege de heuvel was moest hij een ogenblik gaan zitten en verfrissing zoeken aan de oever van de beek die tussen linten van varens en moerasplanten omlaagklaterde langs het pad. De plaatselijke bevolking, wist hij, noemde het stroompje om bijgelovige redenen de bloedrivier, naar een verhaal over iemand die zijn gezin had uitgemoord en nog steeds zou rondzwerven door de bossen hier. Het boerse bijgeloof maakte weinig indruk op de dominee, een rechtschapen gomarist, maar hij moest desondanks toegeven dat het hier in het bos uitzonderlijk somber en onheilspellend was. Waar lag het aan? De bomen waren hier dikker, meende hij, het licht was ieler. En het leek of er naar verhouding erg veel dode stammen tussen de gezonde bomen stonden, grote Mesozoïsche reuzen die in wankel evenwicht tegen hun nog levenskrachtige buren leunden of languit op de grond lagen – hier en daar ontschorst, overdekt met oorschelpvormige schimmels – tot ze werden opgeslokt door het schaduwduister van de bosbodem.

De dominee had zijn handen tot een kommetje gevormd en wilde zich juist vooroverbukken naar een glasheldere plas water in het gesteente toen hij opkeek en tussen dwergeik en lepelboom een mannengestalte zag staan. Hij schrok, en bij al zijn overtuigdheid, bij al zijn minachting voor de boemannen die de voorstellingswereld van de primitief beheersten, voelde hij zijn hart in zijn keel kloppen. De schrik was van korte duur: dat was geen roodbaardige Zweed met een druipende bijl, dat was... niets. De gestalte was, áls zij er al gestaan had, verdwenen in het kreupelhout als een spook. Was het een zinsbegoocheling geweest? Nee. Hij had duidelijk iemand zien staan. Een man van vlees en bloed, mager, lang, met inheemse gelaatstrekken en een jas van dierlijk bont om zich heen. Behoedzaam ging de geschrokken dominee staan. 'Hé daar!' riep hij. 'Is daar iemand?'

Geen blad bewoog. Hoog boven hem liet een kraai op een onzichtbare tak zijn schelle, spottende roep horen. En ineens was de dominee boos op zichzelf – hij was ten prooi gevallen aan bijgeloof, hoe kortstondig ook. Maar vervolgens week de woede voor angst: rationele, koele, lijfsbehoudzuchtige angst. Als het dus geen verschijning was geweest wat hij gezien had, overwoog hij, dan hield zich op datzelfde moment misschien een beschilderde wilde schuil in het struikgewas, een wilde die op hem – de dominee – loerde zoals hij op een kalkoen of kwartel had kunnen loeren. Op dit inzicht volgden herinneringen aan de Indiaanse slachtpartijen uit de jaren veertig, en de dominee, die gekloofde ledematen en scalperende tomahawks voor zich zag, haalde diep adem en maakte dat hij wegkwam.

Hijgend bereikte hij de top van de heuvel, en hij bleef een moment staan om op adem te komen en de situatie op te nemen rond het rommelige boerderijtje dat voor hem lag. Het was er nog erger dan hij zich had voorgesteld. Een nachtelijke onweersbui had het erf voor het huis (als je het een huis kon noemen) veranderd in een modderpoel, de stenen muurtjes eromheen waren vervallen en overal hing de doordringende lucht van menselijk afval. De vrouw, met haar geschoren hoofd en nietsziende ogen, kwam naar buiten om hem te begroeten. Ze droeg een jurk die eruitzag of hij van een lijk geroofd was, en de halfbloed – een jaar of twee zo te zien – hobbelde achter haar aan, zo naakt als op de dag van zijn geboorte. De dominee sprak een woord ter begroeting en ging voor het huis op het hakblok zitten, waar hij nog meer water kreeg – werd er geen bier meer geschonken tegenwoordig? – en op een zurig stuk maïskoek mocht gaan zitten kauwen terwijl het kind op een draf zijn oom ging halen; een gekortwiekte Canadese gans keek verwachtingsvol toe.

De jonge Van Brunt kwam van het land en stak een eeltige hand uit. 'Een genoegen u hier te zien, dominee,' zei hij. 'We zijn u dankbaar dat u gekomen bent.'

De zieleherder had zich voorgenomen een strenge toon aan te slaan, de jongen de les te lezen over de opvoeding van halfbloed bastaarden, het tarten van het gezag van de patroon en het aangaan van een twist met de schout, maar de nederige wijze waarop Jeremias hem begroette stemde hem milder. Hij nam de uitgestoken hand aan, blikte voorbij de boze rode striem die het zwaard van de schout als de loodlijn van een landmeter had achtergelaten in het gezicht van de jongen en keek in de verschuivende diepten van zijn ogen. 'Het is meer dan Gods plicht,' mompelde hij. 'Het is me ook een genoegen.'

De doop zelf stelde niets voor – een paar woorden en het uitsprenkelen van wat water dat de vrouw uit de beek haalde – een ritueel dat hij al honderden keren had afgewerkt, maar wat hem opbrak was die naam. Hij verslikte zich er tot tweemaal toe in en moest zich laten souffleren door Jeremias' zachte, zelfverzekerde stemgeluid. Jeremy – Jeremias, maar dan op z'n Engels – was het probleem niet; het was de vadersnaam waardoor de tong hem aan het gehemelte bleef kleven als een kleffe honingkoek. 'Mohonk?' zei hij. 'Klopt dat?'

Twee maanden eerder, tijdens de verstikkend hete middag in juli waarop Jan Pieterse zijn winkel sloot om krabben te gaan vangen in de Acquasinnick-baai en Joost Cats in opdracht van de patroon naar Nysenswerf reed, stond Jeremias met de schoffel onkruid te wieden tussen de hoge, rijk uitgelopen rijen maïs achter het huis. Het was een vies karwei. De grond – zo nat als een spons van al het water dat in de nacht omlaag was gekomen – zoog zich met vochtige smak- en slobbergeluiden vast aan de schoffel en omklemde zijn houten pen als de greep van een vuile hand. Hij maaide naar insekten, het zweet droop hem van de neus, er zaten gele moddervegen op zijn gezicht en kleren, op de houten pen en op de klomp aan zijn linkervoet. Het kwam doordat het zo heet en stil was – zelfs de vogels wachtten op de verkoeling van de avond – dat hij het gesnuif en gehinnik van de paarden kon horen, en daarna de stemmen – waarvan een die van Katrientje – die als een broeierige rapsodie over de velden dreven. Staats, dacht hij. Of Douw.

Toen hij van het land kwam zag hij Squagganeek met een stok over een mierenhoop gebukt staan, en hij pakte hem bij de hand. 'Opa Van der Meulen is op bezoek,' zei hij tegen de jongen. 'Op zijn paard. Met oom Douw, denk ik.' Maar toen hij om de hoek van het huis heen liep, met de jongen naast hem, zag hij wat een vergissing hij gemaakt had – wat een wrange, pijnlijke vergissing. Hij had een omarming van Staats verwacht, een wandeling met Douw, iets uit de oven van moeder Meintje, en bij de aanblik van de schout met zijn neus als een jachthoorn, die gekromde rug en die lelijke zwarte klodder van een baard, verstarde hij. Even. Even maar. Toen won de woede. Trillend van boosheid, met een wild bonkend hart en een droge keel liep hij het erf over, aanhoorde wat de zak te zeggen had en bukte zich om een eind brandhout van de grond te rapen.

Hij was zo razend – *wéér kwam die hufter hem ontruimen* – dat hij nauwelijks oog had voor de tweede ruiter, die zich bij de bosrand ophield. Tenminste, tot ze een gil gaf. Tot haar vader zijn zwaard uit de schede trok en het boven zijn hoofd hief en zij van schrik en ontzetting een gil gaf, een gil uit het schrilste lamentatieregister. Jeremias wierp haar een blik toe, met haar naam op zijn lippen op het moment dat het stuk hout versplinterde in zijn handen en het geweld waarmee de schout uithaalde hem op zijn knieën dwong, en hij voelde zich op de een of andere manier hulpeloos en opgelaten, beschaamd over zijn kleren en zijn ongekamde haar, treurig om zijn woede, zijn situatie, zijn leven, vervuld van het verlangen haar in zijn armen te houden, maar met lege armen. Het volgende moment was er bloed in zijn ogen en lag hij op de grond.

Of de zon van plaats veranderde aan de hemel, of de schaduwen langer werden – hij merkte er niets van. Toen hij zijn ogen opendeed kon hij nauwelijks iets zien vanwege het vliesje bloed dat ze bedekte, maar hij wist dat zij bij hem was, zich over hem heen bukte en iets tegen zijn wang hield dat rook naar het intiemste van haar wezen, terwijl Katrientje ergens op de achtergrond zat te snikken en Squagganeek, dichterbij, stond te krijsen als een wild dier. Toen drong het tot hem door: haar onderrok. Hij bloedde, hij was gewond, en zij stelpte de stroom met haar onderrok. Hij zag haar nu ook, en het licht dat om haar heen trilde als een bovenzinnelijk aureool, het haar dat in losse kringeltjes omlaaghing, haar lijkwit weggetrokken gezicht en haar jurk, gedrenkt in zijn natte zwarte bloed. 'Neeltje?' zei hij, en hij probeerde het bloed af te schudden en rechtop te gaan zitten.

'Hier, vlakbij,' zei ze, en met een verschrikte fluisterstem zei ze er zijn naam achteraan, 'Jeremias.'

En toen klonk die andere stem, de stem die zelfs terwijl hij daar plat op zijn rug lag de haat weer in hem deed ontbranden. 'Het spijt me dat het zover gekomen is,' zei de schout, en Jeremias zag hem nu ook, gargantuesk, één en al neus en breedgerande hoed, hoog als een boom en breed genoeg om de zon aan het oog te onttrekken, 'en het spijt me dat ik je heb neergeslagen. Maar je zult eerbied voor het gezag moeten leren, je moet je plaats weten.'

'O, vader, toe. U ziet toch dat hij gewond is?'

De schout vervolgde alsof hij haar niet gehoord had, alsof ze van lucht of papier was. 'Uit hoofde van het gezag waarmee ik ben bekleed door de heer en eigenaar van deze grond, Oloffe Stephanus van Wart, patroon,' zei hij, met een ambtshalve genasaleerde stem, 'deel ik u, Jeremias van Brunt, hierbij mede dat u thans onder arrest staat.'

Jeremias legde de dertien kilometer naar Croton te voet af. In zijn vuile, bloedbevlekte kleren, met grasprieten en blaadjes in zijn haar en een wang die was opgezwollen tot tweemaal zijn oude omvang door het kompres van modder en geneeskrachtige kruiden dat Katrientje, op de wijze der Weckquaesgeeks, had aangebracht op zijn open wond. Zijn handen waren op zijn rug gebonden, alsof hij een dief of een moordenaar-met-bijl was, en een om zijn middel geslagen touw verbond hem met de zadelknop van de schout. Het was moeilijk lopen zo. Het paard van de schout versnelde soms onverwachts zijn pas, hem meetrekkend, of kwam ineens nagenoeg tot stilstand, waardoor hij naar rechts wankelend moest zien te voorkomen dat hij ertegenop botste, en al die tijd prikte de houten pen in de stomp van zijn been als een veedrijversstok. Ieder ander zou hebben geklaagd; zo niet Jeremias. Hoewel hij gek werd van de steken van de dazen en muskieten, hoewel hij licht in zijn hoofd was van het bloedverlies en draaierig van de dorst, hoewel de sabelhouw, die dwars over zijn rechteroog liep en de huid had opengespleten tot helemaal aan het kaakgewricht en het bot eronder had blootgelegd, aanvoelde alsof de ene hete naald na de andere erin gestoken werd, zei hij geen woord. Nee: hij concentreerde zich op de trage, moeizame deining van de flanken van het paard voor hem en deed een stap opzij als het dier zich ontlastte.

Aan de kop van de stoet zat Neeltje op haar merrie. Haar vader had haar met zijn blikkerige stem opgedragen een zo ruime afstand tot de gevangene te bewaren als de omstandigheden toelieten. Zij had geprotesteerd – 'Het is nog maar een jongen, vader; hij is gewond, hij heeft pijn' – maar die harde kille stem snoerde haar de mond als een zweepslag. Berustend was ze vooruitgegaan – een meter of tien voor haar vader – maar telkens keek ze achterom over haar schouder en wierp Jeremias een blik toe vervuld van zoveel samengebalde tederheid dat hij het gevoel had ter plekke in elkaar te storten. Of in staat te zijn net zo lang door te lopen tot hij zes keer de aardbol rond was geweest en een spoor had getrokken waar een paard-en-wagen doorheen kon.

Uiteindelijk deed hij geen van beide. Voort ging het, voorbij het zijpad naar de steiger in Verplanck, langs de rivier, waar het geen graad koeler was, langs velden en bossen die hij nog nooit gezien had, de namiddag door en de rust van de vooravond in. Hij liep naar het biologerende rijzen en dalen van de paardehoeven te staren, niet langer waakzaam genoeg om de hopen mest te ontwijken die het dier hem voor de voeten wierp, toen ze een bocht om gingen en ineens bij hun eindbestemming waren. Suffig keek hij op. Hooggekroond en heerszuchtig verhief het zuiderlandhuis zich uit de velden voor hem, met een veranda ervoor waar geen eind aan kwam en een stenen kelder eronder die alleen al anderhalf keer zo groot was als het huis in Van Wartwyck. De schout steeg af, bevrijdde Jeremias' handen met een onzachtzinnige ruk aan het touw dat ze samenbond, gooide een deur in de keldermuur open en duwde hem een cel in ter grootte van een wagenbak. De dichtvallende deur sloot alle licht buiten.

Toen hij wakker werd hoorde hij van buiten zachte voetstappen, het gerammel van een sleutel in een slot, en toen vervolgens de deur opendraaide rond zijn roestige scharnieren viel plotseling het ochtendlicht in al zijn schittering naar binnen. In de deuropening stond een zwarte vrouw, met in haar gezicht nog de littekens van haar verre, ontheemde stam. Ze droeg een jurk van sajet, de slippenmuts die de favoriet was van plattelandsvrouwen van Gelderlandt tot Beverswyck en een onberispelijk paar klompen. 'Ontbijtjie,' zei ze, en ze gaf hem een kroes water, een homp kaas en een klein brood, warm uit de oven. Hij zag dat hij zich in een rommelhok bevond: aan de onafgewerkte muren hingen houten harken, schoppen, een half vergaan tuig, een dorsvlegel met een versplinterde knuppel. Nadat de deur weer was dichtgeslagen, ging hij achteroverliggen in het stro op de lemen vloer, kauwde zijn ontbijt weg en keek hoe het zonlicht zich door de kier tussen de ruwhouten deur en het stenen kozijn wrong.

Tegen de tijd dat de deur weer openzwaaide was de zon verdwenen en was het in de cel zo aardedonker dat hij zijn ogen met zijn hand moest beschermen tegen de brandende kaars die hem plotseling onder de neus werd gehouden. Heel die eindeloze dag was hij alleen geweest met zijn gedachten; nu eens dommelde hij weg, dan weer schrok hij wakker en ging overeind zitten om voorzichtig aan zijn gezwollen wang te voelen of over de stomp van zijn been te wrijven, en in de loop van al die dode uren was de schok van zijn confrontatie met de schout langzaam weggeëbd. In het duister, in de vochtigheid en ondoordringbare eenzaamheid van die vreemde gevangenis, voelde hij de woede weer aan hem knagen. In hun ogen was hij een misdadiger. Maar wat had hij nu eigenlijk gedaan? Een stuk grond tot het zijne nemen, het proberen te bebouwen en zo in leven te blijven. Welk recht had de schout dan op zijn keurige kleine *bouwery* – of, als het daarom ging, de patroon op zijn landerijen? Hoe langer hij erover nadacht, des te razender werd hij. Als er hier iemand een misdadiger was, als er hier iemand moest worden opgesloten, dan was het Joost Cats, dan was het Oloffe van Wart en diens *commis* met zijn dikke reet en zijn in leer gebonden boekhouding. Dat waren de echte misdadigers – de patroon en zijn trawanten, de Hoogmogende Heren Staten-Generaal, de Engelse koning. Bloedzuigers waren het, vlooien, horzels; ze hadden hun tentakels in hem geslagen en lieten hem niet eerder met rust dan dat ze hem leeggezogen hadden.

En toen dan de deur weer openging, was hij er klaar voor. Hij was al overeind gesprongen met een hark in zijn hand, hij had hem al boven zijn hoofd geheven als een tomahawk, hij had de kaars al op de vloer geschopt, toen zij zijn naam uitstiet en hij weer door de grond ging van schaamte. 'Sst,' siste ze. 'Ik ben het. Ik heb Ismailia iets toegestopt, en nu kom ik je dit brengen.' Neeltje gaf hem een houten kom en trok de deur achter zich dicht. De kom was warm en er steeg de lucht van kool uit op. Jeremias keek verstomd toe terwijl zij zich bukte om de bieskaars op te rapen en die bij haar gezicht hield, een gezicht dat eruitzag als nieuwgeschapen uit het niets. 'Ik haat mijn vader,' zei ze.

Jeremias omklemde de kom alsof die een rotsblok was aan de rand van een afgrond. Hij waardeerde haar gevoelen maar deed er het zwijgen toe.

'Hij is zo, zo...' haar stem stierf weg. 'Hoe is het met je?'

Hij staarde naar een lok licht fijn haar die zich onder de muts vandaan had gewerkt en vrijmoedig voor haar wenkbrauw was gaan hangen. Hij wilde iets veelbetekenends zeggen, iets hartstochtelijks, iets als *Nu jij er bent uitstekend*, maar hij kon de woorden niet vinden. Toen hij sprak klonk zijn eigen stem hem vreemd in de oren. 'Ik red me wel,' zei hij.

Ze gebaarde dat hij moest gaan zitten en hurkte vervolgens naast hem neer toen hij zich weer achterover liet zakken in het stro en voorzichtig zijn lippen aan de kom zette. 'Ik heb ze horen praten,' zei ze. 'Mijn vader en de patroon. Ze laten je hier nog een nacht zitten om je een lesje te leren, en dan biedt de patroon je morgen een pachtovereenkomst aan.'

Jeremias hoorde haar amper. Hij gaf niets om de patroon, om die pacht, om wat dan ook – om wat dan ook buiten haar. Zoals ze praatte, met afgebeten woorden, zoals een klein meisje, haar getuite lippen, haar heupen die opbolden tegen de naden van haar jurk terwijl ze daar op haar hurken zat: elke beweging, elk gebaar was een openbaring. 'Ja,' zei hij, om maar iets te zeggen. 'Ja.'

'Ben je niet blij?'

Blij? Dat zijn gezicht was opengehaald, zijn handen waren geboeid, hij smadelijk was afgevoerd en opgesloten in dit hok terwijl zijn zus en de jongen maar moesten zien hoe ze zich redden? Blij? 'Ja,' zei hij ten slotte.

'Ik moet weg,' zei ze, achteromkijkend naar de deur.

Ineens ging de avond zwanger van het gesjirp van insekten, van naargeestige kreten en het ijle suizen van vliegende vogels. Jeremias zette de kom neer, schoof dichter naar haar toe. Juist toen hij zijn hand naar haar uitstak, de hare pakte om haar naar zich toe te trekken, rukte ze zich los en ging staan. Ze had haar ogen plotseling vernauwd en ze stond met haar gewicht op één been. 'Wie was die vrouw,' zei ze, terwijl ze hem in zijn ogen keek. 'Die vrouw op de boerderij.'

Vrouw? Boerderij? Waar had ze het over?

'Is dat jouw vrouw?'

Jeremias verscheen de volgende ochtend voor de patroon. Hij werd bij het eerste licht wakker gemaakt door de zwarte vrouw met de vreemde cirkelvormige littekens rond haar lippen en neusgaten. Ze gaf hem een emmer water en een kom lauwe maïsmeelpap en maakte hem in een Nederlands zo krom dat het klonk als de spraak der dieren duidelijk dat hij zich toonbaar moest maken voor *Mynheer* Van Wart. Toen zij weg was trok Jeremias het grove wollen hemd over zijn hoofd en legde behoedzaam zijn wang tegen het water; hij hield die daar tot de modderpleister begon los te laten. Het water werd eerst troebel en toen bouillonkleurig, en er draaiden uiteengevallen bladeren, kromme stelen en vreemde, gedroogde bloemblaadjes in rond.

Na een tijdje ging Jeremias rechtop zitten en voelde hij voorzichtig met zijn vingertoppen aan de wond: van zijn rechter wenkbrauw tot zijn kin liep een kloof tussen twee onregelmatige richels, ruw terrein, een reliëfkaart van korsten, pus en vochtig, in plasjes samenstromend bloed. Hij ging op verkenning uit over deze nieuwe ontwikkeling van zijn metamorfoserende ik, liet zijn vingers er steeds maar weer overheen gaan, tot het verse bloed was opgedroogd. Toen waste hij zijn handen.

Het zal een uur of negen geweest zijn toen de schout hem kwam halen. De deur zwaaide open, het licht kolkte het hok in als de vloed die opdringt tegen de rotsen, en daar stond hij, voorovergebogen als een groot zwart vraagteken op de blanco pagina van de dag. 'Kom, jongeman,' zei hij, 'de patroon verwacht je,' maar er was iets vreemds aan de manier waarop hij het zei, iets hols en onzekers. Jeremias wist even niet waar hij aan toe was – dit was niet de schout die hij kende – maar toen begreep hij het: het was de wond. De man was te ver gegaan, en dat wist hij. Hij had de hand geslagen aan een ongewapende, invalide jongen, en het bewijs daarvan zat zijn slachtoffer in het gezicht geëtst. Jeremias stond op van het stro en beende de cel uit, en hij droeg het teken dat de schanddaad van de schout merkte als een onderscheiding.

Cats liep met hem naar de (bij)keuken om de hoek, waar melk, boter, kaas en andere levensmiddelen werden bewaard en waar het personeel van de patroon het grootste deel van het kookwerk deed. Zodra ze over de drempel waren, dook de zwarte vrouw op uit de schaduwen om Jeremias' brede rug, zijn schouders en armen en het zitvlak van zijn slobberige broek te roskammen met een bezem van berketakken zo stijf en onbuigzaam of ze een dag eerder nog aan de boom gehangen hadden. Vervolgens ging een tweede zwarte – een tengere man met afhangende schouders en een kubus kroeshaar die als een toque op zijn hoofd stond – hun voor het trapje op naar de keuken van de familie.

Het vertrek werd gedomineerd door een grote ronde tafel van eikehouten planken met in het midden daarvan een suikerbrood en een blauwe vaas met bloemen. In de hoek stond een beschilderde gortkast naast een zwaar mahoniehouten dressoir dat kennelijk per schip was overgebracht uit het oude land, en de haard was afgewerkt met blauwe tegeltjes waarop bijbelse taferelen stonden afgebeeld zoals de verzoutzuiling van de vrouw van Lot en de onthoofding van Johannes de Doper. Jeremias bleef even voorbij de kelderdeur in de houding staan en liet het geheel op zich inwerken. De schout stond met zijn gepluimde hoed in de hand ineengedoken naast hem, terwijl de zwarte eerbiedig op de deur naar de kamer klopte. Van binnen klonk een stem, en de slaaf trok zwijgend de deur open en draaide zich toen naar hen om met een grijns die de scherpe, aangevijlde punten van zijn blikkerende tanden ontblootte. 'De patroon – nu ontvangen,' zei hij, en met een armzwaai deed hij een stap opzij.

Jeremias ontwaarde wanden met portretten eraan, massale, donkere, in de was gezette meubelstukken, echte talkkaarsen in zilveren blakers, een tapijt van verweven kleuren. Toen hij naar voren stommelde, met de schout aan zijn zij, kwam er een hoge rechthoekige tafel in beeld, en hij zag dat die gedekt was voor de koffie, met tafelgerei van zilver en kopjes van beschilderd porselein die niet hadden misstaan in de slanke gave handen van een Chinese keizer. De schoonheid van dit alles, de sierlijkheid en verfijning, overweldigde hem, vervulde hem met een weemoed even scherp en reinigend als een lepel mierikswortel. Even – even maar – was hij weer een kind in de schoot van het gezin, een kind dat met zijn ouders op Sint-Maarten werd ontvangen in de voorkamer van de burgemeester van Schobbejacken.

Van het ene moment op het andere was hij zich pijnlijk bewust van het plompe gebonk van zijn houten pen op de vloer, van zijn vuile hemd en broek en de gescheurde kous die in rafels om zijn kuit hing: hij liep door de keuken van de patroon, betrad de kamer van de patroon, en hij begon zich heel klein te voelen. Vergeleken met de bescheiden hoeve van de Van der Meulens of de tochtige donkere winkel van Jan Pieterse leek dit huis onbeschrijflijk voornaam, het paleis van een sultan, opgetrokken in de wildernis van de nieuwe wereld. In feite omvatten de twee lage verdiepingen waaruit het bestond slechts zes middelgrote kamers, waarmee het in het niet viel bij de koopmanshuizen in Amsterdam en Haarlem, om nog maar te zwijgen van de buitenplaatsen, maar voor iemand die woonde onder het rieten dak van een onderkomen met een lemen vloer en muren van kloofhout waar hars langs liep, voor iemand die dronk uit een houten mok, stukjes draderig konijnevlees uit de pot viste met zijn vingers en zijn mond afveegde aan zijn mouw, was dit weelde zonder weerga. Bij al zijn wanhoop, bij al zijn woede en rancune, liet Jeremias zich er toch door imponeren, intimideren; hij voelde zich zwak en onbeduidend – hij voelde zich schuldig; jawel, schuldig – en hij sloop de kamer van Van Wart binnen als een zondaar die met hangend hoofd de Sixtijnse kapel binnenschuifelt.

De patroon, een bleek, papperig mannetje wiens gelaatstrekken verloren leken te gaan in allerlei uitwassen, zat diep weggezakt in de kussens van een divan en had zijn jichtige been boven zijn eigen ooghoogte op een provisorische voetsteun liggen bestaande uit twee bevervellen, een plumeau, de gezinsbijbel en een exemplaar van Grotius' *Inleijdinghe tot de Hollandsche Rechtsgeleerdheijdt*, op elkaar gestapeld op een doorbuigende hoekstoel. Naast hem zat, opgeblazen en zwaarwichtig als de op één na grootste kikvors in de vijver, de *commis*, met op zijn schoot, als het boek des oordeels, het pachtregister. Zodra Jeremias hem in het oog kreeg, verdampte zijn onderdanigheid; in plaats daarvan voelde hij een benevelende golf haat in hem opwellen. Hij wilde geen boer zijn, voor zijn zuster zorgen, welstand bereiken of Neeltje ontworstelen aan de greep van haar vader – het enige dat hij op dat moment wilde was de schout zijn zwaard ontgrissen en het door de pafferige slakkelijven van rentmeester en patroon jagen, en vervolgens de hele tent verwoesten, het meubilair doorklieven, het aardewerk vergruizelen, zijn broek laten zakken om zich te ontlasten in de zilveren koffiepot... maar de aandrang was weg voor hij er gevolg aan had kunnen geven, was weg zonder een spoor en had plaats gemaakt voor ademloze verwondering. Want plotseling drong tot Jeremias door dat schout en *commis* niet alleen waren in het vertrek. In de hoek zat stil en roerloos als een slang een man die Jeremias nooit eerder gezien had.

Hij was jong, de vreemdeling – niet meer dan een jaar of vijf, zes ouder dan Jeremias – en hij was uitgedost in fluweel en satijn als een van de Hoogmogende Heren zelf. Met het ene in zijde gevatte been losjes over het andere en een lachje vol onoverwinnelijke superioriteit rond zijn mondhoeken nam de vreemdeling Jeremias koel taxerend op met een blik die als zoutzuur door hem heen ging. Jeremias maakte één perplex moment oogcontact met hem en sloeg toen zijn ogen neer naar de vloer, terug in zijn schulp. Het litteken brandde in zijn gezicht, niet langer een onderscheiding, maar het Kaïnsteken, het brandmerk van de misdadiger. Hij sloeg zijn ogen niet meer op.

Gedurende hetgeen er volgde, gedurende de eindeloze redevoering van de patroon – een woord van vermaning hier, van verzoening daar – gedurende de opsomming van gewichtloze zwaarwichtigheden door de *commis* en het bondige, fluisterzachte getuigenis van de schout, werd van Jeremias niets vernomen dan een enkel ja of nee. De man in de hoek (die Oloffe's enige zoon en erfgenaam bleek te zijn, *joncker* Stephanus Oloffe Rombout van Wart, in aller ijl overgekomen van de Universiteit van Leiden om, gezien zijn vaders verslechterende gezondheid, zijn belangen veilig te stellen) stopte een Goudse pijp met virginiatabak en schonk zich een glas Portugese wijn in, de gang van zaken volgend met het air van een man die een tweetal mestkevers elkaar een piezeltje drek ziet betwisten. Hij zat erbij en keek ernaar, zijn dunne hautaine lippen samengedrukt tot een ironische glimlach, en hij hield zich verre van het hele geval, dat wil zeggen, tot het moment dat zijn vader Jeremias de pachtvoorwaarden begon uiteen te zetten. Toen kwam hij tot leven als een dier dat op de loer heeft gelegen.

'Wij zullen een gebaar van, eh, grootmoedigheid maken,' klonk het amechtige stemgeluid van de patroon, een geluid dat sprak van een geruïneerde gezondheid en een onvoldoende beteugeld lustleven, 'en bij u geen verhaal zoeken voor de openstaande posten pacht en schadevergoeding voortvloeiende uit de verplichtingen die uw, eh, vader op zich heeft genomen in het onvoorspoedige jaar 1663. We, eh, doelen daarbij uiteraard op achterstallige pacht, de wederrechtelijke toeëigening en het moedwillige, eh, slachten van een fokbeer en de ontoereikende zorg voor onze levende have die is uitgemond in het ontijdige, eh, verscheiden van twee melkkoeien en een zwartbonte stier.'

De rentmeester wilde hiertegen gaan protesteren, maar de patroon legde hem met een ongeduldige wuifhand het zwijgen op en vervolgde. 'Wij achten de lichamelijke' – hier zweeg hij om een grote, gierend binnengehaalde ademtocht tot zijn gestel te laten doordringen – 'eh, oneffenheid die u is, eh, toegediend door, eh, Joost Cats een afdoende bestraffing van uw overtreding en welbewuste, eh, veronachtzaming van het bevoegd gezag, en we zullen afzien van ons recht u boeten op te leggen of te veroordelen tot het, eh, blok, waarover we hier overigens, eh, niet eens beschikken.' De stem van de patroon was inmiddels zo hees dat ze niet verder droeg dan het gekras van een ganzeveer op perkament, en Jeremias moest zich vooroverbuigen om nog te verstaan wat de man zei. Hoestend in zijn vuist nam de oude een glas port aan dat de *commis* hem toestak en keek vervolgens met waterige ogen op naar Jeremias. 'Aan pacht zult u verschuldigd zijn hetzelfde als uw, eh, vader voor u, en u zult die voldoen in goederen en Engelse ponden of desgewenst *seawant*, en de vervaldatum wordt hierbij bepaald op eh, op...'

'Vader,' kwam een stem uit de hoek van de kamer tussenbeide, en aller ogen wendden zich naar de *joncker*, 'ik moet u dringend verzoeken uw besluit in heroverweging te nemen.'

De mond van de oude man vocht om lucht, en Jeremias zag een zeelt voor zich die ooit, jaren terug, in Schobbejacken op de straatkeien was geworpen. 'Uw pacht,' begon de patroon weer, maar zijn stem stokte en nam af tot een hees gepiep zonder timbre.

De jonge Van Wart was inmiddels gaan staan, met zijn handen protesterend gespreid. Jeremias wierp tersluiks een blik op hem en ging toen weer naar de vloerplanken staan staren. De *joncker* had voor hij zich verhief een enorme beverhoed met een slappe rand en een pluim van een halve meter op zijn hoofd geplaatst, en met zijn aldus in omvang toegenomen aanwezigheid leek hij heel de hoek van de kamer te vullen. 'Ik respecteer uw goedhartigheid, vader,' zei hij, 'en ik ben met u eens dat het in ons belang is Nysenswerf te verpachten, maar is dit de aangewezen man – of liever gezegd: jongen? Heeft hij zich – de ontaarde afstammeling van een ontaarde vader – niet reeds een misdadiger betoond zonder eerbied voor de wet?'

'Eh, jawel, maar...' begon de patroon, doch zijn zoon snoerde hem de mond. Jeremias beziend met een blik alsof hij de onfortuinlijke slak weer voor zich zag die tijdens een vochtige nacht in zijn fonkelende leren schoen was gekropen, stak Stephanus zijn gespreide hand omhoog en vervolgde. 'Is hij in staat de pacht te voldoen, die eenbenige met zijn vieze lorren om zijn lijf? Denkt u werkelijk dat die, die... bedelaar zijn schulden kan afbetalen, laat staan zichzelf en het bloedschennige naakte wilde gebroed onderhouden dat hij daar in de modder heeft rondlopen?'

Jeremias was verslagen. Hij kon niet reageren, kon de jonge Van Wart niet eens recht aankijken. De kloof tussen hen – hij was goed gebouwd en jeugdig, de *joncker*, knap als het portret van de Verlosser dat in het schip van de kerk in Schobbejacken hing, machtig, rijk, goed opgeleid – was onoverbrugbaar. Wat *commis*, schout en het ondier in de vijver hem niet hadden kunnen ontnemen met hun grootboek, rapier en onwrikbare kaken, had de *joncker* hem ontnomen met een opgetrokken wenkbrauw en een vijftal klievende opmerkingen. Jeremias liet het hoofd hangen. De volstrekte minachting in 's mans stem – of hij het over slachtvarkens of vee had – was iets wat hem zijn hele leven zou bijblijven.

Maar uiteindelijk gaven de stemmen van rentmeester en patroon de doorslag en werd Jeremias aangenomen als pachter, met een vrijstelling van een jaar ten aanzien van zijn pachtverplichtingen (én de aanzegging dat hij gewapenderhand van zijn land verdreven zou worden als hij na die periode zelfs maar een stuiver te kort kwam bij de jaarlijkse afdracht), maar voor Jeremias was het geen overwinning. Nee, hij verliet de hofstede vernederd, met een rammelende maag, zijn kleren vuil, het merkteken van de schout als een brandwond in zijn gezicht, de woorden van de *joncker* als schroeiplekken in zijn hart. Hij keek niet achterom. Zelfs niet toen Neeltje in de deuropening van haar vaders huisje kwam staan en hem zonder iets te zeggen nakeek met haar vochtige, glanzende ogen terwijl hij de weg af sjokte. Zelfs toen zij ten slotte zijn naam riep, met een van pijn en onbegrip doortrokken stem – zelfs toen kon hij het niet opbrengen zijn ogen op te slaan van de karresporen in de weg voor hem.

Toen hij de volgende ochtend bij zichzelf te rade ging over de stand van zaken begreep Jeremias dat hij weinig keus had. Hij was net zeventien. Hij kwam een been te kort en droeg het merkteken van de wetteloze in zijn gezicht, zijn ouders waren dood, zijn zus was geestelijk een vlinder die de eerste vorst in de vleugels heeft, en het hongerige mondje van zijn buitenechtelijke neefje dook wijd opengesperd op in zijn dromen. Wat moest hij – zou hij de patroon en diens hautaine zoon op de knieën krijgen door zichzelf te verhongeren in het winterse woud? Vermoeid, de pijn verbijtend (de stomp van zijn been kwelde hem alsof zijn vader er op dit eigenste moment de zaag in zette) hees hij zich overeind van zijn klamme strozak, nam een hap maïsmeelpap en toog aan het werk. Hij wiedde wat er nog aan onkruid stond, hakte anderhalve vaam hout om de nagalm van de misprijzende woorden van de *joncker* uit zijn hoofd te krijgen en besloot, tussen twee willekeurige en voor het overige weinig opzienbarende bijlslagen in, om zijn neefje te laten dopen in de kerk en te laten opnemen in de gemeenschap als Nederlander en vrije burger van de kolonie-New York.

Toen hij met dit voorstel bij Katrientje kwam, keek ze omlaag naar haar handen. Squagganeek zat op de grond en keek hem aan met de ogen van Harmanus. 'Ik wou hem vernoemen naar vader,' zei Jeremias.

Daar wilde Katrientje niets van weten. 'Het schuldgevoel,' fluisterde ze, en haar stem stierf weg.

'Wat vind je dan van "Wouter"?'

Ze beet op haar lip en schudde langzaam haar hoofd van links naar rechts.

Toen Jeremias twee dagen later van het land kwam, stond zijn zus glimlachend boven een pan rijzend deeg. 'Ik wil hem Jeremias noemen,' zei ze. 'Of hoe zeggen de Engelanders het ook weer – "Jeremy"?'

De achternaam was een ander verhaal. Aan de ene kant was de jongen een Van Brunt – alleen die ogen al – maar aan de andere kant was hij dat niet. En als hij gedoopt werd als een Van Brunt, wie moest de dominee dan noteren als zijn vader? Een zinderend hete middag en een van muskieten vergeven avond lang worstelden ze met dit probleem; de volgende ochtend werden ze het erover eens dat de jongen de achternaam moest krijgen van zijn biologische vader, die per slot van rekening de zoon van een opperhoofd was. Het was niet meer dan billijk. Jeremias molk zijn koeien en stuurde toen bericht aan dominee Van Schaik.

Het duurde nog tot september eer de dominee daadwerkelijk bij de boerderij verscheen voor de plechtigheid, maar het oponthoud deerde Katrientje en Jeremias niet. Toen hun voornemen eenmaal vaststond leek het al een feit. Nu leefden ze binnen de wet. Ze hadden het ergste gehad, ze waren verweesd, verlaten, ontruimd en geschuwd, en nu waren ze weer volwaardig lid van de gemeenschap, met instemming van God, medemens en patroon.

En zo begon het najaar, met dagen die zich steeds sneller naar de nacht repten, met een oogst die bepaald niet overvloedig was maar ook niet schamel, met een hitte die overging in lome nazomerse warmte tot de vorst die alles lamlegt zijn eerste koude speldeprik uitdeelde. Eind oktober stond Jeremias achter in het maïsveld stronken te verbranden, met zijn gedachten bij de manier waarop de blouse om Neeltjes bovenarmen sloot, toen hij ineens werd overmand door een vage ongerustheid en een naamloze angst. Zijn polsslag versnelde, de rook prikte in zijn ogen en hij voelde het litteken tot leven komen in zijn gezicht. Nog geen twee dagen eerder had hij, met een halfgeplukte kalkoen op schoot, met handen die kleverig waren van de veren en gedachten die in Croton verwijlden, opgekeken van zijn werk en de glasheldere gestalte van zijn vader over de akker zien rennen in zijn dampende *nachttabbert*. Maar hoewel hem het bloed in de slapen klopte, hoewel zijn hoofdhuid voelde of die werd beroerd door onzichtbare vingers, hoewel hij over beide schouders achteromkeek en zich dwong de vier hoeken van de akker af te zoeken, zag hij dit keer niets.

Zodra hij evenwel verder wilde gaan met zijn werk schrok hij op van een stem die omhoog leek te springen uit de vlammen voor hem, alsof het vuur zelf sprak. 'Jij daar. Wie geeft jou het recht op hier dees grond?' gromde de stem in een krom soort Nederlands. Jeremias wreef de rook uit zijn ogen. En zag dat er rechts van de brandende stronk een man stond – een reus, met een rode baard, gekleed in dierevellen en een woudlopersbijl over zijn schouder. De rook dreef een andere kant uit en de man deed een stap naar voren.

Jeremias zag hem nu duidelijker. Zijn gezicht was zo groezelig als dat van een mijnwerker, hij droeg beenkappen op z'n Indiaans en zijn ogen brandden in zijn hoofd met de exophtalmische heftigheid van die der krankzinnigen. Aan zijn riem bungelden twee konijnen, nog nat van het bloed. 'Wie geeft jou het recht?' zei hij nogmaals.

Terwijl hij een stap achteruit deed en zich afvroeg hoe hij, met zijn slechte been, in godsnaam zou kunnen ontkomen aan deze wildeman, hoorde Jeremias zich de naam van zijn pachtheer en meester prevelen alsof die een bezwering was. 'Oloffe Stephanus van Wart,' zei hij, '... de patroon.'

'Ha, patroon!' reageerde de wildeman, hem honend naäpend. 'En wie geeft hem het recht?'

Jeremias probeerde zonder de vreemdeling uit het oog te verliezen om zich heen te kijken op zoek naar iets wat hij kon gebruiken om zich te verdedigen – een steen, een boomwortel, de kinnebak van een ezel, wat dan ook. 'De... de Hoogmogende Heren,' stamelde hij. 'Tenminste: vroeger. Nu de hertog van York en koning Karel van de Engelanders.'

De wildeman stond te grijnzen. Er ontsnapte aan zijn lippen een vlak, toonloos lachje. 'Jij heb je lessie goed geleerd,' zei hij. 'En wat ben jij nu? – een man met eigen lot in handen of nikkerslaaf van ander man?'

En ineens verhief zich heel de wereld schreeuwend in zijn oren met het schrille kattegejank van de holle verschrompelde doden: ineens begreep Jeremias wie daar tegenover hem stond. Vertwijfeld greep hij een steen en dook in elkaar, David overschaduwd door Goliath. Hij begreep dat hij ging sterven.

'Jij,' zei de wildeman, en hij lachte weer. 'Jij weet wie ik ben?'

Jeremias kon nauwelijks iets uitbrengen. Zijn benen voelden krachteloos en zijn keel was droog. 'Ja,' fluisterde hij. 'U bent Wolf Nysen.'

HEEMSCHUTTER

Marguerite Mott, de oudere zus van Muriel, schoof dichter naar Depeyster toe, over de oeroude messing-en-groefvloer schrapend met de poten van de Windsor-stoel uit de tijd van Willem en Mary. Net als haar zus was ze een stevige blondine van in de vijftig met een vollemaansgezicht en een voorkeur voor valse wimpers en cocktailjurken in tinten als oranjegeel en geelgroen. Maar in tegenstelling tot haar zus werkte ze voor de kost. Ze makelde. 'Hij heeft het bod afgeslagen,' zei ze, terwijl ze opkeek van de stapel papieren in haar schoot.

'De rotzak.' Depeyster Van Wart stond op uit zijn stoel, en toen hij het woord hernam was zijn stem samengeknepen tot een hoog gekef. 'Je houdt dit toch wel strikt vertrouwelijk, hè? Hij heeft geen idee dat ik erachter zit?'

Marguerite drukte haar wimpers op elkaar tot een zedig knipoogje en richtte vervolgens een blik vol grootogige rechtschapenheid op hem. 'Ik heb gedaan wat je gezegd hebt,' zei ze, 'ik bied namens een cliënt uit Connecticut.'

Depeyster wendde zich geërgerd van haar af. Hij moest de neiging onderdrukken iets van het dressoir te graaien – een antieke inktpot, een porseleinen bibelot – en het door het raam te werpen. Hij was een groot werper. Hij had met Lionel-treintjes, speeldozen en croquethamers geworpen als kind, met squash-rackets, golfclubs en long-drinkglazen toen hij ouder werd. Hij had zelfs al iets opgepakt, een of ander rottig Indiaans snuisterijtje – wat was het eigenlijk, een vredespijp? een tomahawk? – eer hij zijn beheersing herwon. Hij zette het ding neer en stak zijn hand in zijn borstzak op zoek naar een rustgevend snufje keldergrond.

'Dus waar komt het nu op neer?' zei hij, terwijl hij zich weer naar haar terugdraaide. 'Dat die grond niet te koop is – voor niemand? Wou je zeggen dat die ouwe zak niet om contanten verlegen zit?'

'Nee, hij wil wel verkopen. Volgens de berichten wil hij zoveel mogelijk bezit te gelde maken om zijn kleinzoon iets na te kunnen laten.' Marguerite zweeg, klikte een poederdoos open, tuurde erin als in een bodemloze put en bracht iets aan op haar neusvleugels. 'Hij vindt vijfenzestighonderd alleen te weinig.'

Op die manier. De gluiper. De huichelaar. Aan ieder naar zijn behoeften, eerlijk delen, eigendom is diefstal en noem maar op. Kreten, meer niet. Als puntje bij paaltje kwam was Peletiah Crane net zo berekenend als ieder ander. Vijfenzestighonderd dollar per hectare voor grond die al sinds de tijd van de Indianen nergens goed voor was, vijfenzestighonderd per hectare voor een stuk land dat hij voor ongeveer een honderdste van dat bedrag praktisch had gestolen van Depeysters vader. En nog was het hem niet genoeg. 'Wat vraagt hij dan?'

Marguerite gaf hem nog zo'n kuise knipoog en dempte haar stem om de klap niet te hard te laten aankomen: 'Hij heeft wel een bedrag genoemd.'

'En?'

'Niet driftig worden. Bedenk dat we in onderhándeling zijn met hem.'

'Ja, ja: hoeveel vraagt hij?'

Haar stem was nog maar een nietig piepgeluidje, een stem die sprak uit de diepten van een grot: 'Negenduizend.'

'Negen!' galmde hij haar na. 'Negen?' Hij moest zich weer van haar afwenden om, met trillende handen, een snel shotje grond te nemen. De onbillijkheid van dit alles! De oplichterij, het bedrog! Hij was geen megalomaan, geen veebaron, geen landhongerige parvenu: hij wilde alleen een klein gedeelte terug van wat hem toekwam.

'Ik weet zeker dat we die prijs wel omlaag kunnen krijgen.' De stem van Marguerite steeg in een lustig crescendo tot volle, krachtige hoogten, opgestuwd door het vooruitzicht op de transactie. 'Ik moet alleen van jou het groene licht hebben.'

Depeyster luisterde niet. Somber bedacht hij hoe diep de Van Warts gezonken waren. Zijn voorouders – energieke, onverzettelijke, haviksogige mannen die het land hadden getemd, beren hadden geschoten, bevers gevild, landbouw en industrie naar het dal hadden gebracht, mannen die, godsamme-nog-aan-toe, *winst* hadden gemaakt – hadden half Westchester bezeten. Ze hadden iets unieks opgebouwd, iets roemvols, en nu was er niets meer van over. Opgeslokt, stukje bij beetje, door blinde wetgevers en landhongerige immigranten, door oplichters en schooiers en communisten. Eerst sneden ze er stukken uit voor steden, toen kwamen ze met hun verkeer en hun snelwegen, en eer iemand ze had kunnen tegenhouden hadden ze bij stemming de rechten van de landeigenaren afgeschaft en de grond overgedragen aan de pachters. *Democratie*: het was een aanfluiting. Communisme in schaapskleren. Beroof de rijken, werk de aanpakkers en de doordouwers tegen, de pioniers, de risiconemers, de grootindustriëlen, en laat de non-valeurs bij stemming andermans koek onder elkaar verdelen.

En de politici, erg genoeg als ze waren, werden op de voet gevolgd door zwendelaars en oplichters. Zijn overgrootvader was het schip in gegaan bij het *Quedah Merchant*-project, zijn grootvader was de ene helft van zijn fortuin kwijtgeraakt aan behulpzame ingewijden in de gokcircuits en de andere aan dienaressen van Thespis met queues en zwarte kousen, en vervolgens was zijn eigen vader, een man van smaak, als een op de horens genomen toreador vertrapt onder de hoeven van de effectenmakelaars. Akkoord, er was nog vier hectare over, het huis en het bedrijf waren er nog, en hier en daar nog wat beleggingen, maar het was niets. Een lachertje. Een flintertje van wat het geweest was. Daar stond hij dan, in de eerbiedwaardige voorkamer, Depeyster Van Wart, zonder land, zonder erfgenaam, de laatste telg uit een geslacht dat heer en meester was geweest tot aan de grens met Connecticut, vervuld van machteloze woede over een kwestie van twintig bunder. Twintig bunder. Zijn voorvaderen hadden twintig bunder nog te weinig gevonden om op te pissen.

'Wat denk je ervan? Zullen we het verschil met hem delen en zevenenzeventig half voorstellen?'

Hij was Marguerite niet vergeten – ze zat daar achter hem, zijn bekommerde bondgenote, rekenend, het probleem concretiserend in een cijfer – maar hij ging te zeer op in zijn fuga van bittere overpeinzingen om antwoord te geven. Wat hem nog het hevigst dwarszat was dat die kwijlende incontinente seniele ouwe communistenvriend zijn subversieve bijeenkomsten had gehouden op dat land – op grond die sinds mensenheugenis familiebezit van de Van Warts was geweest. Hij had de grond bezoedeld, met bloed besmeurd, onteerd. Land dat Depeysters voorouders hadden bevochten op de Indianen, en die ouwe Crane had er een picknickplaats voor fellow-travellers van gemaakt. Jawel, dat had Depeyster hem betaald gezet, en goed ook, met de loyaliteitsbijeenkomsten die hij georganiseerd had en daarna de druk die hij had uitgeoefend op het schoolbestuur, net zolang tot het die ouwe verlakker met vervroegd pensioen had gestuurd – maar toch werd na al die jaren zijn gezicht heet van drift bij de gedachte dat al dat zwarte en joodse gajes en die opruiers met hun gitaren hun vieze poten op zijn grond hadden gezet.

'Depeyster?'

'Hm?' Hij draaide zich weer om. Marguerite zat zover voorover dat ze eruitzag als een sprinter in het startblok.

'Wat denk je ervan?'

'Waarvan?'

'Het verschil delen. Zevenenzeventig half voorstellen.'

Wat hij dacht was dat hij nog geen zevenenzeventig half per hectare zou bieden voor de top van de Ararat in geval van een tweede zondvloed, wat hij dacht was dat hij beter kon wachten tot die ouwe zak de pijp uit was, zodat hij met die halve gare kleinzoon van hem kon afrekenen. Wat hij zei was: 'Geen sprake van.'

Marguerite kreeg geen kans hier een eventueel woord van protest tegen in te brengen. Want op dat moment vloog de deur open en overviel een plunderende troep zigeuners het koele antieke interieur van de voorkamer, leek het. Depeyster zag uit zijn ooghoeken een verzameling sjaaltjes en veren en hoofdbanden, haar dat klitte als dat van een hond, de lethargische, trogloditische gelaatsuitdrukking van de gedrogeerde, doorgebrande cultuurvlieder: zijn dochter was thuis. Maar dat was het ergste niet. Achter haar stond, met futloze schouders, glimmend alsof hij zich had ingesmeerd met kippevet, een zuidelijk type met een oorbel en de zieke doffe ogen van een koe met koliekverschijnselen, en achter hém stond – als je over de duvel spreekt – die knul van Crane, die eruitzag of hij net was opgegraven uit een veenmoeras. 'O,' mompelde Mardi, nu eens één keer in het defensief, 'ik dacht dat je eh... dat je op je werk was.'

Wat moest hij daarop zeggen? Te schande gemaakt in zijn eigen voorkamer, vernederd ten overstaan van Marguerite Mott (zij staarde naar de invallers als naar een stel esoterische dierlijke levensvormen zoals haar zuster ze rond de Tanzaniaanse waterpoelen voor de lens kreeg), huis en haard vermonsterlijkt tot hippiehol. Hij hoorde de roddels al: 'Ja, zijn dochter. Uitgedost als junkie of straathoer of iets dergelijks. Samen met, met – God, ik zou niet weten wat het was eigenlijk, een *Portoricaan*, geloof ik – en die jongen van Crane, die vroeger op Cornell zat. Ja, ook aan de drugs, heb ik gehoord.'

De vermoedelijke Portoricaan ontblootte breed grijnzend zijn tanden in Depeysters richting. Mardi ging in het offensief en keek hem aan met een blik vervuld van diepe walging en minachting, en die knul van Crane stond er zo sloom bij dat zijn lichaam elk moment leek te kunnen imploderen. Depeyster streefde op dat moment niet méér na dan dit nonchalant op te vatten, zich in te dekken, het hele geval af te doen als was het een lichtelijk onplezierig natuurverschijnsel, zoals de trompetboom die zijn vruchten in het zwembad liet vallen, of de muskieten die bij het vallen van de avond in grote jankende wolken over de veranda zwermden. Maar hij kon het niet. Hij was te woedend. Eerst het nieuws over dat stuk land, en nu dit. Hij keek omlaag en zag dat zijn hand spastische zwaaibewegingen maakte, alsof hij vliegen wegwapperde. 'Ga weg,' hoorde hij zichzelf zeggen. 'Vluchten.'

Hier had Mardi op gewacht, op een opening, een barst in zijn pantser, een plek waar een angel door kon. Na een blik over haar schouder om te zien waar haar rugdekking zich bevond, richtte ze zich op in haar volle lengte, plantte haar benen uit elkaar en barstte los: 'Dus zo word ik hier behandeld. Weg. Ben ik hier de hond of zo?' Ze zweeg een fractie van een seconde om haar verbaal geweld te laten doordringen en bracht hem toen de genadeslag toe: 'Kan ik het helpen dat ik hier woon? Ik bedoel,' en op dit punt liepen die grote, zwart omrande ogen vol tranen en werd haar stem dik van emotie: 'kan ik het helpen dat ik je dochter ben?' Korte stilte. 'Ik weet heus wel dat je me haat.'

De Portoricaan achter haar was opgehouden met lachen en stond met zijn voeten te schuiven; die knul van Crane, getroffen door een plotselinge aangezichtsverlamming, was al weer halverwege de deuropening. Daar stond Depeyster, balancerend tussen verdriet en onmacht, terwijl op het Perzische tapijt een onverkwikkelijk huiselijk tafereel zich ontrolde voor de ogen van Marguerite Mott. Zou hij ontploffen van woede, zijn dochter in zijn armen sluiten om haar te troosten, de kamer uit benen en de eerste de beste vlucht naar San Juan boeken? Hij wist het niet. Het was leeg in zijn hoofd.

En toen moest hij ineens, zonder zelf te weten waarom, aan die jongen van Truman denken – aan Walter – zoals hij steunend op zijn krukken bij hem in zijn werkkamer was verschenen. Zijn haar was langer dan Depeyster waarderen kon, en op zijn bovenlip zat de eerste postpuberale schaduw van een snor, maar hij zag er stevig uit, grof en schonkig, met de kaak, jukbeenderen en bleke, verschoten ogen van zijn vader. Mardi had die middag in de keuken zijn naam genoemd. Zij kende hem. Had zelfs geprobeerd haar vader daarmee te choqueren. Nou, hij was niet gechoqueerd. Eén blik op de lammelingen waar ze nu weer mee aankwam, en hij wou dat ze inderdaad iets begon met iemand als Walter.

'Oké,' zei ze, en zelfs het miniemste spoortje verdriet was uit haar stem verdwenen; toen ze het woord een halve tel later herhaalde zat er alle stootkracht van een strijdkreet in.

Hij antwoordde niet. Voor zover hij reageerde was het met datzelfde onwillekeurige wegjaaggebaar, met die hand die zijn eigen impuls volgde. Nee, het was geen beroerde knul, die Walter. Een beetje in de war, misschien, maar ja, wat wou je, met een krankzinnige moeder die zich had doodgehongerd en een vader die ervandoor ging met zijn staart tussen zijn benen – erger nog: ervandoor ging en hem aan de zorg toevertrouwde van een stel linkse kasplantjeskwekers en communistenheulers. Het was misdadig. De jongen had zijn hele leven één kant van het verhaal gehoord – de verkeerde kant, de gekleurde, verdraaide, leugenachtige kant. Het was natuurlijk maar een beginnetje, een blinde poging, één stem die zich verhief tegen een huilende meute in, maar Depeyster had die middag geprobeerd hem een aantal

dingen uit zijn hoofd te praten. Om te beginnen over zijn vader.
Een patriot, had Walter hem toegespuwd. Hoezo 'patriot'?
Ik bedoel dat hij van zijn vaderland hield, Walter, en ervoor gevochten heeft – in Frankrijk en Duitsland en hier in Peterskill. Met zijn gespreide vingers tegen elkaar had Depeyster zich achterover laten zakken in zijn stoel en Walter in de ogen gekeken. Er was daar iets – woede, ja, verwarring en pijn – maar ook nog iets anders: Walter wílde hem geloven. Voor Depeyster was het een openbaring. Het mocht dan zo zijn dat kinderen hun ouders afwezen, Mardi mocht dan rondlopen als een hoer en 's avonds aan tafel met het zoetwaterradicalisme dat ze omhelsde haar vader het bloed onder zijn nagels vandaan treiteren en alles ondermijnen wat heilig was in de ogen van de gemeenschap – tegenover hem stond een jongeman die de bereidheid had een andere weg in te slaan. Zijn ouders – pleegouders: joden en communisten van de ergste soort – hadden hem zijn hele leven haat en leugens en kwaadaardige propaganda gevoerd, en nu stikte hij er bijna in. Hij was klei. Klei die wachtte op een vormende hand.
Jij denkt dat de incidenten in Peterskill niets voorstelden? zei Depeyster. Walter keek hem alleen maar strak aan. Moet je nagaan wat die communisten vier jaar later met de atoomgeheimen deden. Een patriot bestrijdt dat soort dingen, Walter, vecht ertegen met alles wat hij heeft. Daarom zeg ik dat jouw vader een patriot was.
Walter verplaatste zijn gewicht, ging vooroverhangen op zijn krukken. O ja? En verraden patriotten hun vrienden, hun vrouw, hun zoon?
Ja, wilde Depeyster zeggen, *als het moet*. Maar toen keek hij omlaag naar de glimmende nieuwe laars aan Walters rechtervoet en hield zich voor dat hij niet te hard van stapel moest lopen. Luister, Walter, zei hij, van koers veranderend, ik geloof niet dat je me gevolgd hebt. Het communisme functioneert niet, zo simpel ligt het. Neem het Rusland van vandaag. China. Vietnam. Al die ellende die er achter het IJzeren Gordijn ligt. Wil jij zo leven?
Walter schudde zijn hoofd. Maar daar ging het niet om, zei hij.
Nee, maar daarom was het nog wel waar, en los daarvan begon Depeyster lol te krijgen in het gesprek. Hij haalde de Pilgrims erbij, Brook Farm en de hippiecommunes, betreurde het lot van de koelakken, voer uit tegen de Vietcong en wees de wereldomspannende communistische samenzwering als boosdoener aan, maar Walter gaf geen krimp. Erger nog, hij bracht maar steeds het gesprek terug op dat ene tere punt dat als een bloederige knots tussen hen in lag. Of het communisme nu functioneerde of niet was niet aan de orde, bleef Walter volhouden – aan de orde was de vraag wat er nu precies op die warme

augustusavond in 1949 gebeurd was op het weiland van Peletiah Crane. Depeyster ging het antwoord uit de weg – later, later – maar betoogde vurig dat hij in zijn recht stond, dat hij alles wat hij gedaan had desnoods vandaag precies weer zo zou doen. Hij keek Walter recht in zijn gezicht en zag Truman, en op dat moment begreep hij dat hij niet langer de verdwenen vader verdedigde – Truman was gek, die was niet te verdedigen – nee: hij verdedigde zichzelf.

Hij wilde hem het verhaal zonder omwegen vertellen, wilde uitleggen hoe ver Morton Blum en Sasha Freeman wel niet gegaan waren om de confrontatie uit te lokken – en dat hij zijn eigen glazen had ingegooid door op de provocatie in te gaan, terwijl hij die veel beter had kunnen negeren – wilde hem vragen of hij werkelijk dacht dat een vreedzame bijeenkomst even dienstig zou zijn geweest voor de zaak als een luidruchtige, ordinaire rel compleet met voorpaginafoto's van bebloede vrouwen, gillende kinderen en in elkaar geslagen zwarten die eruitzagen als boksers die bij unanieme beslissing als verliezer waren aangewezen. Maar hij hield zich in. Dat was allemaal voor de volgende les.

Luister, had Depeyster uiteindelijk gezegd, ik kan me voorstellen hoe jij ertegenover staat. Ik geef toe dat het verkeerd was van je vader dat hij ervandoor is gegaan en zijn gezin in de steek heeft gelaten – en ik wil ook nog wel toegeven dat hij bij tijd en wijle niet goed bij zijn hoofd was – maar wat hij gedaan heeft diende de vrijheid en de gerechtigheid. Hij heeft zichzelf opgeofferd, Walter – hij was een martelaar. Een man om trots op te zijn.

Maar wat, schreeuwde Walter haast, wat wás het dan? Wat heeft hij dan gedáán?

Depeyster sloeg zijn ogen neer om de lade open te schuiven en een versterking te nemen in de vorm van een snufje grond, maar hij bedacht zich. Hij keek op eer hij antwoord gaf. Hij was een van ons, Walter, zei hij, en hij gooide de la met een klap dicht. Hij was van het begin af aan een van ons.

Maar daarop was het beeld van Walter verdwenen en keek Depeyster in de wezenloze gezichten van de subversievelingen en dienstweigeraars waarmee zijn dochter was thuisgekomen. Menselijke vuilnisbakken, en dat stond bij hem in huis, onder zijn dak; Marguerite kon wel denken dat hij prijs stelde op hun aanwezigheid, ze graag zag, hun dope en broodjes taugé met hen deelde. 'Ga weg,' zei hij nog eens.

Van achter het wilde, gekroesde dons van haar haar keken Mardi's ogen hem aan met een deel haat en een deel angst. Misschien was hij te ver gegaan. Ja: hij zag het in die ogen. Hij wilde zichzelf tot de orde roepen en zijn woorden afzwakken, maar hij kon het niet.

'Oké,' riep ze voor de derde keer, 'oké,' voor de vierde, 'dan bén ik weg.' Er volgde enig gedrang in de hal, de Portoricaan dook opzij, de handen van Tom Crane fladderden omhoog als opgeschrikte kwartels, de voordeur maakte met een verwoestende dreun contact met het kozijn, en weg was het stel.

Depeyster wierp een blik op Marguerite. Onder het blozende vliesje van haar make-up was ze verbleekt, haar pupillen waren verwijd en het puntje van haar tong zat gevangen tussen haar lippen. Ze zag eruit of ze was ontwaakt uit een trance. 'Ik, eh,' mompelde ze, terwijl ze haar spullen bij elkaar pakte, papieren gelijkstootte en haar hand uitstak naar haar jas, 'ik moet weer eens op pad. Afspraken, afspraken.'

Bij de voordeur probeerde hij zich te verontschuldigen voor zijn dochter, maar ze wuifde het weg. 'Zevenenzeventig half,' zei ze, en ze leefde weer enigszins op. 'Denk er maar eens over na.'

Het was in de namiddag en hij was achter in de tuin bezig de aarde rond zijn rozen om te spitten toen hij aan Joanna moest denken. Hij was net nog in huis geweest, op zoek naar zijn vissershoed, om de zon uit zijn ogen te houden, en had in het voorbijgaan opgemerkt dat Lula maar voor één persoon gedekt had. Terwijl zijn spade het rijke zwarte leem van het rozenbed keerde, kwam het beeld van dat eenzame couvert weer zo sterk bij hem boven dat hij geen wortels en grond meer zag, maar het motief in het porselein, het slijpsel van het kristal, de vouw in het servet, het glinsteren van het zilver. Het was bevreemdend. Mardi at niet mee – die kwam waarschijnlijk niet eens meer thuis na die scène in de voorkamer – maar waar was Joanna? Ze was de vorige ochtend naar het Shawangunk-reservaat vertrokken in de stationcar, die tot het dak toe volgestouwd zat met de afgedankte heup-, knie- en kuitbroeken die ze huis aan huis had opgehaald bij haar halfjaarlijkse broekeninzamelingsactie. Wat wilde zeggen dat ze zou overnachten in het Hiawatha Motel, zoals gewoonlijk, en de volgende avond rond etenstijd weer thuis zou zijn. Zoals gewoonlijk. Toch wist hij zeker dat er maar voor één persoon gedekt was.

Dat was wel iets om over na te denken terwijl hij bij de rozestruiken knielde en de aarde ophoopte tot kleine piramides rond de onderkant van de stammetjes en goed aanstampte over de wortels. Hij was doende de muls van vorig jaar weg te scheppen uit het gootje rond de Helen Traubels toen er een verontrustende gedachte bij hem opkwam: ze had een ongeluk gehad, dat was er aan de hand. Hét ongeluk. Het ongeluk dat hij altijd voor zich had gezien. De op zijn zwaar belaste vering loefgierig geworden stationcar was van de weg geraakt in een van de geniepige bochten in Route 17 en ondersteboven in het ijskoude, glasheldere water van de Beaverkill terechtgekomen; een scharende vrachtwagen had de auto fijngeknepen als een aluminium blikje: weg Joanna. Sarabande, Iceberg, Olé: hij rook de bloesems al. Maar nee. Als er iets ernstigs gebeurd was – iets rampzaligs – dan zou Lula het hem gezegd hebben.

Rozen. Het was al half oktober, en nu pas kwam hij eraan toe de perken winterklaar te maken. Niet dat hij ze verwaarloosd had – zijn rozen waren zijn lust en zijn leven en zijn trots; de tuinman mocht er geen vinger naar uitsteken – maar september was een prachtige maand geweest – de nazomer op zijn best – en op de een of andere manier had hij elke middag aan boord van de *Catherine Depeyster* doorgebracht. Of op de golfbaan. Nee, ze had een klapband gehad, dat was het. De motor was vastgelopen, de ventilatorriem had het begeven, ze was gestrand in Olean, Elmira, Endicott. Hij ging staan en klopte het vuil van zijn werkhandschoenen. Little Darling, Blaze, Mister Lincoln, Saratoga: de namen alleen al schonken hem voldoening. Hij zou het morgen afmaken, de stammetjes in zakkengoed wikkelen, ze bemesten. Maar waar zou ze nu zitten? Misschien was ze bij hem weg. Verdwenen. Weggelopen. Toen hij tegen het talud op liep naar het huis, drong zich een schuldbewust fantasietje aan hem op – ze was naakt, die stevige, sproetige kamergenote van Mardi, haar gezicht hing boven het zijne en ze ging tekeer als een wild dier; hij voelde zijn zaad geaccepteerd worden en hij zag ze: zijn zoons, opmarcherend vanuit haar warme, vruchtbare jonge schoot als uit de mond van een oeroude grot.

Lula's gezicht verloor alle uitdrukking toen hij de tafelschikking ter sprake bracht. 'O, mijn goeie God, dat is me helemaal ontschoten.' De keuken achter haar, met zijn concessies aan de moderne tijd – vaatwasmachine, elektrisch fornuis, automatisch ontdooiende koelkast – glom en blonk alsof er een reclamefilmpje voor het nieuwste wonderschoonmaakmiddel zou worden gedraaid. Ze zat kalfslappen plat te slaan aan de keukentafel toen hij binnenkwam. 'Ogottegottegottegot,' jammerde ze, en je zou zijn gaan denken dat haar hele familie was omgekomen bij een treinramp, 'hoe is het mogelijk, hoe heb ik dat kunnen vergeten?'

Depeyster ging achterovergeleund tegen het blinkende aanrecht staan en legde zijn armen over elkaar.

'Vanmiddag om één uur heeft ze gebeld. Er is iets aan de hand daar, iets met een protestmars – wacht, ik heb het opgeschreven.' Ze hees zich overeind van tafel, een zware vrouw, krachtig als de eiken langs de oprijlaan, en griste een briefje onder de telefoon vandaan. 'Hier heb ik het,' zei ze, hijgend van de inspanning, '"Zes stammen tegen de oorlog". Ze zei dat u haar morgen om deze tijd terug kon verwachten.'

Zes stammen tegen de oorlog: wat een giller. Hij proefde de woorden een ogenblik op zijn tong en herhaalde ze toen met bittere verachting. Zes stammen tegen de oorlog. Hij zag ze voor zich – een stel werkloze halfdronken volgevreten Indianen met heupbroeken aan hun reet en spandoeken in hun hand, zijn vrouw voorop met krulspelden in haar haar en mocassins met kraaltjes aan haar voeten, samen demonstrerend tegenover de foeragehandel in Jamestown. Je zou er bijna om lachen, ware het niet dat ze de Vietcong in de kaart speelden. Die Joanna. Dat welzijnswerk was al erg genoeg, maar dit – dit was een vernedering. Zijn eigen vrouw liep mee in een demonstratie. Dat kon er ook nog wel bij.

'Piccata vanavond,' mompelde Lula, terugschuifelend naar haar kalfslappen.

'En Mardi?' vroeg hij een ogenblik later.

Lula haalde haar schouders op.

Hij bleef daar nog even staan, hoorde hoe de koelkast brommend aansloeg en staarde naar dat ene verwijtende bord op de eetkamertafel. Aan de achterwand hing boven het dressoir een donker olieverfschilderij van Stephanus van Wart, de erfgenaam van de patroon en de eerste Heer van het Van Wart-goed, de man die het oorspronkelijke bezit had verdubbeld en verdrievoudigd en het toen nog eens had verdubbeld en verdrievoudigd, tot elke beek en heuvelrug, elke varen, elk hert, elke kalkoen en pad en distel tussen de vlakke grijze Hudson en de grens met Connecticut van hem was. Depeyster keek op naar de trotse hautaine ogen van zijn voorvader en had geen eetlust meer. 'Laat maar, Lula,' zei hij. 'Ik eet buiten de deur vanavond.'

Toen Joanna dan uiteindelijk de volgende avond thuiskwam, was het laat – na tienen – en zat Depeyster bij de brandende open haard in de voorkamer zonder veel animo te neuzen in een biografie over generaal Israel Putnam, de man die doof bleef voor alle petities waarin op gratie werd aangedrongen en in augustus 1777 Edmund Palmer liet ophangen op Gallows Hill wegens spionage. Voor de tweede achtereenvolgende avond had de erfgenaam van het Van Wart-goed een eenzame maaltijd tot zich genomen aan een schoon, helder verlicht tafeltje in het wegrestaurant van Peterskill, en voor de tweede achtereenvolgende avond had hij last van zijn maag. En zijn stemming was toch al niet best – gedwarsboomd in die kwestie met dat stuk grond, razend op zijn dochter (die zich nog steeds niet had verwaardigd thuis te komen) en door de grond gegaan van schaamte bij de gedachte dat zijn vrouw zich publiekelijk te kijk zette, ook al deed ze dat dan ergens diep in de rimboe. Dus toen hij de klink hoorde en zijn hoofd omdraaide om het op te nemen tegen de aanblik van zijn alsnog gearriveerde vrouw in haar ridicule Indiaanse plunje, permitteerde hij zich alle heilige, hoog oplopende verontwaardiging van een gloedvolle, reinigende, catharsische woedeaanval. 'Waar kom jij godverdegodver vandaan?' eiste hij te weten, terwijl hij opsprong en het boek op de grond wierp.

Joanna droeg de mocassins en de hoofdband waartoe ze zich had bekend sinds ze tot nut van 't Indiaanse welzijn de handschoen had opgenomen. Maar nu had ze zich om onnaspeurlijke redenen ook nog een voddige hertsleren jurk en beenkappen aangemeten. De jurk zag eruit als iets waarmee je de auto afneemt als het hard geregend heeft.

'Nee, niet zeggen, laat me eens raden – je komt van een gekostumeerd bal, heb ik gelijk of niet? Of is dit heersende mode onder demonstranten tegenwoordig?' De gevulde paprika's van het wegrestaurant schoten omhoog in zijn luchtpijp en zetten de holte onder zijn borstbeen in brand. Hij onderdrukte een boer.

Joanna zei niets. Ze had een eigenaardige blik in haar ogen, een blik die hij nog kende uit een ver verleden. Het was de blik waarmee ze hem wel eens aankeek toen ze verkering hadden, toen ze pas getrouwd waren, toen ze een teelkrachtig jong stel waren met een gezonde bolronde kleine blom van een dochter. Ze liep door de kamer op hem toe, en hij zag dat ze haar haar op z'n Indiaans in vlechten gedraaid had met reepjes berkebast. En het volgende moment lagen haar handen op zijn schouders – hij snoof haar geur op, houtrook, polei, een bepaalde aardse oerlucht waarvan hij slap werd in zijn knieën – en vroeg ze hem met een sensuele fluisterstem of hij haar gemist had.

Of hij haar gemist had? Ze trok hem tegen zich aan, hing hem om zijn nek als een schoolmeisje, drukte haar lippen, met heel vaag de smaak van look en rozebottels, tegen de zijne. Gemist? Ze hadden elkaar al in geen vijftien jaar aangeraakt en nu vroeg ze of hij haar gemist had?

Vijftien jaar. Al die tijd was seks voor Depeyster niet meer geweest dan een trieste reeks paringen, zaad op de rotsen, een opeenvolging van weekends met de juffrouw Egthuysens van deze wereld of met een van de agressieve zongebruinde tijgerinnen die hij in de bar van de country club tegenkwam. Maar nooit met Joanna, nooit met zijn eigen vrouw. Met haar niet meer sinds de dag dat ze zijn smeerseltjes en zalfjes en afrodisiaca bij elkaar had geveegd en naar zijn hoofd had geslingerd, de dag dat ze zijn seksuele handboeken had verscheurd en zijn ovulatieschema's versnipperd, de dag dat ze hem gevraagd had of hij vond dat ze een fokzeug was en verder niets. Mardi was destijds een jaar of vijf, zes, een kind op de kleuterschool – of zat ze toen al in de eerste? Ze hadden sinds die dag ieder in een eigen kamer geslapen.

En nu, nu drong ze met haar tong door tot onder zijn gehemelte, duwde hem achterover op de bank, trok hem op het vloerkleed voor de haard. Was ze dronken, ging er vagelijk door hem heen terwijl zij aan zijn broek sjorde. Ze tilde haar jurk op, en aangenaam verrast zag hij dat ze er niets onder aan had; haar hoge borsten waren stevig, ze had nergens een rol of rimpel, drieënveertig jaar en zo soepel als een studente. Toen ze zich op hem neerliet voelde hij zich opgetild, dankbaar, hoopvol: zijn fantasie, met in de hoofdrol het stevige sproetige meisje, werd hier op het kleed in de voorkamer werkelijkheid met zijn eigen vrouw, en hij sloot zijn ogen en concentreerde zich op zijn toekomstige erfgenaam. Want, jawel, een erfgenaam zou er komen. Het moest wel. Hij had zo lang gewacht en nu... het leek wel iets uit een sprookje, de geduldige houtsnijder, de schone slaapster gewekt met een kus. Hij ging op in hun beider ritme.

Joanna deed van haar kant wat ze moest doen. Niet dat er geen nostalgische kant was aan de hele exercitie, niet dat het noemenswaardig weerzinwekkend was of iets dergelijks. Op een bepaalde manier hield ze zelfs wel van hem, meende ze, van die bloedeloze man, haar wettige echtgenoot. Het was een beste man – ze kon zich niet voorstellen dat ze met een ander getrouwd zou zijn – alleen wist hij niets in haar los te maken, haar niet te beroeren tot in haar diepste innerlijk, wist hij niets van – gaf hij niets om – liefde, romantiek, hartstocht. Hij was koud, koud als het soort schepsel dat je met maaiende scharen tegen de rivierbedding op ziet kruipen. Hij wilde niet vrijen, wilde niet eens neuken – hij wilde zich voortplanten.

Nou ja, oké. Ze was geen Molly Bloom, maar al vijftien jaar zocht en vond ze haar romantiek elders. En nu was het nodig dit te doen. Met haar man. Met haar wettige echtgenoot. Vermeende vader van het kind dat ze zou baren, wilde baren.

Want ze was de afgelopen twee dagen niet bij de Indianen geweest, had die hele demonstratie niet gezien, was niet eens weg geweest uit Peterskill. Indianen, nee. Maar een Indiaan, één Indiaan, ja, dat wel.

DE DWERG VAN DE DUNDERBERG

Het was geen goede dag voor de pleziervaart. De wind kwam huilend aangejaagd uit de Canadese wildernis, het was zo koud dat de Noormannen rechtsomkeert zouden hebben gemaakt en de hemel, omhooggehouden door de bergtoppen als een dierevel dat te drogen hangt, zag doods. Walter voelde zijn tenen niet meer, en toen hij de uitgedoofde joint die hij stevig tussen duim en wijsvinger geklemd hield opnieuw probeerde aan te steken, blies een plotselinge windvlaag de lucifer uit. Tot driemaal toe. Hij gaf het uiteindelijk op en schoot de peuk het water in. Het was niet te geloven. Nog niet eens november, Halloween, en het was als in december zo koud.

Walter zette de kraag van zijn spijkerjasje op en keek naar een stel eenden dat bij elkaar gekropen was in de luwte van de trailerhelling. Overal waar hij keek zag hij boten, op trailers, op blokken, geschoord op het gebarsten beton als in afwachting van een tweede zondvloed. Kitsen, schoeners, catboten en speedboten, yawls en jachten en catamarans. En dan waren er nog de boten die het water nooit meer zouden zien, oude karkassen doorgeroest tot in elke bout, melaats van de houtrot, afgesplinterd en gebleekt en overhangend op hun boeg alsof ze aan land geworpen waren door een orkaan. Dit was de jachthaven van Peterskill. Drie straten verwijderd van de metaaldraaierij-Depeyster en juist aan de andere kant van de spoorlijn naar het ondergescheten station en de leegstaande fabrieken, opgetrokken uit een baksteen zo oud dat hij de kleur van modder had. Daar stond Walter, om twee uur 's middags, op Halloween, in afwachting van Mardi. Ideaal toch? had ze gezegd toen ze belde. Ik bedoel: een tochtje naar de spookschepen op Halloween. Link toch?

Link. Dat woord had ze gebruikt. Walter spuugde in het water en keek toen achterom over zijn schouder om te zien waar ze bleef. Er stond een vijftal auto's op de parkeerplaats, maar zo te zien bevatte geen daarvan Mardi. Raar eigenlijk. Hij ging een zeiltochtje met haar maken, op een dag als een deken voor over een grafzerk, en hij wist niet eens wat voor wagen ze reed. Hij keek naar de sliert roestige wagons die zich achter de parkeerplaats voortzette tot buiten het station, om een bocht in de richting van de monding van Van Wart Creek, en vervolgens omhoog naar de heuvels van Peterskill, een dalbodem van daken tussen grote, hoog opgaande beboste verhevenheden. Op de voorgrond, in de luwte van een zeewaardig monster met glimmende relingen en gordijntjes voor de ramen, stond zijn motor, overgespoten en voorzien van een nieuwe voetsteun en gashendel. De helm, de helm die hij van Jessica gekregen had, hing aan het stuur, en zelfs van deze afstand kon hij de doffe vlekken onderscheiden waar hij met zijn zakmes de madeliefjes eraf gekrabd had.

Ze had het niet leuk gevonden, deze ontwijding van haar verjaardagsgeschenk, maar hij had uitgelegd dat plakplaatjes in de vorm van madeliefjes niet strookten met zijn zelfbeeld. Hij was geen bloemenkind – hij was harder, killer, nog altijd de nihilist en existentialistische held. Toen had hij geglimlacht, als om te zeggen: ik maak maar een grapje, en zij had teruggeglimlacht.

Jessica. Ze was nu op haar werk. Zijn vrouw, die Scripps, Miami, NYU en Mayaguez had laten schieten voor hem, was op haar werk, dat wil zeggen: ze telde in schaaltjes met formaline geconserveerde vislarven. Tom Crane had dat baantje voor haar versierd. Bij de kerncentrale, waarvan de torens en koepels zich op de oostelijke rivieroever verhieven als de minaretten en *koebba's* van een fabelachtige technologiemoskee. Die larventelling was onderdeel van een milieuonderzoek dat Consolidated Edison financierde bij wijze van boetedoening voor de zonde dat het bedrijf in de inlaatpijpen grote stinkende bergen vis opzoog. Tom had via een vroegere studiegenoot van hem een baantje gekregen als loods op een boot die ten behoeve van het project twee nachten in de week het water op ging, en toen hij hoorde dat er nog iemand gezocht werd voor op het lab, had Tom aan Jessica gedacht. Dus daar was ze nu. Met haar neus boven de formaline en ogen die traanden van de dampen.

Walter zelf was werkloos. Niet dat hij niet wilde werken – op den duur, misschien, als er zich iets geschikts aandiende. Hij zag zich alleen niet de hele dag aan een vettige jankende draaibank staan en van die dingetjes met vleugels produceren die voor zover hij kon nagaan nergens goed voor waren (tenzij ze, zoals werd gefluisterd, gebruikt werden in de fragmentatiebommen die kleine kinderen vermorzelden in oorden met namen als Tok Tok en Fuk Joe). Naar hij althans gezegd had tegen Hesh en Lola. Wat hij verzweeg was dat Van Wart hem een kantoorbaan had aangeboden. Ter plekke. Zonder sollicitatie of wat dan ook.

Ik mag jou wel, had Van Wart gezegd die middag bij hem in zijn werkkamer. Hij draaide een halfuur om de hete brij van de rellen heen, raadde Walter aan zich eens in de geschiedenis te verdiepen en bezwoer hem dat hij trots hoorde te zijn op zijn vader, waar die, dood of levend, ook was. Walter, die ergens tussen de vervolging van de koelakken en de val van Tjiang K'ai-sjek een stoel had gepakt, was net gaan staan om weer op te stappen toen Van Wart zijn respectbetuiging uitsprak. Ik ben onder de indruk van je, zei Van Wart. Je hebt een goed verstand. Misschien verschillen we op politiek gebied van inzicht, maar daar gaat het nu niet om. Hij was inmiddels ook gaan staan, met zijn handen ineengedraaid en stralend als een verkoper in een herenmodezaak. Ik bedoel dit: jij hebt gestudeerd en ik heb plaats in het management, elfduizend dollar per jaar plus alle extra's. En het is een zittend beroep. Wat zeg je ervan?

Nee, had Walter gezegd, in een reflex haast, nee bedankt; hij zag zich zitten in een wit overhemd met stropdas, verschanst achter een bureau, op zijn wenken bediend door de vooralsnog ongesignaleerde juffrouw Egthuysen, in één klap verlost van Doug en die andere koelies, hij zag de nieuwe Triumph voor zich, signaalgroen, velgen met spaken, van nul naar tachtig in 6,9 seconden... maar werken voor Van Wart? Dat was ondenkbaar. (Ongeacht het feit dat hij de afgelopen twee en een halve maand niet anders gedaan had – dat was zwoegen in onwetendheid geweest.) Nee, zei hij tegen hem. Hij waardeerde het aanbod, maar hij was nog niet van de schrik van zijn ongeluk bekomen en had tijd nodig om weer op te krabbelen voor hij een dergelijke stap kon zetten.

Toen hij er later aan terugdacht wist hij niet meer precies waarom hij de boot had afgehouden. Elfduizend dollar was een hoop geld, en ondanks zijn gepreek, zijn dédain en zijn rechtse praatjes, ondanks de haat die de grootvader van Tom Crane en Hesh en Lola en de rest hem toedroegen, was Van Wart helemaal zo'n kwaaie niet. Zeker geen boeman. Geen stompzinnige racistische stenengooier. Hij had wel iets stijlvols, een combinatie van verfijning en hardheid waar Hesh primitief bij afstak. En hij geloofde in wat hij zei, de overtuiging lag hem diep in zijn ogen – te diep voor leugens. Tegen het eind van hun korte gesprek had Walter zich enigszins door hem laten vermurwen. Sterker nog, hij begon hem, op een eigenaardige en vagelijk verontrustende manier, sympathiek te vinden.

Walter stond hieraan te denken, en aan het compleet absurde van de hele situatie – hij was immers, een maand getrouwd, stiekem naar de jachthaven gekomen voor een rendez-vous met de dochter van de voormalige boeman – toen hij een tikje op zijn schouder voelde. Het was Mardi. Met een stormmuts en een jekker, met zeilschoenen en een spijkerbroek en zwartleren wanten, alsof ze net met de rest van de koopvaardijvloot van boord was gestapt van een vrachtvaarder. Alleen haar ogen vielen uit de toon. Haar ogen waren van buitenaf ingebracht in haar hoofd, hard en koud als stuiters, met tot stipjes geslonken pupillen. 'Hoi,' zei ze met een door veel adem gedragen stemgeluid, en toen kuste ze hem. Bij wijze van groet. Maar het was meer dan een vluchtige beroering van zijn wang – het was een volwaardige zoen met een vleugje tong. Walter wist niet wat hij moest, dus kuste hij haar terug.

'Ben je er klaar voor?' zei ze, terwijl ze tegen hem op grijnsde.

'Ja,' zei Walter, naar achter hangend op zijn goede been. 'Ik geloof van wel tenminste.' Hij gebaarde naar de rivier, de lucht. 'Vind je nog steeds dat dit de ideale dag is?'

Hij had Mardi sinds de bruiloft maar één keer gezien. Een week of twee geleden zaten Jessica, Tom Crane en hij in de Elleboog naar de jukebox te luisteren en te biljarten toen ze samen met Hector binnenkwam. De winnaar van het spel was wie het langst op tafel wist te blijven; Walter was aan stoot en hij legde aan op Jessica's laatste bal terwijl zij gevatte opmerkingen stond te maken, van achteren duwtjes gaf tegen zijn keu, kortom: bezig was hem af te leiden, uit zijn spel te halen en buiten gevecht te stellen. Mardi droeg een geknoopverfd mouwloos T-shirt zonder beha eronder. Walter verstijfde. Tom Crane daarentegen stormde, slingerend met zijn ellebogen en flapvoeten, zoveel lucht verplaatsend dat de rattevlecht in zijn nek op en neer danste als de geknotte staart boven de reet van een paard, op hen toe om haar te omhelzen, Hector een solidaire derde-wereldhand te drukken en het tweetal mee te slepen naar hun tafeltje. Walter wisselde een groet met Hector, knikte naar Mardi en verknalde zijn bal.

Later, na verscheidene kannen bier, nog enkele potjes op het biljart, talloze expedities over de vuile zaagselvlakte die de vloer bedekte als beendermeel om te gaan urineren in de stinkende toiletten en een heimelijk trekje te nemen van wat Hector in de kop van zijn pijp had zitten, was de sfeer aan tafel tamelijk ontspannen. Jessica stond op en excuseerde zich. 'De dames,' sprak ze met dikke tong, en ze wankelde voorover door het vertrek alsof ze letterlijk aangeschoten was.

Tom was verdwenen en Hector stond bij de bar een rondje tequila voor de hele zaak te bestellen. De tafel, die plotseling een stuk kleiner geworden was, lag bezaaid met pindadoppen, as, peuken, borden en flessen en glazen. Walter bracht een voorzichtig glimlachje naar zijn lippen. Mardi lachte terug. En toen vroeg ze Walter onverhoeds of het hem nog steeds ernst was met die spookschepen – dan zou ze hem een keer bellen, geen probleem. Walter gaf geen antwoord. In plaats daarvan stelde hij een wedervraag. 'Wat moest dat nou op mijn bruiloft?' vroeg hij, en hij probeerde zijn stem onder controle te houden. 'Je weet waar ik het over heb. Over mijn voet. Dat vond ik niet leuk.'

Ze zweeg een ogenblik en schonk hem toen een glimlach waar de poolkappen van zouden zijn gaan smelten. 'Dat moet je niet zo ernstig opvatten, Walter,' zei ze, in haar glas turend, 'ik vind het gewoon leuk mensen te choqueren, dat is alles – kijken hoe ze reageren. *Épater les bourgeois*, weet je wel.' Walter wist het niet. Hij had nooit een voldoende gehaald voor Frans.

Ze keek hem aan en lachte. 'Toe, hé, het was een grapje, meer niet. Ik ben echt niet zo gek als ik lijk. Echt niet.' En toen boog ze voorover. 'Wat ik wil weten is: ga je mee of niet?'

En nu, hier in de jachthaven, tussen rondhout, vallen en ankerkettingen, met de geur van de schim van zijn grootvader in zijn neus, stond hij weer voor het blok. 'Je bent niet te geloven, jij,' zei Mardi, en haar gezicht was een moment blanco. 'Ben je bang voor een paar schuimvlokken of zo?' Walter haalde zijn schouders op, als om aan te geven dat hij nergens bang voor was – niet voor kou, niet voor natte sneeuw, niet voor schaduwen die in de nanacht op verraderlijke wijze over de openbare weg schieten. 'Mooi zo,' zei ze, en ze grijnsde zo breed dat hij het goud kon zien blinken in haar kiezen; het volgende moment liep hij achter haar aan over het bergingsterrein naar de kade en de aanlegsteigers aan het eind daarvan.

Er lagen maar twee boten in het water. De *Catherine Depeyster*, een kruiserjacht van een kleine tien meter met een hulpmotor en houtwerk onder een hoge lakglans, lag eenzaam tussen de verlaten steigers. De andere boot, een schilferig, niet in een klasse onder te brengen, platboomd geval met een afgebroken mast en houtzwam tot aan de waterlijn, lag even verderop voor anker en zag eruit of hij een week eerder was opgedregd van de bodem. Walter wilde zich juist bij Mardi voegen aan boord van de *Catherine Depeyster* – zij was al in een bergkast op zoek naar slecht-weerplunje – toen hij een pluimpje rook uit de kachelpijp van het bladderende karkas zag komen. Eerst kon hij zijn ogen niet geloven. Maar toen steeg er onmiskenbaar een dunne grijze kolom rook op uit de geblakerde pijp. Hij was perplex. Er wóónde warempel iemand aan boord van dat ding, een of andere rivierzonderling die op een ochtend wakker zou worden met vier meter water boven zich. Dit bestond niet. Toch wolkte de rook nu in een gestage stroom naar buiten, waar de walm werd neergedrukt door de wind en in zijn richting geblazen samen met de rijke, darmafbindende lucht van spek. 'Jezus,' zei hij, en hij draaide zich om naar Mardi, 'niet te geloven.'

'Wat is niet te geloven?' zei ze, terwijl ze hem een zwarte zuidwester gaf toen hij aan boord stapte.

'Dat daar. Die drijvende drol, dat schijthuis dat daar ligt. Daar woont iemand.'

'Jeremy bedoel je?' zei ze.

Zijn oren tintelden van de kou. Hij keek van het karkas naar Mardi en weer terug. Het bootje draaide in de wind enigszins rond zijn anker, zodat de achtersteven in zijn blikveld kwam. 'Jeremy?' zei hij haar na, zonder zijn ogen op te slaan van de boot.

Hij hoorde achter zich Mardi praten. Ze zei dat Jeremy hier de hele zomer al lag, dat hij viste en klusjes deed en een handje hielp in de jachthaven. Het was een zigeuner of een Indiaan of zo, en hij was best te hebben, voor een ouwe vent. Walter hoorde haar als van heel ver, en de woorden galmden na in zijn hoofd terwijl hij toekeek hoe het bootje verder ronddraaide en zijn naam prijsgaf, in afgebrokkelde, vervaagde letters. Hij voelde zich ineens oud, voelde de greep van de historie als een lus om zijn nek en hij wist niet waarom. Het bootje heette de *Kitchawank*.

Goed: koud was het. Maar toen ze de haven eenmaal uit waren en het zeil gehesen hadden, toen ze eenmaal de harteklop van de rivier onder hun voeten voelden en de eerste ijzige pets waternevel in hun gezicht, deed de kou er niet meer toe. Mardi, met de stormmuts tot op haar wenkbrauwen, zat aan het roer, koffie drinkend uit een thermoskan en bekketrekkend of het juni was, en Walter, met rubberlaarzen, een broek en een oliejas aan, hing uit over de reling als een kind in zijn eerste Sunfish. Hij had sinds de dood van zijn grootvader niet meer gezeild, was zolang hij zich kon herinneren niet meer het water op geweest. Het wekte zijn bloed tot leven, overspoelde hem met herinneringen: het was als een thuiskomst. De bergen mochten dan molshopen zijn in vergelijking met de Alpen of de Rocky Mountains – de Dunderberg en Anthony's Nose waren beide nog geen driehonderd meter – maar van hier gezien, vanaf het water, verhieven ze zich als bergen uit een droom, hoog, kolossaal en afschrikwekkend. Pal voor hen lag de Dunderberg, achteroverhangend op de oever als een reus die ligt te slapen, met de spookvloot aan zijn voet. Naar het zuiden lag Indian Point met zijn energiecentrales en estuariumbiologen, met Jessica en haar ingemaakte vis; naar het noorden ontsloot zich als een beschaduwde mond de toegang tot het hoogland, waar alle grote bergen – Taurus, Storm King, Breakneck en Crow's Nest – een teen in het water staken.

Dit was het rijk van de dwerg van de Dunderberg, het eigenzinnige alvermannetje dat, voorzien van korte pofbroek en suikerbroodhoed, de scepter zwaaide over de meest verraderlijke rakken van de rivier, die van de Dunderberg naar de Storm King. Van hem waren de windstoten en de bliksemschichten afkomstig die de nietsvermoedende kapiteins van de zeilvaartuigjes van weleer overvielen, hij was degene die mannen voor gek zette en verleidingen uitstrooide op hun pad, hij hield toezicht op de schat van Kidd en liet alles wat voer schipbreuk lijden als het te dicht in de buurt kwam. Hij was het die de kurken van Stuyvesants kruiken liet springen toen de oude houwdegen stroomopwaarts voer om de Mohikanen een lesje te leren, hij lichtte de slaapmuts van de sacrosancte kruin van dominee Van Schaiks vrouw en plaatste die op de spits van de kerk in Esopus, zestig kilometer verderop. Zijn lach – het onbeheerste, hortende gehinnik van de ontoerekeningsvatbare geesteszieke – was hoorbaar boven de lijkzang van de wind uit, en ook bij de hevigste storm ontwaarde men boven op de grote mast zijn onverstoorbare kabouterhoed. Zelfs de meest geharde zeebonk piekerde er niet over Kidd's Point te ronden zonder eerst een hoefijzer aan de mast te spijkeren en Barbados-rum te plengen voor de Meester van de Dunderberg.

Naar althans het verhaal luidde. Walter wist er alles van. Zoals hij alles wist van iedere heks, kobold, *pukwidjinnie* en van elk weeklagend wijf in het Hudsondal. Daar had zijn grootmoeder wel voor gezorgd. Maar als hij er al ooit geloof aan gehecht had, als er nog een vonkje over was van het oude plezier in het paranormale, van het kind dat achter een boterham met leverworst zat en ademloos luisterde naar het relaas over hoe Minewa was bedrogen of naar het verhaal over de Hes zonder hoofd, of over Sleepy Hollow, dan hadden de colleges Hedendaagse Wijsbegeerte (met het accent op de doodsproblematiek en het existentialisme) het gedoofd en er niets dan de as van het cynisme van overgelaten.

Wat niet wegnam dat zijn gedachten, toen de *Catherine Depeyster* op de voet van de zwarte berg af stevende onder een hemel die nog zwarter was, uitgingen naar de nukkige kleine Meester van de Dunderberg. Wat een vondst. Niet door belabberde stuurmanskunst of dronkenschap of slecht zicht liepen er al sinds de dagen van Pieter Minuit en Wouter van Twiller schepen aan de grond in het hoogland, maar door de boze krachten van het bovennatuurlijke, belichaamd in een vals grijnzend gedrochtje: de Meester van de Dunderberg, met zijn slobberbroek en zijn gespschoenen, wiens enige bestaansreden het op de rotsen jagen van schepen was. Walter herinnerde zich nog wel dat zijn grootvader elke keer dat hij Kidd's Point rondde een kopje whiskey en een kopje ginger ale inschonk: het ene voor de buik en het andere voor de rivier. Waar is dat voor? had Walter, een twaalfjarige voor wie de wereld geen geheimen meer bezat, een keer gevraagd. Voor de Meester, had zijn behaarde grootvader geantwoord, smakkend met zijn lippen. Voor een behouden vaart. En Walter, die de humorloze oude man niet durfde tegenspreken, had de dwerg zachtjes uitgedaagd. Vermoord ons dan, fluisterde hij. Toe dan: laat eens wat zien. Tref ons met een bliksemschicht. Laat de boot omslaan. Laat eens wat zien.

De dwerg had gezwegen die dag. De zon bleef aan de hemel staan, de netten waren vol, 's avonds aten ze krabkoeken en dronken cola. Maar de eerstvolgende keer dat Walter samen met zijn grootvader de landpunt rondde en stroomopwaarts voer door de kloof tussen de bergen, in gedachten bij een honkbalwedstrijd of een nieuwe vlieghengel of de kniebroek van Susie Cats, met de zwelling waar haar dijen samenkwamen, betrok ineens de hemel, gierde de wind van de bergen naar beneden en sloeg de motor met enig gehoest en geprutteI af. Wel alle... had zijn grootvader gebriest, zich verheffend boven zijn buik om in spontane woede een ruk aan het startkoord te geven. Ze waren net om West Point heen, aan het begin van Martelaars End, het meest geduchte van de veertien rakken waarin de rivier tussen New York en Albany was onderverdeeld, een stuk dat onder zeelieden al generaties lang berucht was om zijn verraderlijke winden, onvoorspelbare stromingen en meedogenloze oevers. Vlak achter hen lag, zeventig meter diep, Duyvels End, kerkhof van zowel sloepen, stoomboten als motorjachten, waar rottend rondhout lag te kreunen in een onstuimige stroming waaruit nog nooit een lijk was geborgen, het diepste gat in een rivier die verder haast nergens dieper was dan dertig meter. Daar was in 1824 de *Neptune* gekapseisd, waarbij vijfendertig passagiers om het leven kwamen; daar ook werd kapitein Benjamin Hunt van de *James Coats* herenigd met zijn schepper toen bij een plotselinge windvlaag de grootschoot om zijn nek sloeg en hem onthoofdde. Tijdens zwaar weer kon je nog steeds zijn verschrikte kreet horen, met daarna, pal daarop, de bloedstollende smak waarmee het romploze hoofd in het water belandde. Naar althans het verhaal luidde.

Walters grootvader was met de situatie niet ingenomen. Hij vloekte en prutste aan de motor terwijl het afgaande tij hen stroomafwaarts voerde en de eerste regendruppels kringetjes maakten in het wateroppervlak. Pak de riemen! brulde hij, en Walter had zonder aarzeling gehoorzaamd. Hij was bang. Hij had het daglicht nog nooit zo donker meegemaakt. Keren en naar huis, had zijn opa gegrauwd. Roeien! Walter had geroeid, geroeid tot zijn armen dood waren en zijn rug voelde of iemand er gloeiend hete splinters in stak, maar gebaat had het niet. Even onder West Point had de regen hen ingehaald. Maar het was niet alleen regen, er zat ook hagel tussen. En onweer, dat in de kom tussen de bergen weerklonk alsof er een zeeslag gaande was. Uiteindelijk waren ze, in elkaar gedoken en rillend, voor anker gegaan onder een overhangend stuk rots aan de westelijke oever, bevreesd voor het open water vanwege de bliksemschichten die boven hun hoofd de hemel in tweeën reten. Veertien dagen later kreeg Walters grootvader zijn beroerte en stortte hij voorover in de aasvijver.

Nu, met de boven hen uit torenende berg voor hen, zette Walter zich af tegen de reling en liep naar roerganger Mardi.

'Vind je het leuk?' riep ze hem boven de wind uit toe.

Bij wijze van antwoord grijnsde hij alleen maar, meedeinend met de boot; vervolgens ging hij naast haar zitten en schonk zich een beker koffie in uit de thermoskan. Het was goede koffie. Warm en zwart, geurend naar Depeyster Van Warts tien jaar oude cognac. 'Heb je de dwerg al gezien?' zei hij.

'De wat?'

'Je weet wel, het kleine manneke met de hoge hoed en de gespschoenen dat bij je op de mast komt zitten en zorgt voor onweersbuien en allerlei ander trammelant.'

Mardi nam hem op met een lange trage blik en schonk hem met vochtige lippen een glimlach die er een tijdje over deed om zich te ontplooien over haar gezicht. Ze zag er mooi uit, met die muts zo laag op haar voorhoofd en haar haar dat naar achteren uitwaaierde in de wind. Heel mooi. Ze stak haar vrije arm door de zijne en trok hem dichter naar zich toe. 'Wat rook jij de laatste tijd?' zei ze.

Het was Halloween; die avond zouden de doden opstaan uit hun graf en de mensen zich verschuilen achter maskers, het was Halloween en het werd donker. Walter stond aan dek op de *Catherine Depeyster* en staarde omhoog naar de gelederen van de motteballenschepen die aan weerszijden boven hem oprezen in grote diepteloze schaduwvlakten. Hij had dit keer niet geprobeerd zich op te trekken langs de ankerketting van het U.S.S. *Anima*, of van een van de andere schepen. Hij nam er dit keer genoegen mee om, met zijn handen diep in zijn zakken, naar ze op te kijken.

Mardi zat in de kajuit, waar ze cognac dronk en zich warmde bij het elektrische kacheltje. Ze had de zeilen gestreken en de motor gestart toen ze dichterbij kwamen, uit vrees dat het jacht door de wind tegen een van de grote schepen zou worden gedrukt. Toen ze zich door de rij postende stalen monsters hadden gemanoeuvreerd en het anker hadden uitgegooid, had Mardi de thermoskan gepakt en was naar binnen gegaan. 'Kom,' zei ze, 'binnen zit je uit de wind,' maar Walter verroerde zich niet. Nog niet tenminste. Hij dacht aan Jessica en aan het bedrog, en hij voelde een schuldbewuste pijnscheut, want hij wist heel goed wat er zou gebeuren als hij eenmaal met Mardi in de kajuit was. Jawel, hij kon het wel uitstellen, wilskracht tonen, uilig naar die boten blijven staan kijken alsof die hem wat zeiden, maar hij wist dat hij haar uiteindelijk achterna zou gaan. Het was onvermijdelijk. Voorbeschikt. Een rol in een stuk waarvoor hij al zijn hele leven repeteerde. Daarom was hij met haar meegegaan naar de spookschepen – daarom en nergens anders om. 'Kom binnen,' kirde ze nog eens.

'Zo direct,' zei hij.

Achter zijn rug viel de kajuitdeur dicht met een klik, en hij keek niet om. Het schip dat zich boven hem verhief, met zijn roestige ankerketting en door vogels ondergepoepte romp, was plotseling fascinerend geworden, biologerend, een zeldzaam object, uniek op de hele wereld. Hij dacht nergens aan. De wind sneed door hem heen. Hij telde tot dertig en wilde zich juist omdraaien om zich te schikken in het onvermijdelijke, toen er in zijn blikveld iets veranderde – een plotselinge verschuiving in de schaduwen, een steelse beweging. Daarboven. Helemaal bovenaan bij de reling van het dichtstbijzijnde schip.

Het was vrijwel donker. Hij kon zich vergist hebben. Maar nee: daar was het weer; er zwierf daarboven iets rond. Een vogel? Een rat? Hij probeerde zijn ogen strak op dezelfde plek gericht te houden, maar op een gegeven moment had hij kennelijk onwillekeurig geknipperd, want van het ene moment op het andere stond er iets op de reling wat er een fractie van een seconde eerder niet gestaan had. Van beneden gezien, aan de voet van de grote, oprijzende muur van het schip, leek het een hoed, breedgerand, hooggekruind, in een stijl die eeuwen geleden modieus was, een hoed zoals de Pilgrims die hadden kunnen dragen, of de grote Rembrandt. Terwijl Walter zich stond te verbazen over die duistere verschijning, begon een merkwaardig, flatus-achtig geluid zich in te dringen in de kier ruimte tussen het geklots van de golven en het gehuil van de wind, een geluid dat herinneringen opriep aan de lagere school, aan speelplaatsen en honkbalvelden: iemand trakteerde hem op een lipscheet.

Walter keek naar rechts en vervolgens naar links. Hij keek naar achter, naar boven, hij tuurde over de reling, trok de bergkast open, zocht de hemel af – zonder resultaat. Het leek of het geluid van alle kanten kwam, uit het niets, of het verweven was met de inslag van de lucht. De hoed was nog steeds zichtbaar boven de reling van de grote, halfvergane vrachtvaarder voor hem, en Mardi, die hij kon zien door de rechthoekige ruitjes, koesterde zich nog steeds in de warmte van de kajuit. Het veestgeruis werd luider, zwakte af, zwol weer aan, en Walter voelde zich beslopen worden door een vreemde gewaarwording, een déjà vu, een gewaarwording waarmee hij sinds de dag van zijn ongeluk vertrouwd was geraakt.

En jawel, toen hij weer opkeek, stonden er aan de reling van het schip allemaal haveloze figuren – zwervers, de zwervers die hij had gezien in de nacht voor zijn ongeluk – allemaal met hun vingers voor hun neus en een trillende tong tussen hun lippen. En midden tussen hen in zat de raddraaier van het stel: het mannetje met de slobberbroek en de werkschoenen dat door zijn vader Piet was genoemd. Het gezicht van Piet was uitdrukkingsloos – zo onaangedaan als dat van een beul – en de ouderwetse hoed stond inmiddels als een omgedraaide melkbus op zijn hoofd. Toen Walter zijn blik op het kleine mannetje bleef richten, zag hij het puntje van diens tong te voorschijn komen tussen zijn strak opeengeperste lippen om het honende koor te versterken met zijn eigen iele, maar duidelijk hoorbare lipscheet.

Dus daar stond hij dan, Walter de empiricus, aan boord van een kruiserjacht ergens midden op de donkerende Hudson aan de vooravond van Allerheiligen, met tegenover zich een meute spottende schimmen, niet wetend wat hij met de situatie aan moest. Hij zag spoken. Er was iets mis met hem. Hij moest naar een psychiater, zijn hoofd in verband laten wikkelen – íéts moest er gebeuren. Maar voorlopig wist hij niets beters te verzinnen dan te doen wat hij op school ook altijd deed als ze hem iets als dit flikten: hij maakte het dikkelulgebaar naar ze, naar ieder afzonderlijk. Met uitgestoken tong. En hij schold ze uit, schold ze uit met een rauwe, razende, schelle stem tot hij er schor van werd, zijn hand in obscene minachting op gulphoogte, voeten die dansten in woedende vervoering.

Oké, allemaal leuk en aardig. Maar ze waren weg. Hij stond te schelden tegen een verlaten schip, hij schold tegen lege dekken en al minstens twintig jaar onbeslapen britsen, hij stond te schelden tegen staal. De anale hoon was weggestorven, en het enige geluid dat hij nog hoorde was het gefluister van een menselijke stem achter hem. De stem van Mardi. Hij draaide zich om, en daar stond ze, bij de deur naar de kajuit. De deur stond open, en ze was naakt. Hij zag haar borsten, uitgestulpt fluweel, de borsten die hij zich nog herinnerde uit de nacht van zijn botsing met de geschiedenis. Hij zag haar navel en het biologerende strookje haar daaronder, zag haar voeten, kuiten, de welving van haar dijen, zag de verleidelijke fonkeling van de gloeidraad in de overigens duistere kajuit achter haar. 'Walter, waar blijf je?' zei ze met een stem die voelbaar was op zijn huid. 'Je weet toch dat ik op je wacht?'

Het bloed schoot van zijn hoofd naar zijn kruis.

'Kom binnen, daar kun je doorwarmen,' fluisterde ze.

Het was na zevenen toen de *Catherine Depeyster* op de motor de jachthaven binnenliep. Walter was te laat. Hij had, gekostumeerd, niet later dan halfzeven in de Elleboog zullen zijn, waar hij had afgesproken met Jessica en Tom Crane. Ze zouden dan eerst iets drinken en daarna naar een feest in de kolonie gaan. Maar Walter was te laat. Hij had midden op de rivier liggen neuken met Mardi Van Wart. De eerste keer – bij de deur naar de kajuit – had hij zich nagenoeg boven op haar gestort, graaiend naar vlees als een sater, een verkrachter, tot in zijn laatste demonische vezel geconcentreerd op de gleuf tussen haar benen. De tweede keer was langzaam, zachtjes, dat was vrijen. Ze streelde hem, ging met haar tong over zijn borst, ademde in zijn oor. Hij streelde haar terug, beminde haar tepels, tilde haar boven op zich – hij vergat zelfs soms enkele ogenblikken achtereen het verwoeste, afgereten ondereind van zijn been en de doodse klomp plastic die er de plaats van innam. Nu hij haar hielp met het vastleggen van de boot wist hij niet wat hij voelde. Schuld, ja, schuld. En het overweldigende verlangen haar een hand te geven, een kusje op haar wang of iets dergelijks, en weg te wezen. Ze had gezegd dat zij naar een feest ging in Poughkeepsie en dat hij welkom was als hij mee wilde; hij had iets gehakkeld over een afspraak met Jessica en Tom in de Elleboog.

Hij keek naar haar gezicht terwijl ze de lijnen vastmaakte en haar spullen bij elkaar pakte. Er was niets aan af te lezen. Hij dacht aan zijn motor, een snelle aftocht, dacht aan de smoes die hij moest verzinnen voor Jessica en vroeg zich af waar hij tussen nu en vijf minuten later een kostuum vandaan moest halen.

Mardi richtte zich op en veegde haar handen af aan de jekker. 'Hé,' zei ze, en haar stem was hees, gesmoord tot gefluister. 'Het was leuk. Doen we dit nog eens?'

Hij stond op het punt ja, nee, misschien te zeggen, toen plotseling het beeld van het spookschip voor hem opdoemde en hij het gevoel kreeg of zijn been – zijn goede been – het onder hem begaf en hij neer zou vallen op het harde koude houtwerk van de steiger. Hij werd gek, dat was het. Hij zag spoken. Hallucineerde als de een of andere drollenwerper in Matteawan.

'Nou?' zei ze, en ze pakte hem bij zijn arm en kwam tegen hem aan staan. 'Jij vond het toch ook lekker?'

Op dat moment bemerkte hij in de schaduwen aan het begin van de steiger een gestalte. Hij dacht aan straatrovers, slaag-of-snoepgangers, hij dacht aan Jessica, hij dacht aan zijn vader. 'Hé,' riep hij. 'Is daar iemand?'

Het zicht was slecht, de hemel donker, één enkele straatlantaren verlichtte de dode geometrische omtrekken van masten en kranen aan de andere kant van het bergingsterrein. Walter voelde Mardi naast zich verstrakken. 'Wie is daar?' wilde ze weten.

Er kwam een man te voorschijn uit het duister die op hen af liep, en de planken van de steiger kraakten onder zijn voeten. Hij was groot, zijn schouders zagen eruit of ze aangebracht waren toen hij eigenlijk al af was, hij droeg een flanellen overhemd dat ondanks de kou openstond tot zijn navel en zijn grijzende haar hing op zijn rug in een dikke, gedraaide vlecht. Walter schatte hem tussen de vijfenvijftig en de zestig. 'Ben jij dat, Mardi?' vroeg de man.

Ze liet Walters arm vallen. 'Jezus, Jeremy, we zijn ons dood geschrokken van je.'

Hij was naderbij gekomen en stond nu grijnzend voor hen. Zijn twee voortanden tekenden zich goudkleurig af en hij droeg een benen halsketting waaraan één enkele witte veer bungelde. 'Boe,' zei hij met een verwoest, fluimachtig stemgeluid. 'Slaag of snoep.'

Mardi stond nu ook te grijnzen, maar Walter was uit zijn humeur. Wat er ook ging gebeuren, hij wilde er part noch deel aan hebben. Hij wierp een verlangende blik op zijn motor en keek toen weer naar de vreemdeling. 'Snoep dan maar,' zei Mardi.

'Zo te zien hebben jullie je snoep al gehad,' zei de man, met een vette grijns naar Walter.

'O,' zei ze, terwijl ze Walters arm weer pakte, 'o ja,' en ze deed of ze zich voor haar voorhoofd sloeg. 'Dit is...'

Maar de Indiaan – want dat was het, realiseerde Walter zich met een schok – de Indiaan viel haar in de rede. 'Ik ken jou,' zei hij, Walters ogen peilend.

Walter zag hem voor het eerst. Hij voelde zijn maag zinken. 'O ja?'

De vreemdeling gaf een ruk aan de kraag van zijn geblokte werkmansoverhemd en trok er een gezicht bij of hij geen lucht meer kreeg. Toen spuugde hij en keek weer op. 'Ja,' raspte hij. 'Jij bent een Van Brunt, hè?'

Walter was stomverbaasd. 'Maar, maar hoe...?'

'Jullie konden twee ratten uit hetzelfde nest zijn, jij en je vader.'

'U hebt mijn vader gekend?'

De Indiaan knikte, trok zijn hoofd in en spuugde weer. 'Die heb ik gekend,' zei hij. 'Ja, die heb ik gekend. Een vent om tegenaan te pissen.'

MOHONK, OF DE HISTORIE VAN EEN DOLKSTOOT IN DE RUG

Hij was geboren in 1909, in het Shawangunk-reservaat bij Jamestown, New York, de groenogige zoon van een groenogige vader. Zijn moeder, een *ye-oh* van de Seneca's, wier strijdlustige voorvaderen nog waren gepacificeerd door niemand minder dan George Washington, had ogen zo zwart als olijven. Zonder zich te storen aan die zwarte ogen en het krijgszuchtige temperament dat erachter schuilging, hield Mohonk senior zich aan de patrilineale gewoonten van zijn eigen stam, de Kitchawanks, van wie hij voor zover bekend de enige overlevende was, en doopte de jongen Jeremy Mohonk junior. De moeder van de jongen was diep beledigd. Haar volk, de krijgers uit het noorden, of wat ervan over was, huldigde het principe van de afstamming via de schoot. De jongen, betoogde zijn moeder, was rechtens zonder meer een Seneca en een Tantaquidgeon. Hij kon niet trouwen binnen de groep, dat zou bloedschande zijn. Maar Mohonk senior liet zich niet vermurwen. In de eerste maand van Jeremy's prille bestaan haalde hij tot twee keer toe met een half gevlochten sneeuwschoen uit naar het hoofd van zijn vrouw, en één keer had hij haar, na een wel zeer hoog opgelopen woordenwisseling, achternagezeten over de mestweide van Jamestown met een tot de dodelijke scherpte van een speer aangezette pootwig.

Het resultaat van een en ander was een ongeregelde steekpartij tussen Mohonk senior en Horace Tantaquidgeon, de broer van zijn vrouw. Ze waren vis aan het schubben aan de oevers van de Conewango – rivierbaars, zander, maskinonge – en hun messen blikkerden in het zonlicht. Mohonk junior, die nog nauwelijks in staat was zijn blik op één punt te richten, was op zijn moeders rug gebonden en staarde omhoog naar het dansende groen van de bomen en de onverstoorbare, roerloze hemel die zich oceanisch en blauw boven hem uitstrekte waar hij ook keek. De handen van de mannen waren nat van het bloed, van het slijm. Aan hun onderarmen hingen doorschijnende schubben. Op het geschraap van hun messen en het verwoede gegons van de vliegen na was er geen geluid. Plotseling, onverhoeds, sprong Horace Tantaquidgeon overeind en joeg zijn mes in de rug van de op één na laatste Kitchawank. Het mes bleef daar natrillend steken, met het lemmet als een scherf tussen de raakvlakken van twee lendewervels.

Er volgde niet onmiddellijk een reactie. Mohonk senior, het bovenlijf ontbloot, slechts gekleed in een vlekkerige werkbroek, hurkte bij zijn berg vis als tevoren. En toen ineens verkilde een nieuw soort kennis zijn ogen en viel hij op zijn achterwerk, recht overeind tussen de ingekerfde, starogige vissen die onder hem vandaan spoten of ze weer tot leven gekomen waren... maar nee, het was niet gewoon zitten wat hij deed, hij sloeg vanuit zijn zittende houding achterover, en zijn benen, zijn buik en ingewanden maakten zich los, op drift geraakt als een stel met helium opgeblazen ballons.

De familie Tantaquidgeon was berouwvol en boetvaardig. Horace nam een kreukelig dollarbiljet van het stapeltje van acht dat hij als een schat in een holle kalebas had begraven achter zijn huis, liep naar Frewsburg, tien kilometer verderop, en kocht een rolstoel van de weduwe van een blanke die invalide was geraakt in de Spaans-Amerikaanse oorlog. Vervolgens duwde hij het ding voor zich uit terug naar huis, het hele eind omhoog over de stoffige weg naar het reservaat. En Mildred, de opstandige echtgenote, was niet langer opstandig. Niet alleen liet ze het onderwerp van Jeremy's afkomst voortaan rusten (de kleine was zijn vaders zoon, een Kitchawank, een van de twee nog in leven zijnde leden van de eens zo machtige schildpad-clan en de rechtmatige erfgenaam van het Kitchawank-territorium in het zuiden, en daarmee uit), maar ze wijdde de rest van haar leven aan de zorg voor haar man. Ze bereidde stoofpotten van opossum- en reevlees, plukte bessen voor hem als het daar het seizoen voor was, smeerde vet in zijn haar en verschoonde hem als was hij haar tweede zoon. Deze en andere dingen waren noodzakelijk. Want Jeremy Mohonk, zoon van Mohonks zonder tal, de voorlaatste van zijn volk, heeft nooit meer kunnen lopen.

De jongen groeide op tot man daar in het reservaat, waar het licht iets was wat zijn glorie uitstortte over de zichtbare wereld, waar rivieren samenkwamen en beren rondzwierven en de wolken de ondergaande zon in een omarming hielden zo teder als de hand van een moeder. Hij luisterde naar het nachtelijke neerdalen van de dauw op het gras, zag de zon zich 's ochtends omhoogwerken uit de bomen, besloop wild, reeg kikkers aan zijn aalspeer, viste en klom en zwom. Hij leerde lezen en schrijven op de regeringsschool en hoorde de namen van Amerigo Vespucci en Christophorus Columbus uit de mond van een blanke met een gesteven boord en een gezicht als een overrijpe pruim; 's avonds zat hij op de grond voor de rolstoel van zijn vader en kreeg onderricht over de geschiedenis van zijn volk.

Zijn vader zat stram in de stoel en hield zich overeind met armen die onophoudelijk gespannen stonden om een tegenwicht te bieden tegen de verlamdheid van zijn buik en ingewanden. Hij was mager geworden van de verwonding, en hij leek van dag tot dag, van jaar tot jaar verder uit te mergelen, alsof het lemmet van Horace Tantaquidgeon de geest uit zijn lichaam had laten ontsnappen als lucht, zodat alleen een omhulsel overbleef. Toch vertelde hij de aloude verhalen met een stem die zong, krachtig en vol overtuiging, vertelde hij ze met de adem van de geschiedenis. Jeremy was nog maar vier of vijf toen hij ze voor het eerst hoorde; hij was een volgroeide man van achttien zomers toen hij ze voor het laatst hoorde.

Zijn vader vertelde hem dat Manitou zijn grote vrouw naar de aarde had gestuurd en dat ze zich had neergelaten in het water dat alles bedekte en er het land had gebaard. Niet geïmponeerd door deze machtige kraamprestatie had ze zich opgericht en vervolgens de planten en de bomen gebaard, en daarna drie dieren: het hert, de beer en de wolf. Van die drie stammen alle mensen op aarde af, en iedereen – man, vrouw of kind – heeft de natuur van een van die dieren. Er zijn er die onschuldig en bangelijk zijn, als het hert; er zijn er die dapper, wraakzuchtig en recht-door-zee zijn, als de beer; en er zijn er die vals en bloeddorstig zijn, als de wolf.

Uitgeteerd, met een ingevallen gezicht en tot op het bot teruggeweken wangen, zat vader Mohonk onder de hoge zijden hoed die hij ter gedeeltelijke schadeloosstelling voor zijn letsel van de familie Tantaquidgeon had gekregen en vertelde zijn zoon van god en de duivel, van de geesten die huizen in dingen, van *pukwidjinnies*, *neebarrawbaigs* en de dwergen die zich ophouden in de stille, beschutte kreken van de Hudson. Jeremy was elf, hij was twaalf, veertien. Zijn vader was stervende, maar aan de verhalen kwam nooit een eind. Op school leerde hij dat Lincoln de slaven had bevrijd, dat de wortel uit vier twee is en dat alles op aarde bestaat uit atomen. Thuis zat hij met zijn vader voor het vuur terwijl de vuurgeest zijn nekveren opstak over de hele lengte van een spetterend blok hout.

Na de dood van zijn vader had de laatste der Kitchawanks geen reden nog langer in het reservaat te blijven hangen. Zijn moeder, erfvijand van zijn stam, verraadster van zijn vader, nam al voor het gras vergeeld was op het graf een andere man. Horace Tantaquidgeon, van wie hij had leren jagen, vissen en aardewerk bakken, keerde hem nu de rug toe, alsof met zijn vaders dood de schuld was afbetaald. En hoewel Jeremy lang genoeg was schoolgegaan om een blank diploma op zak te hebben, bleef elke deur in Jamestown voor hem gesloten. Hé, opperhoofd, werd hem op straat nageroepen, waar is je wigwam? Hé, jij daar. Geronimo! Nee, in Jamestown was niets. En dus lag niets méér voor de hand dan dat hij zijn bezittingen bijeenpakte – het mes dat zijn vader de benen onder hem vandaan gesneden had, een slaapzak van berebont, twee repen gedroogde paling, Ruttenburrs beduimelde *De Indiaanse stammen in het stroomgebied van de Hudson* en de chorda van een steur die zijn vader altijd om zijn nek had gedragen om hem te herinneren aan de trouweloosheid van de vissen – en in oostelijke richting trok, langs de Susquehanna en de Delaware, vervolgens door de Catskills naar die fonkelende apotheose van de moderne techniek, de Bear Mountain Bridge, en vervolgens via de legendarische rivier naar de heuvels van Peterskill.

Hij was toch wel verrast toen hij zag dat er huizen stonden op die heuvels, dat de straten waren verhard met baksteen en klinkers en werden geflankeerd door auto's en telegraafpalen. Hij, die zich had volgedronken aan verhalen, had iets anders verwacht. Misschien geen bedauwde wouden, ongehinderd stromende rivieren en open kampvuren, maar dan toch een slaperig Hollands dorpje met op straat suffende honden en een middagrust die zich voelbaar maakte tot in het merg van de botten. Hij werd bitter teleurgesteld. Want het Peterskill van 1927 knarste in wolken opwaaiend stof mee op de maat van de industriële revolutie en zette harde dollars om; in de ogen van een Indiaan uit het reservaat was het een vervuilde warboel, een compleet pandemonium. Aan de andere kant was het geen slecht oord om onzichtbaar in op te gaan. Een Indiaan op straat viel niet op. Men wist niet eens hoe een Indiaan eruitzag. Karpaten, Polen, Ierengajes, Italianengespuis, jidden en zelfs die paar nikkers wist men er wel uit te halen – maar een Indiaan? Indianen droegen een hoofdtooi en liepen in een raar soort ondergoed, en ze woonden in tipi's in het westen.

Gekleed in de werkbroek en het verschoten flanellen hemd die hij in het reservaat ook al droeg, zijn haar kort afgeschoren met het lemmet waarmee zijn vader was neergestoken, verscheen Jeremy op een ochtend om zeven uur bij de poorten naar de Van Wart-gieterij in Water Street en vroeg er om werk. Een halfuur later stond hij, af en toe opzij springend voor kuipen gesmolten ijzer, met een hamer en een beitel in de hand aangekoekte klonten materiaal van gietstukken te bikken. De eerste week sliep hij op een bed van bittertongen vlak bij de monding van de Acquasinnick en werd tot twee keer toe nat; toen hij zijn eerste loon gevangen had nam hij een kamer in een pension aan het einde van Van Wart Road. Vandaaruit ondernam hij, in de korter wordende avonden, op de vrije zatermiddagen en op winderige zondagochtenden, tochten naar het heuvelland om zich te verstaan met de geest van zijn voorouders.

Op een van deze tochten ontmoette hij Sasha Freeman.

Op een warme septembermiddag, met niets bij zich waaraan een eventuele toevallige voorbijganger de ongevaarlijke voetknecht en natuurliefhebber kon herkennen – geen rugzak, geen veldfles of alpenstok, geen in vetvrij papier verpakte boterhammen – liep Jeremy omhoog langs Van Wart Creek, daarbij wegen, huizen en boerderijen mijdend. Hij wilde niet stuiten op waakhonden, hekken, verbodsborden of argwanende blanke gezichten. Op zijn werk zag hij blanke gezichten genoeg. In zijn element, in de bossen die zijn voorouders hadden gebakerd, wilde hij zien waar de herten naar beneden gekomen waren om te drinken, waar de kwartels nestelden in het gras, wilde hij de bronforel zien kronkelen in de stroom en zijn reflexen meten met het exemplaar dat hem tot lunch zou dienen... niet dat hij speciaal iets tegen blanken had, maar eenmaal buiten de muren van de gieterij wilde hij de wereld zien zoals die geweest was, en daarin hadden zij geen plaats.

Toch was het een blank gezicht dat verschrikt naar hem omhoog blikte van tussen een bosje lepelbomen toen hij om een bocht in de beek liep en zich met één slungelige, achteloze sprong over een omgevallen berk slingerde. Het was een bebaard gezicht, een achterdochtig, bebrild gezicht met kleine oogjes, en het zat vast aan het spierwitte lichaam van een naakte man met een boek in zijn hand. Jeremy hield abrupt halt, minstens zo verbouwereerd als die naakte man die zich daar had uitgestrekt tussen de lepelbomen alsof hij in zijn eigen bed lag, en hij wist niet of hij zich uit de voeten moest maken door het kreupelhout of zijn weg zou vervolgen alsof er niets aan de hand was. Maar eer hij had kunnen besluiten tot het een of het ander, sprong de blanke overeind, sjorde daarbij tegelijkertijd een ruime onderbroek tot om zijn lenden omhoog en kwam met een luid 'hallo!' en een uitgestoken hand op hem af. 'Sasha Freeman,' zei hij, zwengelend met de hand van de Indiaan alsof hij hem heel de middag al verwachtte.

Jeremy keek verbijsterd op hem neer. De vreemdeling was zeker een kop kleiner dan hij, tenger, met ronde schouders en de musculatuur van een pubermeisje en een tomeloze haargroei die zwart en krullerig zijn ledematen, zijn rug en zelfs zijn handen en voeten bedekte als een vacht. Zo te zien was zijn kruin de enige plek waar hij wel wat meer haar kon gebruiken, hoewel hij beslist niet ouder was dan begin twintig. 'Je bent ook een liefhebber van de buitenlucht, neem ik aan,' zei de vreemdeling, met tuuroogjes opkijkend naar de bomen.

'Ja, klopt,' bromde Jeremy, slapjes de toegestoken hand pakkend. 'Een liefhebber van de buitenlucht, ja.' Hij voelde zich opgelaten, hij was ongeduldig, boos op die vreemdeling die hem in zijn afzondering had gestoord, en hij wilde zo snel mogelijk verder omhoog langs de stroom om de zijrivier te verkennen die zich naar links vertakte en tegen de helling op naar het hoogste punt van het bos liep. Maar Sasha Freeman had hem, met zijn dolle, volle grijns en zijn dansende voetjes, al bij de arm gepakt en bood hem een boterham aan, een verfrissing, een plek op zijn deken, en om de een of andere reden – om hem niet voor het hoofd te stoten, om zijn eigen eenzaamheid te doorbreken – nam Jeremy de uitnodiging aan.

'Hoe zei je ook weer dat je heette?' Sasha Freeman gaf hem een half broodje eiersalade en een blikken mok vruchtesap.

'Mohonk,' zei Jeremy, zijn ogen afwendend. 'Jeremy Mohonk.'

'Mohonk,' zei de vreemdeling hem na op bedachtzame toon, 'ik geloof niet dat ik die naam ooit eerder gehoord heb. Is het ergens een verkorting van?'

Ja, dat was het inderdaad.

'Van Mohewoneck,' zei Jeremy, naar zijn voeten starend. 'Dat was een grote sachem van mijn stam.'

'Je *stam*?' Achter het ijzeren montuurtje dat hem het aanzien van een verschrikte geleerde gaf knipperden Sasha Freemans ogen van verbazing. 'Je bedoelt dat je... dat je...?'

'Ja,' zei Jeremy, en hij voelde een macht in hem wellen alsof hij een in de aarde wortelende boom was, alsof alle kracht in de voorvaderlijke grond onder hem plotseling tot zijn beschikking stond. De woorden die hij nu uitsprak had hij nog nooit uitgesproken: 'Ik ben de laatste der Kitchawanks.'

Het was het begin van een vriendschap.

In de loop van de twee jaar die volgden – tot de Crisis hen overrompelde en Sasha gedwongen was weer bij zijn ouders in de Lower East Side te gaan wonen, tot de gieterij dichtging en Jeremy zijn baan kwijtraakte en het pension verliet om zijn geboorterecht op te eisen van Rombout Van Wart – zagen ze elkaar haast ieder weekend. Ze hadden geen van beiden een auto, dus Sasha kwam met zijn fiets van het huis van zijn grootouders in de Kitchawank-kolonie naar waar ze afgesproken hadden, en dan trokken ze vandaar een eind langs de rivier om te vissen in de inhammen of een van de toppen in het hoogland te beklimmen en daar 's nachts te kamperen op de traditionele manier: in een hut van gebogen en in elkaar gevlochten twijgen. Of ze namen de trein naar New York om de nieuwste Pickford, Chaplin of Fairbanks te zien, of om naar een lezing te gaan over de revolutie van het Russische volk, of naar een bijeenkomst van de IWW.

Wat Sasha Freeman betrof, de stadsjongen en toekomstig romancier, die in het najaar van 1927 nog maar drie maanden van de universiteit was en voor een zeer bescheiden salaris les gaf aan de vrije school van de kolonie – Sasha had het gevoel dat hij via Jeremy verbinding maakte met een ouder, dieper soort kennis. Het was of de aarde was opengegaan en de rotsen waren beginnen te spreken. Jeremy leerde hem niet alleen te luisteren naar de voetstap van vos en hert, welke kruiden te plukken en te koken om vergiftiging, uitslag en kroep tegen te gaan, gaf hem niet alleen de middelen om het bos in te trekken met slechts de kleren die hij droeg en toch te overleven – nee, hij gaf hem meer, veel meer: hij schonk hem verhalen. Sagen. Geschiedenis. Over een kampvuur gebogen op Anthony's Nose of Breakneck Ridge, tussen de sneeuw die omlaagdwarrelde uit de hemel, vernam Sasha Freeman het verhaal van Jeremy's volk, verstrooid als het zijne, bijeengepakt in reservaten als in de getto's van Krakau, Praag, Boedapest. Hij kreeg het verhaal van Manitou's grote vrouw te horen, van het verraderlijke optreden van Horace Tantaquidgeon, van de school in het reservaat en de waanwerkelijkheid van de paars aangelopen didacticus met zijn gesteven boord. De rook rees op ten hemel. Het werd lente, zomer en weer herfst. De Indiaan ontperste zich elke sage, iedere herinnering, spuide zijn historie alsof die een laatste testament was.

Acht jaar later publiceerde Sasha Freeman zijn eerste boek, een polemisch geschrift dat *Marx onder de Mohikanen* heette. Het nam de geduchte vader van het communisme mee terug in de geschiedenis naar de tijd van de primitieve Amerikaanse samenlevingen, wat hem in staat stelde de slavernij van de moderne, industriële maatschappij te hekelen tegen de achtergrond van de eenvoudige, broederlijke gemeenschap van de Indianen. Wat gaf het dat er maar zevenenvijftig exemplaren van verkocht werden, waarvan dan nog de helft op een bijeenkomst van de Socialistische Jeugdliga waarbij zes neven en nichten van hem uit Pearl Street aanwezig waren? Wat gaf het dat het was gedrukt in een souterrain en in een papieren omslag geplakt dat spontaan tot ontbinding overging als je er twee keer naar keek? Het was een begin.

En wat kreeg Jeremy ervoor terug? Kameraadschap, om maar iets te noemen: Sasha Freeman was zijn eerste blanke vriend, en de enige vriend die hij maakte in Peterskill. Maar daarmee was niet alles gezegd: het ging dieper. Ook voor Jeremy ontsloot zich een nieuwe wereld, een nieuwe denktrant en een nieuwe kijk op de maatschappij die zijn stamgenoten tussen haar kaken had vermorzeld alsof ze de lammeren des velds waren: hij radicaliseerde. Sasha nam hem mee naar bijeenkomsten van de IWW in besloten kring, gaf hem *Ten Days That Shook the World* en *De achttiende brumaire van Louis Bonaparte*, gaf hem Marx, Lenin en Trotski, Bakoenin, Kropotkin, Proudhon, Fourier. Jeremy leerde dat eigendom diefstal is, vernietiging een vorm van scheppen, de opstandige daad het werkzaamste propagandamiddel. Hij werd bij een schoenenfabriek in Paramus, New Jersey, in elkaar geslagen door een knokploeg, werd geslagen met wapenstokken, gummiknuppels, boksbeugels en stukken hout in de straten van Brooklyn, Queens en zuidelijk Manhattan, en hij werd er alleen maar harder van. Zijn rasgenoten hadden de grond onder hun voeten nooit in eigendom gehad, maar ze hadden erop geleefd, erop, ermee en als deel ervan. Zij hadden de produktiemiddelen niet gekocht of verkocht of aan anderen onthouden – ze hadden in onderlinge samenwerking geleefd in hun clans, hadden samen gezaaid en geoogst, hadden het wild met elkaar gedeeld, hadden hun kleren en werktuigen vervaardigd uit wat er voorhanden was in de natuur. Jawel. En de blanken – de kapitalisten, belust op pelzen en hout en grond – die hadden dat voorgoed veranderd, die hadden een grootse, gevensgezinde samenleving, een communistische samenleving, de nek omgedraaid. Sasha Freeman schreef een boek. Jeremy Mohonk klom naar Nysenswerf, een oeroude plek die hem meer aansprak dan enige andere, en mepte Rombout Van Wart tegen de vlakte – het prototype van de grondrover – mepte hem van zich af als een vlieg.

In de gevangenis was hij recalcitrant, zo hard en onbuigzaam als de stenen die ze op elkaar gestapeld hadden om het ding te bouwen. Dat zijn hier de voorschriften, zei de bewaker tegen hem op de dag dat ze hem naar binnen duwden door de toegangspoort en hem via een lange grijze gang naar een kappersstoel brachten. Hij had zijn haar laten groeien en het liep over zijn rug in een vlecht zo dik als zijn arm, en hij droeg de chorda strak als een darmsnaar om zijn voorhoofd. En de man die mager en slungelig was geweest bij zijn eerste kennismaking met Sasha Freeman, was nu twintig kilo zwaarder – en hij dijde nog uit. Hij moest door vier man in bedwang gehouden worden toen ze hem kaalschoren. Ze rukten hem de chorda van zijn voorhoofd en veegden die op met het overige afval. Hij kreeg drie weken eenzame opsluiting om aan een positievere houding te werken.

Toen de drie weken voorbij waren, kreeg hij een cel op een afdeling. Hij deelde zijn cel met een blanke, een inbreker, een man met een deegkleurige, links en rechts door tatoeages als druivevlekken besmeurde huid. Jeremy praatte niet met hem. Hij praatte met niemand, niet met zijn medegevangenen, niet met de bewakers, de directie of de mismoedige, bolronde predikant die ongeveer eens per maand zijn hoofd door de celdeur stak. Hij haatte het met hart en ziel, het volk dat zijn bloed had verontreinigd, zijn land had gestolen en hem had opgesloten, het volk van geldgraaiers en kapitalisten. Hij was twintig, en voor elk jaar dat hij geleefd had moest hij er één zitten: twintig jaar, had het geklonken uit de mond van de rechter, in woorden zo hardvochtig als de knal van zijn hamer. Twintig jaar.

In de loop van de tweede maand liet een van de bewakers – een weke, pokdalige, onnozele Ier uit Verplanck – zijn oog op hem vallen en begon hem te sarren met alle oude scheldwoorden: opperhoofd, Hiawatha, squaw, hondevreter. Toen Jeremy geen sjoege gaf, ging de Ier verder: hij gooide een emmer spoelwater over hem heen, spuugde naar hem door de tralies en maakte hem midden in de nacht wakker voor een of andere onzinnige inspectie. Jeremy reageerde of hij doofstom was, uit steen gehouwen. Hij verroerde zich niet, sprak niet, liet niets van verbazing of schrik blijken. Maar toen op een ochtend in alle vroegte de verlichting haar scherpte verloor tegen de grijze achtergrond van de dageraad, wachtte hij hem op in de schaduw van zijn celmuur. De Ier had wekdienst en liep de afdeling af met een wapenstok waarmee hij langs de tralies ratelde onder begeleiding van gevloek en gekreun en de plof- en piepgeluiden van mannen die zich uit bed lieten rollen. 'Een nieuwe morgen en een nieuw geluid!' riep hij met boosaardig genoegen, en langzaam kwam hij, de woorden steeds herhalend, in de richting van Jeremy's cel: 'Uit de veren!' De Indiaan dook in elkaar, roerloos, zo gespannen alsof hij een hert of beer besloop. En daar was de Ier, met zijn stok tegen de tralies rammelend, en striemend en sadistisch klonk het: 'Hé, Geronimo. Hé, zakkewasser. Uit je nest.'

Jeremy stootte beide handen door de tralies en greep hem bij zijn strot. Ze hadden hem in de steengroeve aan het werk gezet, en zijn greep was de greep van alle Mohonks uit vroegere generaties bij elkaar. De bewaker liet zijn stok kletterend op de grond vallen en graaide wanhopig naar de polsen van de Indiaan. Zijn gezicht was één grote blaar. Die opzwol. Die rood zag en opzwol. Op enkele centimeters afstand. Als Jeremy het lang genoeg vast kon houden, zou het uit elkaar spatten. Maar achter hem stond iemand – zijn celgenoot, de getatoeëerde gek – te schreeuwen en aan zijn armen te rukken, en ineens verschenen er nog een paar bewakers, en terwijl het tumult zich uitbreidde over de hele afdeling, regenden hun gummiknuppels neer op zijn handen, zijn polsen. Uiteindelijk verbraken ze zijn greep, maar hij wist de weke dikke hand van een van de anderen te pakken en kneep erin tot hij de botten voelde meegeven. Het volgende moment waren ze binnen, in de cel, en stortten ze zich op hem en onderwierpen hem aan hun eigen soort rechtspleging.

Toen het voorbij was, kreeg hij drie maanden eenzame opsluiting en nog eens twee jaar boven op zijn straf.

En zo ging het gedurende heel zijn loopbaan binnen de muren van Sing Sing. Hij bevocht ze elke minuut – elke seconde – van elke dag. Toen het oorlog werd en ze straatrovers, inklimmers en brandstichters in vrijheid stelden om tegen de fascisten te vechten, liet hij zich niet vermurwen. 'Jullie zijn de fascisten,' zei hij tegen de directeur, de man van het rekruteringscentrum en de bewakers die om hem heen stonden in de kamer van de directeur. 'De revolutie wordt jullie graf.' Het was voor het eerst in jaren dat men hem wat hoorde zeggen. De celdeur viel weer achter hem in het slot.

Maar ondanks al zijn vastberadenheid, ondanks zijn onbuigzaamheid, kreeg de gevangenis hem klein. Gevangenen die hij gekend had werden geëxecuteerd, hij zag mannen die al hun hele leven achter de tralies zaten, zag hun gebogen ruggen, hun in zichzelf gekeerde gezichten. Hij was nog jong. De laatste van zijn tak. Het was zijn levenstaak om iets terug te winnen van wat zijn stam verloren had, zich een volbloedige vrouw te zoeken – een Shawangunk, een Oneida, een Seneca desnoods, zoals zijn vader had gedaan – en het voortbestaan van het volk te waarborgen. Hij was geroepen om door de bossen te zwerven, de oude tradities te bewaren, de heilige plaatsen te vereren – niemand anders deed het voor hem, hoe talrijk ook de krioelende horde was die de aarde kaalvrat als sprinkhanen. Die wetenschap brak geleidelijk aan zijn verzet. De oorlogsjaren verstreken en het was stil in Sing Sing, er stonden cellen leeg. Hij hield zich koest. In 1946, vijf jaar voor zijn volledige straf erop zat, lieten ze hem gaan.

Op een kille, winderige decembermorgen liep hij om acht uur door de poort naar buiten, gekleed in een goedkoop, van gevangeniswege verstrekt pak plus overjas, met het symbolische loon van zeventien jaar arbeid diep weggestoken in zijn borstzak. Tegen het vallen van de avond zat hij, terug op Nysenswerf, over een open vuur gebogen met een blik cornedbeef-mix en het mes dat hij had gekocht toen hij in Peterskill langs een lommerd kwam, precies het soort mes dat Horace Tantaquidgeon tussen de lendewervels van zijn vader had gestoken in een tijd die even ver weg leek als het eerste moment van de historie.

Hij woonde er een jaar voor iemand hem ontdekte. Hij had met hout en asfaltpapier een hutje in elkaar gezet voor de helft van wat het Thoreau een eeuw eerder had gekost om zijn onderkomen te bouwen. Hij bouwde het onder de witte eik, op de plek die hem aansprak, precies daar waar twintig jaar eerder zijn eerste optrek zich korte tijd had weten te handhaven. Wat hem ontbrak – spijkers, een bijl, plastic voor in de ramen – eigende hij zich toe van de voorstedelingen die elkaar met hun geasfalteerde opritten en gemetselde barbecues verdrongen aan de randen van zijn domein. Toen het gevangenispak in rafels uiteenviel, vervaardigde hij een lendendoek en een jek uit het vel van een hinde. Hij had een pot van aardewerk om in te koken, gevormd, bewerkt en gebakken volgens een traditie van eeuwen.

Men schreef 1947, en het was najaar. Standard Crane, zoon van Peletiah, begin dertig, een neuzige vogelverschrikker met grote ogen, was op een ochtend op eekhoornjacht toen hij verdwaalde en op de hut stuitte. Jeremy kwam in zijn vlekkerige hertsleren plunje en met de slagveren van de roodstaartbuizerd in zijn haar gevlochten op de veranda staan en wierp een striemende blik op hem. Verbaasd liet Standard de loop van zijn geweer zakken, schoof zijn pet naar achter en krabde zich op zijn hoofd. Hij was een ogenblik zo gedesoriënteerd, verbluft en onthutst dat hij slechts een aantal keelschraapgeluiden kon voortbrengen die door de Indiaan werden opgevat als een soort rudimentaire lokroep. Maar vervolgens bracht hij het, schuifelend met zijn voeten, tot: 'Goedemorgen,' en wierp daarna de vraag op of Jeremy en hij elkaar wellicht kenden. De Indiaan, Van Wart gedachtig, zweeg. Daarop raakte Standard even de rand van zijn hoed aan en verdween weer over het pad.

Maar Standard Crane was geen Van Wart. En zijn vader, Peletiah, evenmin, en ondanks een verkoudheid, lopende ogen en een pijnlijke knie kwam hij, bij een temperatuur van min vijf, het hele eind naar de hut gelopen om het wonder te aanschouwen: de groenogige Indiaan die zich illegaal op zijn land gevestigd had. Jeremy zat ervoor klaar. Op de veranda. Op alles voorbereid. Maar Peletiah groette hem slechts met een knikje en nam ongevraagd plaats op de ruwhouten trede naast hem. Standard, die zijn vader tot gids had gediend, bleef op een afstandje staan en grijnsde verlegen. Peletiah haalde een zilverpapieren pakje uit de binnenzak van zijn rood met zwarte tartan jagersjasje, bood de Indiaan een pluk pruimtabak aan en zette vervolgens in alle gemoedelijkheid uiteen hoe hij het land had overgenomen van wijlen Rombout Van Wart.

De Indiaan was een weinig toeschietelijk gehoor. Hij sloeg de tabak af met een gebaar zo bruusk dat het leek of hij een vlieg verjaagde en vertrok zijn gezicht daarna tot een masker. Hoewel het niet te zien was aan zijn gelaatsuitdrukking, was hij bij zichzelf verheugd te horen dat de grond niet meer in handen was van de Van Warts en innig tevreden met het nieuws dat de rotzak die hem achter de tralies had gezet zich niet meer onder de levenden bevond. Zo zwijgzaam als de geschilde stammen van de veranda luisterde hij naar de amechtige oude blanke die een heel verhaal hield over de geschiedenis van deze grond en om de kwestie van Jeremy's identiteit heen bleef draaien als een muskiet op zoek naar een stukje onbedekte huid. Maar toen Jeremy hem halverwege zijn relaas in de rede viel en Proudhon begon te citeren, toen hij betoogde dat eigendom diefstal was en dat het zijn voorvaderlijk recht was hier onder de geheiligde eik te wonen en dat de dieven en grondrovers konden barsten, had Peletiah een verrassing voor hem.

Niet alleen verbeterde dat oude blanke skelet met zijn loopogen en zijn puntneus Jeremy's citaten, het was het nog met hem eens ook. 'Op papier ben ik de eigenaar van deze grond,' zei Peletiah, terwijl hij zijn hoofd introk om te spugen en vervolgens om zich heen keek met een verwonderde glimlach tussen zijn nauwelijks vaneenwijkende lippen, 'maar in feite is het land van iedereen in gelijke mate, van iedereen op aarde. Ik heb het land dan ook niet afgebakend met bordjes.'

Jeremy wendde zijn blik naar de bomen als om die bewering te controleren en keek pal in de onmededeelzame ogen van de eekhoornjager. Standard stond op een meter of zes van de hut tegen een boom geleund en peuterde bedachtzaam tussen zijn tanden. Op die afbakening met bordjes reageerde hij met een diep keelgegrom dat schik en geamuseerdheid had moeten uitdrukken, maar eerder als het doodsgereutel van een drenkeling klonk.

'Ik heb de grond gekocht omdat ik er het geld voor had in een tijd dat iedereen krap zat en omdat er een schijntje voor gevraagd werd,' zei Peletiah. 'Ik had iets met dit stuk land. Ik wilde er te zijner tijd iets laten bouwen, maar je weet hoe dat gaat...' Hij maakte een wegwerpgebaar. Er lag een sluwe blik in zijn ogen; het glimlachje krulde nog steeds zijn lippen. 'Wil je het hebben?' vroeg hij een ogenblik later. 'Wil je hier bivakkeren, in de rivier zwemmen, door de bossen dwalen – ga je gang. Je kunt er vrij over beschikken. Geluk ermee.'

Twee jaar later betrok Peletiah nog twintigduizend geestverwanten in zijn gastvrijheid en stroomde het veld aan de overkant van de Acquasinnick vol. Dat was een mooie, glorieuze gebeurtenis, maar de eerste avond – de avond van het concert dat niet doorging – vormde de echte test. Er verschenen die keer maar honderd vijftig mensen, met picknickmanden en dekens die ze uitspreidden in het gras. Jeremy keek toe van tussen de bomen. Hij had geen idee dat Sasha Freeman de avond georganiseerd had – hij had al twintig jaar niets meer van hem gehoord – maar hij zag iets wat hem goed deed, iets wat hij herkende en toejuichte.

Toen de onlusten uitbraken aarzelde hij geen moment. Als een schaduw tussen schaduwen liep hij om het terrein heen en joeg zowel de bangig weggedoken kinderen als de met knuppels zwaaiende oorlogsveteranen de stuipen op het lijf door met een wilde schreeuw te voorschijn te springen uit het struikgewas of door alleen maar voor hen op te duiken als een vertoornde demon. De meesten maakten dat ze wegkwamen zo gauw ze hem zagen, maar een handjevol – nog dronkener of dommer dan de rest – stelde zich te weer. Dat was precies wat hij wilde. Hij sloeg neuzen plat, lippen open, kneusde ribben – en elke schop, elke stoot was de vereffening van een schuld. Er kwam een buikige veteraan op hem af met een bandelichter en hij schopte hem in zijn kruis. Hij greep een man met de verzonken, vlekkerig rode oogjes van een varken een heiningpaal uit handen en beukte hem ermee op zijn achterwerk tot hij het uitgilde. Op een gegeven moment merkte hij dat er bloed op zijn handen en onderarmen zat, en hij bleef een ogenblik staan om onder zijn beide ogen één enkele dieprode streep te trekken, en vervolgens joeg hij, vervaarlijk autochtoon van aanzien – een krijger uit vervlogen tijden – een stel opgeschoten knapen voor zich uit tot ze in tranen uitbarstten en smeekten om genade. Genade was een ding dat hij niet kende, maar hij bedwong zijn hand, denkend aan Peletiah, denkend, deze ene keer, aan de repercussies. Hij liet ze gaan. En toen de schemering de boomtakken verdikte en het geschreeuw op de rijweg helser en chaotischer werd, ging hij instinctief de kant op van het open veld ten noorden van hem en leerde daar, in de vallende duisternis, Truman Van Brunt kennen.

Truman droeg een poloshirt en een wijde witte broek, en hij was in gesprek met een zwaargebouwde man in een bebloed werkhemd en een jongen van een jaar of zes, zeven, leek het. Hoewel de Indiaan Truman voor het eerst van zijn leven zag, en zijn naam hem pas de volgende dag bij Peletiah in de keuken bekend werd, had hij iets vertrouwds, iets wat aan zijn bewustzijn knaagde als een halfvergeten droom. Laag ineengedoken in het struikgewas keek Jeremy toe. En hij luisterde.

De zwaargebouwde man was in alle staten, zijn ogen stonden verwilderd, zijn handen schraapten over elkaar alsof hij een onbedwingbare jeuk had. Hij wilde weten of de man in het poloshirt zich voor hen wilde opofferen, of hij wilde proberen door de meute te glippen om hulp te gaan halen, want als er niet snel hulp kwam, wachtte hun de ondergang. Truman aarzelde niet. 'Oké,' zei hij, 'best, maar op voorwaarde dat Piet meegaat,' en hij knikte in de richting van de jongen. Pas toen de jongen zijn mond opendeed – 'Dat zal je godverdomme geraden wezen dat ik meega' – zag Jeremy zijn vergissing in. Hij keek nog eens goed. Het was geen jongen – nee, het was een man, een dwerg met een ziek kopje, bloedeloos van boosaardigheid, de tot leven gewekte *pukwidjinnie*. Jeremy balde zijn vuisten. Er was iets mis hier, volkomen mis. Plotseling klonk er een kreet uit de richting van het concertterrein, en de zwaargebouwde man wierp een nerveuze blik over zijn schouder. 'Neem hem maar mee dan,' zei hij, en Truman en de dwerg gingen op pad door het veld.

De Indiaan zag het korte tijd aan, tot de zwaargebouwde man zich had omgedraaid en was teruggehold naar het terrein, en kwam toen van tussen de bomen te voorschijn om Truman te schaduwen. Stil en langzaam als een bewegend standbeeld, ineengedoken in zijn sluipgang, volgde hij de man in het poloshirt en diens ondermaatse metgezel. Truman keek niet één keer achterom. Sterker nog: hij beende door het veld alsof er geen vuiltje aan de lucht was, alsof hij een restaurant binnenslenterde voor de zondagse brunch in plaats van dat hij zijn leven ging wagen tussen de dolle honden die hem wachtten op de weg. Volgens de Indiaan, die moeite had hem bij te houden, was hij krankzinnig. Of de moedigste man op aarde.

Plotseling maakten zich uit de schaduwen tussen de bomen aan de rand van de weg drie gestalten los die op Truman en de dwerg af kwamen. Ze droegen legionairspetten en vuile T-shirts. Ze paradeerden alle drie met wapentuig – inderhaast uit kofferbakken geviste cricstaven en sneeuwkettingen. 'Hé, nikkervriend,' riep de middelste, 'we hebben iets voor je.'

Jeremy dook in elkaar in het gras, klaar voor de strijd. Maar er was geen sprake van strijd, dat was het vreemde. Truman liep gewoon naar ze toe en zei iets met een zachte nadrukkelijke stem – iets wat de Indiaan niet goed verstond. Wat het ook was, het had zo te zien een sussende uitwerking. In plaats van hun wapens te heffen, in plaats van op hem in te hakken als de dolle honden en knechten van het kapitalisme die ze waren, trokken ze hun hoofd in en grijnsden alsof hij ze net de mop van de eeuw had verteld. Vervolgens stak een van hen hem wonderlijk genoeg een fles toe, en Truman nam een slok. 'Depeyster Van Wart,' zei Truman, en zijn stem was ineens zo duidelijk alsof hij pal naast de Indiaan stond, 'kennen jullie die?'

'Natuurlijk,' kwam het antwoord.

'En, is hij erbij vanavond of niet?'

Op dat moment steeg er van het concertterrein een dof gebrul op, en alle vijf – de dwerg, de legionairs en Truman – draaiden ze hun hoofd om. Jeremy hield zijn adem in.

'Ik heb hem net nog gezien, daar om de bocht, op de weg naar het land van Crane.' De man met de sneeuwketting was aan het woord, en het droge geknars van zijn stem werd begeleid door het geluid van metaal op metaal. 'Zo gauw het donker is stormen we op de hufters in.'

'Wijs me waar hij is,' zei Truman, en de Indiaan, stil als een lijk in het hoge gras, verstijfde van bange voorgevoelens die als een dolkstoot in zijn rug waren, als de staalharde boodschap die zijn vader had ontvangen van Horace Tantaquidgeon in een ver verleden. 'Ik heb iets voor hem.'

'Jidden en nikkers, jidden en nikkers,' zong de dwerg, en zijn stem was afgeknepen en nasaal, alsof hij zich in de fles gewrongen had die Truman hem had aangereikt. Vervolgens verdween het vijftal tussen de bomen die de weg flankeerden. Zo gauw ze uit het zicht waren, richtte Jeremy Mohonk zich op uit het gras. Blanken. Ze hadden de Kitchawanks verraden, de Weckquaesgeeks, de Delawares en Canarsees en hun eigen soort verrieden ze ook. Op zijn lippen lag de smaak van de rotzooi die ze hem in de gevangenis te eten hadden gegeven. Hij dacht aan Peletiah, dacht aan de mannen die hij in het bos een afstraffing had gegeven, dacht aan de vrouwen en kinderen die opeengepakt zaten rond het podium met hun pamfletten en picknickmanden. Hij dacht aan al die mensen en richtte zich op uit het onkruid om het spoor van de verrader in het poloshirt te volgen.

Op de weg was het één grote chaos. Van sommige in de berm geparkeerde auto's brandden de koplampen, en het wegdek glinsterde van de glassplinters. In dit naakte witte licht zag de Indiaan groepjes beide kanten uit rennende mannen en jongens, rondneuzende honden en mensen die op motorkappen of in hun auto zaten alsof ze wachtten tot het vuurwerk of de jurering van de vaarzen op de landbouwtentoonstelling zou beginnen. Er hing een lucht van geschroeide verf, van creosoot en brandend rubber. Er klonk muziek uit een radio. Jeremy rechtte zijn schouders en stapte tussen twee geparkeerde auto's in te voorschijn uit het struikgewas. Hij stapte om een groepje jonge vrouwen heen die een fles wijn rond lieten gaan en liep de weg op. Niemand zei iets tegen hem.

Het rumoer werd luider naarmate hij dichter bij de toegang tot het concertterrein kwam – gegil, kreten, vloeken, dronken lachsalvo's en het geraas van stationair draaiende automotoren. Er passeerden hem groepjes mannen met provisorisch wapentuig en jongens, sommige niet ouder dan negen of tien, renden heen en weer met zakken stenen. Verderop lag midden op de weg een zwartgeblakerde auto op zijn kant, en daarachter stond er een waar de vlammen uit omhoogschoten. Hij versnelde zijn pas en probeerde over de hoofden heen te kijken om een glimp op te vangen van de judas in het poloshirt en zijn vuige kleine metgezel. Een man met een vechtpet en een borst vol medailles schreeuwde iets tegen hem, een oude vrouw in een omgeslagen spijkerbroek ging zwaaiend met een vlag voor hem staan, hij had rook in zijn neus en het bloed onder zijn ogen was opgedroogd. Hij wilde juist overgaan in looppas toen hij hem zag, Truman, met zijn hoofd voor het opengedraaide portierraampje van een nieuw model Buick. Op hetzelfde moment viel zijn oog op de dwerg, die nonchalant tegen de motorkap geleund stond en met een grijns van kennelijke voldoening de ravage om hem heen gadesloeg.

De Indiaan liep door, en toen hij hen passeerde zag hij vluchtig het gezicht van de man die achter het stuur van de Buick zat. Hij kende dat gezicht, hoewel hij het nooit eerder gezien had, hij kende die humorloze mond en vooruitgestoken kin, die ogen als brandijzers; het was het gezicht van de man die hem had laten afvoeren naar de gevangenis, het gezicht van een Van Wart. Jeremy, die de aanvechting om achterom te kijken bedwong omdat hij de ogen van de dwerg in zijn rug voelde, liep verder. Hij wilde juist rechtsomkeert maken – kon hij die roodharige verrader maar isoleren van de rest – toen een horde burgerwachters, onder aanvoering van Trumans makker met de sneeuwketting, hem voorbijstormde.

Gebruikmakend van de afleiding – alle hoofden, ook dat van de dwerg, draaiden zich in de richting van de bestormers van de onverdedigde weide – dook Jeremy weg tussen twee auto's, hurkte en wachtte af. Even later stapte Van Wart uit de Buick, zei iets tegen Truman en liep over de weg naar de barricade voor de toegang tot het concertterrein. Truman en zijn *pukwidjinnie* volgden hem pal op de voet, en de Indiaan telde tot tien, verrees uit het duister en sloot zich als laatste aan bij de colonne. Het was niet zonder risico – de meute kon zich elk willekeurig ogenblik tegen hem keren; zoals hij eruitzag, zijn huid, zijn haar, zijn kleren, kon hij alleen maar een nikker of een communist zijn – maar het kon hem niet schelen. Haat zweepte hem op, en hij kronkelde zich door de verstrengeling van boze mannen alsof hij onzichtbaar was.

Naarmate hij dichter bij de barricade kwam, werd de meute moeilijker doordringbaar; donkere gedaanten schoven in en uit de statische hellegloed van de koplampen die de smalle zandweg beschenen aan de andere kant. Hier bevond zich de kern der verwarring en onenigheid: razernij tekende er de gezichten, de stemmen waren teruggebracht tot een collectieve grauw, de meute drong eerst in de ene richting op, dan weer in de andere. Jeremy raakte zijn prooi haast kwijt – eenvormige gezichten, hemden, schouders, hoeden, een dichte drom van lichamen – maar toen zag hij Van Wart staan, in gesprek met een kale man in een net overhemd zonder stropdas, en achter hem Truman en de *pukwidjinnie*. Truman was met niemand in gesprek. Die baande zich een weg door de menigte, een man met haast, een man die weg wilde van deze smoezelige plaats, deze locatie van verraad en nauwdenkerij; de dwerg volgde hem pal op de hielen en was slechts zichtbaar als een soort voortschuivende ploegsnede door het te velde staande gewas van de meute. *Hij ontsnapt*, dacht Jeremy, en hij stormde blindelings naar voren, te hoop gelopen burgers opzij duwend alsof het stropoppen waren. 'Hé!' schreeuwde er iemand naar hem, 'Hé, jij daar!' maar hij nam niet eens de moeite zijn hoofd om te draaien.

Toen Jeremy zich uit de menigte had losgeworsteld, hadden Truman en de dwerg honderd meter voorsprong en waren ze nog slechts zwarte vlekken tegen de achtergrond van de rijkere textuur van de nacht. Ze haastten zich voorbij een rij gestrande, geblutste auto's die op de duistere weg stonden en gingen toen rechtsaf een pad op dat door het bos in de richting van Peterskill liep. Jeremy begon te rennen. Hij passeerde een stel tieners die in het duister over een benzineblik gebogen stonden, dook om een man heen die stokstijf en verbouwereerd midden op de weg stond en zag een angstig zwart gezicht achter de voorruit van een gestrande auto; hij bleef voluit rennen en was een ogenblik later bij het pad. Hij zag direct dat zijn kansen gekeerd waren. Het geschreeuw van de menigte klonk hier gedempt, de weg was nagenoeg verlaten: dit was de meevaller waar hij op gehoopt had.

Hij stortte zich onverhoeds boven op Truman: enkele vlugge stille voetstappen in het zand, en vervolgens – als een rugbyspeler die een tackle inzet – een snoekduik naar die schimmige gedaante voor hem. Zijn armen sloten zich rond zijn lendenen – er gaf iets mee, bot, kraakbeen, scharnieren die gesmeerd moesten worden – en Truman sloeg met zijn gezicht tegen de grond. Op het moment van de botsing sprong de dwerg met een gil opzij en slaakte Truman een verbaasde kreet, waarna het harde compacte zand van de weg alle adem uit zijn longen perste. De Indiaan besefte toen dat hij die gluiper in het poloshirt zou doden, die blanke die zijn eigen rasgenoten in de rug aanviel, en hij klemde zijn arm om zijn keel en drukte zijn gezicht in het zand. Als hij met hem had afgerekend, stond hij op en kneep dat dwergje stuk of het een ei was.

'Rot op!' klonk de verstikte stem van Truman, en hij rukte aan de arm van de Indiaan. 'Rot... op!'

Schel en maniakaal gillend stond de dwerg op en neer te dansen als een knaagdier in een kooi. 'Moord!' snerpte hij. 'Help! Moord!'

De Indiaan verstevigde zijn greep.

En zo zou het gegaan zijn – Truman, sterk als hij was, overrompeld, neergehaald, bezweken onder het woedende geweld van zijn onzichtbare belager, het eerste dodelijke slachtoffer van de rellen... zo zou het gegaan zijn, als de dwerg er niet geweest was. Op zijn gegil kwamen er honderd voeten aan gerend, tientallen eigen rechters, kankeraars en oerconservatieven en overtuigde racisten met bloed aan hun handen. Dat zou op zichzelf al voldoende geweest zijn, maar er school meer gal en gif in het kleine mannetje dan de Indiaan kon vermoeden. Hij had een mes bij zich. Een dingetje van een centimeter of zeven. Het viel in het niet bij de beredoder van Horace Tantaquidgeon, maar het was toch een mes. En hij pakte dat mes uit zijn zak, liet het openspringen met een zachte, gemene klik en begon er de rug van de Indiaan mee te interpungeren. Eerst zette hij een gewone punt, toen een dubbele; hij hakte komma's uit, koppeltekens en één onregelmatig uitroepteken.

Het kostte de Indiaan slechts een halve seconde. Hij kwam overeind en mepte de dwerg weg alsof hij een vlieg was, maar dat korte intermezzo gaf Truman de gelegenheid zich los te rukken. Het volgende moment stond hij hijgend op zijn benen en maaide wild op zijn belager in, die oprees uit het duister als een berg die in beweging komt. Zonder een woord, zonder zelfs maar een grom van inspanning of pijn, vergold de Indiaan hem de klappen. Met rente. 'Wat mankeert jou?' stootte Truman uit, met zijn armen voor zijn gezicht om zich te beschermen. 'Ben je gek geworden?' Achter hen de dunne witte speren van zaklampen en het geroffel van rennende voeten.

Jeremy voelde aan de zijkant van zijn hoofd een zwakke vuistslag afschampen, en toen weer een. Hij zocht zijn tegenstander op. Toen kreeg hij voor het eerst van dichtbij de man te zien die hij ging doden. De lichtstraal uit een aanstormende zaklamp bescheen het gezicht van de verrader, en weer had de Indiaan het gevoel dat hij die man op de een of andere manier kende, hem kende op een oerniveau van bloed- of stamverwantschap. Kennelijk had Truman Jeremy ook duidelijk kunnen zien, want ineens liet hij zijn armen verbijsterd zakken. 'Wie mag jij godv...?' begon hij, maar voor een kennismaking was het te laat. De Indiaan dook op zijn keel af en pakte hem weer vast; zijn beide handen sloten zich om zijn luchtpijp in een onverbrekelijke greep, een dodelijke greep, de greep die het konijn doet stuiptrekken en de gans zijn levenswarmte beneemt. Jeremy had de half geformuleerde vraag wel willen beantwoorden, had Truman wel antwoord willen geven, zo goed als hij Sasha Freeman en Rombout Van Wart en elke willekeurige geïnteresseerde antwoord had gegeven, maar hij kreeg de kans niet. Van het ene moment op het andere doken de patriotten van alle kanten boven op hem met hun stokken en bandelichters en kettingen.

Het was weer het verhaal van Sing Sing en de bewaker. Jeremy beet zich vast in zijn slachtoffer als de moerasschildpad waaraan de naam van zijn clan was ontleend – dat beest kon je met knuppels of messen bewerken en de kop afhakken, maar bijten bleef het zelfs tot na zijn dood – beet zich vast ondanks de wonden in zijn rug en de vingers die aan zijn polsen rukten. Toen liet iemand een cricstaaf neerkomen op zijn achterhoofd en voelde hij Truman aan zich ontglippen. Juist voor hij in elkaar zakte dook hij in zijn vertwijfeling, de schildpad indachtig, naar voren en sloot zijn kaken rond het vlees van de verrader – rond het oor, het rechteroor – en beet door tot hij bloed proefde.

Er heerste een diepe rust toen hij zijn ogen weer opende, en hij meende een ogenblik dat hij op zijn brits lag te luisteren hoe de krekels de seconden aftelden tot het dag werd. Er was geen geschreeuw. Er gierden geen banden, er raasden geen automotoren, er klonken geen kreten van smart of woede. Maar hij lag niet op zijn brits. Hij lag op zijn rug in een greppel langs de kant van de weg en zijn lichaam was in de greep van de demonen van de pijn. Hij was neergeknuppeld, geschopt, gestoken; zijn linkerarm was op twee plaatsen gebroken. Zoals hij daar in de greppel lag en opkeek naar de sterren door de kieren in het bladerdak van de bomen, luisterde hij een ogenblik naar het eentonige gezang van de krekels en maakte een geestelijke inspectieronde langs zijn verwondingen. Hij dacht aan zijn voorouders, krijgers die hun pijn hadden omgesmeed tot een wapen, die hun folteraars bespotten zelfs als het lemmet de zenuw blootlegde. Na verloop van tijd werkte hij zich overeind en liep naar het huis van Peletiah.

Jeremy Mohonk verliet de heuvels rond Van Wartville een halfjaar later. De wanhoop waaraan hij ten prooi was geweest in de gevangenis, het gevoel van neergang en nutteloosheid, verdreven hem uit de hut onder de witte eik, iets waartoe hij zich door mensenhand nooit zou hebben laten dwingen. Hij keerde terug naar het reservaat even buiten Jamestown, op zoek naar de moeder van zijn twintig zoons. Zijn eigen moeder was dood. Tien jaar geleden, toen hij nog zuchtte binnen de muren van Sing Sing, was zij bezweken onder een geheimzinnige, slopende ziekte die haar alle eetlust benam, zodat ze er uiteindelijk uitzag als een eeuwenoud gemummificeerd lijk. Haar broer, de man van het verraderlijke mes, betoonde zich stugger. Jeremy trof hem aan in een volgepropt huisje aan de rivieroever. Verschrompeld, met afgebroken tanden, met zijn witte haren opgebonden in een knotje en de kleren waarin hij zou worden begraven over een stoel in de hoek, keek hij zijn neef aan met ogen die hem nauwelijks konden thuisbrengen. Wat Jeremy's leeftijdgenoten betrof, de rank gebouwde jongens en de ontluikende meisjes uit zijn schooltijd, die waren óf weggezonken in vetlagen zo dik dat hun ogen amper zichtbaar waren óf ze waren verdwenen in de wereld van de schrapers en de rovers. Jeremy ging werken als plukker – druiven in het druivenseizoen, appels daarna – en was binnen een maand getrouwd met een Cayuga die Alice One Bird heette.

Het was een stevige vrouw, One Bird, met ronde kuiten die opzwollen onder haar volheid, en een breed, open gezicht dat getuigde van haar goedhartigheid en optimisme. Haar twee zoons uit een eerder huwelijk waren volwassen mannen, en hoewel ze beweerde vierendertig te zijn, kwam veertig dichter in de buurt van de waarheid. Voor Jeremy was haar leeftijd niet van belang, zolang ze maar kinderen kon baren, en haar zoons – allebei lange mannen met ogen als scheermessen – waren daar het levende bewijs van. Hij plukte druiven, hij plukte appels. In het najaar ging hij op jacht. Toen de sneeuw de grond bedekte als schimmel en de provisiekast leeg was, ging hij als magazijnhulp werken in een supermarkt in Jamestown.

Er verstreek een jaar. En nog een, en nog een. Er gebeurde niets. One Bird werd zwaarder, maar niet omdat ze in verwachting was. Jeremy was drieënveertig. Hij raadpleegde een medicijnman van de Shawangunks die zijn vader nog gekend had, en de oude man vroeg hem om een lok van One Birds haar. Jeremy knipte zijn vrouw in haar slaap een lok af en ging ermee naar de medicijnman. Met trillende vingers zocht de medicijnman op Jeremy's hoofd een haarstreng uit, knipte die kort af en rolde de beide lokken toen krachtig heen en weer tussen zijn handen, alsof hij vuur wilde maken. Vervolgens haalde hij de plukken uit elkaar en liet de haren een voor een op een krantepagina vallen. Lange tijd bestudeerde hij zwijgend de configuratie die voor hem lag. 'Het ligt niet aan jou,' zei hij ten slotte, 'het ligt aan haar.'

Jeremy vertrok de volgende ochtend naar Van Wartville en de bouwval die hij drie jaar eerder had verlaten. Op de constructie zelf na was er weinig van over. De elementen hadden hun tol geëist, vogels en knaagdieren hadden er geslapen en gescheten en vandalen hadden alles kapotgeslagen wat ze niet mee konden nemen. Gaf niks. De Indiaan vatte zijn oude leven weer op, stil en heimelijk, en strikte konijnen en opossums; wat hij te kort kwam haalde hij uit de huizen en garages en schuurtjes van de loonslaven die zijn territorium aan alle kanten bedreigden. In de loop van de jaren die volgden pendelde hij heen en weer tussen Peterskill en Jamestown, aangetrokken door zijn voorvaderlijke grond aan de ene kant en door zijn volk aan de andere. Hij was bij One Bird altijd welkom, hoe lang hij ook weg geweest was, en hij was haar dankbaar. Gedreven door de natuur bezocht hij zelfs nu en dan haar bed, maar het was een exercitie zonder hoop of zin.

De laatste der Kitchawanks werd ouder, en in loop der jaren ook steeds bitterder. De wereld leek hem een troosteloos oord, het domein van de mensen van de wolf, waar de bazen het voor het zeggen hadden en de arbeiders werden vermorzeld. Hij had geen toekomst. Zijn volk had geen toekomst. Het deed er allemaal niet meer toe – de zon aan de hemel niet, de grote Blauwe Rots aan de oever van de Hudson niet en de gewijde heuvel ten noorden van de Acquasinnick niet. Er verstreek een periode van tien jaar. Hij was halverwege de vijftig – en gezond, sterk en jong als altijd – en hij wilde dood.

Jawel. En toen leerde hij Joanna Van Wart kennen.

HET WEEKLAGEND WIJF

De eerste der Jeremy Mohonks, zoon van Mohonk zoon van Sachoes, verre voorvader van de ongelukkige geradicaliseerde bajesklant wiens stam zo'n drie eeuwen later gedoemd leek om met hem te sterven, was twee en een half en sprak zijn eerste kromme woordjes Nederlands toen de schaduw van Wolf Nysen als een poolnacht over zijn wereld viel. Het was oktober 1666, in de namiddag van een sombere, fleurloze dag die een vroege zonsondergang en strenge vorst beloofde. Jeremy zat onder de keukentafel met stokjes en kluiten te spelen en zijn lievelingswoordjes te oefenen – *suycker* en *pannekoecke* – terwijl zijn moeder het vuur opstookte en dingen door de soep roerde. Hij hield daarnaast de voeten van zijn moeder in de gaten terwijl zij aan de tafel kool stond te snijden of door het vertrek liep om in het vuur te poken of de geblakerde ketel te verhangen aan zijn stang. Toen hij die voeten in hun klompen zag stappen en door de deur naar buiten zag lopen in de richting van het houtschuurtje, kroop hij onder de tafel vandaan. Het volgende moment stond hij op de stoep, en het daarop volgende moment staarde hij omhoog naar de grote, kringelende rookkolommen die de hemel verduisterden aan het eind van het maïsveld. Hoewel hij het niet onder woorden zou hebben kunnen brengen, begreep hij intuïtief wat er aan de hand was: oom Jeremias was stronken aan het verbranden.

Jeremy was twee en een half, en hij wist wel het een en ander. Zo wist hij dat hij tot voor kort Squagganeek had geheten en in een rokerige vochtige hut woonde in een rokerig en vochtig Indiaans dorp. Hij wist ook dat in het geruisloze bos boven hem wolven, reuzen, dwergen, boemannen en heksen woonden en dat hij alleen in gezelschap van zijn moeder of zijn oom de onmiddellijke nabijheid van het huis mocht verlaten. En hij kende de straf die stond op overtreding. (Geen *suycker*. Geen *pannekoecke*. Drie droge petsen voor zijn achterwerk en zonder eten naar bed.) Maar ja, de vormen die de rookkolommen aannamen tegen de achtergrond van de hemel als ze uitwaaierden – hier een vlinder, daar een koeiekop – lieten zich niet negeren. Voor hij wist wat hij deed was hij vertrokken. De treden af, het erf over en het veld op met zijn gesleten voren en opgebonden schoven als lijken.

Rennend als een strandlopertje, met stijve knietjes en vlugge beentjes, waggelde hij van de ene vore naar de andere, spetterde door plassen heen, viel plat op zijn gezicht en krabbelde dan weer haastig overeind. Toen hij aan de overzijde van het veld kwam, zag hij de stronken, een heel leger, net kleine mannetjes die rook uit hun onthoofde romp bliezen. Zijn oom was nergens te bekennen. Maar pal voor hem zag hij een familie wegstuivende korhoenders en daar ging hij met een kreet van vreugde achteraan. Hij joeg ze in het rond, dwars door een rooktrechter en half weggeruimd kreupelhout, tot aan de rand van het bos. En daar bleef hij staan. Daar was Jeremias, pal voor hem. Met nog iemand. Een grote man. Een reus.

'Jij weet wie ik ben?' bulderde de reus.

Zijn oom wist het, maar hij sprak zo zachtjes dat de jongen hem nauwelijks kon verstaan. 'Wolf,' zei hij, en op dat moment riep Jeremy zijn naam.

Wolf Nysen kliefde Jeremias uiteindelijk niet in tweeën. Zomin als hij het varkenskot in brand stak, Katrientje verkrachtte of het vee verslond. Hij wierp Jeremias slechts een scheve grijns toe, bracht een vinger naar de rand van zijn hertsleren muts en glipte weer weg het bos in. Maar desondanks: de schade was aangericht. Juist nu Jeremias zich gebukt had onder het juk, nu hij zijn hoofd gebogen had en het fiat van de patroon had geaccepteerd, kwam die renegaat hem bespotten en alle oude haat en rancune weer in hem wakker schudden. *Wie geeft jou het recht?* De woorden van de Zweed klonken na in zijn oren toen hij zich die avond over zijn soep boog, toen hij zijn hoofd die nacht op zijn kussen legde en toen hij de volgende ochtend zijn ondergoed aantrok. Maar dat was bij lange na het ergste niet. De tijd die volgde gaf een gestage neergang te zien in het wel en wee van het kleine gezinnetje op Nysenswerf, alsof de wildeman inderdaad de kwade genius van het oord was en zij de slachtoffers van zijn banvloek.

Ze waren dan nu weliswaar redelijk voorzien van have en goed (in aanvulling op wat de Van der Meulens en de anderen hadden geschonken had de patroon, toen hij tot een vergelijk was gekomen met zijn nieuwste pachters, hun een karrevracht landbouw- en huishoudbenodigdheden gestuurd – alles in bruikleen uiteraard – alsmede een span holruggige ossen, een hokkeling om de hofstedelijke koe gezelschap te houden die oom Egthuysen hun geleend had en drie jonge Hampshire-varkens), maar Jeremias was nu eenmaal te laat geweest met inzaaien en had niet veel geoogst. De tarwe, die gewoonlijk werd ingezaaid in de herfst in plaats van in het voorjaar, had het maar pover gedaan, evenals zijn rogge en zijn erwten, die hij had gehoopt te kunnen gebruiken als wintervoer. De opbrengst aan Indiaans koren was beter geweest, voornamelijk dank zij Katrientjes kennis van zaken, en hun moestuin – kool, rapen, pompoenen en kruiden – had om dezelfde reden goed gedijd. Maar met weinig tarwe voor brood of pap en het leeuwedeel van de maïs gereserveerd voor het vee, zou het huishouden op Nysenswerf die winter vrijwel volledig zijn aangewezen op wild.

Alleen: er was geen wild meer.

In de dagen en weken die volgden op Wolf Nysens bezoek werd het steeds stiller in het bos, alsof de wildeman, als een onverzadigbare Rattenvanger, het gevogelte en de andere dieren had meegenomen. Terwijl Jeremias tot voor kort moeiteloos een tiental duiven schoot, kwam hij nu thuis met eentje. Op plaatsen waar hij vroeger zoveel kalkoenen uit de bomen kon meppen dat de jutezak die hij bij zich had ervan uitpuilde en nauwelijks meer te tillen was, trof hij er nu geen. De eenden en ganzen meden de moerassen, de herten waren spoorloos, en de beren, die overigens toch al naar dennehars en talg smaakten, hadden hun winterholen vroeg opgezocht. Zelfs de eekhoorns en de konijnen leken te zijn verdwenen. Jeremias zocht noodgedwongen zijn toevlucht bij de rivier, en de rivier hield hen inderdaad enige tijd in leven. Gedurende de maand november en tijdens de eerste, grimmige, beknelde dagen van december, toen het zonlicht week uit de hemel en de pooladem een ijslaag over de Acquasinnickbaai legde, maakte Katrientje visballen, vispastei, vis in deeg, gebakken vis, gekookte vis, vis met rapen en denneknoppen, vis met vis. Maar toen werd het echt winter: het ijs strekte zich uit tot aan de voet van de Donderberg en het was gedaan met de vis.

Het werd met de dag kouder. Het putwater bevroor. De wolven snuffelden aan de deur. In het bos vroren de gaaien en de mussen vast aan de takken waar ze op zaten, levenloos en hard als kerstboomversiering van aardewerk. Op nieuwjaarsdag viel er ijsregen, waarna de temperaturen daalden en de sneeuw zich ophoopte als de zandduinen van Egypte. Toen de wolven ervandoor gingen met een van de jonge varkens, haalde Jeremias de beesten binnen.

Ondanks alles leek Katrientje met de dag sterker te worden. Ze voegde zich soepel naar het visdieet, werd zwaarder, liet haar haar groeien. Voor het eerst in jaren sliep ze een hele nacht door. Toen Jeremias de stand van zaken opnam in hun maïsvoorraad en hun dagelijks rantsoen tot de helft terugbracht, ontwikkelde ze zich tot een woekergenie. Toen de sneeuw zich opstapelde en Jeremy kou vatte, toen de wind met zoveel kracht door hun huisje blies dat de kaars op de schoorsteenmantel ervan uitwoei, toen het stikkedonker was hoewel de klok pas halftwee in de middag aangaf, kwam er geen klacht over haar lippen. Zelfs door de ongemakkelijke nabijheid van de dieren liet ze zich niet ontmoedigen, hoewel de varkens haar voor de voeten liepen, de oude koe steunde in het duister als een der onbegravenen en de ossen kwijlden, stonken, herkauwden, hun drek lieten vallen en hun stinkende warme adem in haar gezicht bliezen. Nee, het was een kleinigheidje dat uiteindelijk haar kracht brak, een gelukkige ontdekking die Jeremias op een ijzige morgen aan het eind van januari deed op de stoep.

Wat hij ontdekte daar op de veranda, tot hen gekomen als een verhoord gebed, was vlees. Rijk, rood, levengevend vlees. Hij trok de deur open om naar buiten te gaan en zich te ontlasten en liep er bijna tegenop: tegen het gevilde, pas schoongemaakte kadaver van een hinde dat aan de achterpoten was opgehangen aan het dak boven de veranda. Hij geloofde zijn ogen niet. Een hinde. Die hing daar zo maar. Geslacht en al. Jeremias slaakte twee hongerige vreugdekreten – Staats, het moest Staats geweest zijn – en binnen de tijd die het kost om een mes te trekken had hij één lendestuk aan het spit en het andere in de pot. Hij was zo opgewonden dat zijn handen ervan beefden. De blik op het gezicht van zijn zus ontging hem.

Toen hij haar uiteindelijk aankeek, vulde het aroma van roosterend reevlees het vertrek en stond Katrientje weggedrukt in een hoek, ineengekrompen als een in zijn web verhongerde spin. 'Gooi het naar buiten,' zei ze. 'Haal het weg.'

De vlammen lekten al omhoog en schroeiden het vlees dicht; vet verguldde de bout en droop sissend op de kolen. De kleine Jeremy stond als aan de grond genageld voor het vuur, met zijn handen in zijn zakken en een verrukte glimlach op zijn gezicht, terwijl Jeremias rondscharrelde door het vertrek om te zien of er nog ergens wat groente was. Jeremias verstijfde toen hij de stem van zijn zus hoorde. 'Wat? Wat zei je?'

Ze stond met beide handen aan de zoom van haar jurk te wringen, alsof ze een pop wurgde. Haar haren hingen voor haar gezicht. En haar gezicht – vertrokken en verbleekt, ogen groot van schrik – was het gezicht van een gekkin die zich in het gesticht van Schobbejacken aan de tralies vastklemt. 'Die lucht,' prevelde ze, en haar stem zakte weg. Het volgende moment gilde ze: 'Gooi het weg! Gooi het naar buiten!'

Jeremias kon amper praten vanwege het speeksel dat schuimde in zijn mond, kon amper denken vanwege de vork en het mes die zaagbewegingen maakten in zijn hoofd, kon zijn blik amper scherp stellen op haar gestalte vanwege het visioen van het gouden, druipende lendestuk aan het spit en het mooie kleine hoefje dat boven de rand van de pot uitstak. Maar toen hij haar strak aankeek, begreep hij het ineens: het was het vlees. De reebout. Die wilde ze hem onthouden. Toen hij sprak, tuimelden de woorden over elkaar. Het was allemaal lang geleden, hield hij haar voor – ze moest redelijk zijn. Wat moesten ze eten? Ze spraken de zaaimaïs al aan. Moesten ze het vee slachten en het komende jaar verhongeren? 'Het is een reebout, Katrientje. Vers vlees. Meer niet. Eet ervan om je krachten op peil te houden – of eet er niet van, als het echt niet gaat. Maar je kunt toch niet... je wilt het mij toch niet verbieden, je eigen broer... en wat dacht je van je zoon?'

Ze schudde alleen haar hoofd, heen en weer, onverbiddelijk, ontroostbaar, overmand door verdriet. Ze snikte. Beet op haar vinger. Jeremy begroef zijn gezicht in haar rokken; Jeremias kwam bij de haard vandaan om haar te omarmen, te troosten, te vermanen. 'Nee,' zei ze, 'nee, nee, honderd keer nee,' en ze bleef haar hoofd schudden tot laat in de avond, terwijl haar broer en haar zoon aan tafel zaten en ook de kleinste botjes van de geslachte hinde afkloven en vervolgens openbraken met een hamer om bij het korrelige, rijke merg te kunnen. Het kon Katrientje op dat moment allemaal niet meer schelen. Voor de tweede keer in haar korte leven was ze voor een afgrond komen te staan en over de rand gevallen.

Het was februari. Het sneeuwde gestaag en meedogenloos, bergen sneeuw bedekten het landschap in bevroren blauwe rimpelingen als de plooien in een lijkkleed. Hun maïsrantsoen hadden ze tot een kwart teruggebracht en desondanks pleegden ze een zware aanslag op het zaaigoed voor het komend seizoen. 'Eén schepel hiervan,' zei Jeremias wel eens, als hij de harde korrels tot meel stampte, 'zou er van de zomer honderd opbrengen. Maar ja, wat moeten we?' Katrientje kon van schuldgevoel haast geen lepel naar haar mond brengen. En ze sliep slecht, omdat het beeld van haar vader, moeder, de kleine Wouter op haar netvlies verscheen zodra ze haar ogen dichtdeed. Het hert was niet afkomstig geweest van Staats – die wist zelf niet hoe hij aan vlees moest komen, zei hij hun een week nadat er op mysterieuze wijze weer een op hun veranda verschenen was, ontweid, gevild, geslacht. Dat had zij al die tijd al geweten. Niet van Staats, niet van God in zijn hemel. Het was haar vader, die arme, verbrande man, die ze gebracht had... om haar te straffen.

Toen Jeremias op een nacht wakker werd uit een droomloze slaap voelde hij koude lucht langs zijn gezicht trekken. Toen hij opkeek zag hij dat de deur openstond en dat de heuvels en bomen en naakte sneeuwvlakten bij hem in bed gekomen waren. Vloekend duwde hij zich overeind en liep door de kamer om de deur dicht te gooien, maar op het laatste moment weerhield hem iets. Sporen. Er stonden sporen – voetafdrukken – in de vers gevallen sneeuw op de stoep. Jeremias keek er een ogenblik bevreemd naar, deed de deur zachtjes dicht en riep toen op dringende fluistertoon de naam van zijn zus. Ze gaf geen antwoord. Toen hij de kaars aanstak, zag hij tot zijn schrik dat de kleine Jeremy alleen lag te slapen. Katrientje was weg.

Die keer – de eerste keer – vond hij haar in elkaar gedoken onder de witte eik terug. Ze was gekleed in haar nachthemd en had haar haar afgesneden met een mes; het lag in strengen om haar heen in de sneeuw als de resten van een nachtbloem. Binnen probeerde hij haar te troosten. 'Er is niets,' zei hij sussend, en hij drukte haar tegen zich aan. 'Wat was er – heb je akelig gedroomd?'

Ze vormden een tableau: de dieren uit de stal, het slapende kind, de invalide broer en de gekke zus. 'Gedroomd,' zei ze hem na, en haar stem was vaag, ver weg. Achter hen blaatte desolaat het kalf en knorden de varkens in hun slaap. 'Ik heb zo'n... zo'n...' ('wroeging,' wilde ze zeggen, maar zo kwam het er niet uit) '... zo'n *honger*.'

Jeremias stopte haar in bed, stookte het vuur op en kookte wat melk om pap te maken. Ze lag roerloos op het maïsvliezenmatras en staarde naar het plafond. Toen hij de lepel naar haar lippen bracht, duwde ze die weg. En zo ging het ook de volgende dag, en de daaropvolgende. Hij maakte een stoofpot van rapen en gedroogde vis voor haar, bakte een zwaar, hard brood (vol graanklanders helaas) en gaf het haar met een homp kaas, sneed een van de varkens de oren af om er bouillon van te trekken voor haar, maar ze wilde niet eten. Ze lag daar maar voor zich uit te staren, het witte perkament van haar hoofdhuid glom door de haarstoppels, haar wangen waren ingevallen.

Begin maart, tijdens een nacht die van de dakranden drupte met de belofte van warmte, trok ze opnieuw het duister in. Dit keer deed ze de deur achter zich dicht en bemerkte Jeremias pas bij het eerste licht dat ze weg was. Op dat moment was het gaan sneeuwen. Een natte lauwe druilerige sneeuw die twee keer overging in regen, een tijdje bleef hangen op de rand van ijzel en ten slotte, opgestuwd door windvlagen van de kant van de rivier, veranderde in een wervelstorm van harde, bijtende kogeltjes. Tegen de tijd dat Jeremias de jongen in de kleren had en haar ging zoeken, stond er een straffe wind en was het zicht gereduceerd tot een meter of vijf.

Er waren dit keer geen sporen. Jeremias – de jongen op zijn rug en de telkens onder hem vandaan schietende houten pen aan zijn been – beschreef een steeds wijdere cirkel om het huis, haar naam tegen de wind in schreeuwend. Niets of niemand reageerde. De bomen zwegen stil, de stem van de wind werd op allerlei bedrieglijke manieren vervormd, sneeuwkraaltjes spatten van zijn jas, zijn hoed, zijn sjaal. Ploeterend, struikelend, bang te verdwalen in de sneeuw, bezorgd om Jeremy's leven én het zijne, draaide hij zich uiteindelijk om en strompelde terug naar de blokhut. In de voormiddag probeerde hij het nog eens en kwam toen tot het maïsveld waar hij tegenover Wolf Nysen had gestaan. Even meende hij haar te horen, heel in de verte, een stem verheven tot een jammerlijke weeklacht die door merg en been ging, maar toen kwam de wind ertussen en wist hij het niet meer zeker. Hij riep steeds maar weer haar naam, tot hij geen gevoel meer had in zijn voet en de wind de kracht uit zijn lichaam woei. Even voor het donker werd, legde hij Jeremy in bed en ging de deur weer uit, maar de sneeuw lag in zulke hoge banken dat hij uitgeput was eer hij het maïsveld had bereikt. 'Katrientje!' schreeuwde hij tot hij er schor van was. 'Katrientje!' Maar het enige antwoord was de vreemde, sombere kreet van een grote witte uil die zich door de stormwind worstelde als een gedoemde ziel.

Het sneeuwde twee dagen en twee nachten door. Op de ochtend van de derde dag voerde Jeremias het vee, sloot het huis af en ploeterde door de sneeuwbanken naar de Van der Meulens, met zijn neefje op zijn rug. Staats waarschuwde de Cranes, Reinier Outhuyse en de mensen op het noorderlandhuis en ging toen te paard naar Jan Pieterse om te zien of ze daar opgedoken was en, zo niet, een Indiaanse spoorzoeker op te snorren.

Die middag ging er een groep Kitchawanks op pad die onverrichter zake terugkeerde: de sneeuw had al haar eventuele sporen uitgewist. Als ze met haar jurk achter een tak was blijven haken, als er een steen onder haar voet vandaan was geschoten, dan lagen de stille getuigen daarvan bedolven onder een meter sneeuw. Jeremias begon te wanhopen, maar hij wou van geen opgeven weten. De volgende ochtend leende hij het karrepaard van Staats, en terwijl Meintje op Jeremy paste, zochten Douw en hij in struikgewas en kreupelhout, kamden de stroombeddingen en de dalen uit, klopten aan bij afgelegen boerderijen. Ze zwierven helemaal tot aan het Kitchawank-dorp bij de Indiaansche Hoeck in het zuiden en het kamp van de Weckquaesgeeks bij het Suycker Broodt in het noorden. Ze vonden nergens een spoor.

Het was Jan Pieterse die haar uiteindelijk vond, en dat terwijl hij niet zocht. Hij liep aan het eind van de maand op een ochtend met een emmer spoelwater naar de Blauwe Rots achter de handelsnederzetting, waar hij hem wilde legen in de rivier, zoals hij elke ochtend deed, toen hij – en hij had waarachtig wel wat anders aan zijn hoofd dan die mankepoot van Van Brunt en zijn gekke, weggelopen, kaalgeschoren, met Indianen hoererende zus – net naast het pad voor hem iets zag liggen. Een blauwe vlek. In een sneeuwbank onder aan de Blauwe Rots, op nog geen dertig meter van de winkel. Hij keek verbaasd naar de blauwe vlek en zette de emmer neer om zich door de sneeuwkorsten te werken en poolshoogte te nemen. Het was minder koud de laatste dagen en zijn ogen waren geleidelijk aan weer gewend geraakt aan de verschijning van kleur in wat de afgelopen maanden een wereld was geweest zo wit als een onberoerde lap zeil. Er braken modderroofjes door in het pad dat zijn voeten hadden uitgesleten, de hemel die log en als een vuile dweil had neergehangen had plaats gemaakt voor het fraaie azuur van een hoogzomerse dag, de katwilgen stonden in bloei langs de kant van de weg naar Van Wartwyck en nietige, strak ineengedraaide knopjes tooiden vederesdoorn en plataan. Maar dit, dit was iets anders. Iets gemaakt door mensenhand. Iets blauws.

Een ogenblik later was hij ter plekke, zich met moeite in evenwicht houdend tussen de meegevende sneeuw aan de ene kant en de grote gladde rotsplaat aan de andere. Hij keek omlaag naar een stukje textiel dat omhoogstak uit de sneeuw alsof het het puntje was van iets groters. Hij was winkelier en hij kende die stof. Het was blauw karsaai. Hij had er hele rollen van verkocht aan de Indianen en de boerenvrouwen. De Indianen gebruikten het voor dekens. De boerinnen naaiden er schorten van. En nachthemden.

Jeremias begroef haar onder de witte eik. Dominee Van Schaik was present om aan de rand van het graf een enkel woord te spreken, terwijl de zes Van der Meulentjes, gehuld in het zwart als een zwerm maïsdieven, de rouwdragers vormden. Jeremias knielde bij het graf, en zijn lippen bewogen alsof hij bad. Maar hij bad niet. Hij vervloekte God in zijn hemel, met al zijn engelen erbij, hij vervloekte Sint-Nicolaas en de patroon en dit troosteloze, vijandige oord, dit Gehenna van bomen, valleien en beboste heuveltoppen. Waren ze maar in Schobbejacken gebleven, hield hij zich steeds voor, dan was dit allemaal niet gebeurd. Zoals hij daar op zijn knieën lag had hij medelijden met Katrientje, met zijn vader en moeder en de kleine Wouter, had hij medelijden met zichzelf, maar toen hij ten slotte opstond en zijn plaats innam tussen de rouwenden, lag er een harde koude blik in zijn oog, die intransigente blik vol onoverwinnelijkheid waarmee hij steeds de schout had getrotseerd: hij had weer verloren, ja, maar verslagen was hij niet. Verslagen was hij nooit.

Jeremy, twee en een half, wist niet eens wat het was – verslagen zijn, triomferen. Hij bleef op een afstandje, terwijl eerst zijn oom en vervolgens opa Van der Meulen en de anderen knielden bij het graf. Hij huilde niet, begreep het verlies niet goed. Dat was toch gewoon een hoop kale modder, net zo iets als de voren die Jeremias trok met zijn ploeg? Onder de grond woonden mollen, kevers, pieren, slakken. Zijn moeder woonde niet onder de grond.

Toen ze naderhand aan de cider en de vleespasteitjes zaten die Meintje had meegebracht voor het begrafenismaal, stak Staats zijn pijp op, slaakte een diepe zucht en zei met een onnatuurlijk hoge stem: 'Het is een zwaar jaar geweest, jongen.'

Jeremias hoorde hem amper.

'Je weet dat je altijd bij ons kunt terugkomen.'

Barent, elf inmiddels, met het vierkante hoofd en het maïspluimhaar van zijn moeder, zat luid smakkend op een stuk reevlees te kauwen. De kleintjes – Jannetje, Klaes en Jeremy – zaten doodstil over hun bord gebogen. Meintje glimlachte. 'Ik heb een contract met de patroon,' zei Jeremias.

Staats verwierp die notie met een handgebaar. 'Zonder een vrouw red je het nooit,' kweelde hij. 'Je zit met een kind van nog geen drie en je hebt niemand om voor hem te zorgen.'

Jeremias besefte natuurlijk wel dat zijn pleegvader daar gelijk in had. Zeker met Jeremy als handenbindertje zou hij het boerenbedrijf onmogelijk kunnen voortzetten zonder hulp. Jeremias was dan misschien ezelachtig, halsstarrig, stijfkoppig en ongezeglijk, maar hij was niet achterlijk. Op de dag van Katrientjes verdwijning, toen de hopeloze uren verstreken en hij het bos doorzocht tot zijn been het liet afweten, ontkiemde er een idee. In zijn hoofd. Een plan. Praktisch én romantisch, voor in geval van nood. 'Ik weet wel iemand,' zei hij.

Staats snoof. Meintje keek op van haar bord en zelfs Douw, die met zijn aandacht voor honderd procent bij zijn pastei en de kool in het zuur was, richtte zijn hoofd op om hem vragend aan te kijken. Er viel een stilte, en de kinderen stopten met eten en keken om zich heen alsof de kamer was betreden door een spook. Meintje was de eerste wie een licht opging. 'Je bedoelt toch niet...?'

'Die bedoel ik wel,' zei Jeremias. 'Neeltje Cats.'

TAHOE

'Ik weet het niet meer, hield je nu wel van tahoe of niet?'

'Ja, best,' zei ze, 'doe maar wat.' Ze lag opgerold tot een bal in de hoek van Tom Crane's bed, volledig gekleed, met handschoenen en een maxi-jas aan, een gebreide muts op haar hoofd, en ze dronk zure wijn uit een jampot. Eén keer in haar leven, misschien twee keer, had ze het kouder gehad. Ze trok de muffe, warmteloze dekens en donzen dekbedden op tot over haar hoofd en probeerde iets te doen aan het bibberen van haar schouders.

'Bosuitjes?'

'Best,' klonk het gesmoorde antwoord.

'Knoflook? Sojabrokken? Pompoen? Biergist?'

Jessica's hoofd dook op van onder de dekens. 'Hoor je mij klagen?' Ze bevond zich op ruim anderhalve meter boven de grond, want daar had Tom Crane zijn bed gebouwd – in de hoogte, met uitzicht op kale dakspanten met spinnewebben ertussen, neerbungelende en uitgedroogde dode insekten, vegen vogel- of vleermuispoep en erger. De eerste keer dat ze op bezoek was geweest in de blokhut – de eervorige zomer, in gezelschap van Walter – had ze Tom ernaar gevraagd. Hij zat bij die gelegenheid in zijn vettige Leger des Heils-stoel bij het vettige raam aan de achterkant, met toen ook al haar tot op zijn schouders en dronk een vervaarlijk uitziend brouwsel van melkpoeder, eigeel, lecithine, proteïnepoeder en tarwekiemen uit een bierpul die hij had geleend uit een Ierse pub in New York. 'Kom maar een keer langs in de winter,' had hij gezegd, 'dan hoef je het niet meer te vragen.'

Nu begreep ze het. Daarboven, op de verheven hoogte van haar ereplaats, begon ze de eerste zwakke uitstraling van de houtkachel te voelen. Ze stak Tom haar glas toe. 'Dus daarbeneden wordt het nooit warm?'

Onder haar, in zijn rafelige vliegeniersjas en met zweet bevlekte thermohemd, met de ritslaarzen met de geblokkeerde ritsen aan zijn voeten, draafde Tom rond in zijn eenkamerwoning als de kok van Fagnoli's Pizza na afloop van een basketbalwedstrijd van het schoolelftal. Hij was gelijktijdig bezig met het opstoken van het vuur, het snijden van uien, selderij en bieslook, het afpassen van acht kopjes zilvervliesrijst uit een groezelige glazen pot waar augurken in gezeten hadden en het doorroeren van verhitte olie op de bodem van een twintig-literpan die zo geblakerd was dat hij eruitzag als een restant van de vuurstorm in Dresden – en dat alles zonder één misslag. 'Hier beneden?' galmde hij haar na, ondertussen de groenten in de diepten van de ketel vegend met de ene hand en galant haar glas bijvullend met de andere. 'Als het meezit – en dat doet het in een hele winter twintig, hooguit vijfentwintig keer – en ik stook de kachel goed op, dan krijg ik de temperatuur aan de grond omhoog tot ongeveer min tien.' Met een bedachtzaam gezicht schonk hij zich een tweede jampotje zure, stroperige wijn in, tijdelijk verdiept in dit vraagstuk van calorische variabelen terwijl de olie siste in de pan achter hem en er uit het gat in het verbindingsstuk van de kachelpijp rook de kamer in spoot. 'Daarboven kan het met een beetje geluk wel plus tien worden.'

Het zag er niet naar uit dat ze die avond geluk hadden. Het was pas halfzeven, en nu al plonsde het kwik in de roestige thermometer aan de andere kant van het raam naar de platte rode mouwstreep die aangaf dat er voor het ding geen temperatuur meer te registreren viel. Gezegd moet worden dat Tom, die zich meteen na binnenkomst op de tondeldoos had geworpen met alle verwoede ernst van de wanhopige, ten dode opgeschreven *chechaquo* in het verhaal van Jack London, het vuur binnen een paar seconden aan de gang had, maar, legde hij uit tussen twee houwen van het mes op de snijplank, het duurde even voor de ruimte op temperatuur kwam. Jessica lag zich te realiseren dat hij zich daarmee hoogst parlementair had uitgedrukt toen Tom plotseling de gegalvaniseerde emmer van de vloer griste en op de deur af schoot. 'Je gaat toch niet weer naar buiten?' vroeg ze, vol authentiek afgrijzen.

Het antwoord kwam in de vorm van een tweelettergrepige kreet terwijl hij aan de knoopjes van de vliegeniersjas friemelde en per ongeluk met de emmer tegen een scheepskist stootte waar een berg vergelend wasgoed op lag. 'Water!' riep hij, langs haar heen stuivend, en vervolgens sloeg de deur achter hem dicht.

Eerder die dag – bij het bleke licht van de dageraad, om precies te zijn – had Jessica, twaalf weken getrouwd al weer, zich er bij haar man over beklaagd dat de auto niet wou starten, en dat, omdat de auto niet wou starten, zij te laat op haar werk kwam. Walter liep niet over van hulpvaardigheid. Werkloos, ongeschoren en met een kater van het zoveelste latertje in de Elleboog, lag hij roerloos in het midden van het bed, als een mummie opgerold in het dekbed dat ze van grootmoeder Wing gekregen hadden op hun trouwdag. Ze zag de spleetjes van zijn ogen openbarsten. De oogleden waren ongeveer zes duim dik. 'Bel Tom dan,' klonk het krakend.

Tom had geen elektriciteit. Tom had geen stromend water. Hij had geen elektrische tandenborstel, geen föhn, geen wafelijzer. Een telefoon had hij ook niet. En al had hij een toestel gehad, dan was dat nog van weinig nut geweest, want in het bos, onder Van Wart Creek, en in de heuvel naar zijn optrek lag geen kabel. Terwijl ze liep te ijsberen in haar maxi-jas met visgraatdessin, af en toe een slok koude koffie nam en een nerveuze borstel door haar fijne blonde haar haalde, probeerde ze dat duidelijk te maken aan haar horizontale echtgenoot.

Het dekbed verroerde zich niet en het leven dat er vermoedelijk in opgerold lag maakte zich niet als zodanig kenbaar. Even later hoorde ze Walters ademhaling overgaan in het geleidelijke, autonome ritme van de slaap. 'Walter?' Ze porde hem in zijn zij. 'Walter?'

Het leek of zijn gesmoorde, slepende woorden van de overzijde van een onoverbrugbare kloof kwamen: 'Meld je ziek,' mompelde hij.

Dat was aanlokkelijk. De kou buiten was hevig genoeg om als afbijtmiddel op de menselijke huid te werken, en de gedachte aan acht uur formaline opsnuiven onder neonlicht was voldoende om haar te doen terugverlangen naar de scripties, de laatste tentamens en de laboratoriumonderzoeken van het jaar daarvoor. De afgelopen weken was haar werk van een grimmige saaiheid geworden: alleen nog maar larven tellen en staten bijhouden, alleen nog maar zitten en naar de klok kijken; het zou wel maart worden eer ze het water weer op konden. Zelfs Tom, die in dienst was genomen om de dreg te bedienen op de grote boot, zat de laatste tijd dampen inademend boven een glazen schoteltje gebogen met daarin stukjes wier en insekte- en vislarven. Nee: ze wilde niet naar haar werk. Zeker niet als ze arctische windstoten en een lege accu moest bevechten om er te komen.

'Dat kan toch niet?' vermaande ze hem, met de wrange smaak van koffiedrab in haar mond. Ze hoopte dat hij haar tegen zou spreken, haar zou zeggen die hele baan te vergeten en weer in bed te kruipen, maar hij lag al te snurken. Ze zette weer koffiewater op, slofte in haar slippers over het koude zeil en was in de keukenkast aan het rommelen op zoek naar de Sanka, toen ze plotseling werd bevangen door een opwelling van schuldgevoelens. Ze móést naar haar werk, natuurlijk moest dat. Ze mocht haar carrière niet uit het oog verliezen – ze wist dat deze baan het goed zou doen in haar curriculum als ze zich het volgend najaar weer bij de universiteiten meldde – en aan een andere, meer prozaïsche kant: ze konden het geld niet missen. Walter had niet meer gewerkt sinds zijn ongeluk. Hij beweerde dat hij zijn mogelijkheden afwoog, het terrein verkende. Zijn trauma probeerde te verwerken. Het onderwijs leek hem wel wat, of een baan bij een verzekeringsmaatschappij, een verkoopafdeling, een bank, iets in de juridische sfeer, of weer gaan studeren, een motorgarage beginnen, een restaurant openen. Hij kon ieder moment een besluit nemen. Jessica draaide het gas onder de ketel uit en schoot de kamer in om haar vader te bellen. Als ze geluk had kon ze hem nog bereiken voor hij naar het station ging...

En ze had geluk. Uiteindelijk was ze maar twintig minuten te laat en kon ze weer formaline gaan zitten inademen, heel de eindeloze grijze ochtend en de schemerige, trage, hyperboreïsche middag lang.

Tom had haar een lift gegeven naar huis. In het donker. Achter op zijn ratelende, roestende, knalpotloze Suzuki 50, bij een gevoelstemperatuur die aardig in de buurt moet zijn gekomen van die op het ijsstation Zebra. Hoog opspringend vanuit haar tenen, zichzelf geselend met klonische armen en wild langs haar druppende neus maaiend, was ze de voortreden op gesprint van het knusse tweekamerwoninkje in de Kitchawank-kolonie (huur: negentig dollar in de maand, gas en licht inbegrepen) dat Walter en zij hadden uitgekozen uit honderd identieke knusse tweekamerwoninkjes in de Kitchawank-kolonie, en constateerde dat Walter niet thuis was. Tom stond achter haar, met zijn helm in de hand, de gele sjaal tot over zijn neus om zijn gezicht geslagen als de *kaffiyeh* van een kameeldrijver. 'Hij is er niet,' zei ze, zich naar hem omdraaiend.

Toms ogen keken waterig en verziend boven de sjaal uit. Ze overzagen de keuken en de woonkamer in één oogopslag. 'Nee,' zei hij, 'zo te zien niet.'

Er verstreek een traag moment waarin haar teleurstelling voelbaar werd als een gewicht dat ze ineens allebei moesten dragen – dat kon ze niet ook nog eens hebben: een koude avond in haar eentje met ontdooide enchilada's en quesadilla-chips met de smaak en structuur van vinyl – totdat Tom de sjaal omlaagtrok tot onder zijn lippen en vroeg of ze niet bij hem wilde komen eten. Legden ze een briefje neer voor Walter.

Dus zodoende lag ze nu met haar benen stijf tegen haar borst te kijken naar de wolkjes waarin haar adem kristalliseerde, terwijl van onder haar een ratjetoe van elkaar bekampende geuren naar haar opkringelde. Zo was er de koude zilte stank van ongewassen sokken en ondergoed, de muffe reuk van schimmel en houtrot, de zure bijtende lucht van de rook en het onverslaanbare, vlezige, onontkoombare, zoete, darmontwrichtende aroma van de in de pan bakkende knoflook. Ze wilde juist naar beneden springen om de zaak om te roeren toen met flapperende ellebogen en voeten die over de vloer roffelden als trommelstokken de woudheilige binnenkwam met een emmer klotsend water. Zijn adem jaagde, en zijn neus had de kleur van zalm uit blik. 'Water,' hijgde hij, en hij zette de emmer neer naast de kachel en schepte er zonder te pauzeren vierentwintig kopjes uit voor de rijst. 'Blood Creek,' zei hij er grijnzend achteraan. 'Kan ik altijd op vertrouwen.'

Nadat ze ieder twee volgehoopte tinnen borden kleverige rijst en groenten met in knoflook gebakken tahoe en sojabrokken *du chef* hadden verstouwd, deelden ze nog een vijf of zes jampotjes wijn en een joint uit eigen tuin, luisterden naar 'Call on Me' van de Bobby Blue Band, niet geheel vlekkeloos weergegeven door Toms wrakke platenspeler op batterijen, en praatten over Herbert Axelrod, sprekende chimpansees en UFO's met de overgave van rabbijnen in opleiding die in de mysteriën van de kabbala rondspitten. Tom had het deurtje van de kachel open laten staan, en op een gegeven moment kon Jessica juist lang genoeg ophouden met rillen om uit den hogen af te dalen en zich net buiten het schroeibereik van de kachel neer te poten in een stoel. Ze vertelde Tom het verhaal van de keer dat Herbert Axelrod, uitgenodigd voor een lezing aan de universiteit van San Juan, uit het vliegtuig stapte en een nieuwe vissoort ontdekte in een plas vlak naast de landingsbaan. Tom vertelde haar op zijn beurt over het Yerkes Primate Center, over dolfijnen die trigonometrische vraagstukken konden oplossen en de UFO die hij vlakbij op Van Wart Road gezien had. Maar ten slotte kwam het gesprek onvermijdelijk op Walter.

'Ik maak me zorgen om hem,' bekende Jessica.

Tom maakte zich ook zorgen. Sinds het ongeluk was Walter steeds vreemder geworden; hij werd geobsedeerd door gedenkplaten, de geschiedenis en de Robeson-rellen, leuterde over zijn vader alsof die vent bestond en zweepte zich in de Elleboog elke avond op tot ongerichte extase. En het ergste: hij hallucineerde. Zag zijn grootmoeder en een schare kabouters achter elke boom, zag zijn moeder, zijn vader, zijn ooms en neven en voorouders. Oké, het moest een vreselijke ervaring zijn om zo maar je voet te verliezen, en natuurlijk had hij tijd nodig om zich aan te passen, maar de zaak liep uit de hand. 'Heeft hij tegen jou wel eens gezegd dat hij visioenen heeft?'

Jessica boog naar hem voorover terwijl hij zich bukte om de kachel bij te vullen. 'Visioenen?'

'Ja, weet je wel, van mensen? Dode mensen?'

Met een lichtelijk door de wijn beneveld hoofd dacht ze hier even over na, terwijl er zich diep in haar ingewanden een vaag gevoel van misselijkheid vastzette. 'Zijn vader,' zei ze uiteindelijk. 'Hij heeft een keer tegen me gezegd – net na het ongeluk, meen ik – dat hij zijn vader had gezien. Maar ja' – ze haalde haar schouders op – 'misschien wás dat wel zo.'

'Die man is toch dood?'
De wijn steeg haar naar het hoofd. Of misschien was het de marihuana. Of de tahoe. 'Wie?'
'Walters vader.'
Ze haalde haar schouders weer op. 'Dat weet niemand.'
Op dat moment hoorden ze het gestamp van voetstappen op de veranda – voetstappen aan de voorkant van die blokhut daar in het niets! – een geluid als het geroffel van ontvleesde knokkels tegen het deksel van een grenehouten kist, en allebei verstijfden ze. 'Walter,' mompelde Jessica het volgende moment, en ze haalden opgelucht adem. Maar toen vloog de deur open en stond Mardi ineens binnen, in een sjofele jas van wasberebont die tot op haar knieën viel en sealskin laarzen eronder, en ze riep: 'Hé, Tom Crane, harige ouwe sater van me, holemens! Je raadt nooit wat ik voor je heb!'
Ze stond binnen, de deur knalde dicht achter haar, en ze warmde haar handen boven het vuur en trappelde met een verwoede kleine sealskin-fandango weer wat gevoel in haar voeten eer ze ervan blijk gaf Jessica's aanwezigheid op te merken. 'O,' zei ze, met die grote koude jas in Jessica's gezicht, haar ogen tranerig en rood dooraderd, 'o... hoi.'
Tom schonk haar een glas wijn in terwijl zij luid tekeerging over het pad van de weg naar zijn huis – 'Alles ijs, het lijkt wel of je hier godverdé een bobsleebaan hebt aangelegd' – waarop ze minstens zes keer op haar reet gevallen was. 'Zie je wel,' zei ze, terwijl ze de jas optilde om te pronken met twee billen gevangen in een strakke gebleekte spijkerbroek die geen plooitje vertoonde.
Jessica's stemming was ineens zo zuur als de ranzige wijn in haar maag.
'Zal ik jou eens wat vertellen?' zei ze, terwijl ze de jas uitgooide en zich vertoonde in een skitrui met daarop, zo te zien, een rij kezende rendieren, om te vervolgen met een gegild non-sequitur ('O, wat is dit? Mmmmm...') toen ze een blik in de pan wierp en daar meteen stukjes pompoen en tahoe uit begon te plukken. 'Mmmmm, heerlijk. Wat zit erin, tahoe?' Ze nam plaats op de rand van de tafel en keek op hen neer, met malende kaken haar vingers aflikkend. Ze had slanke, mooie handen, niet groter dan die van een kind, met aan elke vinger een paar ringen. 'Zal ik jou eens wat vertellen?' zei ze nog eens.
Stilte. Jessica hoorde de zachte kreun- en zuiggeluiden van de kachel, de plop- en piepgeluiden van het sap in het brandende hout. 'Nou?' zei hij uiteindelijk.
Mardi kwam met een theatrale sprong van de tafel en wierp haar armen uiteen als een revuezangeres. 'Hasj!' verkondigde ze. 'Gele Li-

banon!' Het was, verzekerde ze hun, de beste, de zuiverste, de werkzaamste, onversnedenste, bedwelmendste, linkste en alleenzaligmakendste hasj in welks glorierijke uitwerking ze ooit zouden mogen delen, waar nog eens bijkwam, zei ze er met een schuinse knipoog achteraan, dat ze er vijf gram van in de aanbieding had. Niet dat de verleiding niet groot was om alles voor haarzelf te houden – gewoon om te hebben, weet je wel – niet dat zij het type was om in drugs te handelen of zo, maar ze zat gewoon ergens wel omhoog.

Jessica deed haar best, echt waar. Maar iets in dat meisje met de wasberebontjas ergerde haar tot in het diepst van haar ziel, er was iets aan haar waardoor ze wilde gaan knarsetanden, het op een loeien wilde gaan zetten. Het was niet alleen dat ze grof, luidruchtig, slonzig en stuitend was – het ging dieper. Alleen al in het timbre van haar stem, in haar bewegingen, in de manier waarop ze over het aangezette moedervlekje bij haar mondhoek wreef of inademde door het spleetje tussen haar tanden, alleen al in die kleine dingen lag iets wat wurgneigingen wakker maakte in Walters gelijkmoedige echtgenote. Elk woord, elk gebaar, was haar een splinter onder haar nagels.

Mardi kon, stoned als ze was, niet ophouden met praten. Ze stak een lang, onsamenhangend verhaal af over de twee professoren op Bard die ze verleid had, evalueerde motoren met Tom – komend voorjaar kocht zíj die grote Honda, de 750 – en raakte niet uitgegiecheld over een voorval tijdens een concert waar ze samen bij aanwezig geweest waren. Op een bepaald moment haalde ze een pijp uit de binnenzak van de bontjas, hield er een aansteker bij, inhaleerde als een dompelpomp en gaf de pijp aan Tom. Het aroma van de smeulende drug vulde het vertrek, rijk en harsig en met een scherpte waar zelfs het bijtend zure van de houtrook het tegen aflegde. Tom gaf de pijp door aan Jessica.

Nu was Jessica geen nieuweling in de wereld van de hasj. Hoestend als een tbc-lijder had ze zich met medestudenten wel eens gelaafd aan de waterpijp of achter in de Elleboog een tersluiks trekje genomen van Walters in folie gewikkelde pijp, en ze had verder nergens last van gehad, niks aan de hand. Maar dat spul van Mardi kwam hard aan, te meer doordat er al het nodige aan voorafgegaan was: die bedorven wijn, de tahoe en de strakke joint van Tom Crane zelf. Vijf minuten nadat Mardi de pijp had opgestoken had Jessica het gevoel dat ze door de vloer zakte en explodeerden er in haar blikveld grote pulserende kleurklodders als flitsen op een leeg filmdoek. Het weeë gevoel dat ze al eerder had opgemerkt had zich plotseling uitgebreid, van haar buik naar haar maag, en het kroop omhoog naar haar keel als de ontlijfde hand in 'Het beest met vijf vingers'. Ze stond op het punt te gaan kokhalzen, op te springen en zich door de deuropening naar buiten te storten om alle tahoe, pompoen, zilvervliesrijst en zure witte wijn de kristallijne, ongerepte nacht in te spugen, toen de deur eigener beweging openzwaaide.

En wie stond daar, met zijn gewicht op zijn goede been, omlijst door diezelfde poolnacht, met aan zijn zware Leger des Heils-jas en sjaal allemaal afgevallen bladeren, klissen, twijgjes en ander bosvuil? Wie stond daar, met aan zijn voeten deerlijk geschaafde Dingo-laarzen en in zijn ogen de herinnering aan niet één of twee keer vallen maar aan een complete lijdensweg van onderuitgaan en overeind krabbelen? Jawel. De enige echte. Walter.

De landing van MacArthur op Leyte kan nauwelijks meer opschudding hebben veroorzaakt. Tom was in twee grote passen aan het andere eind van de kamer, waar hij de verloren gewaande zoon op diens rug kloppend verwelkomde, Jessica voelde haar maaginhoud een moment zakken en sprong op om hem te omhelzen en een kusje te geven, en Mardi verroerde zich weliswaar niet maar permitteerde zich een brede, sensuele glimlach terwijl het licht der gemeenschappelijke verstandhouding – gebaseerd op gemeenschap in de vleselijke zin des woords – zich manifesteerde in haar volmaakte, ijzige, diepliggende en spottende violette ogen.

Goed. Een barrage van vragen volgde. Nee, hij had nog niet gegeten. Ja, hij wilde best een bord tahoe. Jawel, hij was met Hector gaan biljarten in een café in Verplanck en had niet op de tijd gelet. Eh, ja zeker, hij had het briefje gelezen. Hij was misschien tien minuten nadat zij weggegaan waren thuisgekomen. Nou ja, hij had zich eerst wat opgeknapt, gedoucht en zo, en had toen gedacht dat het wel leuk zou zijn om in de koudste nacht sinds de jaartelling eens te gaan kijken hoe de woudheilige zich redde. (Dit met een grijns in de richting van Tom Crane, die al bij de kachel stond en in de diepten van de ketel roerde met onbeheerste, spastische draaibewegingen van zijn knokige arm.) Ja, klopt, hij was waarschijnlijk wel honderd keer onderuitgegaan op het pad – die stomme, waardeloze rotpoot schoot maar steeds onder hem vandaan.

‘Wil je hier een hijs van?’ Mardi, die nog steeds op de tafelrand zat, boog zich in zijn richting; ze kneep haar stem toe in een poging de onschatbare rook binnen te houden en ze hield Walter de pijp voor als een zoenoffer.

‘Graag,’ zei Walter, en hij beroerde haar hand, ‘dank je,’ en Jessica zag iets in zijn ogen. ‘Hoe is het met jou de laatste tijd, Mardi?’ zei hij, terwijl hij de pijp naar zijn lippen bracht, en Jessica hoorde iets in zijn stem. Ze keek naar Mardi, die daar zat als een kat met een bekvol veren, en ze keek naar Walter, die door de rook naar Mardi gluurde, en ineens overviel haar een verwoestende, hartverscheurende, misselijk makende gedachte.

Mardi was aan het woord; ze praatte vlug en luid, met een stem zo scherp als een scheermes, en ze vertelde Walter het verhaal dat ze een kwartier eerder ook al verteld had, over de professoren en over haar eigen uitdagende, onweerstaanbare ik. En de in zijn stoel achteroverhangende Walter knoopte zijn jas los, gaf de pijp door en luisterde. Maar nee. Nee. Ze was gewoon paranoïde. Van de hasj. Dat had ze altijd als ze hasj rookte. Walter was niet thuis voor het eten, oké, hij zat de helft van de tijd in de Elleboog, toegegeven, en inderdaad: tussen Mardi's entree en de zijne lagen slechts *luttele minuten* – maar wat bewees het allemaal? Ach welnee, ze zat er helemaal naast.

Wat evenwel niet wegnam dat ze het volgende moment overeind sprong, waarbij de halfvolle jampot op de grond spatte als een brisantbom, de veranda op rende en er, over het hek hangend, al het vuur uit haar ingewanden ontlaadde, zo furieus brakend, zo oncontroleerbaar, onophoudelijk en ononderbroken, dat ze sterk het idee had dat ze vergif had gegeten.

MARTELAARS END

Er was geen andere vrouw, dat wist ze zeker. Maar dat er iets mis was, helemaal mis, dat leed voor Christina geen twijfel. Ze ging achteroverzitten op de naar honden stinkende bank die haar moeder voor haar uit de kelder had opgeduikeld, bracht de dampende kop Sanka naar haar lippen en keek door de gelige ramen naar buiten, waar de verzadigde schemering zich verdichtte tussen de bomen als een voorbode van zwaar weer. Er heerste rust op aarde. Walter sliep al, Hesh en Lola waren een avondje uit. Toen ze haar blik verlegde van de bomen naar het grenehouten bureau onder het raam (het bureau van haar man, met dat zwarte bakbeest van een Smith Corona en zijn netjes in het gelid staande rij obscure boekjes met titels als *Agrarische conflicten in het koloniale New York* en *Het Van Wart-goed: toen en nu*), voelde ze een scheut van verdriet zo fel dat het was of ze beviel van iets misvormds en wanstaltigs, afzichtelijk als een leugen. Toen ze weer opkeek, moest ze op haar ringvinger bijten om niet te gaan huilen.

Nee, een andere vrouw was het niet, maar was het dat maar, wou ze haast. Dan wist ze tenminste waar ze aan toe was. Zoals de zaken er nu voor stonden wist ze niet wat er fout was gegaan, maar ze hoefde Truman maar in de ogen te kijken om te zien dat het iets ernstigs was. De afgelopen avonden was hij na zijn werk gaan 'stoom afblazen' in een van de plaatselijke dranklokalen, om dan tegen middernacht met verwilderde ogen en een licht ontvlambare adem naar binnen te komen zwalken, onwerkelijk als een buitenaards wezen dat toevallig naast haar in bed belandde. Stoom afblazen. Jawel. Maar eerder al – in de loop van heel die ruïneuze zomer – was hij zo vreemd en in zichzelf gekeerd geworden dat ze hem amper meer herkende. Elke avond sleepte hij zich van de gieterij terug naar huis, met een strak, verhard gezicht waaruit alle welwillendheid was verdreven. Hij weerde haar omhelzing af, gooide Walter een keer in de lucht en schonk zich een glas in. Dan ging hij aan zijn bureau zitten, sloeg zijn schrijfblok open en was tot het avondeten niet aanspreekbaar. 'Hoe was het op je werk?' vroeg ze. 'Vind je het goed als we vanavond weer sperziebonen eten? Zijn de marsmannetjes al geland?' Niets. Geen reactie. Hij was uit steen gehouwen, een monnik gebogen over zijn heilige teksten. Na het eten las hij zijn bedremmelde zoontje met een toonloze, doffe stem een hoofdstuk voor uit Diedrich Knickerbockers *Geschiedenis van*

New York, en dan hup, gauw weer terug naar de boeken. Ze werd, ook wel door de week, soms om één of twee uur 's nachts wakker, en dan zat hij nog te lezen, te onderstrepen, aantekeningen te maken, verkleefd met de pagina voor hem.

'Je werkt te hard,' zei ze tegen hem.

Hij keek naar haar op als een dier dat wordt gestoord terwijl het zich over zijn prooi buigt, met het boek opengespreid op zijn schoot als was het het ding dat hij had beslopen en gedood, het bloederige vlees waaraan hij knaagde in de beschutting van zijn hol. 'Niet hard genoeg,' grauwde hij.

Eerst had ze er begrip voor gehad. Ze hield zich steeds maar voor dat er niets aan de hand was, dat hij onder een grote druk leefde, meer niet. Hij werkte veertig uur in de week, pendelde heen en weer naar New York voor zijn laatste colleges vakdidactiek en geschiedenis, bezocht partijbijeenkomsten, zorgde voor het onderhoud van de auto, de tuin en het huis en moest daartussendoor in een bestek van tien korte weken ook nog de tijd zien te vinden voor het opzetten en schrijven van zijn eindscriptie: van zoveel drukte zou iedereen het hoofd omlopen. Maar toen hij zich met het verstrijken van de zomer steeds meer in zichzelf terugtrok, steeds liefdelozer, bezetener en vijandiger werd, begon ze te beseffen dat ze zichzelf wat wijsmaakte, dat het probleem dieper zat dan zij durfde vermoeden. Iets wat buiten hem lag, iets giftigs en onherroepelijks, transformeerde hem. Hij verhardde. Hij dreef een wig tussen hen. Hij ontglipte haar.

Het was begonnen in juni, toen Sasha Freeman en Morton Blum de plannen van de partij bekendmaakten voor een manifestatie in Peterskill en Truman was begonnen aan de laatste loodjes van zijn studie, de eindscriptie. Truman koos als onderwerp voor zijn werkstuk een duistere periode uit de plaatselijke historie – Christina had er nog nooit van gehoord – en hij ging aan de slag met de monomane inzet van een Gibbon die de ondergang van Rome te boek stelt. Van de ene dag op de andere was er geen tijd meer voor een etentje bij Hesh en Lola, voor een spelletje kaart, de bioscoop, geen tijd om met Walter naar de rivier te gaan of om met hem te voetballen in de koelte van de avond. Tijd om te vrijen was er ook niet meer. Hij zat de halve nacht met een gefronst voorhoofd te werken in het plasje licht dat de lamp op zijn bureau wierp en kwam naar bed als een man met een pijl in zijn rug. De deur knarste rond zijn scharnieren, hij zette drie stappen, wierp zich voorover en sliep eer hij tegen het bed sloeg. 's Zaterdags en 's zondags zat hij de hele dag in de bibliotheek. Ze probeerde hem tot rede te brengen. 'Truman,' smeekte ze, terwijl hij aantekeningen neerpende of het ene boek neerlegde om het andere te

pakken, 'je schrijft de geschiedenis van de westerse beschaving niet; gun jezelf wat rust, doe het eens wat kalmer aan. Truman!' en met stemverheffing: 'Het is maar een scriptie!'
Hij gaf niet eens antwoord.
En wat schreef hij dan wel? Waar zat hij dag en nacht op te zwoegen, zodat zijn vrouw zich een weduwe voelde en zijn zoon hem amper meer herkende? Op een middag besloot ze te kijken. Op een rimpelloze zonnige middag, toen Truman op de fabriek was en Walter erwtensoep in zijn hemd zat te smeren. Zij was in de weer met het keukenafval en stond met twee uitpuilende zakken vol botten, schillen en koffiedrab in haar handen toen haar oog er ineens op viel: op het middelpunt van de woonkamer, het huis, de stad, de wijde omgeving, van de wereld zelfs; daar, midden op zijn bureau, lag de beduimelde dossiermap die hij nooit uit het oog verloor tenzij hij languit bewusteloos in bed lag of zijn uren maakte voor de bazen van de gieterij. Het was een magneet, een nec plus ultra en een sine qua non. Ze pakte de map.
Er zat een pak papier in zo dik als het telefoonboek, honderden bladzijden gelinieerd geel papier overdekt met de schokkerige lussen en halen van zijn piepkleine, kriebelige handschrift. *Opstand tegen de landheer: de samenzwering-Crane/Mohonk*, las ze, *door Truman H. Van Brunt*. Ze sloeg de bladzijde om. 'De geschiedenis van het Van Wart-goed is een geschiedenis van onderdrukking, verraad en bedrog, een zwarte bladzijde in de annalen van de koloniale periode...' De stijl was onbesuisd, clichématig, hoogdravend en gepassioneerd – hysterisch zelfs. Het geschrift leek in niets op wat zij aan geschiedenis had gelezen. Als ze niet beter geweten had, zou ze gedacht hebben dat de auteur er persoonlijk bij betrokken was geweest, het slachtoffer van vreselijk onrecht of een valse beschuldiging. Ze las vijf pagina's en legde de map toen neer. Was dit het? Was dit het wat hem in zijn greep had?
Drie weken later kreeg ze antwoord.
Het was zaterdagmiddag, een week voor het concert. De studie was voltooid, de scriptie af (met haar tweehonderd zevenenvijftig dicht betypte pagina's was zij vijf keer zo lang als enige andere die dat semester was ingeleverd), de bul uitgereikt. Na de uitreiking ging Christina in de trein terug dicht tegen Truman aan zitten in de zachtjes wiegende coupé en dacht *Nu. Nu kunnen we weer ademhalen*. Het was al laat in de middag toen ze thuiskwamen. Truman liep door de kamer en ging log aan zijn bureau zitten, nog altijd gekleed in baret en toga – de gehuurde baret en toga die hij halsstarrig weigerde terug te brengen – en het zweet drong door het zware zwarte katoen in donkere vuisten en klievende maansikkels. 'We gaan het vieren,' zei ze.

‘Eerst pikken we Walter op en dan gaan we ergens eten – ergens waar het gezellig is. Met z’n drietjes.’

Hij staarde naar de bomen. Hij zag er niet uit als een man die zo juist drie jaar hard werken bekroond heeft gezien met een ultieme, blijvende triomf – hij zag eruit als een dief die elk moment kan worden afgevoerd naar de galg.

‘Truman?’

Hij wendde langzaam zijn gezicht, en in zijn vreemde ogen lag weer die onrustige lege blik die ze de afgelopen weken had leren kennen. ‘Ik ben er vanavond niet,’ zei hij, en hij keek weer weg. ‘Ik moet naar Piet. Ik zou Piet helpen met zijn auto.’

‘Piet?’ Ze wierp de naam naar hem terug als een vloek. ‘Piet?’ Ze zag hem voor zich, Piet, zo bleek als een kale kleine rups, een onuitroeibare grijns op zijn gezicht. ‘En ik dan? En je zoon dan? Weet je wel dat we nu al – al máánden niets meer samen hebben gedaan, als gezin?’

Hij haalde alleen zijn schouders op. Zijn bovenlip trilde, alsof hij een boosaardige, valse, kleine glimlach moest onderdrukken die zei *Ja, ja, ik ben schuldig, ik ben een zak, scheld me maar uit, haat me, scheid van me*. Hij kon haar niet recht aankijken.

Ze waren bijna vier jaar getrouwd – betekende dat niets voor hem? Wat was er aan de hand? Wat was er gebeurd met de man op wie ze verliefd geworden was, de waaghals met de rappe glimlach die onder de Bear Mountain Bridge door was gevlogen en haar in een handomdraai had veroverd?

Hij wist het niet. Hij was moe, dat was alles. Hij wilde niet bekvechten.

‘Kijk me aan,’ zei ze, en ze greep hem bij zijn armen toen hij opstond om te vertrekken; de grove stof van de toga trok samen in haar vuisten. ‘Er is een ander.’ Haar stem verhief zich tot een striemende weeklacht die heel haar hoofd vulde tot ze dacht dat het zou barsten. ‘Zeg het dan!’

Ze wist op hetzelfde moment dat ze ongelijk had, en ze voelde hoe ze door die wetenschap werd verfrommeld als een prop huishoudfolie. Er was geen andere vrouw in het spel. En de samenzwering-Crane/Mohonk en de veertig uur per week in de gieterij waren het ook niet. Ze keek in zijn binnenste en wat ze daar zag was zo definitief en onherroepelijk als de val van een guillotine: hij was al weg.

De scriptie was af, en nu had hij de baret en de toga, de tastbare resultaten van zijn prestatie. De rest van die week hield hij ze aan in bed, ging erin naar zijn werk en kwam de tapperij van Outhouse binnenfladderen als de geleerde bohémien, met het academische hoofddeksel achter op zijn kruin alsof het uit de hemel was gevallen en daar op miraculeuze wijze was blijven hangen. Ze zag hem in het zachte licht van de ochtend als hij zijn schoenen met stalen neuzen aantrok, en ze zag zijn silhouet tegen de achtergrond van het schelle gele lamplicht in de woonkamer als hij 's nachts binnen kwam wankelen: die hele week, die ellendige, drankdoordrenkte week die begon met de uitreiking van het getuigschrift en eindigde met het concert, was hij niet één avond thuis.

Ze uitte vermaningen bij de dageraad, smeekbeden rond middernacht, ontlaadde haar woede en vertwijfeling in de kleine uurtjes. Hij was ongenaakbaar. Hij lag dronken in bed met de rafels van de toga om zijn benen, en zijn adem floot tussen zijn lippen door. Zo gauw de wekker ging stapte hij uit bed, wurmde zich in zijn werkschoenen en wankelde de deur weer uit – zonder koffie, zonder cornflakes, zonder groet of wat dan ook. En zo ging het door tot zaterdag, de dag van het concert. Op die zoele, onheilszwangere ochtend was Truman op bij het eerste licht; hij grijnsde uitbundig naar haar en smeet met geestigheden als een wanhopige komiek tegenover een onwrikbaar publiek. Hij klutste een partij pannekoeken op tafel, bakte eieren en worstjes en maakte Walter aan het lachen door met een vergiet op zijn hoofd door de keuken te dansen. Zou het dan toch nog goed komen? vroeg ze zich af. De pannekoeken stonden op tafel, Walter schaterde om zijn malle papa, Christina kon voor het eerst die week glimlachen en Truman, die grijnsde als een hofnar, als een hansworst, als een gek die zich tegen de tralies van zijn kooi drukt, scheurde zich het voddige academische gewaad van het lijf en wierp het, opspringend als een basketballer, in een hoge boog de keuken door en de prullenmand in. Vervolgens verdween hij met een knipoog in de slaapkamer en kwam een ogenblik later terug in een fonkelnieuw, maagdelijk poloshirt – een shirt dat ze nog nooit gezien had, een pracht van een shirt – zo nieuw dat de plooien er nog in zaten, met glorieuze rood-wit-blauwe banen erover.

Walter werd opgehaald door zijn grootouders, met wie hij de dag zou doorbrengen tussen de fascinerende vissen van de Hudson, Truman en Hesh laadden de geluidsapparatuur achter in de Plymouth van Hesh, Christina pakte boterhammen in, koekjes en een thermoskan ijsthee. Stond ze te neuriën? Had ze binnenpretjes? Ze had het gezien in zijn ogen, gezien dat zijn gevoelens voor haar dood waren, en toch wilde ze het niet geloven. Ze wilde geloven dat deze ochtend voor het concert een nieuw begin was, sprankelend en veelbelovend. Hij werd de oude weer, kwam terug naar haar – het was dus kennelijk toch de druk geweest, maar nu was het voorbij. Hij had zijn diploma gehaald en zijn toga afgedragen. Dus lááť hij de spanning buiten de deur hebben afgereageerd. Het was niet meer dan logisch.

Terwijl ze de boterhammen stond in te pakken, dacht ze terug aan het concert van het jaar daarvoor, in het buitenpaviljoen van de kolonie, toen ze hand in hand op een deken in het gras hadden gezeten, met naast hen een slapende Walter. Robeson zong 'Go Down, Moses', hij zong 'Swing Low, Sweet Chariot' en iets uit Händels *Messiah*, en zij schurkte zich in de wieg van Trumans armen en deed haar ogen dicht en liet die volle zware dreunende stem tegen het klankbord van haar lichaam trillen. Er was destijds geen Piet, geen dossiermap, geen samenzwering-Crane/Mohonk. Er was alleen Truman, haar man, de man die de wereld toelachte, de sportman, de student, aanhanger en held van de partij – alleen Truman en zij.

En toen was de ochtend voorbij en stond zij de losse pagina's van haar brochures te vergaren, in gedachten bij het uitstapje dat ze volgend weekend misschien konden maken, naar Rhinebeck of zo – gewoon om er een paar dagen uit te zijn. Ze konden overnachten in dat oude hotelletje aan de rivier en misschien een eindje gaan varen, of paardrijden. Haar vingers zagen zwart van de stencilinkt. Het werd drie uur, vier uur. Ze zat voor het raam en luisterde naar de radio, wachtend tot haar man en Hesh terugkwamen van hun laatste voorbereidende bespreking met Sasha Freeman en Morton Blum, toen ze opkeek en de Gillette-blauwe Plymouth van Hesh het pad op zag draaien. Ze was buiten, met de picknickmand in de ene hand, het plastic tasje met stencils in de andere, eer de auto helemaal tot stilstand was gekomen. 'Hé,' wilde ze roepen, 'ik dacht al dat jullie mij vergeten waren,' maar ze hield haar woorden binnen. Want met angst en afkeer en een bodemloos gevoel van verslagenheid zag ze op dat moment dat de twee niet alleen waren. Tussen hen in hangend als een buiksprekerspop, met zijn naakte handjes tegen het dashboard, een krankzinnige, boosaardige, triomfantelijke grijns muurvast in zijn gezicht, zat Piet.

Als ze terugkeek op die avond, de avond die haar leven in tweeën brak, dan zag ze gezichten. Het gezicht van Piet zoals het was in de auto, zoals het zich op een ongrijpbare manier tussen haar man en haar had weten te dringen. Het gezicht van Truman, van haar afgekeerd, hard en zonder glimlach. Het gezicht van Hesh: gul, oprecht, in alle openheid naar haar gericht toen ze achter hem op de bank ging zitten, uitdrukkingsloos en gereed voor de dood toen hij bewusteloos op de afgesleten grenen planken van het podium lag terwijl het uitschot en de bruinhemden krijsten als demonen in het duister. En dan waren er de gezichten van de meute zelf: de rabiate vrouwen die met ogen bol van haat een lange neus maakten; de jongen die zich voorovergebogen had om tegen de voorruit te spugen; een man die ze herkende uit de slagerij van Peterskill, die zijn tanden had ontbloot als een hond, zijn geslachtsdeel met beide handen had omvat en vervolgens zijn hand in zijn armholte had geklemd, het universele gebaar van provocatie en verachting. Er verstreek een dag, er gingen er twee, drie, vier voorbij, een week, een maand, en nog altijd zag ze die gezichten. Hoewel ze alles op alles zette om eraan te ontkomen, hoewel ze haar ogen stijf dichtkneep, ijsberend rondliep, vechtend de slaap probeerde te vatten, bleven de gezichten haar achtervolgen. Ze waren er, lelijk en onloochenbaar, als ze 's morgens wakker schoot uit de onrustige slaap die haar bij het ochtendgloren overmande, ze waren er in de middag als ze zat te snikken op de bank en in het nachtelijk niets waarin het duister haar zijn beelden voortoverde. Dit waren haar schimmen, dit was haar aanval van de historie.

Het begon in het holst van die eerste nacht, na de zenuwachtige telefoontjes, toen het bloed van Hesh was opgedroogd tot een stijve plak in de mouw van haar blouse, toen ze het lijstje ziekenhuizen in het telefoonboek van Westchester-Putnam had afgewerkt en te horen had gekregen dat nergens een bloedend, atletisch type was binnengebracht met haar in de kleur van beslagen koper en een gescheurd poloshirt, toen ze hem voor zich zag: bewusteloos in een greppel of naar huis kruipend als een aangereden hond. Als verlamd zat ze bij de telefoon, haar ogen diep weggezonken in haar hoofd, en ze gebruikte al haar wilskracht om hem te laten bellen. Hij belde niet. De nacht hield vasthoudend en meedogenloos aan. Uit het achterkamertje klonk het aritmische geklik en geschraap van Walters knarsende tanden, bot op bot. En toen begonnen de gezichten te verschijnen, gevangen in het raam, zwevend boven de siernetel, opduikend van achter het radiomeubel. Het gezicht van Piet, dat van Truman, van Hesh, de verwrongen roofdieremuil van de man uit de slagerij.

De volgende dag zat Lola naast haar gedurende de eindeloze ochtend, de ondraaglijke middag en de bewolkte avond die op haar neerviel als een vloek. Maak je niet ongerust, zei Lola, met een stem die de wonden depte, hij komt wel weer boven water. Hij is ongedeerd, dat weet ik zeker. Hij kon toch best met andere concertgangers zijn meegevlucht naar New York of zijn teruggegaan naar het huis van Piet in Peterskill? Hij kan nu elk moment bellen, zei ze. Elk moment.

Het was niet waar. Wel bemoedigend, maar niet waar. Hij belde niet. Hesh doorzocht het struikgewas en Hesh vond niets. Lola wilde weten of ze een slaappil voor haar moest halen. Het was elf uur 's avonds. Al zevenentwintig uur had niemand meer iets van Truman vernomen. Whisky? Wodka? Gin?

Toen was het maandag, vroeg nog – zeven uur, acht uur, ze wist het niet. Lola stond achter de toonbank in de bakkerij van Vandermeulen en Hesh was, met armen ruw van de korsten en een gezicht als een overrijpe vrucht, op weg naar Sollovay's Auto- en Spiegelglas in Houston Street. Toen kwam hij binnenlopen. Ze had al vijftig uur niet geslapen en ze zag gezichten, Walter ging als een derwisj op in zijn eigen peuterdans van ontkenning en trauma, de rotzooi stapelde zich op, de keukenkast was leeg, haar moeder haastte zich terug van een vakantie in Vermont om bij haar te zijn in dit bankroete uur, en toen kwam hij binnen.

Hij hinkte. Hij was dronken. Er zat een donkere, gepijnigde bloeduitstorting onder zijn linkeroog, zijn oor zat in het verband en hij droeg dezelfde kleren die hij de avond van het concert aan had gehad, maar nu waren ze vuil, kapot, donker van het bloed. Wat viel er te zeggen? We zijn gek geworden van ongerustheid, waar zat je toch, ben je gewond, ik ben zo blij, we zijn zo blij, Walter, kijk eens, kijk eens wie er thuisgekomen is. Ze sprong van de bank en rende naar hem toe, met Walter aan haar zij, het gezin herenigd in drievoudige omhelzing, tranen van dankbaarheid, Odysseus teruggekeerd uit de oorlog, laat de banieren wapperen, de hoornen schallen, licht, camera... maar hij beantwoordde hun welkomst niet. Hij duwde hen opzij, verborg zijn gezicht als een gangster die het gerechtsgebouw verlaat, en het volgende moment stond hij in de slaapkamer, en gaapte op het bed de koffer als een stel kaken.

'Wat doe je?!' Ze was achter hem aan gekomen en rukte aan zijn arm. 'Truman, wat is er? Zeg iets! Truman!' Onder haar klemde Walter zich om zijn vaders benen, een eentonige klaagzang aanheffend: 'Papa, papa, papa.'

Er was geen contact met hem te krijgen. Hij schudde haar af zoals hij zijn belagers op het football-veld had afgeschud in zijn gloriejaren, achteloos en doelgericht, geconcentreerd op de achterlijn. Boeken, kleren, zijn aantekeningen, het manuscript: het huis stond in brand, het bos had vlam gevat. 'Het spijt me,' fluisterde hij, en om zijn lippen trilde die zieke judasgrijns – zij bestond niet, Walter was onzichtbaar – en het volgende moment was hij de deur al weer uit.

Buiten: de auto. De Buick. Er werd later gezegd dat het de wagen van Van Wart was, maar waar moest zij dat aan zien? Hij was zwart en lang, een lijkwagen. Ze zag hem voor het eerst. 'Truman!' Ze stond bij de voordeur, op de stoep. 'Zeg iets!' Hij wilde niets zeggen, keek haar niet eens aan. Hij gooide de koffer op de achterbank en sprong achter het stuur als een man die wordt nagezeten; er werd abrupt geschakeld en vervolgens schoot de wagen achteruit het pad af. Zij stond als verlamd, tot geen beweging in staat, en op dat moment ving ze, in het trieste, traag op de voorruit dansende licht, een laatste glimp van hem op: kaken strak, ogen dood, een hoofd dat niet op- of omkeek.

Maar Truman had nog wel een sóórt afscheidsgroet voor haar. Toen de auto naar links de Kitchawank Road op draaide en zijn lange, glimmende passagiersflank naar haar toe wendde, verscheen plotseling Piet voor het open raampje, als een giftige paddestoel opschietend uit de zonloze diepten van het interieur. Traag-mechanisch draaide hij zijn gezicht naar haar toe en tilde een bleek, slap kinderhandje op bij wijze van nietige, minieme groet.

Dag.

Toen Anna Alving het pad op reed, was het even na tweeën in de middag en trilden haar handen op het stuur. Ze had het gehuurde huisje aan Lake St. Catherine die ochtend om zeven uur verlaten; haar man reed achter haar aan in de tweede auto. Even buiten Hudson hadden ze geluncht in een wegrestaurant (Magnus zo bezorgd om de verdwijning van zijn schoonzoon dat hij zijn broodje tonijn amper aanraakte, zij zo ongerust dat ze zes koppen koffie dronk bij haar rozijnenbroodje) en waren toen weer in colonne op weg gegaan. Dc Chevrolet was een renpaard vergeleken bij de slakachtige Nash van Magnus, en hoewel ze haar best deed zich in te houden zodat ze hem niet uit het oog verloor, was er ter hoogte van Claverack nog slechts asfalt te zien in haar achteruitkijkspiegel. Ze dacht erover langs de kant van de weg op hem te wachten, maar ze raakte steeds sterker in de ban van de noodsituatie en haar voet ging omlaag op het gaspedaal. *Mam*, klonk het in haar hoofd – de stem van haar dochter aan de telefoon de avond tevoren – *Mam, hij is weg*, en ze nam de bochten in een tomeloze vaart die haar banden maltraiteerde en het stuur haast uit haar handen rukte. Nu ze stopte bij het stille huisje, het huis dat pas geverfd in een rooster van door boombladeren geworpen schaduw lag en een kalme, normale, ordelijke aanblik bood, liet ze het stuur los uit haar krampachtige greep en zette de motor af. Ze bleef een ogenblik zitten, luisterend naar het getik en gemor van het afkoelende mechaniek, pakte toen haar tasje en trok haar gezicht in de plooi. Toen liep ze de treden aan de voorzijde op.

Ze trof Christina aan op de bank, met haar schouders opgetrokken, haar benen tegen haar borst gedrukt. Naast haar, languit op een lawine van kinderboeken, lag Walter. Hij sliep, met zijn mond open, zijn oogleden halfdicht, en zij zat hem voor te lezen. Zonder iets in de gaten te hebben. Haar stem was teruggezakt tot vermoeide eentonigheid. 'Mannetje, mannetje Timpe Tee, botje, botje in de zee,' las ze, 'mijn vrouwtje Ilsebil wil maar steeds wat ik niet wil.'

'Christina?'

Christina keek op. De afgelopen zes uur had ze alle sprookjes en kinderrijmpjes afgewerkt die er in huis waren. Assepoester, Sneeuwwitje, Repelsteeltje, iedereen leefde nog lang en gelukkig. Likkepot, Berend Botje en Holle Bolle Gijs, het leven een luilekkerland. En dan had je Hans – Slimme Hans, Hans van Grietje, Hans die bruiloft viert, Sterke Hans, Speelhans, IJzeren Hans – en vrouwtje Piggelmee, kabouter Spillebeen en Vrouw Holle. 'Hebben ze hem al gevonden?' vroeg haar moeder.

Langzaam en eerbiedig, alsof het een ceremoniële handeling betrof, sloot Christina het boek dat op haar schoot lag. Daar voor haar stond haar moeder, gebronsd na een maand op het kiezelstrand van Lake St. Catherine, haar haar op de krul en een uitdrukking van permanente gekweldheid op haar gezicht. Of ze hem al gevonden hadden. Haar hield de vraag bezig wie er mee naar Engeland wilde varen.

Weer klonk de stem van haar moeder in haar hoofd: 'Is er iets gebeurd met hem?'

Ze keek op en zag haar moeders gezicht, het gezicht dat haar zon en maan geweest was, haar steun en toeverlaat sinds de dagen dat ze hulpeloos in de wieg lag, het gezicht dat de griezeltronies verdrong die sluimerden in de schaduwen en naar haar grijnsden in haar dromen, maar ze was in gedachten nog bij de kwestie wie er – kriebel, krabbel, kruisje – knabbelde aan haar huisje. 'Ze hebben hem gevonden,' zei ze ten slotte.

Haar moeder stond zonder het zich bewust te zijn haar handen beurtelings samen te knijpen en te spreiden, op het pad klonk het geraas van een tweede auto, Walter mompelde iets in zijn slaap. 'Ze hebben hem gevonden,' zei ze nog eens. Er sloeg een portier dicht. Ze hoorde de voetstappen van haar vader op het plaveisel, op de stoep, ze zag zijn bezorgde gezicht door het gaaswerk in de hordeur.

'En?' zei haar moeder.

'Hij is dood,' zei ze.

Hij was niet dood, maar hij had het veel beter wel kunnen zijn. Al voor het vallen van de avond had het echtpaar Alving de geruchten gehoord – de versie van Hesh, die van Lola, van Lorelee Shapiro en van Rose Pollack – en Christina, uitgestrekt over de volle lengte van haar meisjesbed als een lijk dat ter balseming ligt opgebaard, bekende uiteindelijk de waarheid. Truman had haar verlaten. Hij had haar onbeschermd gelaten tijdens het concert, had haar twee doorwaakte etmalen in doodsangst laten zitten, had toen zijn spullen gepakt en haar ten slotte definitief verlaten. 'Ik kan er met mijn verstand niet bij,' zei haar moeder. Haar vader stond op uit zijn stoel. 'Ik vermoord hem,' zei hij.

Aan het eind van die week vond het tweede concert plaats, een triomfantelijk feest waar de uiteindelijke nederlaag een domper op zette, en toen maakte augustus plaats voor de maand september, met zijn nazinderende warmte en misleide vlinders, met zijn volheid die wijkt voor afsterving. Tegen de tijd dat de bomen verkleurden was Christina tien kilo lichter. Voor het eerst sinds haar vijftiende woog ze minder dan vijftig kilo, en haar moeder maakte zich zorgen. 'Eten,' zei ze, 'anders blijft er niets van je over. Vergeet hem. Vergeet hem en eet. Je moet je krachten op peil houden. Denk om Walter.'

Ze dacht ook om Walter. Op de eerste oktober, toen haar moeder niet thuis was, had ze een bespreking met een advocaat uit Yorktown en stelde samen met hem de akte op waarin zijn peetouders als voogd werden aangewezen voor het geval zij kwam te overlijden. De vermaningen van haar moeder waren zinloos. Eten? Ze had haar net zo goed kunnen aansporen tot vliegen. Je at om kracht op te doen, om cellen te vernieuwen, om been- en spier- en vetweefsel op te bouwen, om te leven. Ze wilde niet meer leven. Ze had geen honger. Ze werd misselijk van vlees, kookluchtjes waren haar een gruwel, fruit was walgelijk, groente weerzinwekkend. Melk, cornflakes, brood, rijst, aardappelpannekoeken zelfs – het was haar allemaal gif. Haar moeder maakte vlaaien, doughnuts, eggs Benedict, ze verscheen in haar kamer met een blad eigengebakken crackers en bouillon en kwam mopperend bij haar zitten, haar de lepel voor haar lippen houdend alsof ze een klein kind was, maar het haalde niets uit. Christina dwong zich een hap te nemen, al was het maar om de rimpels glad te strijken in dat vriendelijke, bezorgde gezicht dat boven haar hing, maar de bouillon was als zoutzuur in haar maag, en nog geen uur later stond ze over de toiletpot gebogen, kokhalzend tot de tranen haar in de ogen spatten.

Dokter Braun, de huisarts die haar kinderkoorts had verlicht, haar waterpokken had gedept en haar knie had gehecht toen ze van het steile afstapje van de schoolbus was gevallen, schreef een kalmerend middel voor en dacht dat ze er misschien baat bij zou hebben als ze eens met dokter Arkawy praatte, een collega die psychiater was. Ze had geen zin om te praten. Ze spuugde haar pillen uit, klemde Walter en zijn kleurige, hoopvolle boeken tegen haar borst en zag gezichten, woeste, hatelijke gezichten, met als hatelijkste dat van Truman. Begin november woog ze nog krap veertig kilo.

Ze voedden haar intraveneus in het ziekenhuis van Peterskill, maar ze rukte het infuus uit haar arm zodra ze alleen was. Toen ze haar overbrachten naar het andere ziekenhuis, droomde ze, maar op het kleine stukje tussen de ambulance en de grote zware vestingdeur rook ze duidelijk de rivier. Toen haar armen waren vastgebonden en het levengevende druppelen begon, voelde ze om zich heen het water stijgen. Grijze, kabbelende golfjes, niets dreigends, een rimpeling die uitwaaierde over het brede, rustige oppervlak waarop de boot zachtjes heen en weer deinde, zo zachtjes als de wieg van die baby daar hoog in de bomen op de wind. Ze was ineens samen met Truman, in de tijd ver voor Walter, ver voor het huis in de kolonie, ver voor de scripties en de boeken en de partijbijeenkomsten die haar hand verstrengelden met de zijne. Ver voor die tijd. Ze waren de rivier op gegaan in zijn vaders boot, de boot die naar vis stonk en waarvan de dolboorden waren ingesleten door de duizenden lijnen die geheimen hadden opgehaald van de bodem. Hij had een deken voor haar neergelegd in de boeg, er hing die typische, weeïg-zoete lucht van uitlaatgas, de zon stond hoog, de wind was nagenoeg weggevallen. *Wat is dat*, vroeg ze, *dat daar? Die vooruitspringende punt aan de overkant van de rivier?* Hij zat grijnzend aan het roer. *Kidd's Point*, zei hij, *naar de zeerover. Daarachter ligt de Dunderberg, en recht voor ons ligt wat ze het Paardenrak noemen.*

Ze voelde het water opdringen onder haar. Ze keek stroomopwaarts de rivier af, naar waar de bergen versmolten tot continenten van schaduw en de zeemeeuwen in oceanen van gefilterd licht hingen. *Verderop, om de bocht*, zei hij tegen haar, *ligt een recht stuk tot aan West Point. En daarna komen we in het Martelaars End.* Hij wist daar een eiland, midden in de rivier, prachtige plek, de Storm King aan de ene kant, de Breakneck aan de andere. Misschien konden ze daar aanleggen en gaan picknicken.

Picknicken. Ja, picknicken.

Alleen: ze had geen honger.

ZOONS EN DOCHTERS

Het was de ochtend van Neeltjes zestiende verjaardag, een ochtend als elke andere: vochtig, naargeestig, taai van de sleur. Er moesten eieren worden geraapt, de eenden, ganzen en kippen moesten worden gevoerd. Er was het vuur dat opgestookt moest worden, er was de pap die moest worden gebonden, en ze voelde haar vingers al stijf worden bij de gedachte aan al het spinnen, karnen en malen dat haar wachtte. Haar vader was ergens heen in opdracht van de patroon en werd niet voor de avond terugverwacht, en hoewel het nog maar amper licht was, zat haar moeder al stram achter het vlasspinnewiel, met een rechterarm die werktuiglijk op en neer ging, haar ogen strak op de spindel gericht. Haar zusters, meisjes nog, warmden zich bij het vuur en keken vol verwachting in de pot. Niemand wierp zelfs maar een blik op haar toen ze de *huyck* van de haak lichtte en in haar klompen stapte.

Gekwetst en boos – ze leek wel een zwarte nikkerslaaf van de patroon, zo weinig als iemand zich aan haar gelegen liet liggen – stampte Neeltje de deur uit, stak het erf over en bleef staan om in het gras naar de eieren van die ochtend te zoeken. Het was niet veel wat ze vroeg – een glimlach misschien, een gelukwens met haar verjaardag, een omhelzing van haar moeder – maar wat kreeg ze? Niets. Ze was jarig, en het kon niemand wat schelen. En waarom zouden ze zich ook wat van haar aantrekken? Ze was gewoon een stel handen die hakten en molken en schrobden, een rug die tilde, benen die lasten versleepten. Ze was met ingang van vandaag zestien, een volgroeide vrouw, volwassen, en niemand merkte het verschil.

Verdiept in bittere overpeinzingen, met een rok die al zwaar was van de dauw, bukte ze zich naar de eieren. De ongemolken koeien loeiden nadrukkelijk vanuit de schuur, terwijl een troep haveloze kippen naar haar hielen pikten en hun kop scheef omhoog draaiden om haar verwijtend aan te kijken met hun heldere, vitterige ogen. Van de rivier dreef een mistvlaag haar kant op met een bezinksellucht, de lucht van de doden en drenkelingen, en huiverend trok ze de *huyck* dichter om zich heen. Het volgende moment raapte ze een ei op uit het nieuwe gras tegen de schutting, vond er nog twee onder het afdak van het houtschuurtje en richtte zich op om haar handen af te vegen aan haar schort. En toen – toen ze haar rug rechtte, met het hengsel van de mand in haar armholte, haar handen ineengedraaid in de plooien van haar schort – merkte ze dat er links van haar iets bewoog, daar waar de contouren van de schuur opgingen in de ochtendnevel. Instinctief draaide ze haar hoofd om, en daar stond hij, achteroverhangend op zijn been en met een vage glimlach naar haar kijkend.

'Jeremias?' Ze maakte er een vraag van; haar stem gleed van verrassing omhoog, en ineens was ze zich bewust van haar onbedekte hoofd, de volstrekt alledaagse saaiheid van haar *huyck* en rok, de modderspetters op haar gele boerenklompen.

'Sst!' Hij hield een vinger voor zijn lippen en wenkte haar naderbij alvorens zich terug te trekken in de nevel aan de achterzijde van de schuur. Ze keek tweemaal om zich heen – de koeien protesteerden, de kippen kibbelden, de eenden en ganzen bij de vijver maakten een leven als een oordeel – draaide zich om en ging naar hem toe.

Achter de schuur, tussen opdringend onkruid en struikgewas, in de rond hen opwalmende lucht van koeiemest, pakte hij haar hand en feliciteerde haar met haar verjaardag, dempte toen zijn stem en zei haar de eieren maar te laten liggen.

'De eieren laten liggen? Hoe bedoel je?'

De mist wasemde om hen heen. Zijn glimlach was verdwenen. 'Ik bedoel dat je die niet nodig hebt. Niet meer.' Hij deed zijn mond open om deze onverwachte en nogal cryptische mededeling nader toe te lichten, maar leek zich vervolgens te bedenken. Hij keek omlaag. 'Je weet toch wel waar ik voor kom?'

Neeltje Cats was op de dag af zestien jaar, klein en tenger als een kind, maar zo wijs in de wegen der wereld als haar ondernemende en dichterlijke voorouders, de barden en neringdoenden van Amsterdam. Ze wist waarvoor hij kwam – ze zou het ook geweten hebben zonder dat hij oude Jan de Kitchawank in de afgelopen acht maanden tot driemaal toe bij haar langs gestuurd had om het aan te kondigen. 'Ja, dat weet ik,' fluisterde ze, en ze had het gevoel dat ze, al was het maar voor de vorm, in onmacht zou horen neer te vallen aan zijn voeten of iets dergelijks.

Tijdens zijn stortvloed van welbespraaktheid inzake de eieren had hij haar hand losgelaten, en nu stond hij er onbeholpen bij, met als lege mouwen neerbungelende armen. De koeien loeiden gefrustreerd en ongeduldig hun lijden uit. 'Voel je ervoor?' zei Jeremias ten slotte, zijn woorden richtend tot een boomstam zes meter achter haar.

Of ze ervoor voelde? Ze droomde al maanden van dit moment; gelegen op de ruwe matras tussen haar breeduit slapende zusjes probeerde ze in de inktzwarte nacht zijn beeld voor haar geestesoog te krijgen eer ze wegdommelde (Jeremias, de prins die de ladder van haar lokken zou bestijgen en haar zou bevrijden uit de toren van de toverkol, die draken voor haar zou doden en schurken zou vermorzelen, Jeremias met zijn steenhouwersschouders en zeegroene ogen). Ze had er nooit een moment aan getwijfeld dat hij haar zou komen halen. Ze had het gezien in zijn ogen, in het afhangen van zijn schouders toen hij in zijn uur van vernedering langs haar hinkte en wegstrompelde in de richting van Pieterse's Kil, had het gevoeld in zijn aanraking, gehoord in zijn stem. Toen de oude Jan haar apart nam nadat hij brieven had afgeleverd bij de patroon en voor haar moeder een drietonige groet van haar nicht uit Crom's Pond had gezongen, wist ze, voor er een woord over zijn lippen was, dat Jeremias van Brunt zijn hoogachting en beste wensen liet overbrengen. En ze wist ook dat het briefje dat haar in haar hand werd gedrukt van Jeremias was en dat het haar leven voor haar zou ontsluiten.

Met bonzend hart was ze weggeglipt bij haar rond de wankelende Indiaan verzamelde familieleden en de deur uit gerend naar het huisje. Toen ze uit het zicht was, toen ze zeker wist dat ze buiten het bereik was van de spiedende ogen van haar vader, haar moeder, haar zusters, scheurde ze het briefje open. Er zat een moeizaam neergepend afschrift in van de lofzang van Jacob Cats op de echtelijke ethiek. Ze liet haar ogen vluchtig langs de regels gaan, maar het was niet het gedicht dat haar in beroering bracht, het was het slot. Met een ongeoefende hand had Jeremias in stuntelige blokletters geschreven *Ick sal jou koomen haelen*, en vervolgens had hij onder aan het blad zijn handtekening gezet in een kluwen van lussen en halen. En nu Neeltje daar stond in haar modderige klompen, met haar ongekamde haar, de mand met eieren tegen haar borst geklemd en de slaap nog niet eens goed uit haar ogen, zag ze dat hij woord hield. Of ze ervoor voelde? Ze wilde niets liever.

'Je vader heeft geen hoge dunk van me,' zei hij.

Ze stak haar hand uit en liet die over het litteken gaan dat over de gehele lengte van zijn wang liep. 'Geeft niet,' fluisterde ze. 'Ik wel.'

Er verstreek een volle minuut – een minuut met als enige markering het geloei van de koeien, overgoten met de lucht van rivier en vis – eer hij haar in zijn armen nam. Er was de mist, het kiskiskis van de kippen, de ranzige, ongetemde lucht van het ontwakende seizoen. Toen hij uiteindelijk sprak, was zijn stem dik. 'Zet de mand dan maar neer,' zei hij.

De mand lag daar nog in de modder toen om vier uur die middag Joost Cats afsteeg van de knokige rug van Dondersteen, zijn halfblinde paard, en het zitvlak gladstreek van zijn met zweet doorweekte, verfomfaaide kniebroek. Hij was de hele ochtend in Van Wartwyck doende geweest om te bemiddelen bij het zoveelste conflict tussen Hackaliah Crane en Reinier Outhuyse – dit keer over de vraag wat er moest gebeuren met een magere slapbuikige zeug die de yankee had gevangen toen het beest bezig was zijn zaaiuien uit de grond te wroeten – waarna hij zich huiswaarts had gespoed met het beste paar Färöer-kousen dat Jan Pieterse in voorraad had als cadeautje voor Neeltje ter gelegenheid van haar verjaardag. Toen hij met zijn amechtige paard de schuur in liep, terugdenkend aan Reinier Outhuyse, die, met weer het nodige te veel op, voor de yankee op zijn knieën was gevallen en hem als een vader die opkomt voor zijn kind had gesmeekt het leven van het varken te sparen ('Dood hem niet, doe mijn kleine *Speulnoot* geen kwaad, hij bedoelde het niet zo, hij is nog nooit stout geweest, zeg het maar, ik betaal wat je vraagt'), kwamen zijn twee jongsten uit het huis te voorschijn gehold, maaiend met armen en benen, hun gezichtjes stralend van rampspoedige vreugde. 'Vader! Vader!' piepten ze in ademloze eendracht, 'Neeltje is weg!'

Weg? Waar hadden ze het over? Weg? Maar het volgende moment zag hij zijn vrouw in de deuropening, zag de blik op haar gelaat en wist dat het waar was.

Aangevoerd door de fladderende Trijntje en de in vervoering geraakte Ansje liepen ze gevieren om de schuur heen teneinde zich over de omgevallen mand te buigen, over de modderige sporen in de grond en de kapotte eieren. 'Zijn het de *Indianen* geweest?' riep Ansje. 'Hebben ze haar ontvoerd om een blanke squaw van haar te maken?'

Krom als een sikkel, met zijn plukje kinhaar tussen zijn vingers, probeerde Joost zich er een voorstelling van te maken: naakte rode demonen die uit het struikgewas te voorschijn slopen om zijn weerloze kleine Neeltje neer te knuppelen, een ruwe hand die haar de mond snoerde, de stinkende hut en de mottige bontlappen, de rij vettige bronstige krijgers die elkaar verdrongen voor de deur... 'Wanneer?' prevelde hij, zich omdraaiend naar zijn vrouw.

Geesje Cats was een stugge vrouw, een heuploze, vleesloze, uitgeteerde vrouw die slechts dochters ter wereld bracht en de last van haar leven leek te tillen met haar mondhoeken. 'Vanochtend,' zei ze, en haar oogopslag was met angst doorstoken. 'Trijntje heeft hem gevonden – de mand. We hebben overal geroepen.'

De modder was getekend met sprakeloze monden die de schout niets zeiden. Terwijl hij omlaagkeek naar die treurige, ondersteboven liggende mand en het weggelopen eigeel dat in de aarde leek te klauwen als de vingers van een grijpende hand, beleefde hij de taferelen van geweld en verdorvenheid weer die hij in de zeven jaar dat hij nu schout was had meegemaakt, verdronken mannen en neergestoken mannen die voor zijn ogen kwamen bovendrijven, misbruikte, ontredderde, geschonden vrouwen, beenderen die door het vlees staken en ogen die nooit meer zouden zien. Toen hij opkeek was zijn stem een schreeuw. 'Hebben jullie in de boomgaard gezocht?' vroeg hij. 'Bij de rivier? De vijver? Hebben jullie geïnformeerd bij het huis van de patroon?'

Geschrokken en beschroomd sloegen zijn vrouw en dochters hun ogen neer. Dat hadden ze. Ja, vader, ja, echtgenoot, dat hadden ze.

Goed, maar waren ze ook bij De Groot geweest, bij Cooper, bij Van Dincklagen? Bij de herberg? Het veer? Het weiland, de stal, Van der Donks heuvel?

Het was zachtjes gaan regenen. De tienjarige Ansje begon te snotteren. 'Goed!' riep hij, 'goed, dan ga ik naar de patroon.'

Toen Joost zijn opwachting maakte, zat de patroon aan zijn avondmaal, voorovergebogen boven een bord bieten in het zuur, kaas en een elft in roomsaus die hij met een vies gezicht naar binnen zat te schuiven als om het verschil te beklemtonen tussen dit en Zuyder Zeeharing. De onbelaste hand van de patroon was omzwachteld met verband tegen de messteken van zijn jicht, en zijn gelaatskleur was verdiept tot die van een zeldzame wijn. Vrouw Van Wart, iemand die zich toelegde op de ontzegging des vlezes, zat stijfjes naast hem met één enkele droge korst voor zich, terwijl de weduwe van zijn broer en haar dochter Mariken op de harde bank tegenover haar zetelden. De *joncker*, met een kanten kraag zo groot als een wiel Goudse kaas, bezette de ereplaats aan het hoofd van de tafel. 'God in den hemel!' riep de patroon uit. 'Wat is er zo dringend dat het geen uitstel kan lijden, Cats?'

'Het gaat om mijn dochter, *Mynheer*: ze is verdwenen.'

'Hoe dat zo?'

'Neeltje. Mijn oudste. Ze is vanmorgen de deur uit gegaan om haar karweitjes te doen en sindsdien is ze spoorloos.'

De patroon legde zijn vork neer, pakte een brood uit het tinnen mandje voor hem en draaide het rond in zijn hand als was het het enige onthullende stuk bewijsmateriaal dat was achtergebleven op de plek des onheils. Joost bleef lijdzaam staan wachten terwijl het hoogrode mannetje het brood brak en dik beboterde. 'Heb je, eh, contact opgenomen met de andere, eh, pachters?' steunde de patroon met zijn dorre, krachteloze stem.

Joost stond zich op te vreten – dit was het moment niet voor de formaliteiten van een bedaard onderzoek. Ze hadden zijn dochter, zijn alles, het vreugdevolle middelpunt van zijn bestaan, en hij moest en zou haar terug hebben. 'Het zijn de Kitchawanks,' riep hij eensklaps, 'ik weet het zeker. Die hebben haar gegrepen' – hier brak zijn stem met een snik – 'gegrepen toen ze, toen...'

Zodra hij begreep dat er Indianen in het spel waren, sprong de *joncker* overeind. 'Heb ik het u niet gezegd?' brulde hij zijn vader toe. 'Die schooiers in hun dekens. Inboorlingen, misdadigers, ongedierte, gajes. We hadden ze twintig jaar terug al de rivier in moeten jagen.' Met twee grote passen liep hij door de kamer en lichtte de *haeckbusse* van de muur.

De patroon was inmiddels op zijn jichtige voeten gaan staan, en de dames drukten een bepoederde hand tegen hun mond. 'Maar, eh, wat moet dat, mijn zoon?' piepte de patroon enigszins ongerust. 'Wat denk jij ervan?'

'Wat ik ervan denk?' snerpte de *joncker*, terwijl het bloed hem naar het gezicht steeg. 'Ze hebben de dochter van een eerzaam man verkracht, vader!' De *haeckbusse* lag ongeveer zo gemakkelijk in de hand als een aanbeeld en woog twee keer zoveel. Hij hief het ding in één enkele gebalde vuist boven zijn hoofd. 'Uitroeien zal ik ze, vernietigen, ik schiet ze af als vossen, als ratten, als, als...'

Op dat moment werd er op de deur geklopt.

Het eerbiedige hoofd van de getatoeëerde slaaf verscheen tussen de eikehouten deur en de gewitte muur eromheen. 'Een roodhuid, *Mynheer*,' zei hij met zijn kromme tongval. 'Zegt dat hij een boodschap heeft voor de schout.'

Eer patroon of *joncker* enig bevel had kunnen geven, vloog de deur open en wankelde de oude Jan de kamer binnen onder verschrikt gegil van de dames. Jan droeg een rafelige *casack*, doorgesleten op de ellebogen en bij de schouders, en had een oude, gedeukte *caubeen* op zijn hoofd waar de halve rand af was. Zijn lendendoek hing neer van zijn heupen als een tong, zijn benen waren bespat met modder en zijn mocassins zagen zo zwart als het slijk van de oesterbedden in de Tappan Zee. Geruime tijd bleef hij daar licht wiegend staan, knipperend in het licht van de kaarsen die rondom in de kamer hingen.

'Nou, Jan,' piepte de patroon, 'zeg het maar.'

'Bier,' zei de Indiaan.

'Pompey!' riep vrouw Van Wart, en de zwarte kwam terug. 'Bier voor de oude Jan.'

Pompey schonk in, Jan dronk. De patroon keek verward, de schout bezorgd, de *joncker* woedend. Mariken, die als kind Neeltjes vriendinnetje was geweest, keek toe met een gezicht zo strak en bleek als dat van een mimespeelster.

De oude Indiaan zette de kroes neer, concentreerde zich een ogenblik en begon toen een langzame schuifelende dans rond de tafel, ondertussen zingend *Aj-jah, nè-nè, Aj-jah, nè-nè*. Na dit een vijftal keren te hebben herhaald, zong hij zijn boodschap – drietonig en in dezelfde maat:

> Doch-tè, doet-u,
> Groe-tè, nè-nè.

En toen stopte hij. Met zingen en met dansen. Hij stond roerloos, als een figuurtje in een klokketoren nadat het uur geslagen heeft. 'Drank,' zei hij. 'Jenever.'

Maar dit keer kreeg Pompey de kans niet te reageren. Eer hij zelfs maar gelegenheid had gehad zijn blik op te slaan naar de patroon om diens permissie te vragen, laat staan om de stenen kruik te pakken en uit te schenken, had de *joncker* de Indiaan plat tegen de muur gedrukt. 'Waar is ze?' eiste hij te weten. 'Gaat het om losgeld, gaat het jullie daarom? Nou?'

'Laat hem los,' zei Joost, en hij pakte Stephanus bij de arm en wrong zich tussen hen in. 'Jan,' zei hij, met stokkende stem, 'wie zit erachter? Wie heeft haar? Mohonk? Wappus? Wennicktanon?'

De Indiaan keek strak naar zijn voeten. Er zat een vieze veeg op zijn wang. Hij stond te pruilen als een kind dat zijn zin niet krijgt. 'Niet meer,' zei hij.

'Niet meer? Je bedoelt dat je verder niets te melden hebt?'

'Luister jij eens, schurk,' begon Stephanus; hij wilde hem weer te lijf gaan, maar Joost weerhield hem.

'Maar – wie heeft je de boodschap dan gegeven?'

De Indiaan keek de kamer rond alsof hij het zich probeerde te herinneren. Op de achtergrond hoorde Joost vrouw Van Wart uitvaren tegen haar man met een afgemeten, schraperige stem. 'Zelf,' zei Jan ten slotte.

'Neeltje?'

De Indiaan knikte.

'Waar is ze? Waar was ze toen ze je de boodschap gaf?'

Dat lag ingewikkelder. Joost schonk Jan een tinnen beker jenever in terwijl de *joncker* vuur spuwde en de patroon en zijn vrouw en schoonzus en nichtje zwijgend toekeken, alsof ze in de schouwburg zaten. Plotseling maakte de Indiaan met zijn vlakke hand een hakbeweging door de lucht; vervolgens liet hij twee vingers loopbewegingen maken.

'Wat?' vroeg Stephanus.

'Zeg op, man,' kraakte de patroon.

Alleen Joost had het begrepen, en een verbijsterd moment hield hij zijn inzicht vast, zoals iemand die gestoken is het heft van het lemmet in zijn buik soms vasthoudt. De Indiaan had het teken van de hinkepoot gemaakt, degene met het halve been – het teken voor Jeremias van Brunt.

Eer de honden hun snuit hadden opgericht uit het nest van hun voorpoten of de haan kans had gehad de slaap uit zijn vleugels te rekken, zadelde Joost de volgende ochtend zijn kribbige, onwillige Dondersteen en ging op pad naar Nysenswerf. Hij kreeg gezelschap van de *joncker*, die blijkbaar ineens een hartstochtelijke belangstelling voor het welzijn van zijn dochter had opgevat, en hij had een tweetal duelleerpistolen bij zich die de patroon plechtig had opgediept uit een kist in de hofstedelijke slaapkamer (naast uiteraard het verzilverde rapier dat al eerder zo'n verwoesting had aangericht in de fysionomie van de jonge Van Brunt). De *joncker*, gekleed in een zijden wambuis, dubbele manchetten en een nachtblauwe *casack* met bijbehorende kniebroek, had de onhanteerbare *haeckbusse* verruild voor een met schrot geladen jachtgeweer en een Florentijnse ponjaard die eruitzag als een chirurgijnsinstrument. Ter completering van het ensemble droeg hij een met juwelen bezet rapier aan zijn zijde, een slappe hoed waarboven zich een gele pluim van een meter hoog verhief en zoveel zilveren en koperen gespen dat hij, gezeten op zijn kieskeurig voortschrijdende rijdier, rinkelde als een zak munten.

Het was een typische aprildag in het Hudson-dal – schraal en druilerig, er stegen dampen op alsof de aarde haar laatste adem uitblies – en ze vorderden maar langzaam op de gladde weg langs de rivier. De ochtend liep al op zijn eind toen ze het groepje gebouwen passeerden dat later zou uitgroeien tot Peterskill en rechtsaf sloegen de Van Wartweg op. De schout, ineengedoken in het zadel, had weinig op te merken. Meedeinend en -slingerend met het eigenzinnige ritme van zijn paard concentreerde hij zich met zoveel intensiteit op het beeld van Jeremias van Brunt dat de hele wereld erin opging. Hij zag de waakzame katteogen, enigszins toegeknepen tegen het offensief van de zomerzon, zag de hoekige kaak en de provocerende spotlach, zag de kling neerkomen en het bloed vloeien. En hij zag Neeltje neerknielen bij de gevelde renegaat en woedend opkijken naar hem, haar vader, alsof hij de onverlaat was, de indringer, de schender van de wetten van God en mens. Was ze dan misschien vrijwillig met hem meegegaan? Zat het zo? Bij die gedachte ging hij dood vanbinnen.

Hoe weinig spraakzaam Joost ook was, de *joncker* merkte er niets van. Vanaf hun vertrek uit Croton, en tot ze de door het regenwater gezwollen Van Wart-rivier doorwaadden en Joost hem tot zwijgen maande met een autoritair tegen zijn lippen gelegde vinger, betoonde hij zich een ware spraakwaterval. Stephanus, die zijn licht had laten schijnen over, onder meer, zulke onderscheidene kwesties als het Indiaanse vraagstuk en de poëzie van Van den Vondel, en die, ondanks de weinig gunstige weersomstandigheden en de dodelijke ernst van hun expeditie nog geen vijf minuten eerder een populair wijsje had ingezet, liet zich nu met een spiedende blik van zijn paard glijden. Joost volgde zijn voorbeeld, steeg af en leidde zijn paard tegen de steile, glibberige heuvel omhoog naar Nysenswerf. Natte takken sloegen hen in het gezicht, de *joncker* verloor zijn evenwicht en krabbelde overeind met een streep modder van zijn tenen tot zijn kruin, horden muggen rukten hun neus en mond binnen en bestookten hun ogen. Ze waren halverwege toen het ophield met zachtjes regenen.

Het was stil rond het huis. De schoorsteen rookte niet, er scharrelden geen dieren rond op het erf. Het stortregende. 'Wat denkt u ervan?' fluisterde de *joncker*. Hij had de *casack* dicht om zich heen getrokken en het water stroomde van de rand van zijn hoed.

Joost haalde zijn schouders op. Zijn dochter was daarbinnen, zoveel was zeker. Binnen, waar ze hem tartte, verraad pleegde, in de armen van die afvallige, die lange-neuzentrekker, die onkraakbare noot. 'Hij heeft haar met geweld geroofd,' fluisterde Joost. 'Geen genade met hem.'

Omzichtig liepen ze op het huis toe. Joost voelde de bagger aan zijn laarzen zuigen; de pluim hing hem druilerig in het gezicht en hij zwiepte het ding terug met een druipende, nijdige handbeweging. Toen trok hij zijn rapier. Hij keek over zijn schouder naar de *joncker*, die hetzelfde deed, want met dit natte weer waren de vuurwapens toch onbruikbaar. Er drupte water van het puntje van de welgevormde neus van de *joncker*, de gele pluim kleefde in zijn nek als iets wat uit de rivier gevist is, en er lag een eigenaardige, verwachtingsvolle blik in zijn ogen, alsof hij op vossejacht was of duiven schoot. Ze waren nog een meter of zes van de deur verwijderd toen een plotselinge uitbarsting van geluid hen deed verstijven. Jawel, er was iemand binnen, en diegene zong, een tekst zo vertrouwd als een slaapliedje in het oude Amsterdam:

> Goedenavond, Joosje,
> Mijn snoepdoosje,
> Kus me, we zijn alleen...
> ... Je bent mijn hartje, mijn troost, mijn schatje.
> O, o! Wat heb ik jou te pakken!

Er klonk gegiechel, gevolgd door Neeltjes hese alt (onmiskenbaar en onbetwijfelbaar, de schout kende die stem zo goed als de zijne) die opsteeg uit de regen voor een reprise van de slotregel – 'O, o! Wat heb ik jóú te pakken!' – begeleid door petsend applaus.

Dat was het, het breekpunt, het moment dat zijn ergste angsten en bangste vermoedens bevestigde. Zonder verder nog na te denken beende de schout het erf over en de deur door, zwaaiend met het rapier als was het het zwaard van een aartsengel en 'Hel en verdoemenis!' sputterend.

Het was donker in de kamer, en zo koud en vochtig als in een grot; het stonk er als een varkenskot, en het water viel binnen haast even onbelemmerd neer als buiten. Joost zag een primitieve tafel, een muur waaraan keukengerei hing, de koude haard en daar, aan de overzijde van het vertrek, het bed. Waar ze in lagen. Samen. Nog in hun nachtkledij en onder een berg riekende bontvellen. Hij zag het gezicht van zijn dochter als een bleke vlek in het duister, haar mond geopend om te gaan gillen, haar ogen teruggetrokken in haar hoofd. 'Slet,' brulde hij. 'Viezerik, hoer, vrouw van Babylon! Sta op uit je zondig bed!'

Het volgende moment gebeurde er van alles tegelijk: het halfbloedje sprong uit de schaduw te voorschijn als een kat en stoof de kamer door om zich te verschuilen achter zijn oom; de superieur grijnzende *joncker* verscheen in de deuropening met zijn zwaard in de hand; er viel een kookpot van de muur; Neeltje gaf een gil. En Jeremias, overrompeld zonder de houten pen die hem anders stutte, stond op uit het bed en kwam op de schout af met een vooringenomen blik in zijn ogen.

Geen houw dit keer, maar een stoot gericht tegen het leven: de schout zette zich schrap en joeg zijn arm naar voren, en daarmee zou hij Jeremias hebben gespietst als een worst – en zijn dochter beroofd van eer én echtgenoot hebben achtergelaten – ware het niet dat Jeremias uitgleed. Uitgleed en als een blok tegen de grond sloeg, terwijl de punt van het rapier boven zijn hoofd danste als een nijdige horzel.

Nu was Joost Cats een redelijk man, afkerig van driftbuien en gewelddadigheid, veel gelukkiger met zijn rol van bemiddelaar dan met die van afdwinger. Hij had medelijden gehad met de jonge Van Brunt op die ijskoude novemberdag toen die hobbezakkerige dienstklopper van een *commis* hem, de schout, had meegesleept naar een kale wildernis om een half verhongerd kind te verwijderen van een waardeloos, onzalig stuk land, hij had zich opgelaten en beschaamd gevoeld toen hij bij Meintje van der Meulen voor de haard stond met zijn pluimhoed in de hand, en hij had oprecht spijt van het brandmerk dat hij in het gezicht van de jongen had gehouwen. Maar dat nam allemaal niet weg dat hij hem wilde doden. Hij keek zijn dochter in de ogen en toen omlaag naar dat stuk menselijk vuilnis dat haar had meegesleurd, en hij wilde op hem in hakken, hem doorboren, zijn hart, zijn lever, zijn longen en blaas en milt doorsteken.

De eerste stoot was dan misschien impulsief geweest, de tweede was een ontketening. Schuld, woede, angst, rancune en naijver braken in hem los, en hij joeg het gevest naar voren met alle kracht die in zijn gestrekte arm zat. Jeremias dook weg. Hij rolde naar rechts, Neeltje schoot overeind van het bed met gespreide armen, de *joncker* stormde de kamer binnen, het kind zette een keel op, de regen stortte crescendo neer op het dak. 'Duivelsjong!' vloekte Joost, en hij sloeg ten derden male toe, maar weer bedroog zijn zwaardpunt hem; hij miste ruim en zijn zwaard boorde zich in de aangestampte natte aarde op de grond.

Hij maakte zich op voor de vierde, fatale stoot toen Neeltje zich in het strijdgewoel mengde, zich boven op Jeremias wierp en gilde: 'Steek mij dan dood! Steek mij dan dood!' Joost, dubbelgevouwen, met een moordende pijn in zijn rug, was alle rede en reserve voorbij, en hij stelde zijn voornemen niet langer uit dan nodig was om haar met zijn vrije hand ruw opzij te trekken. Ze haatte hem, zijn eigen dochter, een ontbloot gebit, klauwen die aan zijn mouw rukten, maar het deerde hem niet. De kling flitste in zijn hand en hij dacht slechts aan de volgende stoot en de daaropvolgende en de daar weer op volgende – hij zou een speldenkussen maken van die rotzak, een zeef, een vergiet!

De blik van Joost werd vertroebeld door het rode waas voor zijn ogen: de rol van het rapier was uitgespeeld. Want in de verwarring had Jeremias zich overeind gehesen op zijn voeten (of liever: voet) en een primitief wapen van boven de haard gegrist. Het wapen, dat ook in die tijd nog slechts curiositeitswaarde had, was een pogamoggan, een soort goedendag, afkomstig van de Weckquaesgeeks. Het bestond uit een buigzaam eind kersehout, aan de punt waarvan met leren riemen een hoekig stuk graniet van een pond of vijf was bevestigd. Jeremias haalde er één keer mee uit en trof de schout net achter diens oor, waarna Joost onderging in de aangolvende, hechte duisternis van een droomloze slaap en Jeremias zich schrap zette voor de confrontatie met de *joncker*.

De man op wie de Van Wart-concessie bij versterf zou overgaan keek als iemand die is weggedommeld in zijn loge in de concertzaal en wakker schiet als toeschouwer van een berebijt. Op het moment dat de schout vooroversloeg was de grijns op het gezicht van de *joncker* verdwenen. Hier had hij niet op gerekend. Dit was stuitend, primitief, dierlijk – niet bepaald het soort schouwspel waar een geletterd man naar uitziet. Hij richtte zich op in zijn volle lengte en probeerde het gezag uit te stralen van zijn vader, de patroon, wiens rechten, privileges en verantwoordelijkheden eens de zijne zouden worden. 'Leg onmiddellijk uw wapen neer,' eiste hij met een stem die klonk als die van een ander, 'en onderwerp u aan het wettelijk aangesteld gezag van de patroon.' Hij liet zijn stem zakken. 'U bent mijn gevangene.'

Neeltje zat inmiddels over haar vader gebogen en drukte hem een zakdoek tegen het hoofd. Het kind was opgehouden met zijn onchristelijke gekrijs en Jeremias had steun gezocht bij een stoelleuning. De knots, verzwaard met menselijk haar en bloed, bungelde omlaag in zijn hand en het litteken stak scherp af in zijn gezicht. Hij gaf geen antwoord. Hij wendde zijn gezicht af en spuwde.

'Vader, vader,' huilde Neeltje. 'Weet u niet waar u bent? Ik ben het. Uw Neeltje.' De schout kreunde. De regen roffelde op het dak. 'Met alle respect, *Mynheer*,' zei Jeremias, met een stem waarin de moeite doorklonk die het hem kostte om zich in te houden, 'de melkkoe is dan misschien uw bezit, de grond onder mijn voeten, het huis dat ik met mijn eigen handen gebouwd heb, maar Neeltje is uw bezit niet. En ik evenmin.'

De *joncker* hield de kling voor zich uit als was het een hengel of een wichelroede, alsof hij niet wist wat hij ermee moest doen. Hij was doorweekt, vuil en ontoonbaar, de gezagdragende pluim hing futloos over de rand van zijn hoed. Desondanks was de hautaine grijns weer terug op zijn gezicht. 'O, jawel,' zei hij, zo zachtjes dat hij amper verstaanbaar was, 'dat bent u wel.'

Daarop gooide Jeremias achteloos de strijdknots over zijn schouder, waar het ding onder het gewicht van de steenklomp doorboog als de zwengel van een katapult. De deur stond nog steeds open, en de oergeur van het land drong door in zijn neusgaten, een geur van vitaliteit en verval, van geboorte en dood. Hij keek de *joncker* recht in zijn gezicht. 'Kom me maar halen,' zei hij.

Twee weken later, op een middag in mei zo zacht en hemels als die waarop ze elkaar hadden leren kennen tussen de pelterijen en okshoofden van Jan Pieterse's handelsnederzetting, werden Neeltje Cats en Jeremias van Brunt in de echt verenigd door een timide, ernstige dominee Van Schaik, op nog geen tien meter van waar Katrientje begraven lag. Het bruiloftsfeest was naar aller mening een doorslaand succes. Meintje van der Meulen had drie dagen achtereen staan bakken, en haar man Staats had een paar schraagtafels neergezet groot genoeg om plaats te bieden aan alle drinkebroers en smulpapen van Sint Sink tot Ronduit. Reinier Outhuyse en Hackaliah Crane begroeven de strijdbijl voor een dag en dronken zij aan zij op de gezondheid van de bruid. Er was wild en vis en kaas en kool, er waren pasteien en vlaaien en stoofschotels. En drank: 'Sopus-bier, cider en jenever uit een stenen kruik. En muziek. Wat zou een bruiloft zijn zonder muziek? De jonge Cadwallader Crane kwam met een benen fluitje, vrouw Outhuyse met haar majestueuze achterwerk en een *bombas* met een varkensblaas bij wijze van klankkast; iemand anders had een luit bij zich en weer een ander een stel gelakte stokken en een omgekeerde ketel. Mariken van Wart kwam uit Croton en danste de hele middag met Douw van der Meulen, Staats zwierde met Meintje rond op de wijs van 'Snachts rusten meest die dieren' en de oude Jan de Kitchawank danste met een kruik tot de zon achter de bomen zakte. Neeltjes zusters waren uitgedost als poppen, haar moeder huilde – hetzij van vreugde, hetzij van verdriet, dat wist niemand – en de patroon stuurde Ter Dingas Bosyn, de *commis*, als zijn officiële vertegenwoordiger. Maar het hoogtepunt van de dag, vond iedereen, was het moment waarop de schout, gekleed als voor een begrafenis en zo recht als zijn aandoening toeliet, met een sneeuwwit verband om zijn hoofd en zijn goede leren laarzen aan de voeten, resoluut het erf over beende en de bruid ten huwelijk gaf.

Toen ongeveer drie maanden later Mohonk, zoon van Sachoes, op de stoep van het boerderijtje op Nysenswerf stond, was Jeremias een ander mens. Verdwenen was de verwilderde oogopslag van de rebel, de vertrapte, het ontembare beest, en er was een blik voor in de plaats gekomen die alleen maar kan worden beschreven als tevreden. En Jeremias was ook inderdaad nog nooit zo gelukkig geweest. De gewassen gedijden, de herten waren terug, de optrek was gepromoveerd tot woonstee door de aanbouw van een tweede vertrek, de toevoeging van zowel functioneel als voor het oog aangenaam meubilair en dat kenmerk bij uitstek van beschaafd wonen: een schone, geschaafde en met zand bestrooide houten vloer die zich een volle vijftig centimeter verhief boven de koude donkere aarde eronder. En dan was daar natuurlijk nog Neeltje zelf. Zij was een stem in zijn hoofd, zo aanwezig dat ze nooit bij hem weg was, ook niet als hij voortdobberde in de kano of over de afgesleten heuveltoppen dwaalde met een van Staats geleend musket; ze had zich aan hem gehecht als een tweede huid, elk moment van de dag een bron van heil en genezing. Ze was een moeder voor Jeremy, bestierde het huishouden, spon en naaide en kookte, wreef hem de krampachtigheid uit zijn schouders, zat naast hem aan de rivier terwijl de vissen voorbijschoten in de ondiepten en de blauwe schaduwen zich sloten boven de bergen. Ze had zich verzoend met haar vader, bakte beignets die niet onderdeden voor die van moeder

Meintje en schoof net zo lang met de meubels in de voorkamer tot die eruitzag als een burgermanssalon in Schobbejacken. Zij was alles wat het leven kon bieden, en meer. Veel meer: ze was in verwachting.

Dat alles zag de Indiaan in het gezicht van Jeremias toen de deur openging. En even snel zag hij het eruit wegtrekken. 'Jij,' brieste Jeremias. 'Wat moet jij hier?!'

Mohonk was magerder dan ooit, zijn gezicht gekreukt en doorgroefd van de drank. Hij was een neus, een adamsappel, twee zwarte, starre, diepliggende ogen. 'Astoeblief,' zei hij, 'dankoekeendank.'

'Wie is er aan de deur?' riep Neeltje van achter uit het huis. Ze hadden net gegeten – erwtensoep, brood, kaas en bier – en zij was bezig Jeremy in bed te doen. De dichter wordende schemering had het huis in duisternis gehuld.

Jeremias gaf geen antwoord. Hij stond daar en liet zijn stemming bederven. Daar had je hem dan, die wilde vervuilde heidense gluiper die zijn zus in het ongeluk had gestort en haar daarna had verlaten. Daar stond hij, smerig en haveloos, spichtig als een waadvogel, en zijn Nederlands was nog net zo beroerd als vier jaar terug. 'Er is hier niets voor jou te halen,' zei Jeremias, articulerend als een spraakleraar, elke lettergreep kort afgebeten en duidelijk. 'Maak dat je wegkomt.' Op dat moment voelde hij naast zich iets bewegen, en toen hij omlaagkeek zag hij Jeremy naast zich staan. De jongen kon zijn verbijsterde ogen niet afhouden van die wonderlijke verschijning in de wasberebontjas.

'Astoeblief,' zei Mohonk nog maar eens, waarna hij zijn hoofd omdraaide om iets te roepen in de tongval van de Kitchawanks, woorden die als kiezels ronddraaiden in zijn mond.

Daarop stapten twee Indianen te voorschijn uit de schaduwen bij de hoek van het huis. Een van hen was de oude Jan, breed grijnzend en met lappen van vettig hertsleer en een moeraslucht om zich heen. De andere was een jonge krijger die Jeremias wel eens eerder gezien had bij Jan Pieterse. Het gezicht van de krijger was beschilderd, en tussen de vingertoppen van zijn rechterhand hield hij, losjes als was het een speeltje, een met de kruinveren van tangare en gors opgesierde tomahawk. Jeremias bukte zich instinctief en trok zijn neefje terug de kamer in. 'Heb je een boodschap voor me?' vroeg Jeremias, zijn blik verleggend van de krijger naar Jan.

Ze bleven beneden aan de veranda staan. De krijger had geen uitdrukking op zijn gezicht. Jan grijnsde. Mohonk trok de jas dichter om zich heen alsof hij het koud had. 'Ja,' zei de oude Jan ten slotte, 'ik heb boodschap.'

Neeltje was inmiddels achter haar echtgenoot komen staan, en ze klemde Jeremy tegen haar rok, hem zachtjes heen en weer wiegend. In het westen zonk het licht weg.

Jan bleef maar grijnzen, alsof hij zozeer de hoogte had dat hij boven de aantrekkingskracht der eenvoudige dronkenschap was uit gestegen naar een rijk van licht en ijlhoofdigheid. 'Van hem,' zei hij, proestend naar Mohonk wijzend. 'Van Mohonk, zoon van Sachoes.'

De zoon van Sachoes gaf geen krimp. Jeremias keek hem een ogenblik strak aan en wendde zich toen weer tot Jan. 'Nou?' wilde hij weten.

Ineens liet de oude Kitchawank zijn hoofd zakken en begon hij met zijn voeten te schuifelen. 'Aj-jah, nè-nè,' klonk het, 'Aj-jah, nè-nè,' maar Mohonk snoerde hem de mond. Hij zei iets met een stem zo snerpend en snel als geweervuur, en knipperend met zijn ogen richtte de oude Jan zijn hoofd op. 'Hij wil zijn zoon terug.'

Als het niet zo'n verzopen drietal was geweest, als de oude Jan niet was opgebrand ten gevolge van de jaren, de pokken en de vloek van het vuurwater, als Mohonk niet zo gedegenereerd en zwakhoofdig was geweest en als de krijger zijn verstand erbij had kunnen houden, was alles misschien anders afgelopen. Maar de situatie was zoals zij was, en ze maakten een beslissende fout. Jeremias, in woede ontstoken bij het idee alleen al, schoof zijn ene vlakke hand over de andere, zei voor alle duidelijkheid 'Nooit' en deed een stap terug om de deur voor hun neus dicht te slaan; dat was het moment waarop de jonge krijger in actie kwam met zijn tomahawk. Het wapen vloog door de lucht met een dodelijk zoefgeluid, maar het schampte af op de rand van de deur en viel midden in de kamer op de grond zonder enige schade te hebben aangericht. Er was een vlietend ogenblik – een fractie van een fractie van een seconde – waarop de Indianen elkaar berouwvol en diep beschaamd aankeken, en vervolgens bestormden ze de deur.

Of liever gezegd: de krijger stormde naar voren. Mohonk wrong zijn lange, in een vuile mocassin geschoeide platvoet tussen de deur en het kozijn, terwijl de oude Jan zijn evenwicht verloor en met een verbaasde knor neerplofte op de grond.

In reactie op de dreiging knalde Jeremias de deur tegen de voet van zijn voormalige zwager, en toen de deur contact maakte met dat knokige uitsteeksel en terugschoot, voelde hij in zijn rechterhand ineens de eerbiedwaardige pogamoggan (Neeltje had die, haar vader indachtig, van boven de haard gepakt en hem Jeremias in de hand gedrukt). De eerste die door de deuropening gestruikeld kwam was de krijger, met uitgelopen oorlogskleuren waar het onzekere gezicht van een vijftienjarige onder bleek te zitten; hij kreeg de klomp graniet vol in zijn buik en viel naar adem snakkend op de grond, waar hij rondkronkelend enige minuten een imitatie ten beste gaf van een paling in de pan. Vervolgens kwam Mohonk, die op één been naar binnen hinkte en de kloppende voet van het andere met beide handen omvat hield. Jeremias haalde zonder veel overtuiging naar hem uit, maar hij miste en sloeg een wolk splinters van de muur.

Toen werd de situatie grimmig. Want de in zijn waardigheid gekrenkte Mohonk zette knarsetandend de pulserende voet neer en haalde een benen mes te voorschijn van tussen de schuldeloze plooien van zijn wasberebontjas. En deze zelfde Mohonk – minnaar en verleider van zowel meisje als squaw, verwekker van Jeremias' neefje, echtgenoot van zijn geliefde dode zuster – kwam vervolgens op Jeremias af met moordlust in zijn hart.

Als Jeremias eraan terugdacht, herinnerde hij zich het gevoel van dat primitieve wapen in zijn hand, de veerkracht van de kersehouten steel toen de steenklomp als vanzelf uitschoot, de dodelijke, kleffe, definitieve dreun die de schedel van de Indiaan plette als een rotte pompoen. Hij herinnerde zich ook de uitdrukking in de ogen van zijn neefje – de jongen, te klein om te weten wie die uitgemergelde neerstortende reus was, reageerde niettemin met een uitdrukking die een leven lang mee zou gaan – en vervolgens de krabachtige aftocht van de vernederde krijger en de eindeloze, amechtige, door merg en been snerpende rouwklacht van de oude Jan.

Mohonk, de laatste vrucht van Sachoes' lendenen, was geveld.

Het speet Jeremias. Het speet hem werkelijk. Maar hij had gedaan wat ieder ander onder deze omstandigheden zou hebben gedaan: zijn huis en zijn gezin waren bedreigd, en hij had ze verdedigd. Geschrokken en boetvaardig legde hij naderhand het lijk op de tafel en liet de schout erbij halen. Uren later was de oude Jan het eentonige gejammer van zijn eigen door de drank gebarsten stem moe en ging hij, brenger van een droeve tijding, op pad naar de nederzetting van de Kitchawanks bij de Indiaansche Hoeck.

De volgende ochtend, zo vroeg dat de kleur nog moest terugkeren op aarde, kwam Wahwahtaysee de Vuurvlieg, volledig krom en zo te zien nog weer een eeuw ouder geworden, het lijk ophalen. In de hele omgeving, van Croton tot aan het Suycker Broodt, zouden de Indianen moeten boeten voor deze aanslag op de blanken – daar zou de schout wel voor zorgen, en Wahwahtaysee wist het. Haar volk had geleefd met de Mohawks, met de Nederlanders, met de Engelsen. Woede haalde niets uit. Wraak betekende weerwraak, wraak betekende uitroeiing. Zo ging dat nu eenmaal met de mensen van de wolf. Verraad. Bedrog. De onbevangen glimlach en de dolkstoot in de rug. Ze was niet bitter, ze begreep het alleen niet.

Toen ze daar stond in de duistere kamer in dat onzalige huis, een geur verspreidend zo wild en onverdrijfbaar als het spoor van de boombewoner, de gebuidelde, het witte dier waar ze hem aan ontleende, haar oeroude lijkzang jammerend en het vlees van haar zoon balsemend met de zalven en harsen der goden, keek ze op en zag een kleine, donkerogige gestalte in een hoek van de kamer, een vrouw, een blanke, met de harde bolling der zwangerschap ter hoogte van haar buik. Ze hield die donkere ogen een moment vast, en sloeg haar blik toen weer neer naar haar dode zoon.

Toen vijf maanden nadien de sneeuw in een dikke korst op de grond lag, moest Neeltje in het kraambed. Haar moeder was gekomen om haar bij te staan, en er was ook nog een vroedvrouw, een yankee. Haar vader, de schout, was er nog niet voor klaar een voet in dat bezoedelde huis te zetten, dus die had zijn intrek genomen in het noorderlandhuis als gast van vrouw Van Wart, die daar andermaal in retraite was om het vlees te doden. Jeremias zat bij de haard in de voorkamer, tussen zijn groenogige neefje en zijn pleegvader in, en luisterde naar de benarde kreten van zijn vrouw. 'Stil maar,' klonk de stem van vrouw Cats uit de andere kamer. 'Kalm, kalm,' zei de vroedvrouw.

Op een bepaald moment zwollen de kreten crescendo aan om vervolgens plaats te maken voor een loodzware stilte. Er klonk het geritsel van rokken, het geklos van klompen over de houten vloer en toen een nieuwe kreet, dun en smedig, een kreet die nog moest wennen aan onbekendheden als een keel en strottehoofd, longen en lucht. Vrouw Cats verscheen een ogenblik later in de deuropening. 'Het is een jongen,' zei ze.

Een jongen. Jeremias stond op en Staats kwam overeind om hem te omhelzen. 'Mijn gelukwensen, m'n jongen,' zei Staats; hij nam de pijp uit zijn mond, hield Jeremias vast bij de schouders en keek hem recht in zijn ogen. 'En hebben jullie al een naam voor dit wonder?'

Jeremias voelde zich licht in zijn hoofd, duizelig, hij had het gevoel dat hij de uiterste grenzen was gepasseerd van het kleine leven dat hij tot nu toe had geleid en in een nieuwe, glorieuze bestaanswereld terecht was gekomen. 'Jawel,' prevelde hij. 'Jawel, we noemen hem Wouter.'

BOTSING NUMMER TWEE

In een andere eeuw, in een tijd waarin vlees en brood in plastic verpakt in de winkel lagen en kool iets was wat spontaan opdook tussen de broccoli en de paksoi op de versafdeling van de supermarkt, stond Walter Van Brunt tegen een veldstenen open haard geleund in het huis van iemand die hij niet kende en dronk er lauwe Cold Duck uit een waspapieren bekertje en liet een ouwehoerverhaal tegen zich ophangen over de relevantie van Smaug de draak ten aanzien van de oorlog in Zuidoost-Azië ('Dat is toch simpel, jongen – ik bedoel, hoe moet Tolkien het duidelijker stellen zonder het je letterlijk tussen je ogen te rammen? – Smaug staat gewoon voor Nixon, begrijp je dat niet?'). Walter was grondig dronken, niet onmisselijk, het slachtoffer van een bombardement van bestaansangst en een kogelregen van spijt, en ondertussen was hij, gelijktijdig, bezig met pogingen nog dronkener te worden, zich te ontdoen van de ouwehoer die hem tegen de open haard gedrukt had en uit te kijken naar Mardi. '*Een vuurspuwende draak!*' riep de zak, die vlechten in zijn haar had, twee dagen eerder zijn oproep voor de militaire dienst had ontvangen en zelf ook ademde als een vuurspuwer. 'Waar dacht je dat dat op sloeg?'

Walter had geen flauw idee. Hij slikte de droesem van de inmiddels met afgeschilferde stukjes was bevlekte Cold Duck door en voelde dat de zak zijn onderarm beetpakte. 'Napalm, jongen,' fluisterde hij met een veelbetekenende hoofdknik, 'dáár heeft Tolkien het over.'

Terwijl hij de kersverse dienstplichtige onbevreesd in de bloeddoorlopen ogen blikte, zei Walter dat hij het helemaal met hem eens was, duwde hem toen opzij en beende naar de badkamer. Onderweg moest hij over een vijftal achteroverliggende lijven heen stappen en zich onvast door een doolhof van kronkelende, onvoorspelbaar om zich heen maaiende dansers wringen, waarbij het weinig gescheeld had of hij was voorover in een uitgedroogde en met vloeitjes en los neerhangende ledematen van plastic poppen opgetuigde kerstboom gedonderd. Het slagwerk kneedde hem als deeg, gitaren dreunden door tot in zijn darmen. Van Mardi geen spoor.

Het was oudejaarsavond 1968, en dit was al het vijfde of zesde huis vol onbekenden waar Mardi hem heen gesleept had. Ter viering van de jaarwisseling. Ergens aan de duistere periferie van de avond bevond zich een doorzon-interieur met daarin iemands gapende, door tandsteen geplaagde ouders die hun per se een toddy wilden inschenken, en in diezelfde hoek hield zich Mardi's vader op, die zei: 'Jullie gaan toch ook nog wel langs bij de familie Strang? En de familie Hugley?', waarop Mardi schamper had gereageerd met: 'Tuurlijk, en we gaan ook nog een bekertje chocolademelk drinken op de instuif van het Leger des Heils.' Volgden de Cold Duck, van één dollar negenenzeventig de fles, Mexicaanse marihuana die rook of hij een tijdje weggezet was geweest in Spic & Span, het kleine, gestreepte pilletje dat Mardi hem had toegestopt in de coffee-shop waar ze binnengegaan waren om even uit de kou te zijn, en de huizen: huizen vol dronken, grijnzende, achterdochtige, onbekende malloten met konijnetanden en hondekoppen. Nu dan dus deze tent, met zijn vuile schrootjeswanden, zijn meedogenloze offensief van top-tienhits en zijn hermeneutische dienstplichtige. Hij wist niet eens waar hij precies was – ergens aan de rand van Tarrytown of Sleepy Hollow, vermoedde hij. Zo zag het er tenminste uit toen Mardi, schrijlings op de Norton, zich vastklemmend aan zijn rug als een bergbeklimmer die zich vastgrijpt aan een winderige rotswand, riep: 'Hier is het!', en hij prompt het gazon op schoot en slippend tot stilstand kwam op de stenen plaat voor de veranda, niks aan de hand, alles goed met je?

Dat was nu een uur geleden. Minstens. Nu was hij op zoek naar de badkamer. Hij wrong zich de keuken in, waar twee verschrikt opkijkende gasten met poncho's om en een cowboyhoed op marihuana stonden schoon te maken in een vergiet, en rukte de deur van de bezemkast open. 'In de hal, jongen,' zei de dichtstbijzijnde cowboy met het onvervalste accent van West-Queens.

Toen hij uiteindelijk de badkamer gevonden had, trok hij de deur open en keek recht in de pissige ogen van een meisje met gekroesd haar dat de olifantspijpen van haar blauwe crêpe-broek in plasjes om haar enkels had hangen; ze liet zich bevallig neer op de bril en wierp een blik als een snijbrander op hem. 'Sorry,' bromde hij, en hij trok zich terug uit de deuropening als een kreeft die tastend zijn hol opzoekt. Op het moment dat de deur in het slot viel, voelde hij een vertrouwde hand op zijn arm, draaide zich om en bleek pal tegenover de verdoolde dienstplichtige te staan. 'Wel iets bijzonders, hè?' zei de zak, zijn handen afvegend aan de mouwen van Walters jasje.

'Wat? Wie?' zei Walter, wetend dat hij er niet op in had moeten gaan. Ze waren alleen in de hal. Uit de richting van de kamer klonk het gebonk van muziek, in de keuken achter hem schoten de cowboys uit Queens in de lach. Walter was zo langzamerhand vergeten hoe Mardi er ook weer uitzag.

'Mijn zus,' zei de dienstplichtige. Hij was hooguit twintig, maar met die baard en al dat haar en de gewrongen, maniakale grijns die uit het niets opdook en zijn gelaatstrekken in de war stuurde, had hij de *Ancient Mariner* zelf kunnen zijn, met zijn hand om de mouw van de Bruiloftsgast. 'Daar op de plee,' zei hij er met een veelbetekenend knikje achteraan. 'Doet ze jou niet sterk denken aan Galadriel – weet je wel, de elfenkoningin? Die waar Elrond op valt? Weet je niet wie ik bedoel?'

Nee, dat wist Walter niet. En hij luisterde hoe dan ook niet meer – misschien heeft hij, tegen de muur geleund met een stekende pijn in zijn blaas en in zijn hoofd een opspuitende, sissende fontein van licht die omhoogkwam als een zware zee – zijn ogen zelfs wel een moment gesloten. Hij dacht aan Jessica en Tom Crane, Hector, Herbert Pompey – de mensen bij wie hij nu zou horen te zijn, de mensen bij wie hij niet kon zijn. Hij dacht aan die fletse koude zaterdagmiddag van drie weken geleden, toen de zon melkbleek door de versleten slaapkamergordijnen scheen en Jessica, gelaarsd, gehandschoend, omwikkeld en ingepakt van haar pezige, hooggewelfde voeten tot het gloeiende, omgekrulde puntje van haar Angelsaksische neus, zich had gebukt om hem te kussen terwijl hij gevangen lag tussen slapen en waken. 'Ga je heen?' wist hij uit te brengen.

Ze ging kerstinkopen doen. Natuurlijk.

'Zo vroeg?'

Ze lachte. Het was halfeen. 'Wat vind je van een blender?' riep ze vanuit de kamer. 'Voor je tante Katrina?' Hij vond niets. Zijn mond was droog, hij moest pissen, en het leek of het vlies om zijn hersenen in de loop van de nacht was gezwollen als deeg in een pan. 'Ik dacht...' mompelde ze, en ze praatte inmiddels in zichzelf, haar voeten trommelden een kwieke roffel in de richting van de deur, de scharnieren piepten, een vlaag kille lucht drong naar binnen, haar laatste woorden bleven hangen tot de deur zachtjes achter haar dichtging: '... gekoelde daiquiri's en zo.'

Het volgende moment dat hij bewust meemaakte hoorde hij een andere stem – die van Mardi – die krachtig doorkwam van voor het huis. 'Hé! Is er iemand thuis? O, denneboom, o, denneboom, wat zijn we heden kuis en vroom.' De deur sloeg achter haar dicht. 'Walter?'

Hij hees zich overeind op één elleboog, streek zijn snor glad en duwde het haar uit zijn ogen. 'Hier,' zei hij.

Sinds de middag van de spookschepen zag hij Mardi zo'n drie à vier keer in de week, en hij voelde zich schuldig. Hij was nog geen vier maanden getrouwd en nu al rotzooide hij achter de rug van zijn vrouw om. Erger nog: hij rotzooide terwijl zij op haar werk was om het geld te verdienen dat hij uitgaf aan bier en sigaretten en steaks. Als hij zich toestond erover na te denken, voelde hij zich een lul – een echte, eersteklas, uitgeselecteerde, excellente, gediplomeerde lul. Aan de andere kant was hij nog steeds zielloos, hard en ongevoelig, nietwaar? Getrouwd of niet. Wat zou Meursault in zijn situatie gedaan hebben? Die had ze allebei geneukt. Of geen van tweeën. Of heel iemand anders. Seks was van geen belang. Niets was van belang. Hij was Walter Truman Van Brunt, nihilistische held, Walter Truman Van Brunt, hard als steen.

Bovendien kon hij van Mardi niet genoeg krijgen. Ze was gevaarlijk, wild, onvoorspelbaar – hij kreeg van haar het gevoel dat hij leefde op de rand van de afgrond, dat hij slecht was in de beste zin van het woord, zoals James Dean, zoals Belmondo in *A bout de souffle*. Van Jessica kreeg hij het gevoel dat hij slecht was, punt. Met een formalinelucht om zich heen kwam ze thuis, met rode ogen, een zak met boodschappen tegen haar hoge strakke boezem gedrukt, terwijl hij onderuit op de bank lag tussen het afval van de dag, en ze klaagde nooit. Ze vroeg nooit of hij nu al eens op zoek was geweest naar een baan dan wel de knoop had doorgehakt en weer ging studeren, maakte hem nooit een verwijt over de afwas op het aanrecht, de bierflessen die zich als een kegeltableau verhieven op het lage tafeltje, de aanslag van tot as vergane hasj op de gordijnen, op het meubilair en op de ramen. Nee. Ze glimlachte alleen maar. Hield van hem. Begon aan de vaat met de ene hand en toverde met de andere een forel met amandelen, fettuccine Alfredo of een extra hete chili-schotel met een van vitamines vergeven spinaziesalade op tafel, ondertussen meezingend met Judy Collins of Joni Mitchell met een hoge zuivere sopraan zo uitbundig mooi dat alle engelen in de hemel er plat van op hun gezicht zouden zijn gegaan. O, o, o, wat voelde hij zich een lul.

Hij besefte inmiddels dat hij haar van het begin af aan pijn had willen doen, van zich had willen vervreemden, haar op de proef had willen stellen – hield ze van hem, hield ze écht van hem? Wat er ook gebeurde? Als hij een lul was, als hij een waardeloze lul was – de waardeloze zoon van een waardeloze vader – dan zou hij zijn rol doorspelen tot het bittere eind en zichzelf ermee kwellen, haar ermee kwellen. Hij wilde dat ze thuis zou komen met de blender voor tante Katrina en de duistere echtelijke slaapkamer zou binnenlopen, met een gloed van welwillendheid ten aanzien van het mensdom op haar wangen, met het knisperende gouden glanspapier van de cadeauverpakking tegen haar borst, met gewijde muziek en tijdeloze kerstliederen op haar lippen, en hem daar naakt tekeer zou zien gaan met Mardi Van Wart. Hij moet het gewild hebben – waarom zou hij het anders hebben gedaan?

Ze hadden de auto niet gehoord, dat was waar, maar aan de voordeur viel niet te ontkomen. Knal. 'Walter?' Voetstappen over de vloer, het geritsel van pakjes: 'Walter?'

Maar het lag ook aan Mardi. Ze stuwde zich boven op hem gezeten tegen hem aan, drukte haar lippen op de zijne met alle ademnodige aandrang der reanimatie. Ze hoorde de deur dichtslaan. Ze hoorde de voetstappen en Jessica's stem – die hoorde ze zo goed als hij. Hij maakte aanstalten zich van haar los te maken, om zich te verschuilen, de benen te nemen, een smoes te verzinnen – hij stond onder de douche, Mardi had hoofdpijn en was gaan liggen, wel nee, dat was haar auto helemaal niet die daar buiten stond – maar ze liet hem niet los, wist van geen ophouden. Toen Jessica de deur opendeed zat hij in haar. Toen pas keek Mardi op.

Jessica's vader kwam twee dagen later haar spullen ophalen. Walter lag wezenloos op de bank, dronken van zelfhaat. De deur knalde open en John Severum Wing, van Wing, Crouder & Wing, beleggingsadviseurs, vloog hem aan. 'Sta op, vuile stinker,' siste hij. Toen gaf hij een schop tegen de bank. John Wing, achtenveertig jaar, lid van Rotary, actief in het adspirantenhonkbal, kerkganger, vader van vier kinderen, zo onverstoorbaar als een doosschildpad die ligt te soezen in de zon, haalde uit met een Hush Puppy-voet en deed de bank trillen tot in de spaanplaat van het onderstel. Walter ging rechtop zitten. John Wing stond over hem heen gebukt en schold hem sotto voce uit. 'Klootzak,' fluisterde hij. 'Hufter. Lamstraal.'

Walter had het gevoel dat zijn schoonvader eindeloos zou zijn doorgegaan in deze trant, puttend uit de laagste strata van zijn woordenschat, vurige kolen op Walters hoofd stapelend, ware het niet dat Jessica plotseling was verschenen. Want op dat moment schoot Jessica naar binnen door de deuropening, het haar weggekamd van haar hoge bleke patricische voorhoofd en een papieren zakdoekje tegen haar gezicht gedrukt als om zich te beschermen tegen de lucht van iets wat al weken dood is, en verdween in de slaapkamer. In de stilte die over hen heen viel als de naschok van een artilleriesalvo luisterden een zittende Walter en een staande John Wing naar het bonzen en schuiven van driftig opengerukte laden, het gekras van klerenhangers die haastig van het rek werden gesjord, het gerammel van slordig in zak en doos bij elkaar gegooide snuisterijen, parfumflesjes, prullaria, frutsels en de overige scherpgekante ditjes en datjes van een mensenleven. En ze luisterden naar nog iets anders ook, een subtieler geluid, lager getoonzet, een eigenzinnige coproduktie van hypothalamus en larynx: Jessica huilde.

Walter ging staan. Hij zocht naar een sigaret.

John Wing schopte tegen het lage tafeltje. Hij schopte tegen de muur. Hij kogelde een kussen de keuken in alsof hij een bal de tribunes in lelde. 'Geef antwoord,' zei hij. 'Hoe heb je dit kunnen doen?!'

Walter haatte zichzelf op dat moment, o jawel, en hij voelde zich door en door slecht. Hij stak die sigaret op, liet hem aan zijn onderlip bungelen als Belmondo en blies John Wing de rook in zijn gezicht. Toen plukte hij zijn leren jek van de stoel en slenterde door de deur naar buiten, katterig maar toch ook sereen. De deur viel achter hem in het slot en de wind blies hem in het gezicht. Met zijn ogen half toegeknepen tegen de rook van zijn sigaret stapte hij op de Norton, gaf het ding een hengst die een man als John Wing zijn been gekost zou hebben en drong het universum naar de achtergrond met een slinger aan het gashendel.

Maar nu hij daar in de gang van dat vreemde huis stond in de tanende minuten van het oude jaar, met hoge nood, omringd door vreemde gezichten, belaagd door gekken en halve garen, had hij natuurlijk hier en daar spijt. Jessica wilde hem niet te woord staan. (Hij had waarschijnlijk wel vijftig keer gebeld en misschien wel nog eens vijftig keer voor het huis van haar ouders zitten wachten op de Norton, tot John Wing naar buiten gestormd kwam en dreigde de politie te bellen.) Tom Crane wilde ook niet met hem praten. Nog niet in elk geval. En Hector was weliswaar bij hem komen zitten om een pul bier met hem te drinken, maar hij bleef hem aankijken of hij een virulent leprageval was. Zelfs van Hesh en Lola kreeg hij verwijten. Hij voelde zich zo langzamerhand als de held van een country-lied – het kostbaarste in mijn leven heb ik verloren, *O lonesome me*, en zo meer. Allicht, nu hij haar niet meer had – en niet meer terugkreeg – wilde hij haar bovenal. Hoewel...

'Mordor dan,' zei de zak, 'waar dacht je dat die grafzooi voor stond, nou?'

Net op dat moment ging de badkamerdeur open en schreed Galadriel naar buiten, met een vernietigende blik op Walter en haar neus omhoog alsof ze in een hondedrol gestapt was. Haar broer – als het inderdaad haar broer was – ging te zeer op in zijn zendingswerk om haar op te merken. Hij verstevigde zijn greep op Walters arm en ging vlak tegen hem aan staan: 'Onze eigenste beste Verenigde Staten van Amerika,' zei hij. 'En zo zit dat.'

Zo'n klein pilletje, half zo groot als een aspirientje, en Walter werd omwolkt door licht. Jessica. De wipneus, de langbenige keukenmartelares: wat maakte hij zich druk om haar? Hij had Mardi toch? 'Bewaar je verhaal maar voor die gasten met een wok op hun kop,' zei hij, de zak strak aankijkend. Het volgende moment stond hij in de badkamer en deed achter zich de deur op slot.

In de spiegel zag hij ogen die één en al pupil waren, een snor die alle kanten op ging, haar dat rond zijn oren defileerde. Terwijl hij zich staande hield op zijn goede been, wipte hij met de teen van het andere de bril omhoog, maar verloor vervolgens alle richtinggevoel toen de closetpot op onverklaarbare wijze lossprong en een dansje door het vertrek maakte. Hij stond zijn rits dicht te sjorren toen hij zijn grootmoeder opmerkte. Ze zat in het bad. Met op haar hoofd een badmuts getooid met dartelende roze, groene en blauwe kikkers. Het schuimende water, zo donker als de Hudson, stond tot aan haar grote talkachtige naakte borsten, waar ze van tijd tot tijd een washandje overheen haalde. Ze zei niets, tot hij zich omdraaide om te vertrekken. 'Walter?' riep ze, terwijl hij de grendel terughaalde. 'Je hebt je handen toch wel gewassen, hè?'

In de gang: geen dienstplichtige, geen zus van dienstplichtige. Geen cowboys in de keuken. Maar uit de kamer steeg een rumoer op van schreeuwende stemmen en tetterende feesttoeters, en toen Walter binnenkwam zag hij dat alle vreemdelingen in het huis grijnzend met confetti gooiden en zich geëxalteerd in elkaars armen wierpen. 'Gelukkig nieuwjaar!' riep een van de cowboys. Badend in het licht als een engel drong Walter zich in de meute, duwde met zijn schouder een innig verstrengeld stel uit de weg en pakte de arm beet van een vent met een spiegelende zonnebril die juist een fles Jack Daniel's aan zijn lippen zette. 'Hé!' riep hij boven het kabaal van de herriemakers en de kindertoetertjes uit, 'heb jij Mardi gezien?'

De man droeg een legerjek zonder mouwen met daaronder roze bretels en een Mickey Mouse-T-shirt. Hij was wat ouder, zes- of zevenentwintig misschien. Hij schoof zijn zonnebril omhoog en keek Walter aan met lodderige ogen. 'Wie?'

Walter sloeg een aanval van achteren af – een slagschip van een meid met vlekkerige lippenstift en een papieren puntmuts die over haar ogen was gezakt zodat ze het aanzien had van een neushoorn, trapte vol op zijn plastic voet, boerde een verontschuldiging en krijste hem 'Glukkenúúújaaa!' in het gezicht – en probeerde het nog eens. 'Mardi Van Wart – het meisje met wie ik hier binnen ben gekomen.'

'Jezus,' zei de man, en hij haalde zijn schouders op en liet zijn hand troost zoekend over de fles gaan, 'ik ken hier geen mens. Ik kom uit New Jersey.'

Maar de neushoorn was onvast wankelend voor hem komen staan. 'Mardi?' zei ze hem verrast na, alsof hij had geïnformeerd naar Jackie Kennedy of de koningin-moeder. 'Die is weg.'

De toetertjes schetterden in zijn oren. Alles bewoog. Hij probeerde

zijn stem onder controle te houden. 'Weg?'
'Ja. Uur geleden, denk ik. Met Joey Bisordi – je kent Joey toch wel? – en met nog een heel stel. Ze gingen naar Times Square.' Ze zweeg even, keek Walter in het gezicht en begon toen kwabberig te grijnzen. 'Weet je wel,' zei ze, draaiend met haar tomeloze heupen, 'oudjaar!'

Het nieuwe jaar was ongeveer tien minuten oud toen Walter de Norton een slinger gaf, wegspoot van de veranda en het gazon weer over slipte. Hij vonkte nog steeds als een komeet, maar er was in zijn binnenste ook een donkere plek – zo donker en onheilspellend als de achterkant van de maan – en die plek breidde zich uit. Hij voelde zich klote. Had het liefst willen gaan zitten janken. Geen Jessica, geen Mardi, niks niemendal. En Christus, wat was het koud. Hij omzeilde een ziekelijk ogende azalea, rammelde ergens overheen dat wegschoot onder het achterwiel vandaan – bakstenen? open-haardhout? – en zat vervolgens weer op de weg.
Goed. Maar waar was hij? Hij passeerde de eerste kruising en sloeg bij de volgende rechtsaf, een lange donkere tunnel in van kale, grillige bomen. Hij was al een kleine twee kilometer gevorderd, te hard rijdend, plat de bochten in en eruit met een scherpe polsbeweging van de hand aan het gashendel, toen hij over een oude houten brug ratelde waarachter de weg doodliep. De doorgang werd versperd door een ijzeren ketting zo dik als een scheepstros. Aan de bomen waren rode en gele reflectoren bevestigd en een bord waarop stond EIGEN WEG. Hij vloekte hardop, keerde en reed weer terug.
Als hij het schoolgebouw kon vinden zou hij het verder wel weten, dacht hij. (Sleepy Hollow. Hij herinnerde zich het oord nog uit zijn schooltijd, toen hij aanvaller was in het basketbalteam van Peterskill – stinkende douches, een gymzaal die naar kleefwas en zweet rook, een groot oud gebouw van natuur- en baksteen vlak bij de hoofdstraat.) Het lag aan Route 9, dat wist hij in elk geval nog. Vandaar was het nog maar twintig minuten naar Peterskill en de Elleboog. Hij dacht erover daar maar langs te gaan en misschien met Hector een pilsje te nemen, of met Herbert Pompey – zijn verdriet te verdrinken, zijn noodlot te bejammeren, ze aan het biljart zíjn kant van het verhaal te geven en een shot van het een of ander te nemen om het kolkende licht in zijn hoofd te dimmen – toen hij boven het gebrul van de motor en het snijdende gegier van de wind uit achter zich een geluid hoorde. Het drong laag gorgelend, alomtegenwoordig en overdonderend tot hem door als het gerommel van kantelende bergen, het geraas van een orkaanstoot. Hij draaide zijn hoofd om.
Achter hem kwam uit het niets van de doodlopende weg een peloton

motorrijders. Hun koplampen beschenen de nacht, en het vlekkerige asfalt van de weg en het scherm van kale boomstammen kwamen in een zee van licht te baden als een concertpodium. Onwillekeurig haast verminderde hij vaart. Ze waren zo te zien met z'n dertigen, en het gebulder zwol nog steeds aan. Hij keek weer over zijn schouder. Waren het de Disciples? De Newyorkse afdeling van de Hell's Angels? Maar wat moesten die hier?

Hij hoefde niet lang op antwoord te wachten, want het volgende moment hadden ze hem ingehaald en bleven ze achter hem kruisen; het gedaver van dertig zware motoren bonkte als een vuist tegen zijn borst. Toen hij inhield om ze voorbij te laten gaan, kwamen ze aan weerskanten naast hem rijden en zag hij ze van dichtbij, achteroverhangend op hun scheurijzer, met clubjeks die wapperden in de levenloze nachtelijke lucht. Twee, zes, acht, twaalf: hij bevond zich in het oog van de orkaan. De motoren sputterden en snorden, ze hamerden, gierden, spuwden vuur. Veertien, achttien, twintig.

Maar ho even: er klopte iets niet. Dit waren geen Angels – ze waren grijs en afgeleefd, met gelooide koppen, vel over been, en hun mottige gele baarden en piskleurige lokken stonden strak naar achter in het schijnsel van de koplampen. Er begon hem iets te dagen – jawel, jawel – als de ouverture van een steeds terugkerende nachtmerrie, toen een van die oude gedrochten voor hem naar binnen stuurde en de tekst op zijn jek voor hem opdoemde als een gezicht in het duister. DE VERZAKERS stond er, in een strook hoekige blokletters boven een gevleugelde doodskop, PETERSKILL. Jawel. Walter draaide zijn hoofd naar links, en daar was hij – de gekrompen Hollander, de dwerg, met op zijn hoofd, in weerwil van de wind en de logica, de suikerbroodhoed, en onder zijn strakke, kale spijkerjasje een flodderige kiel die eruitzag of hij hem uit een museum had geraused. Jawel. En de lippen van de dwerg bewogen: 'Gelukkig nieuwjaar, Walter,' leek hij boven de herrie uit te willen zeggen.

Walter aarzelde geen moment. Met een ruk draaide hij zijn hoofd naar de andere kant – zijn rechterkant – en verdomd, daar, op gelijke hoogte met hem, reed zijn vader op een gestripte Harley met plastic plakvlammen als klauwen over de benzinetank. De ogen van de oude Van Brunt gingen schuil achter een ouderwetse vliegeniersbril, de gladde, rossige giftanden van zijn haar pookten omlaag langs zijn hoofd. Hij gunde Walter eerst slechts zijn profiel en keerde hem toen zijn gezicht toe. Er was de stank van de uitlaatgassen, de stormloop van de lucht, het gedaver van de motoren en één enkel ijl moment waarop heel de nacht verstild tussen hen in hing. Toen verscheen er op het gezicht van Walters vader een snelle glimlach en herhaalde hij de heilwens van de dwerg: 'Gelukkig nieuwjaar, Walter.' Walter kon geen weerstand bieden – hij voelde de glimlach aan zijn mondhoek trekken; toen, plotseling en onverhoeds, stak zijn vader zijn hand uit en gaf hem een zet.

Een zet.

De nacht was zwart, de weg verlaten. Walter, weerloos tegen de wrange, klievend toeslaande parabool van het catastrofale, ging weer neer, ten tweeden male. Het was het beste geweest als hij was neergegaan op zijn rechterzij, waar tenslotte toch alleen maar plastic en leer zat. Maar dat was niet zo. Nee, dat was niet zo. Hij ging neer op zijn linkerzij.

DEEL 2

DUYVELS END

SIMEON: *Net z'n pa.*
PETER: *Twee druppels water!*
SIMEON: *Over lijken!*
PETER: *Krek.*

Eugene O'Neill,
Begeerte onder de olmen

SACHOES IN DE LUREN GELEGD

Dit keer was de kamer goudsbloemgeel geverfd en heette de dokter Perlmutter. Walter lag verdoofd in het liefdeloze, opvijzelbare bed, terwijl Hesh en Lola waakten aan zijn zijde en de gedempte intercomstemmen in zijn oor fluisterden als de stemmen der ontlijfde doden. Zijn linkervoet, de goede, was niet meer goed.

Terwijl hij daar lag, met een gezicht zo sereen als dat van een slapend kind – nergens een schram, zijn haar weggeschoven van zijn voorhoofd waar Lola's hand gelegen had, zijn lippen vaneen en oogleden die trilden in de diepte aan gene zijde van het bewustzijn – werd hij belegerd door dromen. Maar dit keer was alles anders, dit keer kwamen er in zijn dromen geen honende vaders voor, geen vermanende grootmoeders en tot op het bot kaalgevreten lijken. Hij droomde van een landschap zonder mensen, nevelig en gesluierd, waar hemel en aarde met elkaar leken te versmelten en de lucht hem als een deken over zijn gezicht werd getrokken. Toen hij half gesmoord wakker werd, stond Jessica over hem heen gebogen.

'O, Walter,' kreunde ze, en als gas steeg er een laag, smartelijk gerommel op uit haar binnenste. 'O, Walter.' Om de een of andere reden waren haar ogen vochtig en liepen er twee roetzwarte mascaraspoortjes omlaag langs haar fijn besneden neusvleugels.

Walter keek verbluft de kamer rond, keek naar de glimmende apparatuur, de infuuszak boven zijn hoofd, het lege bed in de hoek en het koude grijze oog van de televisie aan de muur. Hij staarde naar het montere geel van de muur zelf, dat opbeurende ontbijthoekjesgeel, en sloot zijn ogen weer. Jessica's stem kwam tot hem uit het duister. 'O, Walter, Walter... Ik vind het zo erg voor je.'

Erg? Voor hem? Wat vond ze erg voor hem?

Dit keer pakte hij haar hand niet, drukte zijn lippen niet op de hare, friemelde niet aan de knoopjes van haar blouse. Toen zijn ogen opensprongen, wierp hij haar een giftige blik toe, een blik vol rancune en verwijt, de blik van de antiheld die de kamer uit loopt; toen hij sprak, bewogen zijn lippen nauwelijks. 'Ga weg,' bromde hij. 'Ik heb jou niet nodig.'

Walter werd zich de ernst van zijn situatie pas bewust in de namiddag, toen hij, wakker geworden in de helse hitte van zijn ziekenhuiskamer, met voor het raam een waas van sneeuw, Huysterkark grijnzend het vertrek zag binnenschuiven. Toen pas tastte hij naar zijn linkervoet – zijn geliefde, kostbare, enige voet – en drong het tot hem door dat die niet langer deel uitmaakte van zijn lichaam. Het beeld van het verlaten landschap uit zijn droom versmolt op dat moment met het gniffelende gezicht van zijn vader.

'Zo, zo, zo, zo,' zei Huysterkark, in zijn handen wrijvend en grijnzend, steeds maar grijnzend. 'Meneer Van Brunt – *Walter* Van Brunt. Ja.' Stevig tussen zijn rechterarm en zijn borst geklemd, als was het een opgerold exemplaar van de *Times*, kwam daar de tweede prothese. 'Zo,' zei Huysterkark stralend, en hij trok een stoel bij waarmee hij in krabbegang op het bed toe kwam, 'en hoe is het met ons op deze fraaie middag compleet met sneeuwstorm?'

Hoe het met ons was? Op die vraag was geen antwoord mogelijk. We waren in paniek, we werden heen en weer geslingerd tussen wanhoop en ontkenning. We waren woedend. 'U, u...' stamelde Walter. 'U hebt mijn, mijn enige...' Het verdriet en het zelfmedelijden werden hem te machtig. 'Klootzakken,' grauwde hij, met tranen in zijn ogen. 'Hadden jullie hem er niet aan kunnen laten zitten? Hadden jullie het niet kunnen proberen?'

De vraag hing tussen hen in. De sneeuw joeg tegen de ramen. *Dokter Rotifer, met spoed naar de eerste hulp, dokter Rotifer*, knetterde het door de intercom.

'Je bent een geluksvogel,' zei Huysterkark ten slotte, schuddend met zijn hoofd, een bedachtzame vinger tegen zijn bloedeloze lippen. Hij dempte zijn stem en trok de voet te voorschijn uit het nest van zijn oksel. 'Een geluksvogel,' fluisterde hij.

Walter was twee dagen buiten kennis geweest, deelde Huysterkark mee. Het was al bijna licht toen ze hem binnenbrachten bij de eerste hulp, en hij was half doodgevroren. Hij had geluk dat hij nog leefde. Geluk dat hij niet ook nog eens door bevriezing zijn neus en zijn vingers was kwijtgeraakt. Wou hij zeggen dat de medici hier in het ziekenhuis incompetent waren? Of nalatig? Begreep hij wel hoe erg die voet eraan toe was geweest – splinterfracturen van voor naar achter, enkelgewricht verbrijzeld, zachte weefsels verpulpt? Wist hij dat de doktoren Yong, I en Perlmutter twee en een half uur met hem bezig waren geweest om de bloedsomloop weer op gang te brengen, gebroken beenderen te zetten en bloedvaten en zenuwen opnieuw aan te hechten? Hij had geluk gehad dat hij niet ergens in het noorden van de staat onderuit was gegaan, of aan de andere kant van de rivier – of wat dacht hij van het diepe zuiden of Italië of Nebraska of een ander van God verlaten oord waar geen aan Hopkins opgeleide specialisten klaarstonden als Yong en I en Perlmutter? Besefte hij wel hoezeer hij geboft had?

Nee, dat besefte Walter niet, al deed hij zijn best. Al luisterde hij hoe Huysterkark alle stemregisters opentrok, van het sforzando der intimidatie tot het allegro der dankbaarheid en het bedrijvige, joviale brio van het standwerkerschap. Hij kon maar aan één ding denken, en dat was de onrechtvaardigheid van dit alles, het meedogenloze, verminkende, angstaanjagende offensief dat de geschiedenis en de voorbestemming en het loerende doelgerichte noodlot hadden ingezet tegen hem en hem alleen. Het kookte in hem tot hij zijn ogen sloot en Huysterkark met hem liet doen wat hij wilde, zijn ogen sloot en terugzakte in zijn droom.

In de middag van de derde dag kwam Mardi op bezoek. Ze had het wasberebont verruild voor een zwartfluwelen cape die haar schouders prononceerde en langs haar neerhing als een lijkwade. Ze droeg er een spijkerbroek onder, opgeschilderde cowgirllaarzen en een doorkijkblouse in een tint roze die glom als Broadway op een regenachtige avond. En kralen. Aan zo'n acht tot tien snoeren. Achter haar in de deuropening stond een vent die Walter nooit eerder gezien had.

Er was het effect van de pijnstiller, van de lome bedomptheid van de kamer, van de loodgrijze lucht met zijn boze zwarte wolkenstrepen die als tralies voor het raam hingen. 'Arme jongen van me,' koerde ze, klikklakkend over het zeil om zich vervolgens over hem heen te buigen in een stormstoot van parfum en vluchtig zijn mond binnen te dringen met haar tong. Hij voelde het aureool van haar haar zijn hoofd omlijsten, voelde zenuwscheuten opkomen in het vlakke dode veld van zijn pijn en werd zijns ondanks de eerste vage aanzet tot zinnelijke beroering gewaar. Vervolgens richtte ze zich op, maakte de gesp van de cape los en duidde met een hoofdknikje haar metgezel aan. 'Dat is Joey,' zei ze.

Walters ogen sneden als messen zijn kant op. Joey stond inmiddels ook in de kamer, maar hij keek niet naar Walter. Hij keek uit het raam. 'Joey is muzikant,' zei Mardi.

Joey ging gekleed als de garderobe-ontwerper van Little Richard, in drie vloekende lappen paisley en met een cheddarkleurige stropdas om zijn nek die tot voor zijn middel hing. Hij wachtte even en wierp toen een blik op de plat en voetloos uitgevloerde Walter en zei zonder een spoor van ironie: 'Hoe is het leven, jongen?'

Het leven? Hoe het was? Het leven stond in het teken van verminking. Onttakeling. De teloorgang van het vlees, de vierendeling van de geest, het zich uitzaaiende afgrijzen.

'God,' zei Mardi, die inmiddels op het bed was gaan zitten en wier opengevallen cape haar doorkijkblouse en al wat eronder zat onthulde, 'was je nou maar met Joey en Richie en mij meegegaan naar Times Square, dan...' Ze maakte haar zin niet af. Ze kon de zin niet afmaken zonder te erkennen wat onerkenbaar was. Ze beperkte zich tot een uitspraak over het gebrek aan verhoudingen in de kosmos: 'Het is zo stom.'

Walter had tot nog toe geen woord gezegd. Maar hij had wel wat op zijn lever. Hij wilde lucht geven aan de woede die borrelde in zijn binnenste, wilde haar vragen hoe ze het in haar hóófd had gehaald hem alleen te laten in een huis vol vreemden en er zelf vandoor te gaan naar New York met die kinloze kwijlebal met zijn Beatle-laarzen en zijn volvette stropdas, wilde vragen of ze nog van hem hield, of ze met hem wilde vrijen, of ze de deur dicht wilde doen en de jaloezieën laten zakken en Joey zeggen dat hij een rondje om het ziekenhuis moest gaan lopen, maar er verscheen ineens een vreemde blik in haar ogen en hij hield zich in. Ze nam hem traag op van onder tot boven zoals hij daar languit in het bed lag en keek hem vervolgens recht in zijn gezicht. 'Doet het pijn?' murmelde ze.

Het deed pijn. God, wat deed het pijn. 'Wat dacht je?' zei hij.

Op dat moment klonk er uit Joey's richting een uithaal die wellicht duidde op leedvermaak, maar aan de andere kant misschien alleen maar symptomatisch was voor opschudding in de bovenste regionen van de ademhalingsorganen; hij begroef zijn gezicht in een genopte zakdoek ter grootte van een gebedskleedje. Walters ogen schoten zijn kant op. Maakten zijn schouders onwillekeurige bewegingen? Vond hij de situatie vermakelijk of zo?

Mardi pakte Walters hand. 'Dus nu, eh,' zei ze, op zoek naar een opening, 'nu zul je dus, eh, wel niet meer op je motor kunnen rijden?'

De bitterheid welde in hem op, schoot door zijn aderen als balsemvloeistof. Zijn motor? Hij was al blij als hij weer zou kunnen lopen, hoewel Huysterkark hem opgewekt verzekerd had dat hij met een maand weer zou kunnen staan en dan nog een maand later zonder steun zou kunnen lopen. Zonder steun. Hij wist hoe dat zou zijn: zonder evenwicht en grondcontact over het trottoir zwalken als een dronkeman die blootsvoets over een laag gloeiende kooltjes strompelt. Hij wilde huilen. En dat zou hij, zonder de aanwezigheid van Joey en de klemmende voorschriften der onaandoenlijkheid, misschien gedaan hebben ook. Maar zou een Lafcadio gehuild hebben? Een Meursault? 'Het komt allemaal door jou,' zei hij ineens, ondanks alles volschietend. 'Door jou – jij ging weg zonder wat te zeggen, trut.'

Mardi's gezicht verkilde. Ze liet zijn hand vallen en zette zich af tegen het bed. 'Laat mij erbuiten,' zei ze; haar stem steeg een octaaf en tussen haar volmaakte wenkbrauwen tekende zich één enkele diepe groef af. 'Het was je eigen schuld – je was dronken, stoned als een aap... je had ons godverdomme bijna te pletter gereden tegen die veranda daar – of was je dat al weer vergeten? En trouwens, we hebben je overal gezocht – we zijn daar wel twintig keer kamertje in kamertje uit gegaan in die tent, toch, Joey?'

Joey stond uit het raam te kijken. Hij zei niets.

'Bloedzuiger!' tierde Walter. 'Lijkenpikker!'

Er verscheen een verpleegster in de deuropening met een wit weggetrokken gezicht. 'Neemt u me niet kwalijk, ' zei ze, terwijl ze druk gebarend de kamer binnenkwam, 'maar de patiënt mag absoluut niet...'

Vijandig en welbewust draaide Mardi zich naar haar om met haar ijzige ogen en ontembare haar. 'Lazer op,' grauwde ze, en de verpleegster deinsde terug. Toen wendde ze zich weer tot Walter. 'En heb het hart niet mij ooit nog eens een trut te noemen,' zei ze met een stem die was gedaald tot een laag keelgegrom, 'aangebrande voetzoeker.'

Dit keer lachte Joey onmiskenbaar, een hoog schel gekef eindigend in een abrupt gegniffel. Vervolgens maakte hij in het voorbijgaan het vredesteken naar Walter en liep achter Mardi's cape de deur uit. Maar daarmee was het bezoek nog niet afgelopen. Nog niet helemaal. Hij bleef in de deuropening staan, keek achterom over zijn schouder en knipoogde naar Walter alsof hij de camera's en de schijnwerpers op zich gericht wist. 'Ik zie je, makker,' zei hij.

Meteen volgde de totale ontlading. Walter duwde de verpleegster opzij en zat stokstijf rechtop, met in zijn nek aderen paars van woede. Hij zette het op een schreeuwen. Scheldwoorden, vloeken, kleuterschoolpesterijen – wat hem maar voor de mond kwam. Hij gilde als een moederskindje met een bloedneus midden op de speelplaats, haalde de teringhufters, stinkkutten en klootzakken uit de nagedachtenis van zijn tenen, krijste het uit in zijn razernij en onmacht tot de gangen ervan galmden als de recreatiezaal in het gesticht, en hij gierde, vloekte en blèrde door tot de ruwe armen van de broeders hem tegen het bed drukten en de injectienaald doel trof.

Toen hij wakker werd – de volgende dag? de dag daarna? – was het eerste wat hem opviel dat het bed in de hoek niet langer onbezet was. De gordijnen waren dicht, maar hij zag de poten van de infuusstandaard eronderuit steken, en aan het voeteneind was tussen de plooien een been in het gips zichtbaar dat in de lucht hing boven het gesteven witte vlak van de lakens. Hij keek nog eens goed, alsof hij op de een of andere manier verwachtte door het gordijn heen te kunnen kijken, nieuwsgierig op een onbestemde, pas ontwaakte, bedlegerige manier – wat viel er naast de lunch, Huysterkark en de tv te beleven tenslotte? – en met tegelijkertijd een boosaardige voldoening: er was nog iemand die leed.

Pas bij de lunch – jus-achtige soep, soep-achtige jus, acht haast niet weg te krijgen wasbonen, een hoek uit een onbenoembare vleesachtige substantie en Jello, het alomtegenwoordige Jello – trok de verpleegster de gordijnen weg en werd zijn kamer- en lotgenoot zichtbaar. Aanvankelijk kon Walter hem nauwelijks terugvinden tussen de verwarde massa kussens en lakens, te meer niet omdat zijn uitzicht werd versperd door het omvangrijke posterieur van zuster Rosenschweig, die zich bukte om de nieuwkomer bij te staan in zijn consumptieve nood – mijn God, was hij zijn handen ook kwijt? – maar toen de zuster zich oprichtte werd hem de eerste ruime blik vergund op zijn medeslachtoffer. Een kind. Ineengekrompen, piepklein, rechtop gezet in het enorme bed als een gevulde speelgoedbeer.

Toen keek hij nog eens.

Hij zag een bedrijvig samenspel van lichte, gebleekte handjes met harige knokkels, het glinsteren van mes en vork en, voor zijn blikveld andermaal werd afgesloten door de geduchte tussenkomst van zuster Rosenschweigs achteraanzicht, een pluk haar zo grijs als dat van een patriarch. Merkwaardig kind, ging er nog door hem heen, terwijl hij gedachteloos aan het verband krabde dat zijn kuit omsnoerde, maar plotseling was de verpleegster verdwenen en keek hij met een krachteloos neerzakkende onderkaak in het gezicht uit zijn dromen.

Piet – want die was het, onmiskenbaar, onvergetelijk, zo afzichtelijk en stuitend als een teek die zich achter een hondeoor genesteld heeft – zat voorover in een hoek van vijfenveertig graden en spietste welgemoed klontjes glinsterende, smaragdgroene Jello aan de tanden van zijn vork. Zijn neus en oren waren enorm en stonden in een absurde wanverhouding tot zijn onvolgroeide ledematen, uit zijn neusgaten groeide wit haar als doodgevroren onkruid, zijn lippen waren slap en uitgestulpt en er liep een jus-spoortje over zijn kin. Er daverden vijf volle seconden voorbij eer hij zijn hoofd naar Walter draaide. 'Hallo, meester,' zei hij met een sardonische grijns, 'best te vreten, hè?'

Walter was in een gruwelkamer verzeild geraakt, een vertrek zonder uitgang, de druipende duistere kerker onder het gesticht. Hij was bang. Doodsbenauwd. Er viel niet aan te ontkomen: hij was gek geworden. Hij wendde zich af van de grijnzende kleine homunculus en probeerde, verwezen naar de drab op zijn bord starend, in vertwijfeling zijn zonden te overdenken, waarbij zijn lippen trilden in iets wat een gebed had kunnen zijn als hij zou hebben geweten wat bidden was.

'Wat is er?' schraapte Piet, 'heb je je tong ingeslikt? Hé, ik praat tegen je.'

De ontreddering drukte zo zwaar op hem dat Walter nauwelijks zijn ogen op kon slaan. Wat waren ook weer de vijf stadia van het sterven, dacht hij bij zichzelf, terwijl hij langzaam zijn hoofd wendde: angst, woede, onthechting, aanvaarding en...?

Piet, die over zijn zwevende been gebogen zat als een mismoedige gargouille, bezag hem nu met medeleven. 'Laat je niet op je kop zitten, jongen,' zei hij ten slotte, 'je komt er wel overheen. Je bent nog jong en sterk, je hebt je hele leven voor je. Hier,' hij stak een schrompelige arm uit met aan het schrompelige uiteinde daarvan een schrompelig handje dat een halfleeg bakje Jello vasthield, 'wil je mijn toetje?'

Walters woede schoot los met alle felheid van een slang die toeslaat. 'Wat moet je van me?' spuwde hij.

Het kleine mannetje keek bevreemd. 'Van jou? Ik hoef niks van jou – ik bied je mijn toetje aan. Ik heb er wel van gegeten, maar wat geeft dat – ik lig hier niet vanwege de pest of zo.' Hij nam de Jello weer terug en wees op de in gips verpakte voet die boven hem heen en weer wiegde. 'Ik heb mijn teen gestoten!' joelde hij, en hij barstte uit in een gestoord, half verstikt, gierend gelach.

Hij lag nog na te gnuiven toen de verpleegster terugkwam. 'Ik zeg net tegen hem dat ik... dat ik... mijn teen' – verder kwam hij niet; hij kon niet meer. Hij was een leeggelopen ballon: het verlammend komische van zijn geestigheid benam hem alle lucht. 'Mijn teen gestoten heb!' balkte hij ten slotte, en hij viel in hinnikende onmacht.

Zuster Rosenschweig sloeg hem en zijn stuipen van vrolijkheid geduldig gade; in haar grote vollemaansgezicht stond een sterrenhemel van sproeten, haar hangende onderlip wakkerde zijn gebulk nog aan. Zijn snedigheid ontlokte haar geen andere reactie dan: 'Tjonge, wat zijn we opgewekt vandaag.' Toen draaide ze zich naar Walter.

'Hé, zuster!' riep het kleine mannetje ineens, met een stem die kwetterde van joligheid. 'Dansje maken?'

Dat gaf de doorslag. Walter had er genoeg van. 'Wie is die vent?' wilde hij weten. 'Wat moet hij hier? Waarom schepen jullie mij in godsnaam met hem op?'

Zuster Rosenschweig was, zoals ze net had laten blijken, geen verzuurde matrone, maar van Walters gekanker verstrakte haar gezicht. 'Wie een kamer alleen wil moet dat zelf regelen,' zei ze. 'Vooraf.'

'Maar – maar wie ís die vent?' Er begon Walter iets te dagen, hoe verward, verweesd, verdoofd en getourmenteerd hij ook was. Het ging als volgt: als de verpleegster echt was – van vlees en bloed en bot, lopend, pratend, ademend – en als zij Piets bestaan erkende, dan was óf de hele wereld een zinsbegoocheling, óf de schim in het bed naast hem was helemaal geen schim.

'Piet Aukema is de naam,' raspte de dwerg, en hij boog zich over de kloof tussen de twee bedden om zijn hand uit te steken, 'aangenaam.'

Zuster Rosenschweig richtte een vernietigende blik op Walter, die met tegenzin overhelde om de uitgestoken hand te schudden. 'Walter,' mompelde hij, met een stem die bleef steken in zijn keel, 'Walter Van Brunt.'

'Zo, dat is beter, hè?' zei de verpleegster, stralend naar Walter als een tevreden schooljuf, maar Piet liet plotseling Walters hand vallen en schoot overeind in zijn bed. Hij sloeg zich voor zijn voorhoofd en stiet uit: 'Van Brunt? Zei je Van Brunt?'

Walter gaf hem een zwak, iel, nauwelijks waarneembaar knikje.

'Ik wist het, ik wist het,' kweelde de dwerg. 'Zo gauw ik je zag liggen wist ik het.'

De kilte der historie trok weer op – Walter voelde het, zo vertrouwd als kiespijn, en hij huiverde in zijn binnenste.

'Tuurlijk,' zei de dwerg, zijn gelaatstrekken bundelend tot een obscene parodie op kameraadschap en openhartigheid, 'ik heb je vader nog gekend.'

Steeds als Walter in de loop van de drie dagen die volgden zijn ogen opendeed, was Piet daar, het middelpunt van de kamer, het ziekenhuis, het universum, de eerste, de enige die telde. Hij werd wakker als hij het kleine mannetje 'Uit je nest en aan de slag, mafkop!' hoorde galmen, schoot overeind uit zijn turbulente middagdutje en zag hem op zijn gemak zijn nagels knippen of in een appel bijten, dwong zich uit de dommel waarin hij, naar een tv-serie kijkend, was weggezakt en zag hem een pornoblad doorbladeren of de middenplaat omhooghouden met een samenzweerderige knipoog. Toch kon Walter nog steeds niet helemaal geloven dat hij niet hallucineerde – tot het moment dat Lola op bezoek kwam, die het rimpelige onderdeurtje herkende bij de eerste blik die ze op hem wierp. 'Piet?' zei ze, haar ogen vernauwend om hem nader te bekijken alsof ze naar de schimmige figuurtjes tuurde op een vage oude foto.

De dwerg was ineens één en al waakzaamheid, als een hond die ergens ver in de keuken het zwakke getinkel van de bestekla hoort. 'Ik ken jou,' zei hij, zijn dikke leerachtige lippen verkrampend tot iets wat niet te onderscheiden was van een glimlach. 'Lola, hè?'

Lola's handen schoten naar haar haar. Ze friemelde aan haar handtas, aan haar volumineuze mantel en liet zich zwaar neer in de bezoekersstoel. Haar trekken veranderden, haar mond stond grimmig, haar lippen trilden.

'Hoe lang is dat nou geleden?' zei hij. 'Twintig jaar?'

Haar stem was doods. 'Niet lang genoeg.'

Piet vervolgde alsof hij haar niet gehoord had en informeerde haar over de glijdende schaal van voor- en tegenspoed in de afgelopen twintig jaar van zijn leven. Ginnegappend, knipogend, draaiend met zijn ogen en zo heftig gesticulerend dat de draden van zijn rekverband ervan trilden, vertelde het kleine mannetje haar van zijn carrière als timmerman, in de marge van de theaterwereld (een bijrolletje in een weinig succesvolle musical naar Todd Brownings 'Freaks'), in de beroepsvisserij, als bedrijfsleider van een grill-bar in Putnam Valley, als vertegenwoordiger in doughnut-friteuses en als verkoper van Renaults, Volkswagens en Mini's bij een garage in Brewster. Zo leuterde hij het bezoekuur grotendeels vol; hij gierde om zijn eigen grappen, dempte zijn stem tot een onheilspellend gerasp ter onderstreping van zijn tegenslagen, vloeide over van hartstocht als hij zijn liefdes en triomfen beschreef en bleef maar doorgaan, gebarend, proestend en grappend, de grandioze symfonie van zijn kleine leven uitvoerend voor een aan zijn stoel vastgeketend publiek. Trumans naam viel niet één keer.

Zodra Lola weg was draaide Walter zich naar hem toe. Piet, opgeblazen als een pad door de litanie van zijn lotgevallen, hield een sluw oog op hem gericht. 'Je, eh, je zei dat je mijn vader nog gekend had,' begon Walter, waarna zijn stem stokte.

'Ja, dat klopt. Dat was me er een, die vader van jou.'

Wanneer heb je hem voor het laatst gezien? Wat is er van hem geworden? Leeft hij nog? De vragen zaten in Walters hoofd opgestapeld als straalvliegtuigen boven La Guardia – waarom is hij bij ons weggelopen? Wat is er gebeurd op die avond in 1949? Was het een slappeling? Een verrader? Een overloper? Was hij de abjecte, trouweloze, dubbelhartige, bedrieglijke gluiper die iedereen in hem zag? – maar eer hij zijn eerste vraag kon stellen, zwierde Piet al weer weg in een wals van herinneringen.

'Ja, dat was me er een,' zei hij nog eens, zijn hoofd schuddend in ongeloof. 'Heb je wel eens gehoord van die keer...?' Nee, dat had Walter niet, of misschien ook wel: hij kreeg het verhaal hoe dan ook te horen. Zwaaiend met zijn stompjes van armen als een dirigent, grijnzend, bekketrekkend, kakelend, giebelend, diste Piet de aloude verhalen op. De stunts – in een vliegtuigje ondersteboven onder de

Bear Mountain Bridge door, de levensgrote beelden die ze uit de kerststal voor de Kerk van Onze Lieve Vrouwe van de Onbevlekte Ontvangenis hadden gestolen en opgehesen aan de vlaggemast bij het monument in Washington Street, de wodka die ze hadden vervangen door azijnspiritus bij de picknick op de jaarlijkse oudstrijdersbijeenkomst; de drinkgelagen, de vrouwen, de avonden die ze hadden doorgebracht met kaarten en het koken van krabben – namen en plaatsen en data die Walter niets zeiden. Ten slotte zweeg de rasperige atonale stem een ogenblik, als om op verhaal te komen – alsof hij misschien eindelijk uitverteld was – maar het volgende moment wierp Piet zijn hoofd achterover tegen het kussen, sloeg met een klinkende handpalm op het keiharde gips en sprak één enkele opzienbarende eigennaam uit, een naam die Walter niet meer in zijn bijzijn had horen vallen sinds het overlijden van zijn grootmoeder. 'Sachoes,' zei de dwerg, met iets wat nog het meest weg had van een inleidende zucht.

'Sachoes?' kaatste Walter terug. 'Wat is daarmee?'

Piet reageerde met een trage, lacherige blik van opperste zelfingenomenheid terwijl hij tegelijkertijd zijn oor doorzocht op smeer en een knokig handje door zijn haar haalde. 'Truman raakte niet over hem uitgepraat toen ik hem leerde kennen in – wat zal het geweest zijn? – 1940, denk ik, vlak voor de oorlog. Sachoes dit, Sachoes dat. Weet je niet, het Indiaanse opperhoofd? Die had het hier voor het zeggen' – zijn hand bestreek de kamer in een gebaar dat de dubieuze waarde moest aanduiden van niet alleen de armzalige kamer maar ook van het grijze landschap dat zich aan gene zijde van het raam uitstrekte als een stekelvarkentapijt van kale bomen – 'voor wij blanken hem zijn land afpakten. Idioot. Je vader kon zich daar destijds erg druk om maken, alsof we de geschiedenis konden terugdraaien of zo.' Piet – de gargouille, de dwerg – keek hem recht in zijn gezicht. 'Ken je het verhaal?'

Walter kende het – het was een van zijn grootmoeders verhalen – en plotseling zag hij het propere, vierkante huisje pal aan de rivier voor zich, een snijdend koude avond, zijn harig over het vuur gebogen grootvader die een naar slik ruikend net zat te boeten als een oude dame boven haar borduurwerk, terwijl zijn grootmoeder tussen een berg kranten klei boetseerde aan de keukentafel. Ze deed een poging tot iets groots – haar definitieve standpuntbepaling ten aanzien van de uitschotvissen, een bloempot in de vorm van drie ineengedraaide karpers met opengesperde bekken. Walter was negen of tien – het was de winter waarin Hesh en Lola met de kerstdagen naar Miami waren gegaan en hij te logeren was bij zijn grootouders. Een tv stond er niet – zijn grootmoeder wantrouwde televisies net zo zeer als telefoons, spiedende ogen en oren, kanalen waardoor haar vijanden hun kwade invloed konden doen gelden – maar een radio zal er wel geweest zijn. Die op de achtergrond misschien zachtjes kerstliederen speelde. Koekjes in de oven. Sneeuw die tegen de zwarte ondoordringbare ruiten stoof in de grote erker die uitkeek over de rivier. Oma, zei Walter, vertel eens een verhaaltje.

Haar handen – groot en vlezig, vlekkerig van de ouderdom – kneedden de klei. Ze draaide er een rolletje van, vormde dat tot een o en gaf de dichtstbijzijnde karper lippen. Eerst dacht hij dat ze hem niet gehoord had, maar toen stak ze toch van wal, met een stem die nauwelijks verstaanbaar was boven het geknetter van het vuur, de kerstliederen, de wind onder de dakranden: Het was de winter nadat ze Minewa begraven hadden, en Sachoes, de grote sachem der Kitchawanks, was vertwijfeld. Ingesmeerd met ottervet tegen de kou, met de vacht van Konoh de beer om zich heen, staarde hij somber in het vuur terwijl de dakbedekking van iepeschors en stroken lindehout zo hevig klapperde in de wind dat hij had durven zweren dat alle ganzen in de wereld om zijn hoofd flapperden.

Vertwijfeld? vroeg Walter. Wat is dat?

Wacht maar, gromde zijn harige grootvader, opkijkend van zijn gescheurde drijfnet, daar kom je gauw genoeg achter. Gauw genoeg.

Walters grootmoeder wierp een korzelige blik op haar man, kerfde een triade van schubben onder het kieuwdeksel van de middelste karper en richtte zich weer tot Walter. Hij was verdrietig, Walter, zei ze. Hij had alle moed verloren. Was aan zijn eind. Had de hoop opgegeven. Hij zat daar in het linthuis met Wahwahtaysee, met Matekanis en Witapanoxwe, zijn oudste zoons, en Mohonk, de slungel met zijn platvoeten die zijn moeder zoveel verdriet zou doen, en stampte de restjes tabak en rode-kornoeljeschors aan in de kop van zijn pijp. Met het aanbreken van de ochtend zou Jan Pieterse voor de deur staan, met geschenken. Een stel geelogige honden, ketels harder dan steen, messen, scharen, bijlen, dekens, bolletjes gekleurd glas waarbij ook het blinkendst opgepoetste schijfje *wampumpeak* afstak als een ordinaire kiezelsteen. Geschenken, ja: maar geschenken krijg je niet zo maar.

Toen Jan Pieterse zo'n zes jaar eerder in hun midden was verschenen, stonden de Kitchawanks versteld, niet alleen van de onuitputtelijke voorraad vernuftige, betoverende voorwerpen die hij bij zich had om te ruilen, maar ook van de volharding en het raffinement waarmee hij afdong, van de stroom houterige, verhaspelde Mohikaanse woorden die onophoudelijk over zijn lippen vloeide. 'Overmaat van Mond' noemden ze hem, en ze kwamen naar hem toe in al hun kracht en waardigheid om pelterijen te ruilen voor het fraais waarmee hij zijn kleine zeilboot tot aan de dolboorden had volgestouwd. Maar hij wilde niet alleen de pels van de bever, nee, hij wilde het land zelf. De Blauwe Rots en het land eromheen. Sachoes, opperhoofd en ervaren staatsman, trad naar voren om met hem te onderhandelen.

En wat wist Sachoes los te krijgen voor zijn volk in ruil voor het land waarop Overmaat van Mond het vierkante, ongastvrije bolwerk van zijn handelsnederzetting bouwde? Dingen. Bezittingen. Voorwerpen van naijver en begeerte. Bijlen waarvan de stelen afbraken en de bladen dof werden, kruiken die stukvielen, scharen die bij het scharnierpunt vastroestten en de glanzende, onontkoombare munten die roof en moord naar het basthuttendorp aan de Acquasinnick-baai brachten. En waar waren ze nu, die dingen? Allemaal hun eigen onverschillige kant op – zelfs de dekens vergingen door een of ander raadselachtig bederf van binnenuit – terwijl de bevers waarmee ze betaald waren even zeldzaam waren geworden als haren op het hoofd van een Mohawk. Overmaat van Mond was niet achterlijk. Hij had het land. Onverwoestbaar en eeuwig.

Eerst kwam Jan Pieterse naar hen toe. Maar nu kwamen zij naar Jan Pieterse. Gesloopt door de Engelse pokken, ziek van de drank, uitgehongerd tijdens een winter strenger dan enige die de oude Gaindowana, de oudste man van de stam, zich kon herinneren, waren ze, vernederd in hun nood, als honden naar de grote vergrendelde deur gekropen van de handelsnederzetting van Overmaat van Mond en hadden hem smekend herinnerd aan het land dat hij van hen gekregen had. Ze wilden kleren, voedsel, voorwerpen van ijzer, voorwerpen van schoonheid, ze wilden – o schande – rum. Natuurlijk, zei Overmaat van Mond, best, zonder meer, waarom niet? Krediet, zei hij, in zijn stoepiersjargon, een Nederlandse term als een angel in een welgekozen Mohikaanse zin, krediet voor iedereen, en vooral voor jou, mijn hooggeachte vriend, mijn beste, beste Sachoes.

Niets voor niets, zei Walters grootmoeder, terwijl ze de achterste karper met een draai van haar pink een rond, starend oog gaf. Het oude opperhoofd stond in het krijt bij de gewiekste Nederlander, en dat wist hij.

Nu had Jan Pieterse, luidt de overlevering, een vriend. Twee vrienden. Te weten de gebroeders Van Wart, Oloffe en Lubbertus. Aan Oloffe, die invloed had binnen de Compagnie, werd door de Heeren XVII een patroonschap verleend dat niet alleen heel het stamland van de Kitchawanks omvatte, maar ook dat van de Sint Sinks en de Weckquaesgeeks. Het was al in stukken verdeeld en in kaart gebracht, genoeg voor zijn broer en hem plus de halve bevolking van de Nederlanden. Hij hoefde alleen nog maar tot een vergelijk te komen met de oorspronkelijke eigenaars, en dat, wist iedereen in Haarlem, was een stel naakte, ongeletterde, door de drank versufte en door ziekten geplaagde schooiers die het totaal van hun vingers en tenen nog niet konden uitrekenen, laat staan dat ze het land konden opmeten of de kleine lettertjes lezen van een goed Hollands, bindend, onverbrekelijk, waterdicht contract. Jan Pieterse, bedreven in de omgang met de Indianen, zou optreden als tussenpersoon. Tegen betaling uiteraard.

Sachoes wist hier allemaal niets van – die had geen begin van een voorstelling van de polders en dijken en beklinkerde straten, werkplaatsen, brouwerijen en gezellige, smetteloze kamers van het verre, legendarische Hollandse vaderland – maar hij wist wel dat met het aanbreken van de ochtend, met zijn bleke stroken arctisch licht, Overmaat van Mond voor de deur zou staan, vergezeld van het grote, besnorde, opgeblazen patroon-opperhoofd, en dat het patroon-opperhoofd begerig was te bezitten wat niemand rechtens móeht bezitten: het onvergankelijke land onder zijn voeten. Maar wat kon het oude opperhoofd eraan doen? De herten – hun maag gevuld met boomschors – vielen dood neer in het bos; sneeuwstormen bedolven het dorp; Moeder Maïs lag tot het voorjaar in onmacht; en de mensen hadden behoefte aan alles wat de handelsman te verkopen had. Als hij niet onderhandelde met Jan Pieterse, dan deed Wasamapah het, Wasamapah, met wie hij in een bittere tweestrijd verwikkeld was om de macht over de stam, een man die verstand had van krediet, die sprak met de wind en in één keer over hoge bomen sprong. En Manitou beware het oude opperhoofd als hij zich door Overmaat van Mond en het patroon-opperhoofd liet bedriegen.

En toch bedrogen ze hem, zei Walters grootmoeder, terwijl ze steunend overeind kwam om haar handen te wassen bij het keukenaanrecht. En weet je hoe ze dat voor elkaar kregen? vroeg ze over haar schouder.

Walter was negen. Misschien tien. Hij wist nog niet veel. Nee, zei hij.

Ze slofte terug de kamer in, een grote grijze vrouw in een jurk van bedrukt katoen, en ze wreef haar duim over de toppen van wijs- en middelvinger. Via omkoping, zei ze.

Toen Sachoes de volgende ochtend in zijn hut plaats nam met Overmaat van Mond en het patroon-opperhoofd en diens broer, kwam Wasamapah naast hem zitten. En terecht. Want Wasamapah was het geheugen van de stam. Voor elk onderdeel van een verdrag dat werd bekrachtigd, koos hij zorgvuldig een glimmend gepoetst stuk mosselof oesterschelp uit de stapel voor hem op de grond en reeg dat aan een streng ongelooide huid. Elk artikel, elk voorbehoud, amendement en aanhangsel had zijn eigen unieke representant; en naderhand, als het stof was neergedaald op de berg uitgewisselde geschenken, als de *kinnikinnick* gerookt was en de *yokeag* en de hertetong waren opgegeten, riep Wasamapah de raad van oudsten bijeen om hun de betekenis in te prenten van elke opgepoetste en rondgeslepen schelp.

Zo ook deze keer. Sachoes trok zijn onverzettelijkste gezicht, het patroon-opperhoofd plukte slecht op zijn gemak aan de gewrichten van zijn papperige vingers, Overmaat van Mond praatte zich de blaren op zijn tong, Wasamapah reeg schelpen aaneen. Waardig en statig, met een kalmte die in tegenspraak was met zijn bezorgdheid, aanvaardde Sachoes de geschenken, stelde zijn eisen namens de stam en liet zich door het verbale geweld van Overmaat van Mond morrend overhalen terrein prijs te geven. Toen gaven ze de pijp door en richtten een feestmaal aan, waarbij het patroon-opperhoofd de grootste matigheid betrachtte ten aanzien van het maïsmeel en de tong en zich overvloedig te goed deed aan de Nederlandse etenswaren – stinkende kazen, keiharde broden, gezouten dit en ingelegde dat – die hij had meegebracht. De nieuwe honden namen de restjes voor hun rekening.

Terwijl hij rookte, terwijl hij aan de kwalijk riekende kazen knaagde en de tong verkauwde, voelde Sachoes zich opgetogen. Naast de stapel geschenken die voor het linthuis lag en zou worden verdeeld onder de stam, had hij balen meel bedongen, dekens en rollen stof, kralen bij het gros en robuuste ijzeren ploegen en dissels en kookpotten. Sterker nog, de broer van het patroon-opperhoofd had zich laten vermurwen afstand te doen van de gouden ring om zijn pink, Jan Pieterse deed er nog een spiegel met een vergulde rand bij en een vaatje zwart kruit, en op het hoogtepunt van de onderhandelingen deed het patroon-opperhoofd zelf Sachoes een grote suikerbroodhoed ten geschenke met een grote slappe rand en een pluim zo groot als zijn halve arm. En het mooiste van alles was dat Sachoes er bijna niets voor op had hoeven geven – een klein stuk grond boven de Blauwe Rots dat zich in het noorden uitstrekte tot de Boom Met Twee Knoesten, in het zuiden tot de Hertepas en in het oosten tot de Beek Die Spreekt. Niets! Als hij wou liep hij er in één middag drie keer omheen. Eindelijk, eindelijk had hij ze te pakken. Ja, dacht hij bij zichzelf, aan de ceremoniële pijp trekkend en zich stiekem verkneukelend, wat een ruil!

Maar helaas, zijn opgetogenheid was van korte duur. Want Wasamapah, die erop gebrand was het oude opperhoofd gezichtsverlies te laten lijden, en daarnaast de schuldbekentenis van de patroon ter grootte van tweeduizend gulden in zijn mocassin had zitten, had heimelijk drie hoekige bloedbuilkleurige schelpen aan de verdragsstreng toegevoegd, schelpen die de grenzen van de grond die de patroon had aangekocht zodanig verlegden dat ze elke werst, morgen en are van het territorium der Kitchawanks omvatten. Waar Sachoes de Boom Met Twee Knoesten had verstaan, beweerde Wasamapah de Tweemaal Door Bliksem Getroffen Boom Met Twee Knoesten te hebben verstaan. En waar Sachoes had ingestemd met de Hertepas Aan Deze Zijde als zuidelijke grens, had Wasamapah de Hertepas Aan Gene Zijde opgetekend, een heel ander verhaal; zo ook met de Beek Die Spreekt, die Wasamapah had vastgelegd als De Beek Die 's Winters Spreekt. Toen Wasamapah de verdragsschelpen duidde ten overstaan van de raad van oudsten, sloop er opperste verontwaardiging in de vermoeide, verweerde gezichten van de leden van dat doorluchtige college en begon er een beschuldigend licht in hun oeroude ogen te fonkelen.

Sachoes was een halfjaar later dood. Het oude opperhoofd, dat niet meer kon eten, slapen, staan, zitten of liggen in zijn gewaden, vrat zich op van verdriet over wat hij gedaan had. Of liever gezegd: over wat Jan Pieterse, Oloffe van Wart en Wasamapah hem gedaan hadden. Er was in heel de stam geen krijger die zijn zijde koos – hij was een seniele sukkelaar, een vrouw in een lendendoek, en hij had de ziel van zijn stam verkwanseld voor wat prullaria, voor honden die waren weggelopen, de hoed van een blanke die wegrotte, voor eten dat op was en kralen die zich verstopten in het gras. Het was gedaan met hem. Uit. De strenge, van zijn gelijk overtuigde en onverzoenlijke Wasamapah, een man die plotseling in welstand leefde, de vertrouweling van het grote patroon-opperhoofd aan wiens heerschappij ze nu onderworpen waren, wierp zich op als zijn plaatsvervanger. En Sachoes, verstoten, krom van verdriet, een verrader in de ogen van zijn stamgenoten, kwijnde weg tot zijn leven even ijl was als het pluis dat zich vastklemt aan de paardebloem. Wahwahtaysee probeerde hem te beschermen, maar het baatte niet. Op een dag midden in de merkwaardig lichteloze en winterse zomer die volgde op de machtsgreep van de patroon, begon het te waaien. Hard. Een regelrechte storm. Sachoes bleef erin.

'Ja, Sachoes,' zuchtte Piet, en Walter schrok en keek om zich heen alsof hij wakker werd met de herinnering aan een nachtmerrie. 'Gewipt door een van zijn eigen mensen, zo zat het toch?' De dwerg nam hem op met een schuins oog en ontblootte meters tandvlees aan de randen van zijn grijns; zijn ogen waren verzonken in twee rimpelige boomholtes. 'Verraden, verneukt, in de rug aangevallen. Toch?'

Walter staarde alleen maar.
En toen boog Piet zich ver voorover over de afgrond tussen de bedden, met op zijn gezicht nog steeds die onzalige, grijnslachende grimas, en raakte Walter vol in zijn zwakste plek: 'Wat zijn de laatste berichten over je vader?'
De laatste berichten? De vraag vervulde hem met bitterheid – hij kreeg de woorden nauwelijks over zijn lippen. 'Ik heb helemaal geen berichten over hem. Helemaal niets. Al niet meer – sinds mijn elfde.' Hij keek naar de vloer. 'Ik weet niet eens of hij nog leeft.'
De dwerg viel in zichzelf terug van verbazing – of gespeelde verbazing. Zijn wenkbrauwen wipten omhoog. Hij waaierde zich koelte toe met een snel handje. 'Sinds je elfde? Jezus. Ik heb – wanneer zal het geweest zijn? een week voor mijn ongeluk, denk ik – nog een kaart van hem gehad.'
Walters gehele wezen ging op in het plotselinge gehamer van zijn hart. 'Waar?' stiet hij uit. 'Waar is hij?'
'Hij is leraar,' zei Piet, en hij liet een maat verstrijken. 'In Barrow.'
'Barrow?'
'Point Barrow.' Stilte, grijns, tong langs lippen. 'Weet je niet? In Alaska.'

De volgende ochtend was Piet weg. Walter werd wakker met in zijn oren het kabaal van de dagzuster en het gedempte rumoer van wanhoop en verbijstering dat via de gang zijn kamer binnensijpelde en zag dat het bed in de hoek was opgemaakt alsof het nooit beslapen was geweest. Na het ontbijt verscheen Lola met de grote bestofte in linnen gebonden atlas van de boekenplank in de voorkamer, en Walter gunde zich nauwelijks de tijd haar wang te beroeren alvorens haar het ding uit handen te graaien. 'Barrow, Barrow, Barrow,' mompelde hij in zichzelf, ongeduldig de pagina's doorbladerend en vervolgens de gekartelde, vergletsjerde omtrek van die grote, troosteloze, geheimzinnige staat afzoekend alsof hij die voor het eerst zag. Hij vond Anchorage, Kenai, Spenard en Seward. Hij vond de Aleoeten, het Talkeetnagebergte, Fairbanks, de Kuskokwim-rug. Maar Barrow, nee. Hij moest het register raadplegen om Barrow te vinden – G-I – en zijn vinger volgen naar boven aan de pagina. En jawel, daar had je Barrow, de noordelijkste stad ter wereld. Barrow, waar de afkoelingsfactor van de wind de gevoelstemperatuur deed dalen tot min zeventig en het drie maanden per jaar onafgebroken nacht was.
Lola, die toekeek met een bevreemde glimlach, had een vraag voor hem: 'Vanwaar die plotselinge belangstelling voor Alaska – wou je op robbenjacht gaan?'

Hij keek op alsof hij haar aanwezigheid vergeten was. 'Er was gisteravond iets over op tv,' zei hij, en om zijn tanden sprankelde zijn versierdersglimlach. 'Zag er fris uit.'

'Fris?'

Ze moesten er samen om lachen. Maar zodra ze opgestapt was belde hij via een buitenlijn een reisbureau in Croton. Een retour Kennedy Airport-Anchorage/Fairbanks kwam alleen al op zeshonderd dollar, exclusief luchthavenbelasting, en vanuit Fairbanks werd een op zijn zachtst gezegd onregelmatige dienst onderhouden op Barrow, waarvoor toch ook al gauw een honderd dollar moest worden neergeteld, en daarbovenop kwamen dan nog de kosten van taxi's, restaurants en hotels. Hoe moest hij aan zoveel geld komen?

Toen Walter dit keer werd ontslagen uit het ziekenhuis om thuis verder te herstellen, was het niet de zoetgeurende, met champagne gewapende Jessica die hem kwam ophalen; dit keer verliet Walter de deprimerende oranje en avocadokleurige gangen in gezelschap van zijn pleegmoeder, met de schimmen uit het verleden dichter op zijn hielen dan ooit. Lola reed: witte haren, een tot leer gelooide huid, de oorbellen van turkoois die ze had gekocht in New Mexico. De Volvo knarste en hapte naar lucht. Wou hij een monsterburger? wilde ze weten. Met augurk, piccalilly, mayonaise, mosterd en driesterren chilisaus? Of wilde hij gewoon direct naar huis om te rusten? Nee, zei hij, hij wilde geen monsterburger, hoewel het eten in het ziekenhuis om te huilen was geweest – smakeloos, doodgekookt, met Jello als gezichtsbepalend bestanddeel – maar naar huis wilde hij ook niet.

Waar dan heen – naar Fagnoli. Voor een pizza?

Nee. Dat ook niet. Hij wilde naar de metaaldraaierij-Depeyster. In Water Street.

Depeyster...?

Jawel. Om te kijken of hij daar weer kon komen werken.

Maar hij was pas uit het ziekenhuis. Kon dat niet een paar dagen wachten?

Nee, dat kon niet.

Walter verspilde geen tijd aan de deur met het opschrift PERSONEELSINGANG – hij liet Lola voor het gebouw parkeren en wierp zich, soepel als een gymnast op zijn krukken, met al zijn gewicht op zijn armen en op wat nu, bij verstek, zijn goede been was, door de grote dubbele deuren die toegang gaven tot de hoogpolig gestoffeerde hal van het heilige der heiligen. Ook aan juffrouw Egthuysen verspilde hij geen tijd: hij kloste de gang door alsof hij er de baas was, bleef een halve seconde staan om op de matglazen deur te kloppen van directiekamer no. 7 en duwde die vervolgens zonder op antwoord te wachten open.

'Walter?' stiet Van Wart uit, terwijl hij opstond achter zijn bureau. 'Maar ik dacht... ik bedoel, ik hoor van mijn dochter...'

Maar Walter had geen tijd om het allemaal uit te leggen. Hij hing voorover op de gecapitonneerde steunen van zijn krukken die in zijn oksels sneden als messen en wuifde alle bedenkingen weg. 'Wanneer kan ik beginnen?' zei hij.

OPEN HUIS

Oké, dacht hij bij zichzelf, de tent mocht wel eens geschilderd worden, akkoord, de blauweregen duwde de leien van de trapgevels aan de voorzijde, en jawel, de gaten vielen in de raamkozijnen, het dak lekte, en het interieur bood, groot als het was, eigenlijk niet meer genoeg ruimte aan de massa voorouderlijk meubilair, maar wat hem betrof was het Van Wart-goed nog altijd met vlag en wimpel het best bewaard gebleven huis van zijn soort in het Hudson-dal. Goed, er waren een aantal musea – Philipsburg Manor, Sunnyside, het zuiderlandhuis van de Van Warts zelf – maar dat waren onbezielde lege hulzen, onbewoonde, spookachtige huizen zonder functie. Erger nog waren de door particulieren gerestaureerde monumenten zoals huize Terboss in Fishkill of het Kent-goed in Yorktown, in handen van en bewoond door vreemdelingen, parvenu's, indringers met namen als Brophy, Righetti, Mastafiak. Hoeders van een traditie die terugging helemaal tot in 1933 en een wrakke oceaanstomer uit Palermo. Een lachertje, meer niet. Een kwalijke grap.

Depeyster Van Wart stond in het leem van zijn rozentuin onder aan het grote hellende hofstedelijke gazon en keek op naar het huis in een vlaag van bezitstrots, zeker van zijn afkomst, van zijn status, en nu ook nog, dank zij het al niet meer verwachte wonder van Joanna's nieuws, zeker van zijn toekomst. Nee, hij was geen parvenu – hij was hier geboren, in de ouderlijke slaapkamer op de bovenverdieping, tussen de Chippendale tweeverdiepingenkast en het garderobemeubel van Duncan Phyfe. Ook zijn vader was daar geboren, in de schaduw van datzelfde meubel, en zijn vader voor hem. Al meer dan driehonderd jaar waren het slechts Van Warts die de messing-en-groefvloeren betraden, die de krakende trappen bestegen en neerhurkten op de voorouderlijke aarde in de diepe oudheid van de kelder. En nu had hij ten langen leste in zijn hart de zekerheid dat er niets zou veranderen, dat Van Warts en geen anderen dan Van Warts door de eerbiedwaardige gangen de gouden, onbegrensde, onontkoombare toekomst tegemoet zouden lopen.

Want Joanna was in verwachting. De drieënveertigjarige Joanna, de bruid van zijn jeugd, moeder van zijn dochter, liefhebster van smeerselen en zalven en de keukens van Napels, Languedoc en de Fiji Eilanden, de van zijn bed vervreemde voorvechtster der ontrechten en grossier in lompen – Joanna was in verwachting. Na vijftien jaar wanhopig verlangen, verwijt, rancune en vertwijfeling, was ze tot hem gekomen en had hij haar initiatief beantwoord. Zo maar. Hij had zich een man betoond en haar bevrucht, bezwangerd, een kind op stapel gezet. Maar niet gewoon 'een' kind, niet zo maar een kind – een mannelijk kind. Het kon niet anders.

Hij herinnerde zich de bittere teleurstelling die was gevolgd kort na die bedwelmende, oerdriftige hooiberguitspatting voor de open haard van het vorig najaar – *Schat*, had ze amper een maand later tegen hem gezegd, *ik denk dat ik in verwachting ben*. In verwachting? Hij kon haast niet uit zijn woorden komen van beroering. Was zijn gebed verhoord, zijn hoop nieuw leven ingeblazen? In verwachting? Was dat waar? Kreeg hij toch nog een laatste kans?

Het antwoord was zo ondubbelzinnig als het stromen van het bloed: nee. Het was loos alarm. Ze was alleen maar een paar dagen over tijd geweest, en hij verviel tot een wanhoop zwarter dan hij ooit gekend had. Maar even na nieuwjaar kwam ze weer tot hem. En nog eens. Ze was bezeten, gretig, onstuimig, op haar huid zaten donkere vegen roodachtig pigment, in haar dikke vlechten hing de lucht van het moeras, van kampvuren en bittere wilde bessen, ze droeg leer over haar naakte huid. Hij was John Smith en zij was Pocahontas, ongetemd, koortsig, en ze paarden of hun leven ervan afhing. Wie was dat, die onbekende onder hem met die muskuslucht en die verre blik in haar ogen? Het kon hem niet schelen. Hij besteeg haar, drong in haar binnen, loosde zijn teelkracht diep in haar binnenste. Verzaligd. Dankbaar. Met de gedachte: dat gedoe met die Indianen is toch nog ergens goed voor.

Volgden het tweede alarm, de tocht naar de dokter, de proef, het onderzoek en de onaanvechtbaarheid van de uitslag: Joanna was in verwachting. Wat gaf het dat ze gillend gek was? Wat gaf het dat ze hem nog heftiger afweerde dan vroeger en haar bezoeken aan het reservaat verdubbelde? Wat gaf het dat ze hem voor schut zette in de supermarkt met haar beschilderde huid en haar beenkappen en wat al niet? Ze was zwanger, en het Van Wart-goed zou zijn erfgenaam krijgen.

En zo kwam het dat Depeyster zich op deze bijzondere dag – deze dag der dagen – terwijl hij rozen knipte voor in de grote vazen van geslepen glas die op strategische plaatsen stonden opgesteld in heel het huis ter verstrooiing van de bezichtigers en amateur-historici die nu elk moment konden gaan arriveren met gezichten vol gepast ontzag en respect, zich opperbest, uitbundig en onkwetsbaar voelde, zich voelde als Salomo die zich opmaakt voor de ochtendlijke ontvangst der smekelingen. Het was juni, zijn vrouw was in verwachting, de zon scheen op hem neer in al haar weldadige luister, en het huis – het aloude, weergaloze, voorname, onwaardeerlijke huis – stond, op z'n paasbest, open voor het publiek.

'Heb je het al gehoord van Peletiah Crane?'

Marguerite Mott, die krijgsraad had staan houden met haar zus Muriel, hield een beenderporseleinen kopje in evenwicht op zijn schoteltje en keek hoopvol op naar haar gastheer. Het was in de namiddag, en een klein gezelschap historisch geïnteresseerden had zich, met glazige ogen na de drie uur durende rondleiding door het huis en over het omliggende terrein waarbij geen leitje onbesproken en geen hoekje onbezichtigd was gebleven, in de voorkamer verzameld om een verfrissing tot zich te nemen. Lula, in haar witte schort en met een witte muts op, had thee en een zeer oude maar onmiskenbaar zure sherry geserveerd en een schaal oudbakken crackers met pâté uit blik, en de groep, die bestond uit twee nonnen, een juridisch secretaresse uit Briarcliff, een autodidactische monteur en de verschrompelde tachtigjarige penningmeester van het historisch genootschap-Hopewell Junction, alsmede de jonge Walter Van Brunt, LeClerc en Ginny Outhouse en, niet te vergeten, de geduchte gezusters Mott, stortte zich op de karige versnaperingen als dolenden uit de woestijn.

De vraag van Marguerite overviel de twaalfde erfgenaam midden in een ingewikkelde architecturale verhandeling over hoe de huidige hofstede zich door de generaties heen had ontwikkeld uit de bescheiden voorkamer waarin men thans stond. Gloedvol en met de energie en bezieling van een man half zo oud als hij was, had Depeyster de tachtigjarige en de secretaresse klemgezet tegen de palissander Nunns, Clark & Co-piano in de hoek om er bij hen op aan te dringen zich te overtuigen van de dikte en degelijkheid van de muur erachter. 'Opgetrokken uit ter plaatse aangetroffen veldsteen met een specie op basis van oesterschelpen, en wel in 1650,' zei hij. 'We hebben de zaak overgeschilderd, geglazuurd en opnieuw gevoegd natuurlijk – ja, toe maar, voel maar – maar toch: daar staat hij, de originele muur zoals hij door Oloffe en Lubbertus van Wart driehonderd negentien jaar geleden is gebouwd.' Depeyster was al drie uur aan het woord, en hij was voorlopig niet van plan op te houden met praten – niet zolang er nog iemand op zijn benen stond. 'De patroon vestigde zich in Croton, in het zuiderlandhuis – wat nu het museum is – en voor zijn broer bouwde hij hier de hofstede, maar na het overlijden van Lubbertus pendelde hij heen en weer. Ironisch genoeg is het zuiderlandhuis kort na de revolutie in vreemde handen overgegaan – maar dat is een ander verhaal – terwijl dit huis continu bewoond is geweest door Van Warts sinds de dag...' hij onderbrak zijn relaas ineens en draaide zich naar Marguerite. 'Wat zei je?'

'Peletiah. Of je het al gehoord hebt van Peletiah?'

Op hetzelfde moment verzonken secretaresse en penningmeester in het niet en voelde Depeyster zijn hart een sprongetje maken. 'Is hij dood?' kraaide hij, nauwelijks in staat zich in te houden.

De automonteur sloeg hem gade; LeClerc en Walter, die de koppen bij elkaar gestoken hadden, keken nieuwsgierig op.

'Nee,' fluisterde Marguerite, terwijl ze haar lippen tuitte en hem ten teken van de ophanden zijnde beklinking een snelle knipoog gaf, 'nog niet.' Ze hield hem een moment in spanning, een moment dat zwanger ging van belofte, en sprak toen het verlossende: 'Hij heeft een beroerte gehad.'

Hij wilde niet al te gretig lijken – de secretaresse keek ongemakkelijk om zich heen, bang om haar kopje ergens neer te zetten, en de oude baas uit Hopewell Junction zag eruit of hij elk ogenblik zelf een beroerte kon krijgen – dus telde hij tot drie eer hij zei: 'Is het... ernstig?'

De glimlach van Marguerite was een dunne streep, haar berijpte lippen waren stevig op elkaar geklemd, de basiscrème bij haar ooghoeken vertoonde nauwelijks een barstje. Het was een vastgoedglimlach die getuigde van een stille triomf, van een netelige transactie die ten langen leste tot een goed eind was gebracht. 'Hij kan niet meer lopen,' zei ze. 'Kan niet meer praten of eten. Raakt regelmatig buiten bewustzijn.'

'Ja,' zei Muriel, die haar geglaceerde gezicht tussen hen in drong, 'het ziet er slecht uit.'

Het ziet er slecht uit. De woorden brachten hem in beroering, stemden hem vrolijk, vervulden hem met wraakzuchtige vreugde. Dus eindelijk was die ouwe neuzige landgraaier, die halfzachte meeloper, op de knieën gedwongen, eindelijk moest hij eraan geloven... en nu kreeg die kleinzoon het voor het zeggen – die junk. Het was te mooi om waar te zijn. Negenduizend per hectare – ha! Hij zou nog maar de helft hoeven bieden, een kwart – niet meer dan wat het die knul kostte om zich een dag plat te spuiten of wezenloos te roken of wat dan ook... ja, en dan ging hij op zoek naar een paard, een Kentucky Walker, zoals zijn vader er vroeger een had, een oude bloedlijn, een bles op het voorhoofd; hij zou de stallen opknappen, de gemeente duidelijk maken dat er bij de toegang tot het land zo'n bord met een overstekend paard langs de weg moest komen, en dan reed hij 's morgens in alle vroegte met zijn zoon voor zich in het zadel over zijn grond, met de zon als vuur in de beek, het geknerp van hickory-noten onder de paardehoeven, bij terugkeer een braadstuk op de ontbijttafel...

Helaas viel de grootse triomftocht van zijn gedachten abrupt stil. Want daar, voor het raam, in vol Indiaans ornaat en een last op haar schouders met de omvang en vorm van een bizonkop, stond Joanna. Teruggekeerd. Voortijdig. Rotzooi uit de stationcar ladend ten aanschouwen van de secretaresse en de amechtige oude zak uit Hopewell Junction. Wat moest zij zo vroeg thuis? dacht hij, terwijl de paniek hem naar de keel greep. Moest ze niet in Jamestown zijn om de inzameling van blikken succotash in goede banen te leiden of iets dergelijks? Plotseling kwam hij in beweging; hij trok zich nijgend terug buiten het bereik van de wassenbeeldenglimlachjes van de gezusters Mott en ontdeed zich van de automonteur en diens geïnteresseerde vragen naar kilocalorieën en stookkosten in een wanhopige poging haar entree af te wenden.

Hij was te laat.

De kamerdeur ging langzaam open, en daar stond ze, met plastic kralen om en gekleed in hertsleer met franjerand, haar huid verkleurd tot bourgognerood. 'O,' stamelde ze, verward de kamer rondkijkend, waarna haar blik tot rust kwam op haar echtgenoot, 'ik zag buiten al die auto's wel... maar het drong – is het open huis vandaag – ja?'

Stilte maakte zich als angst van de kamer meester.

De nonnen keken verbijsterd, de secretaresse ontdaan; Ginny Outhouse glimlachte behoedzaam. Het was Lula met haar schaal crackers en pâté die de betovering verbrak. 'Wil u een paar toostjes, mevrouw Van Wart?' zei ze. 'U zal wel honger hebben na dat hele eind in de auto.'

'Nee, dank je, Lula,' zei Joanna, en ze liet de bundel op de grond kletteren, 'ik had eh... gedroogd vlees bij me op weg hierheen.'

Depeyster had inmiddels een paar stijve passen voorwaarts gezet om haar te begroeten. Muriel liet een stroom prietpraat op haar los ('Hoe is het met jóú, wat leuk dat ik je weer eens spreek, wat zie je er goed uit, en nog steeds begaan met de Indianen, zie ik'), en onder de anderen was het geroezemoes hervat.

Depeyster was door de vloer gegaan. LeClerc en Ginny waren oude vrienden – die wisten van Joanna's steeds excentriekere gedrag en maalden er niet om. Niet of nauwelijks. En Walter was zijn protégé, dus daar hoefde hij geen problemen van te verwachten. Maar de anderen, de gezusters Mott en de nieuwelingen – wat moesten die wel niet denken? En toen had hij een inval. Hij zou ze een voor een apart nemen en ze dan uitleggen dat de uitdossing van zijn vrouw ook in het teken stond van de open-huisgedachte, om een brug te slaan naar de oorspronkelijke bewoners van het stroomdal met behulp van een spontaan stukje historische improvisatie – vonden ze dat niet alleraardigst?

Die gedachte bracht hem enigszins tot bedaren, en hij wilde zich juist met een anekdote op zijn lippen omdraaien naar de kleinste van de twee nonnen, toen de deur openvloog en Mardi, de dochter-die-niet-wou-deugen, de kamer binnenstormde. 'Hallo, allemaal!' riep ze, 'wat een prachtige dag, hè?' Ze droeg een tijgerprint-bikini die meer van haar onthulde dan haar vader lief was, en doordat ze te lang in de zon gelegen had zag haar huid haast net zo rood als die van haar moeder. Ze liep in een rechte lijn naar de karaf sherry, dronk in één teug een glas leeg, trok een vies gezicht en sloeg er toen nog een achterover.

Dit was te erg, hierop was geen weerwoord mogelijk.

Depeyster wendde zich af van de horreur van dit schouwspel en prutste een snufje keldergrond te voorschijn om over zijn thee te sprenkelen, terwijl de monteur niet van zijn zijde week, de nonnen met open mond toekeken en de secretaresse haar spullen bijeenpakte. 'O, hoi, LeClerc,' hoorde hij zijn dochter zeggen met een stem zo vals en zalvend als die van een verzekeringsagent. 'Het moet een hele toer zijn om het hier warm te stoken,' vermoedde de monteur.

Voor hij het wist, troonde Mardi Walter mee de kamer uit – 'Kom,' lispelde ze, 'ik wil je boven iets laten zien' – bedankten de nonnen hem voor een heerlijke middag, had Joanna haar handel uitgespreid op het Turkse tapijt en bood ze Indiaans aardewerk te koop aan en beraadden LeClerc en Ginny zich op een eetgelegenheid. 'Wat vind je van die Italiaan in Somers?' zei Ginny. 'Of de Chinees in Yorktown?'

Even later beantwoordde hij bij de voordeur krachteloos de handdruk van de monteur, die à raison van vijf dollar per stuk twee ongeglazuurde Indiaanse asbakken had gekocht die eruitzagen als een mislukt kleuterschoolproject (wat moesten ze eigenlijk voorstellen – vissen?). 'Vindt u het goed als ik nog even snel naar het loodgieterswerk kijk?' De monteur – een jonge man, zo kaal als een biljartbal – wierp hem een warme, haast engelachtige blik toe. 'Ik ben erg benieuwd hoe dat hier aangelegd is, met die muren van een meter dik.'

'Of dat grill-ding in Amawalk? Wat vind jij, Dipe?' vroeg LeClerc, hem bij de monteur vandaan trekkend.

Wat of hij vond? De gezusters Mott dekten hun aftocht met een radeloos spervuur van clichés en ongemeendheden, de oude baas uit Hopewell Junction vroeg luidkeels ondersteuning bij zijn voorgenomen gang naar het toilet en de secretaresse vertrok zonder een woord. Hij kon, verdwaasd, verslagen, gewond voor het leven, niet onder woorden brengen wat hij vond. De dag was uitgelopen op een fiasco.

Voor Walter daarentegen was de dag net begonnen.

Ongemakkelijk in zijn seersucker-pak, met een knellende das om zijn keel en onderbenen die nog naschrijnden van de inspanning van de rondleiding, had hij, zonder openhartigheid en met weinig overtuiging, met LeClerc Outhouse zitten praten over de morele noodzaak van Amerika's aanwezigheid in Indo-China en het absolute vereiste die rijstepikkers op hun knieën te bombarderen met alles wat we in huis hadden. En nu liep hij hier de trap op achter Mardi's onweerstaanbare achterste aan, de donkere, verlokkelijke, ultraviolet verlichte schuilplaats van haar kamer in. Zij snaterde wat in het wilde weg over ditjes en datjes – wist hij dat Hector bij de mariniers gegaan was? En dat Herbert Pompey op tournee was met het *La Mancha*-gezelschap? En dat de band van Joey uit elkaar was? Net als zij en Joey trouwens?

Ze waren nu in haar kamer, en terwijl ze deze laatste mededeling deed draaide ze zich naar hem om. De wanden waren zwart geschilderd, de jaloezieën dicht. De achter haar hangende poster van Jimi Hendrix – in verwrongen vervoering reagerend op zijn publiek – gloeide goddeloos op in het discolicht. Walter glimlachte cynisch naar haar en liet zich voorzichtig op het bed neer.

Nee, hij wist niet dat Hector tegenwoordig bij de mariniers zat of dat Herbert op tournee was – hij was sinds zijn ontslag uit het ziekenhuis niet meer in de Elleboog geweest. En Joey had hem pas een emotie (vreugde) kunnen ontlokken als zijn band niet gewoon uit elkaar was gegaan, maar uit elkaar was gespát en neergekomen in duizenden onidentificeerbare brokstukken. Mardi had hem pijn gedaan. Een zenuw geraakt. Hem gekwetst waar Meursault onkwetsbaar was. En hij was er gesterkt uit te voorschijn gekomen. Krachtiger. Harder en onaandoenlijker dan ooit, losgeslagen van zijn ankers – van Jessica, van Tom, van Mardi en Hesh en Lola – de eenling, de eenzame cowboy, de waarheidzoeker verwikkeld in een eenmansstrijd. Liefde? Gelul.

Nee. Hij had geen contact meer gehad met Mardi, Tom, Jessica – of met iemand anders van die club. Met juffrouw Egthuysen had hij echter wel contact gehad. Zevenentwintig, splitrokken, lippen als vlinders. En met Depeyster. Veel. Om het vak te leren, de geschiedenis te ontdekken. Hij was uit de houten driekamerwoning in de Kitchawank-kolonie verhuisd naar iets van zichzelf – het met wingerds begroeide gastenverblijf achter het grote oude huis dat uitkeek over de beek in Van Wartville. De Norton had hij ook weggedaan. Hij reed nu een MGA, een ranke snelle grommer.

Mardi trok de deur dicht. Haar haren hingen in haar gezicht, over het gave effen vlak van haar buik liep een zonverbrande streep, om haar enkel hing een gouden ketting. Ze liep naar de pick-up en zette de naald op een plaat, en de kamer maakte ruimte voor een waterval van drums en een dun, manisch gitaargejank. Walter glimlachte nog steeds toen ze zich weer naar hem omdraaide. 'Wat wilde je me nou laten zien?' zei hij.

Ze kwam teruggeschreden door de kamer, vleesgeworden volmaaktheid – Walter moest denken aan zijn voorvaderen, die van de aanblik van alleen al een enkel een dag van streek waren – en stak hem een stijf gebalde vuist toe. 'Dit,' zei ze, haar vingers ontvouwend zodat er een dikke gele joint zichtbaar werd. Ze liet een halve maat van de muziek passeren, maakte toen haar bovenstukje los en kronkelde uit het tijgerprint-slipje. 'En dit,' fluisterde ze.

IN DE PEKEL ZITTEN

Ja, inderdaad, hier hadden we dus een Van Wart in vleselijkheid verenigd met een Van Brunt in een historische omgeving, maar het had ze eeuwen gekost om tot een dergelijke gedemocratiseerde samenkomst te geraken. In een andere tijd was zo iets ondenkbaar geweest. Onbestaanbaar. Even absurd als de paring van leeuw en pad of varken en vis. In dat verre verleden waarin Jeremias van Brunt zich met weerzin voegde naar de bepalingen van zijn pachtovereenkomst, toen aan het gezag van de patroon niet werd getornd en de bewerkers van diens landerijen weinig hoger op de maatschappelijke ladder stonden dan Russische lijfeigenen, waren Van Brunt en Van Wart het lijfelijkst tot elkaar gekomen bij het incident met de pogamoggan, waarbij eerdergenoemde Jeremias de *joncker* gedreigd had hem de schedel te zullen inslaan.

Destijds leek het incident een serieuze bedreiging voor het landsheerlijk stelsel – een oproerige daad welhaast – maar in de loop der jaren was alles in het vergeetboek geraakt. Of toch in elk geval bedolven onder een paar scheppen zand, als een inderhaast begraven lijk. Jeremias, in beslag genomen door de zorg voor zijn uitdijende gezin en de beteugeling van de anarchistische krachten van de natuur, die steeds op de loer lagen om de akker te overwoekeren en hem terug te werpen in de barre ontbering die hij had gekend na de dood van zijn ouders, had de pachtheer nagenoeg geheel uit zijn gedachten gebannen. Eigenlijk de enige keer dat hij het beeld weer opriep van de man die hem in zijn macht had en die gedoogde dat hij zijn dagelijks brood verdiende en een dak boven zijn hoofd had, was in november, op de vervaldag van de jaarlijkse pacht.

Al weken van tevoren begon hij te koken en te briesen en te tieren over de onbillijkheid van de hele situatie en herrees de aloude weerspannige vuurspuwende verzetsgeest als een feniks uit de as van zijn tevredenheid. 'Ik ga hier weg!' riep hij dan. 'Ik denk er niet aan die vette uitzuiger ook maar één stuiver te betalen; ik pak de hele rotzooi in, tot het laatste kop-en-schoteltje, het laatste bord, en ik ga terug naar Schobbejacken.' En elk jaar begonnen Neeltje en de kinderen dan te bidden en te smeken en te soebatten, en als op de vijftiende Ter Dingas Bosyn voorgereden kwam in de wagen van de patroon, sloot Jeremias zich op in de achterkamer met een fles rum en liet zijn vrouw de munten uittellen, de potten boter, de schepels graan en de vier vette hennetjes die de patroon opeiste als zijn jaarlijks deel. Als hij de volgende dag gedwee en met rode ogen weer boven water kwam, hinkte hij zonder een woord het erf op om de schuurdeur te repareren of de planken in het kippenhok te vervangen die door de stekelvarkens waren weggeknaagd.

En Stephanus, die zijn vader was opgevolgd als patroon nadat de oude Van Wart tijdens de pestepidemie van '68 in een hoestbui gebleven was, had het van zijn kant te druk met het ontduiken van de regels die de Raad van Tien (waarin hijzelf het lichtend baken was) namens de gouverneur opstelde, het bestier van de rederij die hij van zijn vader had geërfd en het grootbrengen van zijn eigen gezin, om zich het hoofd te breken over een achterlijke strontschuiver op een verre, onbeduidende hoek grond. Het was voldoende dat voornoemde strontschuiver zijn jaarlijkse pacht afdroeg – een feit waarvan de aantekeningen in de boekhouding van de rentmeester jaar in jaar uit braaf getuigden. En voor het overige mocht Jeremias wat Stephanus van Wart betrof zijn houten poot verstoken en de as opeten.

Niets aan de hand dus. Twaalf jaar lang gingen Van Warts en Van Brunts ieder hun eigen gang, en gaandeweg begonnen de wonden langzaam te helen en ontstond er in het stroomdal een bestandsvrede.

Maar krab aan een roofje, hoe licht ook, en er vloeit bloed.

Zo geviel het dat in de zomer van 1679, kort na Jeremias' dertigste verjaardag, Neeltjes vader, de roemruchte schout, een bezoek bracht aan de boerderij op Nysenswerf met een boodschap van de patroon. Joost, die het grootste deel van de dag nodig had gehad voor een ronde langs de naburige boerderijen, arriveerde in de namiddag. Nu hij vijftig was liep hij krommer dan ooit, zo ernstig misvormd dat het leek of hij zijn hoofd in evenwicht hield met zijn borstbeen, en het paard dat hij bereed was even knokig, holgerugd en humeurig als zijn voorganger, de onbeweend verscheiden Dondersteen. Hij had zich een hele tijd geleden al verzoend met zijn dolle schoonzoon (ofschoon nog altijd zijn linkerslaap begon te kloppen en zijn oren begonnen te suizen als hij een blik wierp op de pogamoggan aan de haak boven de haard), en toen Neeltje erop aandrong dat hij zou blijven slapen, stemde hij toe.

Het was tijdens het avondeten – of liever gezegd na het avondeten, toen Neeltje kruidkoeken op tafel zette en een geurige, dampende kom kaneelwijn – dat Joost hun het nieuws meedeelde. Het hele gezin zat bijeen om de grote robuuste tafel, die Neeltje gedekt had met het dooraderde servies en het Zutphense glaswerk dat zij had geërfd bij de dood van haar moeder. Jeremias – ruig, besnord, kolossaal en blootshoofds – schoof zijn stoel naar achter met een zucht en stak zijn pijp op. Naast hem zaten, in een lange, schuin aflopende rij op de bank die met het jaar korter werd, de jongens: neef Jeremy, met zijn wilde aanzien en teerzwarte haar, bijna vijftien inmiddels en zo zwijgzaam dat hij het geduld van zelfs het gesteente zwaar op de proef zou hebben gesteld; Wouter, elf en een half en het evenbeeld van zijn vader; en daarnaast Harmanus en Staats, respectievelijk acht en zes. De meisjes – stuk voor stuk zo tenger en donkerogig en knap als hun moeder – zaten aan de overkant van de tafel in een rij naast hun grootvader. Geesje, die negen was, stond op om haar moeder te helpen. Agatha en Gertruyd waren vier en twee. Die zaten te wachten op een stuk kruidkoek.

'Zo, *zeun*,' zei Joost, de tabak aanstampend in de kop van een Goudse pijp zo lang als zijn halve arm, 'ik ben hier op last van de patroon.'

'O?' zei Jeremias, onverschillig als betrof het het laatste nieuws over de keizer van China, 'en wat mag dat inhouden?'

'Niets bijzonders,' wist Joost tussen twee grote, smakkende halen aan de steel van de pijp te antwoorden, 'niets bijzonders. Het gaat alleen om het aanleggen van een weg.'

Jeremias zweeg. Geesje ruimde de tinnen borden van de kinderen en het restant van de melksoep af. Jeremy Mohonk wisselde, kaarsrecht en ondoorgrondelijk, een blik uit met Wouter. 'Een weg?' zei Neeltje haar vader na, terwijl ze de kandeelkom met gekruide wijn neerzette.

'Mmm, ja,' antwoordde haar vader, blazend en puffend zo verwoed alsof hij in het ijskoude water van de Acquasinnick was gegooid. 'Hij wil de rest van de zomer hier in het noorderlandhuis komen wonen. Met een timmerman uit New York. Hij is van plan de zaak op te knappen waar dat nodig is, en ik denk dat hij zijn broer in Haarlem niet heeft kunnen bewegen over te komen, maar de zoon van Lubbertus heeft zo langzamerhand de leeftijd om op zichzelf te gaan wonen en een gezin te stichten...'

'En wat heb ik daarmee te maken?' vroeg Jeremias, dapper meepuffend en een bittere zwarte rookwolk uitblazend.

'Nou, daar gaat het nu juist om – daarvoor ben ik vandaag de pachters afgegaan. De patroon wil...'

Jeremias viel hem in de rede. 'Er is geen patroon meer – dit is tegenwoordig een Engelse kolonie.'

Puffend, wuivend met een ongeduldige hand om Jeremias' formele gelijk te erkennen, tilde Joost zijn hoofd van zijn borstbeen en vervolgde: 'Patroon, landheer – wat maakt het uit? Hij roept alle pachters op hem vijf mandagen af te staan met hun span – hij wil de weg van Jan Pieterse naar het noorderlandhuis verbreden en dan doortrekken naar de nieuwe boerderijen in Crom's Pond. Er zijn plannen voor een postroute door het dal, en de patroon wil ervoor zorgen dat die zijn huis niet voorbijgaat.'

Jeremias legde zijn pijp neer en schepte een beker wijn uit de kom. 'Ik verdom het,' zei hij.

'Verdom het?' De ogen van Joost verhardden zich. Hij zag het boze litteken in de wang van zijn schoonzoon bloedrood kleuren en vervolgens weer dodelijk wit worden. 'Je hebt geen keus,' zei hij. 'Het staat in je pachtovereenkomst.'

'Die overeenkomst kan barsten.'

Daar gingen we weer. Jeremias zou het nooit leren, nooit berusten, nog niet al sloot je hem honderd jaar op in een cel. Maar dit keer liet Joost zich niet op de kast jagen. Er was te veel veranderd. De renegaat zat nu tegenover hem aan tafel, de man van zijn dochter, de vader van zijn kleinkinderen. 'Maar de patroon...' begon Joost, zijn woede onderdrukkend met redelijkheid.

Hij verspilde zijn adem.

Jeremias' vuist sloeg op tafel met een klap waar het serviesgoed van danste en waar de kleine Gertruyd zo van schrok dat ze begon te huilen. 'De patroon kan barsten,' grauwde hij.

Wouter liet zijn vaders woedeuitbarsting stil over zich heen komen, met zijn hoofd gebogen, zijn ogen gericht op de schaal kruidkoeken midden op de tafel. 'Jeremias,' klonk zijn moeders vermanende stem op de zachte terechtwijzende toon die Wouter zo goed kende, 'je weet dat het je plicht is. Dus wat heeft het voor zin je ertegen te verzetten?'

Dat had ze nog amper gezegd of zijn vader viel tegen haar uit, wat Wouter had durven voorspellen; de koppige, dwarse klanken van zijn vaders stem wakkerden sforzando aan tot een bulderende tirade tegen de patroon, de gouverneur, pacht, heffingen, stenige grond, houtrot, termieten, oorwurmen en wat hem verder nog te binnen schoot. Terwijl zijn vader zich in haar richting boog en zijn moeder een onwillekeurige stap achteruitzette, deed Wouter een snelle greep in de kruidkoeken, verstopte er een handvol van in zijn hemd en wenkte Jeremy met een hoofdknik. 'Wouter pakt alle koeken!' jammerde de kleine Harmanus, maar in de hitte van het moment merkte niemand het. Terwijl de twee komplotteurs wegdoken van tafel en de deur uit glipten, verhief ook grootvader Cats zijn stem om iedereen tot kalmte te manen, kalm, kalm!

Wouter noch Jeremy zei een woord toen ze bij het vallende duister op de tast het pad af liepen naar de Acquasinnick. Ze waren al zo vaak omlaag- en omhooggegaan langs dit pad dat het aantal keren het oneindige naderde, en hoewel het al haast te donker was om nog wat te zien, kenden ze elke daling, steilte, kuil en steenrichel alsof ze die zelf hadden aangebracht. In nog geen vijf minuten zaten ze op de hoge, overhangende rivieroever, luisterend naar de slurp- en plopgeluidjes van naar de oppervlakte komende forellen en de zompige klacht van de kikvors. Wouter had zes koeken buit weten te maken. Hij gaf er drie aan zijn neef.

Lange tijd zaten ze alleen maar te kauwen, terwijl het water onder hen in een vast patroon om de rotsen spoelde, de muskieten door de lucht sneden en krekels sjirpten. Wouter verbrak de stilte. 'Mooi dat ik me geen natte rug ga werken voor de patroon,' zei hij in een soort uit overpeinzingen opspringende, door octaafgrenzen brekende uitroep. Hij was in een fase van zijn leven waarin zijn vader een kleine godheid was, vereerd en wijs, onfeilbaar, een waar orakel van waarheid en besluitkracht. Als Jeremias tegen hem zou zeggen dat de ganzen verstand hadden van algebra en dat de rivier achteruitstroomde, dan had hij dat voetstoots aangenomen, ongeacht het getuigenis van zijn zinnen.

Jeremy zweeg. Wat niet ongebruikelijk was, aangezien hij maar zelden iets zei, zelfs als hij rechtstreeks werd aangesproken. Hij was lang, donker en had de spinachtige ledematen en de vooruitstekende adamsappel van wijlen zijn verwekker, en hoewel hij het Nederlands en het Engels beheerste, sprak hij in geen van beide talen maar communiceerde met behulp van gegorgel, gegrom en oprispingen, of in een ingewikkelde gebarentaal van eigen vinding.

'Je weet dat vader het niet doet,' zei Wouter, terwijl hij een glimworm uit de lucht griste en diens fosforescentie in een groenige veeg over zijn arm uitsmeerde. 'Hij is geen slaaf.'

Om hen heen werd de nacht donkerder. Stroomafwaarts klonk er een plons uit de richting van de brug. Jeremy zweeg.

'Dus komt het op ons neer,' zei Wouter. 'Vader doet het niet, dus dan zeggen moeder en opa Cats dat wij het moeten doen. Net als met het hout. Weet je nog?'

Het hout. Ja. Jeremy wist het nog. Toen vorig jaar november de pacht moest worden betaald en Jeremias zich vloekend terugtrok in de achterkamer, eiste de patroon niet alleen guldens en ponden, boter, graan en hennetjes, maar ook nog eens twee vaam brandhout. *Ik duld niet dat een zoon van mij*, was Jeremias beginnen te briesen, *of een neef...* maar zijn stem was weggestorven, en hij had een slok genomen uit de fles en was het erf op gewankeld om alleen te zijn met zijn verontwaardiging en zijn woede. Moeder Neeltje had erop toegezien dat Wouter, Harmanus en Jeremy hout voor de patroon hakten en kloofden. Met z'n drieën – en Harmanus, met zijn acht jaar, deed mee voor spek en bonen – hadden ze twee bitterkoude middagen doorgewerkt, waarna ze de os voor de wagen hadden gespannen en naar het noorderlandhuis waren gereden met het brandhout dat de gekke, uitgemergelde, oude moeder van de patroon warm moest houden, die daar woonde sinds de oude patroon het had afgelegd. Dat was in november geweest, en toen moest er hout worden gehakt. Nu was het juli, en moest er een weg worden verbreed.

'Mooi dat ik het niet doe,' grauwde Wouter. 'Al gaat moeder op d'r kop staan.'

Hoewel hij het hiermee hartgrondig eens was zei Jeremy nog steeds niets.

Er verstreek een traag moment; om hen heen knisperden de nachtelijke geluiden van het bos, het water tolde steeds luider over de rotsen bij hun voeten. Wouter gooide een handvol kiezels in het zwarte, kolkende water en drukte zich toen overeind. 'Wat doen we?' zei hij. 'Als de patroon komt, bedoel ik?'

Jeremy's antwoord was zo gutturaal, zo gesmoord en bevatte zoveel klik- en gromklanken en stiltes, dat geen ander dan Wouter, zijn boezemvriend en britsgenoot, er iets van zou hebben verstaan. Maar voor Wouter waren zijn woorden zo klaar als het zuiverste King's English – of Stadhouders Nederlands – en in het duister plooide een gerustgestelde glimlach zijn mond. Wat zijn neef had gezegd, op zijn eigen hermetische, verwrongen manier, was: 'Als de patroon komt, weten wij wel raad met hem.'

En de patroon kwam – onvermijdelijk als de vorst in het najaar, roest in de tarwe of schimmel in het brood, als de kraai die neerstrijkt om zich te goed te doen aan de dode os of de vlieg die boven de pan rijzend deeg hangt. Hij kwam per zeilboot naar de aanlegsteiger bij Jan Pieterse's Kil, met zijn vrouw, Hester Lovelace (die door een gelukkig toeval de nicht was van de machtigste man in New York, zijne excellentie de gouverneur), zijn vier kinderen, voor drie kamers aan meubilair, twee kisten serviesgoed, een spinet en verscheidene sombere familieportretten om het naargeestige interieur in het noorderlandhuis op te fleuren. De inmiddels achttienjarige Pompey II, de enige mannelijke telg die was voortgesproten uit de verbintenis van de huisslaven van de gewezen patroon, Ismailia en Pompey de Eerste, had de kisten, de voorraden en het meubilair onder zijn hoede. Zijn zus Calpurnia, een meisje met een lichte huid en iets van de oude patroon in de hoekigheid van haar neus en de eigenaardige, bijna spastische scheefstand van haar ledematen, behoedde de zoontjes van *Mynheer* voor de verdrinkingsdood en maakte zich daarnaast verdienstelijk als kapster van Saskia, het etherische tienjarige dochtertje van de patroon.

Stephanus werd bij de Blauwe Rots verwelkomd door een dikkere, oudere en aanzienlijk rijker geworden Jan Pieterse en door een afvaardiging van trage pofbroekboeren met kaf in hun haar en een Goudse pijp op zak. Zijn factotum, een kruiperige, van tics en zenuwtrekjes aan elkaar hangende zweepslang van een man die Aelbregt van den Post heette, hield toezicht op het lossen van de boot en het aansluitende beladen van de twee karren die gereedstonden voor de patroon en zijn huisraad. Van den Post, van wie werd beweerd dat hij een schipbreuk ter hoogte van Cape Ann had overleefd door zich vast te klampen aan een stuk hout en drie weken kwallen te eten, wierp al zijn pezige energie in de strijd en stortte zich op zijn taak als een desperado. Hij dribbelde heen en weer over de grote stenen plaat, schreeuwde bevelen naar de niet in beweging te branden scheepsbemanning, hielp de echtgenote van *Mynheer* de loopplank over en de wagen in, hield de paarden in bedwang, gaf de onfortuinlijke timmerman een draai om zijn oren omdat hij niet genoeg voortmaakte met zijn gereedschap, foeterde Pompey uit, berispte de kinderen en zag tussen de bedrijven door nog kans de *joncker* de hielen te likken als een kwispelende spaniel. Toen alles en iedereen was ingeladen, ging de patroon met zijn gezin vooruit in de lichte wagen, met Pompey aan de leidsels. Achter een span stinkende ossen op de ruwhouten bok gezeten volgden Van den Post en de timmerman in de overbeladen boerenkar.

De patroon wilde met voortvarendheid aan de slag. Toen hij in het voorjaar een bezoek bracht aan het huis was hij geschrokken van het algehele verval dat hij aantrof: versleten molenstenen, verwaarloosde boerderijen en het huis zelf, verzakkend als een schip dat slagzij maakt op volle zee. Wanbeheer, daar kwam het door! Wanbeheer, plus zijn eigen drukke bezigheden elders. Hoe kon hij ook van zijn pachters meer dan een slakkegang verwachten als er niemand was die er af en toe de zweep eens over legde?

Nou, daar zou verandering in komen.

Hij had zich voorgenomen persoonlijk in het noorderlandhuis te blijven wonen tot het eind van de zomer om het regime over zijn pachters te verscherpen en orde op zaken te stellen, zodat hij het beheer aan die suffige neef van hem kon overlaten zonder bang te hoeven zijn dat de zaak meteen in het honderd liep. Met een jaar of tien zou hij het huis nodig hebben voor Rombout, zijn oudste zoon, en als hijzelf kwam te overlijden, dan was het zuiderlandhuis – met de boerderij van Cats – voor Oloffe, zijn middelste zoon, en voor Pieter, de jongste. Maar voorlopig zou hij met zijn gezin zijn intrek nemen in het fiere oude natuurstenen huis dat zijn vader en zijn oom nog geen dertig jaar eerder hadden gebouwd, en hij was van plan er al zijn energie in te steken. De oude Ter Dingas Bosyn, de *commis*, waakte over het zuiderlandhuis en over de goederen die aan het eind van de maand uit Rotterdam zouden arriveren, en verder was Cats er ook nog om toezicht te houden op de gang van zaken in Croton. En trouwens, hij ging niet in ballingschap op een onbewoond eiland: als de nood aan de man kwam, was hij in een halve dag rijden weer terug.

Het duurde een week eer hij op orde was. Zijn moeder, die het rijk voor zich alleen had gehad, was koel en prikkelbaar en hij had de eerste paar dagen nodig om haar het denkbeeld uit het hoofd te praten dat hij haar het huis uit kwam zetten om haar als martelaresse prijs te geven aan het gedierte van de wildernis. Dan was er vrouw Van Bilevelt, de dienstbode, die elke suggestie als een persoonlijke belediging opvatte, Pompey en Calpurnia als kannibalen in Hollandse kledij beschouwde en een bittere strijd voerde over elk kopje, elk schoteltje en elk meubelstuk dat Hester had meegebracht. En ten slotte was er de netelige kwestie met De Vries. Zij – Gerrit Jacobsz de Vries, zijn vrouw en hun onvolwaardige zoons – hadden al die jaren de boerderij beheerd – slecht beheerd. De eerste avond al, na een maal bestaande uit gestoofde paling en kool die een van moordzucht vervulde vrouw Van Bilevelt uit nijd had laten aanbranden, ontbood Stephanus Gerrit de Vries in de voorkamer. Hij begon met zijn waardering uit te spreken voor Gerrits lange, eerbiedwaardige staat van dienst, onder hem en onder zijn vader, ontvouwde de plannen die hij had met de hofstede en de molen en rondde zijn verhaal af door hem een nieuwe boerderij aan te bieden ten noorden van de plaats van de Van der Meulens, op dezelfde voorwaarden die hij iedere kandidaat-pachter zou aanbieden – de patroon leverde zijn aandeel in het bouwmateriaal, de levende have en de landbouwwerktuigen; alle verbeteringen vervielen om niet aan diezelfde patroon; de pacht moest worden voldaan in november.

De Vries was met stomheid geslagen. Hij liep rood aan; hij draaide zijn hoed rond in zijn ruwe handen. Uiteindelijk wist hij in zijn boerse Nederlands uit te brengen: 'U – u bedoelt, weer helemaal van voren af aan beginnen?'

Mynheer knikte.

De rest was simpel. De Vries spuugde op de grond voor zijn voeten en de patroon liet hem door Van den Post uitgeleide doen. De volgende ochtend was, na dertien jaar bij het noorderlandhuis te hebben gewoond, de familie De Vries vertrokken.

Toen dat eenmaal geregeld was, zette de patroon Van den Post aan het werk op de boerderij en gaf hij de timmerman opdracht om het dak te vernieuwen en stenen aan te slepen voor de twee verdiepingen hoge aanbouw die de omvang van de hofstede meer dan zou verdubbelen. Vervolgens was de weg aan de beurt. De verbreding van de weg.

En op een mooie warme augustusmorgen, terwijl de braambessen rijpten in het bos, de maïs op de akker zijn zoete smaak kreeg en de krabben zo uit de baai de pan in kropen, was het zover: de patroon riep zijn pachters op hem de hand- en spandiensten te verlenen die hem toekwamen. Tegen achten hadden ze zich verzameld voor het huis met hun karren en ossen, hun bijlen en schoppen en eggen. De patroon, gekleed in een los vallende rijngraafbroek en een mouwloos zijden buis, gezeten op de ranke telganger uit Croton die de schout voor hem hierheen gereden had, registreerde ieders aanwezigheid met een minzaam knikje – eerst de Van der Meulens, de oude Staats en zijn zoon Douw, die inmiddels zijn eigen boerderij pachtte; vervolgens Crane en Ter Hark en de jongen van Reinier Outhuyse, die de zaak had overgenomen nadat een delirium had huisgehouden in de hersens van zijn vader; en ten slotte Lent, Robideau, Musser en Sturdivant.

Alles bij elkaar woonden er rond noorder- en zuiderlandhuis een kleine tweehonderd mensen op het Van Wart-goed, maar het merendeel was geconcentreerd langs de Hudson in Croton en op verspreide plekken landinwaarts aan de oevers van de rivier de Croton. Hier, aan de noordgrens van Stephanus' domein, waren maar tien boerderijen in cultuur en woonden, volgens de laatste telling, in totaal negenenvijftig zielen – afgezien uiteraard van de haveloze troep Kitchawanks bij de Indiaansche Hoeck en de zesentwintig vrije onderdanen van de kroon die in Pieterse's Kil woonden, op hoekjes grond die de handelsman ze had verkocht voor vijftig keer het bedrag dat hij er zelf voor had betaald. Tien boerderijen. Dat waren er vier meer dan in zijn vaders tijd, maar in de ogen van de *joncker* was het niets. Niet eens een begin.

Hij had in het oosten land gekocht van een gedegenereerde tak van de Connecticuts en in het zuiden van de Sint Sinks. En door handig ronselen onder de verwezen, zeezieke landverhuizers die de kade op strompelden bij de Batterij met weinig meer dan de wind in hun rug en een verstopte neus, had hij pachters weten te vinden voor bijna alle uitgelezen percelen rond Croton – en hij wilde er nog meer, nog zeker een honderd, om de wildernis hier in het noorden te ontginnen. Wat hem voor ogen stond was niet minder dan de verwerving van het grootste landgoed in de kolonie, een domein waarbij de grote landgoederen van Europa zouden afsteken als moestuintjes. Dat was zijn obsessie geworden, zijn overweldigend verlangen, het enige visioen dat hem de geplaveide straten, de rustige taveernen, de muziek, de kunst en de beschaafde kringen van Leiden en Amsterdam kon doen vergeten. Hij keek uit over de verbrande koppen van de boeren die aan zijn weg kwamen werken – een weg waarover de ontscheepte horden tiendplichtige dorpers naar het noorden zouden komen om bomen te kappen, stronken te verbranden en de grond om te ploegen – en een vluchtig moment zag hij alles zoals het eens zou zijn: het heuvelland wuivend van het graan, de uien die opkwamen in de moerassen, stapels pompoenen en kool en fleskalebassen als schatten, als goud...

Maar toen schraapte een van de boeren zijn keel en nam het woord, en weg was het vergezicht. Het was Robideau, een zure, gelooide Fransman, die een oor was kwijtgeraakt bij een uit de hand gelopen vechtpartij voor de Ramapo-taveerne, die een week later door onbekende oorzaak tot de grond toe afbrandde. Robideau zat hoog op de harde bok van zijn wagen, zijn dicht bijeenstaande ogen glinsterden en zijn zweep zwaaide loom over de vliegen die neerstreken op de beblaarde achterhand van zijn ossen. 'En Van Brunt?' zei hij. 'De hinkepoot? Waar blijft die?'

Van Brunt? De patroon was een ogenblik in verwarring, want hij had de herinnering aan die onverkwikkelijke confrontatie van jaren her zo grondig uitgebannen dat hij Jeremias' bestaan vergeten was. Maar het volgende moment stond hij weer in dat ellendige onderkomen waar de schout languit op de harde lemen vloer lag, waar Jeremias van Brunt hem tartte, hem uitdaagde met een primitief inlands wapen, waar de tengere knappe Neeltje hem met haar donkere ogen opnam vanuit haar zondig bed. *Neeltje is uw bezit niet*, zei Jeremias. *En ik evenmin*.

'Is het omdat hij getrouwd is met de dochter van de schout – wordt er daarom voor hem een uitzondering gemaakt?'

Van Brunt. Verdomd: waar zat die schavuit? Stephanus wendde zich tot de schout, die de vorige avond uit Croton hierheen gekomen was om toezicht te houden op de werkzaamheden. 'Wel?' zei hij.

Cats hing bijna voorover tot op de grond toen hij naar voren geschuifeld kwam om zich te verontschuldigen. 'Ik weet niet waar hij is, *Mynheer*,' zei hij, zo hevig haperend en hortend dat hij leek te stikken in elk woord. 'Ik heb hem wel op de hoogte gebracht – en hij zei dat hij zou komen.'

'O, hij zou komen?' De patroon bukte zich voorover in zijn zadel, en de ruime, uitgestulpte plooien van zijn kniebroek bolden over zijn kousen, zijn gespschoenen en over de stijgbeugels. 'Dat is heel royaal van hem.' Nadat hij zich vervolgens weer had opgericht, zodat hij boven de schout uit torende als een tot leven gekomen ruiterstandbeeld, vloekte hij zo liederlijk en hartgrondig dat de jonge Johannes Musser schielijk een hand voor zijn mond sloeg en vrouw Sturdivant, de zwaarste vrouw in Van Wartwyck, ter plekke flauwviel. 'Hij staat hier binnen het uur voor me,' zei hij, tussen zijn opeengeklemde tanden door. 'Duidelijk?'

De dag was al half voorbij, en de razernij van de patroon nam levenbedreigende vormen aan, toen eindelijk de kar met het Van Wart-embleem, voortgetrokken door een stel schrale, tandeloze en halfkreupele ossen, om de bocht verscheen en slaapdronken in de richting van de ploeg wegwerkers kwam. Joost Cats, die zijn paard bij de teugels voortleidde en zo krom liep dat het leek of hij elk moment plat voorover kon vallen, sjokte ernaast. De patroon wierp een woedende blik op het geheel en sprak toen de eerste de beste kinkel aan die naast hem stond – de jonge Outhuyse – om met hem een ernstig gesprek te beginnen over mest of gedroogde elft of een soortgelijk non-onderwerp; hij gunde Van Brunt niet de strelende gedachte dat hij, Stephanus Oloffe Rombout van Wart, landeigenaar, patroon, reder en lid van de bestuursraad van de gouverneur, zich ook maar een moment druk maakte over de vraag waar een onbeduidende creatuur als hij uithing.

De wegwerkers – mannen én vrouwen, met inbegrip van de bijgebrachte vrouw Sturdivant – hadden het verlengde van de oprijlaan voor het huis van de patroon geruimd en geëgaliseerd en namen nu hun middagpauze. Ze hadden een plak uit een van de omgehakte bomen tot tafel bestemd en zaten bij elkaar in de schaduw, kauwend op hard donker brood, spek en kaas. Een van hen – Robideau, aan zijn kousen en schoenen te zien – lag verzaligd te snurken onder een braamstruik met een groezelige witte zakdoek over zijn gezicht. Terwijl de patroon luisterde hoe de jonge Outhuyse de lof van de mest zong, registreerde hij elke krakende omwenteling van de karrewielen achter hem en het gesnuif en gehijg van de kortademige oude ossen. Ten slotte kwam de kar met een snerpend gekners van de assen achter hem tot stilstand.

De patroon, zijn neus omhoog, draaide zich om met alle hooghartige waardigheid waarover hij beschikte, bereid zich te laten vermurwen: Van Brunts verschijnen – met hoeveel tegenzin en vertraging dan ook – bewees afdoende dat hij, jawel, zijn bezit was, zo goed als al die andere sloeberige modderwroeters, dat zijn woord wet was, dat aan hem ontruiming en verbanning waren voorbehouden. Hij draaide zich om, maar wat hij zag was absoluut niet wat hij verwachtte. Dat was Van Brunt niet die daar over de leidsels gebogen zat – dat was een jongen, een halfbloed, met de troebele, starre ogen van de geestelijk misdeelde. En naast hem zat nog een kind, jonger nog, minder stevig, dunner, het soort knaap dat je erop uit stuurt om noten te rapen, niet om een weg aan te leggen.

'Het – het...' Cats wilde iets zeggen. De patroon doorstak hem met een woeste blik. '... het spijt me, maar mijn schoonzoon, ik bedoel, boer Van Brunt, is eh, onwel, en nu eh, stuurt hij, eh...'

'Stilte!' ontplofte de patroon. 'Ik heb u opdracht gegeven,' bulderde hij, op de steeds kleiner wordende schout toe lopend in zijn grote schuiten van sloffen die hij droeg om te voorkomen dat zijn gespschoenen vies werden, 'om hem hierheen te halen, of niet soms?!'

'Jawel, *Mynheer*,' zei de schout, terwijl hij zich de hoed afrukte en hem ronddraaide in zijn handen. Hij keek strak naar zijn voeten. 'Maar nu heeft hij – hij heeft, omdat hij ziek is...'

Op dat moment kwam de jongen ertussen – de kleinste, de blanke. Zijn stem was hoog en schel en vals als een piccolo in ongeoefende handen. 'Dat is helemaal niet waar, opa,' zei hij, in opperste verontwaardiging. Hij wendde zich vrijmoedig, brutaal als de beul, tot de patroon. 'Hij wil gewoon niet. Hij zegt dat hij het druk heeft. Dat hij de pacht betaald heeft. Dat hij niet minder is dan u.'

De patroon zei niets. Hij draaide zijn rug naar hen toe, schuifelde naar zijn telganger, schopte de sloffen uit en sprong in het zadel. Toen wenkte hij de jonge Outhuyse naderbij. 'Jij daar,' grauwde hij, 'ga Van den Post halen.' Allen – zelfs vrouw Sturdivant, die over een *philosoof* gebogen zat zo groot als een voetbal – keken hem na. Niemand verroerde zich en niemand zei een woord tot hij terug was.

De jonge Outhuyse, een lijzige, vetzuchtige jongeman met een bedaarde tred, legde het hele eind dravend af, en toen hij weer om de bocht in de weg verscheen zag hij rood en bezweet, terwijl Van den Post soepeltjes naast hem voortstapte. Het volgende moment stond Van den Post voor de patroon en keek onbevangen naar hem omhoog van onder de rand van zijn punthoed. 'Ja, *Mynheer*?' zei hij, nauwelijks buiten adem.

Vanaf zijn verheven positie boven op het paard richtte de patroon het woord tot hem, en zijn stem was koud en bros. 'Aelbregt, je ontneemt de heer Cats de pluimhoed en het verzilverde rapier die de versierselen van zijn ambt zijn – zij behoren hierbij jou toe.' En vervolgens tot Joost, die er verslagen bij stond terwijl Van den Post hem het rapier afnam: 'Heer Cats, u houdt vanmiddag toezicht op de werkzaamheden en begeeft u vervolgens naar uw boerderij.'

Nog steeds zei niemand iets, maar de schok stond ieder op het gezicht geschreven. Joost Cats was al schout zo lang als men zich kon herinneren, en dat deze man zo maar uit zijn ambt werd ontzet – dat was onmogelijk, dat bestond niet.

Even later stond Van den Post, grijnzend als een haai, met de pluimhoed en het rapier voor zijn patroon, in afwachting van verdere instructies.

'Meneer de schout,' zei Stephanus, zijn stem verheffend zodat iedereen hem goed kon horen, 'neemt u die twee rebellen mee,' wijzend naar Wouter en Jeremy Mohonk, 'en sluit ze op in de knollenkelder onder het huis op beschuldiging van impertinentie en opruiing.'

Dit ontlokte aan de boeren een morrend protest, vooral aan Staats van der Meulen, die zich boos verhief tussen de kruimels van zijn middagmaal. Er nieste iemand en een van de ossen liet een wind. Robideau's gesnurk zaagde door de roerloze lucht. Niemand durfde zijn mond open te doen.

'En als dat gebeurd is, wil ik dat u naar Nysenswerf rijdt en de aldaar woonachtige pachter, ene Jeremias van Brunt' – hier zweeg de patroon even om een dreigende blik te werpen op de onder de bomen verzamelde gezichten – 'meedeelt dat hem hierbij met onmiddellijke ingang de pacht is opgezegd. Duidelijk?'

Van den Post stond bijna te kronkelen van verrukking. 'Ja,' zei hij, zijn lippen likkend. 'Ontruimen we hem vanavond?'

In zijn woede, in zijn toorn en ergernis, had Stephanus bijna ja gezegd. Maar vervolgens, toen hij dacht aan het te velde staande gewas, deed zijn pragmatische kant zich gelden en bekoelde zijn drift. 'In november,' zei hij ten slotte. 'Als hij zijn pacht heeft afgedragen.'

FAST SPAN

Nog weer een centimeter langer en nog weer vijf kilo magerder, met ingevallen wangen die schuilgingen onder de ongetemd tierende baard van de profeet of de krankzinnige, liep Tom Crane, woudheilige en volksheld bij eigen benoeming, verheerlijkt achter een winkelwagentje door de koele beschaduwde gangpaden van de Fast Span in Peterskill. Het was hoog zomer en hij was erop gekleed: Mexicaanse sandalen, een gestreepte broek met olifantspijpen groot genoeg om op te picknicken, een geknoopverfd T-shirt met daarop een reeks ingebedde schietschijven in drie tinten magenta en allerlei sjaaltjes en hoofdbanden en los neerhangende overbodige stroken leer, het geheel ingekapseld in een kermisachtig arretuig van kralen, ringen, door de Cocopa vervaardigde godsogen, tinnen vredestekens, Black Power-buttons en veren. De inhoud van het winkelwagentje stak er welhaast Spartaans bij af. Opvallend afwezig waren de voos glimmende verpakkingen van de nieuwste verbeterde wonderprodukten die de consument door de strot gedrukt kreeg van de loopjongens van de winst-aanbidders, de illusionisten uit het reclamewezen. De woudheilige liet zich niet inpakken door fraaiigheden en loze beloften; het ging hem om de grondbeginselen, en wel de ongekoelde, eenvoudig verpakte, vegetarische grondbeginselen.

De provisiekast bij hem in huis, waar knaagdieren knisperden in het gebint en fragiele, iriserende vliegen neerstreken op vuile borden, was leeg; hoewel zijn moestuin alle koolrabi, paksoi en rode bieten voortbracht die hij op kon, was hij door zijn eerste levensbehoeften heen, zoals pintobonen, zilvervliesrijst, gistpoeder en sojabrokken. Hij zat zonder zeep en aanmaakspiritus, hysop en teriyaki. Hij had die ochtend ontbeten met toost zonder marmite, waterige thee van al drie keer eerder gebruikte bladeren en gruwel zonder gecondenseerde melk, en hij vond dat hij zijn huishouden nu lang genoeg had laten sloffen. Dus was hij boodschappen aan het doen. Hij floot mee met een montere versie van 'Seventy-six Trombones' in een bewerking voor carillon en koebel, liet de traanogende weduwen op de vleesafdeling schrikken, kneep in grapefruits, draafde rammelend als een wisselautomaat de gangpaden op en neer en verspreidde die eigenaardige geur van rottende bladeren die hem overal leek te volgen – de gelukkigste ziel tussen Peterskill en Verplanck.

Gelukkig? Jawel. Want hij was niet meer de hunkerende, celibataire heilige monnik die hij zo lang geweest was – die tijd was voorbij, helemaal voorbij; hij had een huisgezellin. Een levensgezellin. Een liefde met wie hij zijn gemengde groenten en gestoofde katjangschotels kon delen en die zijn sokken aan de lijn hing op de plek waar de zon door het bladerdek prikte en de bemoste oevers van Blood Creek verwarmde. Het was deze liefde waardoor hij zo verheerlijkt en verrukt was, door het dolle heen zelfs, deze liefde was het die hem inspireerde tot acrobatische capriolen op de parkeerplaats als een in *La Mancha* over het podium zeilende Herbert Pompey of tot het verlangen de oude mevrouw Fagnoli te kussen op het moment dat ze zich uit haar auto hees bij het postkantoor. Tom Crane was van heiligheid geëvolueerd tot extase.

Hij was ook om andere redenen gelukkig. Zo was hij nu voor de derde achtereenvolgende maal gewogen voor de militaire dienst en te licht bevonden. Letterlijk. Hij had heel de maand juni gevast (geen denken aan dat hij zich zou laten gebruiken door de kapitalistische onderdrukkers om ten strijde te trekken tegen zijn revolutionaire broeders in Vietnam) en wankelde met zijn één meter negentig van een weegschaal die ten overstaan van de keuringsarts was blijven steken bij zesenvijftig kilo. Nu hoefde hij niet via de achterdeur te verdwijnen naar Canada of Zweden en kon hij zich de moeite van een gesimuleerde zelfmoordpoging besparen. En ter verhoging van de feestvreugde kwamen op de dag van zijn afkeuring de bijen in zijn leven. Met veertig korven tegelijk. Te koop aangeboden door een uitgebluste oude failliete zuurpruim in Hopewell Junction voor een schijntje, voor een fractie van wat ze waard waren. Nu waren ze van Tom. Bijen. Wat een concept: zij deden al het werk en hij streek het gewin op. Net zo iets als de kip die gouden eieren legde. Hij hoefde alleen maar te oogsten, de honing door een doek te persen, over te doen in de oude weckflessen die hij bij zijn grootvader in de kelder gevonden had en te koop aan te bieden langs de kant van de weg met een van de zelfklevende etiketten die hem vijfentwintig cent het gros kostten en door Jessica in haar fraaiste handschrift werden voorzien van de tekst TOM CRANE'S GOUD.

En dan, alsof deze overdaad van gelukzaligheid nog niet volstond, was er de *Arcadië*.

Sinds hij van Cornell was had hij een doelloos, ongeëngageerd, nestrottend, hasjverbouwend geitedrekverspreidersbestaan geleid dat van het ene rustige moment naar het andere bedaarde ogenblik kabbelde, zoals de waternoot voor hij wortels krijgt. De *Arcadië* gaf hem in plaats van die wortels een anker. Als er een God was, en als Hij was nedergedaald uit het hemelrijk om al 's werelds bezigheden en passies te sorteren teneinde Tom Crane te koppelen aan zijn waarachtige, enige, hem op het lijf geschreven métier, dan was de *Arcadië* uit de bus gekomen.

Hij hoorde er voor het eerst van in april tijdens een bijeenkomst van de Vereniging tot bescherming van de moeraswederik te Manitou-aan-de-Hudson. De spreker die avond was een schriele, bebaarde, met zijn vuist op de lessenaar beukende pleitbezorger van de stichting-Arcadië, die, tussen de vuistslagen door, een beknopt historisch overzicht gaf van de prille organisatie, fulmineerde tegen de vervuilers en de plunderaars van de rivier, aanmeldingsformulieren uitdeelde en met de pet rondging (met een matrozenhoed om precies te zijn). Belangrijker dan dat alles was dat hij dia's vertoonde van de *Arcadië* zelf, in volle glorie ontsproten aan de verbeelding van Will Connell.

Will, de knoestige radicale folksinger en vriend van de aarde wiens stem luid en duidelijk over het weiland van Peletiah Crane had geschald op die beruchte dag in 1949, scheen een droom gehad te hebben. Een visioen. Een waarin frisse briesjes voorkwamen, elysische tijden, zeilen, tuigage en teakhouten dekken. Hij had zitten lezen in een beduimeld oud boekwerk (*Onder zeil op de Hudson*, door Preservation Crane, New York 1879) dat terugging naar de dagen dat het aanzien van de rivier bepaald werd door de buikige brede Nederlandse zeilschepen die waren verdrongen door de stoommachine, en plotseling dook de *Arcadië* op uit de nevelen van een oud, in zijn achterhoofd weggestopt zeemanslied. Dezelfde middag nog liftte hij met de mandoline op zijn rug naar het huis van Sol en Frieda Lowenstein in Scarsdale.

De Lowensteins, communisten die het McCarthy-tijdperk heelhuids waren doorgekomen, hadden een fortuin verdiend in de grammofoonplatenindustrie. Het waren oude vrienden en bewonderaars van Will en zijn muziek, en ze stonden bekend als gulle gevers voor de goede zaak. Will plofte bij de Lowensteins in de kamer neer op de witlinnen bekleding van de bank, tokkelde een paar melodietjes op de mandoline en vroeg zich hardop af waarom er geen grote oude schoeners meer op de Hudson voeren, het soort vaartuigen dat je zag op donkere olieverfschilderijen en daguerreotypen in cafés met namen als 'De overzet' en 'De zoete aanleg'. Weet je wat ik bedoel, zei hij, het soort grote stille schepen met witte zeilen dat de mensen zou innemen voor de rivier, en hij liet ze een paar afbeeldingen zien uit het boek van Preservation Crane. Sol en Frieda wisten niet wat hij bedoelde, maar ze wilden wel een deel van het benodigde geld beschikbaar stellen om erachter te komen. Het resultaat was de stichting-Arcadië, achthonderd tweeënzestig man sterk, een organisatie zonder winstoogmerk, gefinancierd met fiscaal aftrekbare donaties, die zich inzette voor de reiniging van de rivier, voor het behoud van de stompneuzige steur, de visarend en de moeraswederik, en voor de *Arcadië* zelf, met zijn tweeëndertig meter, een zeewaardige replica van de zeilreuzen van weleer die op en neer zou gaan varen over de rivier om zijn boodschap te verkondigen. De tewaterlating, vanaf een werf in Maine, zou plaatsvinden op vier juli, onafhankelijkheidsdag.

Tom was in vervoering. Het was of alle losse fragmenten van zijn leven op dat ene moment van begeestering samenkwamen. Dit was iets waar hij zich achter kon scharen, een leuze, een banier, een bestaansreden: Red de rivier! Leve Arcadië! Alle macht aan het volk! Dit was een kans om – in één klap – tegen de oorlog te protesteren, zijn buitenaardse, vegetarische, geweldloze hippiecredo uit te leven, een doorn in het vlees te steken van de gevestigde orde en de rivier te ontdoen van vervuilers. Het was te volmaakt voor woorden. Will Connell vormde de schakel met de beginjaren van de strijd die de grond had geheiligd waarop zijn optrek stond, en door die milieukant aan de zaak was zijn baantje bij Consolidated Edison dus achteraf ook nog ergens goed voor – met zijn ervaring, met zijn handigheid en kennis van zaken, kon hij zo als bemanningslid aan boord stappen van de *Arcadië*, misschien zelfs wel als kapitein! De neonverlichting knisterde boven zijn hoofd, het kleine mannetje hief zijn vuist vermanend in de lucht, en ineens zag Tom zich als roerganger, als voorvechter van de nederige baars en zuigkarper, als schrik van de vervuilers, de geïndustrialiseerde roofridders, de imperialisten en weeshuisvullers, aan boord van een glorieus schip dat met zijn hoge masten stroomopwaarts voer als een waardige nazaat van de Ark, een bolwerk van rechtschapenheid, goedheid en verlichting.

Hij meldde zich dezelfde avond nog aan. De volgende dag zei hij zijn halve baan bij Con Ed op (hij had genoeg formaline gesnoven!) en jakkerde in de Packard het hele eind naar South Bristol in Maine, vond er de *Arcadië* en bood zijn diensten aan als timmerman, fitter, afwasser en loopjongen. Hij was aanwezig bij de tewaterlating, maakte als lid van de bemanning de reis van New England naar de monding van de Hudson mee, en over twee weken – was het nog maar twee weken? – ging hij voor een maand aan boord als tweede stuurman.

Het was te mooi, te veel, te prachtig. Als hij alles tot zich door liet dringen (liefde, vrijheid, bijen en het schip), dan was hij in staat daar in de Fast Span kuitenflikkers te slaan als een nar in een hansworstenpak. Hij was al zover dat hij stond te jongleren met twee sinaasappelen en een avocado, met zijn ogen gericht op zijn handen, geleidelijk aan de curve van zijn boog verscherpend, toen hij opkeek en Walter voor zich zag staan.

Dat was schrikken. Zijn humeur verdampte, zijn concentratie knapte. Een van de sinaasappelen zeilde naar rechts en verdween in een bak taugé; de andere viel bij zijn voeten neer met een weke plof. Walter ving de avocado op.

De heilige slaakte een kreet, stamelde een aantal onzinnige zinsneden van het kaliber 'hé, hoe is het met jou?' en roste per ongeluk met het winkelwagentje over de tenen van zijn rechtervoet.

Walter zei niets. Hij stond voor hem met een vage glimlach, de geleerde professor met een onbeholpen student. Tot Toms verbazing droeg hij molières, een Arrow-shirt, een lichtbruin zomerkostuum en een stropdas met een werkje. Hij was gebronsd, knap, groot, en hij stond recht en rijzig op zijn dode voeten als een man die geen weet had van het geweld van het operatiemes. 'Tom Crane,' zei hij ten slotte, en zijn grijns werd breder, zodat zijn krachtige, witte gebit zichtbaar werd, 'hoe is het met jou de laatste tijd? Woon je nog steeds in die hut van je?'

Het ging goed met Tom. En jawel, hij woonde nog steeds in zijn hut. En hoewel het niet aan hem te zien was – en hij er in zijn hart anders over dacht – vond hij het leuk Walter weer eens tegen te komen. Hoorde hij zichzelf zeggen althans; de woorden rolden uit zijn mond alsof hij een grijnzende kleine houten pop was en iemand anders namens hem het woord voerde: 'Wat leuk dat ik jou weer eens tegenkom.'

'Ja, leuk,' zei Walter. 'Dat is een hele tijd geleden.'

De twee lieten het volle gewicht van deze constatering een ogenblik op zich inwerken terwijl de overige klanten in een mysterieuze stilte om hen heen schuifelden, ieder achter zijn of haar eigen karretje. Tom bukte zich naar de beurse sinaasappel en wilde die onopvallend terugleggen in de piramide waar hij uit kwam toen Walter hem overviel met de vraag die hij met angst en beven aan had zien komen: 'Zie jij Jessica nog wel eens?'

Hoewel de eerdergenoemde geliefde die zo'n belangrijke rol speelde in de transformatie van Tom Crane's leven tot op dit penibele moment nog niet bij name genoemd is, mag haar identiteit eigenlijk geen verrassing zijn. Die geliefde was natuurlijk Jessica. Naar wie anders had de heilige heel zijn droevige leven – of toch in elk geval een aantal jaren daarvan – in stilte gesmacht? Wie anders was de bruid van zijn dromen geweest tot het moment dat Walter haar de ring aan haar vinger schoof en de hemel boven de hut even donker en dreigend betrok als zijn eigen onstuimige gevoelsleven? Wie anders had er in de bioscoop tussen hem en Walter in gezeten terwijl hij ernaar hunkerde haar hand te pakken, haar hals te kussen, in haar oor te blazen? Was het nog na te tellen, het aantal keren dat hij krom van begeerte had toegekeken terwijl zij kleren paste in een winkel, aan een hoorntje met een bolletje straciatella en een bolletje pistache likte of hem voorlas uit *Franny and Zooey* of *The Dharma Bums* met haar zachte, onzekere kleine-meisjesstem? Het aantal keren dat hij zich haar in al haar zoete, ranke, blondbehaarde glorie naast zich had voorgesteld in zijn benauwde kluizenaarsbed?

Jessica. Ja, Jessica.

Gepijnigd, verbijsterd, gedesoriënteerd, afwisselend mokkend en snotterend had ze met klapperende knietjes en een zakdoek tegen haar neus troost gezocht bij hem, haar aloude goede platonische vriend. En hij had haar omringd met zorgzaamheid, met gebakken okra en zilvervliesrijst met geraspte wortels en denneknoppen, met de vredigheid van een winteravond, een voorjaarsochtend, de eeuwigdurende, helende midzomeravonden in de blokhut, met vogels, glimwormpjes, het tremolo van verliefde padden, de tijdeloze rust die heerst buiten het bereik van straatverlichting en asfalt. Wat moest hij ervan zeggen? Van het een was het ander gekomen. De liefde bloeide.

Walter was gek. Walter was invalide. Walter was zwartgallig, boos, destructief. In zijn verzaligdheid, in zijn naijverig bewaakte geluk, was de woudheilige zijn oude vriend en gezworen kameraad volledig vergeten. Walter was overgelopen naar de andere kant – hij werkte samen mét de fascist Van Wart, niet alleen maar voor hem – en tenslotte had hij haar zelf aan de kant gezet. Haar vernederd, uit de weg geschopt als een hoop vuil. Nee, Tom Crane had geen schuldgevoelens, in de verste verte niet. Waarom zou hij? Wat natuurlijk niet wegnam dat, terwijl hij zich stond te verbazen over Walters kortgeknipte haar met de messcherpe scheiding en de bijna verdwenen bakkebaarden, zijn gedachten uitgingen naar Jessica, die ondergoed, lakens en spijkerbroeken zo hard als een plank van het vuil in de wasmachine stond te proppen in de wasserette naast de supermarkt – of, meer in het bijzonder, naar het feit dat ze zich nu elk moment weer bij hem kon voegen.

'J-Jessica,' hakkelde hij in reactie op Walters vraag. 'Ja. Nee. Ik bedoel, ik werk niet meer bij Con Ed, had ik je dat al verteld?'

Walters glimlach vervlakte. Er was nog wel iets van over in zijn ogen, maar zijn lippen waren getuit en de lijnen in zijn voorhoofd gingen verbaasd omhoog.

'Weet je wel, dat baantje samen met Jessica? Bij Indian Point?'

'Nee, dat wist ik niet,' mompelde Walter, terwijl hij zich afwendde om de pruimen te keuren die in een mand lagen; het donkere, gekneusde fruit was als een vreemde muntsoort in zijn hand. 'Ik... ik vroeg me alleen af... eh, of het goed met haar ging.'

De woudheilige verlegde zijn blik zenuwachtig door het gangpad, voorbij de kassa's en de slungelige inpakjongens en de ongeduldige huisvrouwen, naar de automatische deur. Het was een gewone supermarktdeur – links de ingang, rechts de uitgang – maar hij bood plotseling een nieuwe, helse aanblik.

'Maar jij ziet haar dus ook haast nooit meer?' zei Walter, terwijl hij een handvol pruimen in een plastic zakje deed. Het viel Tom op dat hij zich daarbij overeind hield met behulp van het winkelwagentje, dat hij gebruikte als een oude vrouw die na een heupfractuur weer leert lopen met een aluminium driepoot.

'Nou, nee, dat zou ik nu ook weer niet willen zeggen...' Hij haalde diep adem. Wat maakt het ook uit, dacht hij, ik kan het hem net zo goed vertellen – hij komt er vroeg of laat toch achter. 'Wat ik bedoel is, eh' – aan de andere kant: waarom zou hij deze prachtige middag bederven? – 'luister, ik geloof dat ik mijn portemonnee in de auto heb laten liggen, dus eh, ik kan beter even, eh...'

Maar het was te laat.

Daar kwam ze: Jessica, naar binnen zwierend door de deur als een tot leven gekomen affiche, als miss Amerika die over de uitgevloerde gestalten stapt van de nummers twee, drie en vier, licht in haar haar, volmaakt van lichaamshouding, knieën van goud. Hij zag de zachte aanzet tot een glimlach om haar lippen, volgde het sierlijke draaien van haar hoofd waarmee ze de gangpaden afzocht naar hem, zag haar glimlach tot volle bloei komen toen ze hem ontwaarde en zwaaide. Hij zwaaide niet terug – het kostte hem al de grootste moeite een knikbeweging te maken met zijn hoofd en zijn lippen tot een verlamde grijns terug te dringen over zijn tandvlees. Het leek of zijn schouders wegzonken in zijn borst.

Walter had nog niet opgekeken. Enigszins onvast op zijn voeten stond hij aan een weerspannige tros bananen te prutsen, in afwachting van het vervolg op wat Tom gezegd had over zijn portemonnee. Jessica was halverwege het gangpad, ergens tussen de aubergines en de tulbandkalebassen, toen ze hem herkende. Tom zag haar gezicht alle uitdrukking verliezen en vervolgens rood worden. Er lag verwarring – nee, regelrechte paniek – in haar ogen, en ze wankelde, bijna struikelend over een mollige zesjarige met een grote lollie als een tweede tong in zijn mond. Tom probeerde haar met zijn ogen te beduiden rechtsomkeert te maken.

En toen keek Walter naar Tom en zag dat Tom naar iemand anders keek.

'Jessica!' riep Tom, en hij probeerde zoveel mogelijk verbazing in zijn stem te injecteren. 'We – we hadden het net over je!'

Walter verstijfde. Hij greep het winkelwagentje zo krampachtig vast dat zijn knokkels wit werden, en hij hield de bananen in zijn armholte alsof ze een kind waren. Jessica stond inmiddels bij hen, met haar figuur verlegen, te lang, stakerig, met naakte armen en benen, een te opzichtig halterhemdje, cloisonné oorbellen die brandden in haar oren.

'Ja,' mompelde Walter, terwijl hij omlaagkeek naar de vloer en toen weer omhoog naar haar ogen, 'we hadden het net over je. Echt.' En vervolgens, gedempt: 'Hoi.'

'Gò, wat toevallig, hè?' kwekte Tom, en hij sloeg zijn handen tegen elkaar om zijn verbazing te beklemtonen. 'Gò,' zei hij, 'gò, wat zie je er schitterend uit, Jessica. Vind je ook niet, Walt?' Zijn enthousiasme verzandde in een geforceerde lach.

Jessica had haar evenwicht herwonnen. Kaarsrecht en statig liep ze naar Tom – het hoofd geheven, een strakke trek om haar mond, haar dat om haar schouders danste – en legde haar arm om zijn middel. 'We wonen samen, Walter,' zei ze. 'Tom en ik. In het huisje van Tom.'

Tom voelde zich op dat moment kleiner en miezeriger dan een heilige zich ooit gevoeld heeft. Hij zag het gezicht van Walter – het gezicht van zijn oudste, zijn beste vriend – de klap verwerken, en hij voelde zich een leugenaar, een verrader, hij voelde zich een schorpioen in een laars. Jessica drukte zich steviger tegen hem aan. Ze leunde nu met vrijwel haar volle gewicht (dat volgens de jongste metingen zes pond meer bedroeg dan het zijne) tegen hem aan, zodat hij in de ongemakkelijke positie verkeerde dat hij zich uit alle macht schrap moest zetten om niet achterover te kieperen tussen de uien. Ze had zich beslist en onomwonden uitgesproken, alle emotie schuwend, maar nu trilde haar onderlip en lag er een vochtige glans over haar ogen.

Aan Walters gezicht was eerst de schok van het weerzien af te lezen geweest, en toen ze op hen toe was komen lopen, had hij zijn hoogst behoedzame, schaapachtige, zwaar met verzoeningsgezindheid beladen begroeting uitgesproken, en hij had er open en hoopvol bij gekeken, oprecht en ongeveinsd blij verrast. Nu haar woorden bezonken verhardde zich zijn gelaatsuitdrukking, werden alle emoties weggebeiteld, tot uiteindelijk het volmaakt onaantastbare masker van de buitengeslotene overbleef, de man met het verkilde oog en het verharde hart die niets voelt. Hij wilde iets zeggen maar bedacht zich.

'Het is al zo'n tijd geleden,' zei Jessica op mildere toon. 'We – Tom en ik – hebben aan je gedacht, we vroegen ons af hoe het nu met je ging' – hierbij wierp ze een blik op zijn voeten – 'en we hadden je wel willen bellen, echt, maar ik wist niet hoe je zou reageren, ik bedoel, na die laatste keer in het ziekenhuis...' Haar stem bleef steken in haar keel en zakte weg.

Walter zweeg. Tom kon hem niet recht aankijken; hij probeerde aan leuke dingen te denken, goede dingen, de dingen van de aarde. Zoals zijn geit, zijn kool, zijn bijen. 'Jij en Tom,' zei Walter ten slotte, alsof hij de woorden voor het eerst beproefde; 'jij en Tom,' zei hij nog eens, en zijn toon was giftig geworden.

Tom voelde naast zich Jessica verstrakken; ze verplaatste plotseling haar gewicht en hij moest zich aan het wagentje vastgrijpen om niet te vallen. 'Ja, klopt,' zei ze, met kille drift in haar stem. 'Tom en ik. Had je bezwaren?'

Uit weggewerkte luidsprekers spoelde 'Love Me Do' in een arrangement voor fietstoeter en achtergrondkoor. Een oudere man, die zijn wagentje bestuurde met de volle breedte van zijn hangbuik, manoeuvreerde zich tussen hen in en begon in de uien te rommelen alsof hij naar goud zocht. 'Hé, Ray!' blafte de bedrijfsleider naar een onzichtbare vakkenvuller, 'mankeert er wat aan je handen?'

Walter had, zoals Tom al vreesde, inderdaad bezwaren. Hij uitte ze eerst nonverbaal, greep de kar vast met twee vuisten en gaf het ding een rotschop met zijn onkwetsbare voet; vervolgens zocht hij zijn toevlucht bij sarcasme. En retorische middelen. 'Bezwaren?' hoonde hij. 'Wie, ik? Ik ben toch alleen maar met je getrouwd – dus waarom zou ik er bezwaar tegen hebben dat je met mijn beste vriend ligt te naaien?'

De uiengraver draaide zich naar hen om. Tom voelde zich een indringer. Of erger nog: een Don Juan, een adder aan een nietsvermoedende borst, en hij stelde zich Walters handen om zijn keel voor, Walters vuist in zijn gezicht, Walters zesentachtig voetloze kilo's frontaal in de aanval dwars door de kar met sojabrokken en rijst. Jessica liet hem plotseling los: ze rukte de arm die om zijn middel had gelegen terug en stak één enkele vlammende vinger omhoog: 'Jij bent bij me weggelopen,' zei ze tussen haar tanden door; elke lettergreep was omfloerst met de aanzet tot een snik.

'Jij bent bij mij weggelopen,' bitste Walter terug. Zijn ogen vlogen dik van woede en zo groot als biljartballen van Jessica naar Tom en weer terug.

Uit zijn ooghoeken zag Tom de oude uiengraver zijn handen in zijn zij zetten alsof hij wou zeggen 'Zo kan het wel weer.' De heilige, die al genoeg geagiteerd was, draaide zijn hoofd om en wierp de oude zak zijn vernietigendste 'rot op'-blik toe (die, toegegeven, niet zo heel erg vernietigend was); toen hij zich weer terugwendde naar Jessica, stond ze te stampen als een flamencodanseres die opgaat in het ritme van de muziek en glinsterden er tranen op haar gezicht. 'Ik hoef niet in te gaan op dit, dit' – haar stem sloeg over met een rauwe gil – 'dit gelul!'

Walter deed een stap terug, kalm en ernstig, en bezag hen allen – Tom, Jessica, de oude man met de zak uien en het vijftal huisvrouwen dat was blijven staan bij de snijbiet om mee te luisteren – met een blik van opperste minachting. Toen knikte hij een keer of twintig met zijn hoofd, als om haar gelijk te erkennen, en waggelde weg met zijn karretje, onvast door het gangpad schuifelend tot hij bij de specerijen de hoek om ging en verdween.

Jessica had het er moeilijk mee. Ze voelde om zich heen naar houvast alsof ze blind was, drukte een vochtige pols tegen haar ogen en stoof toen zonder een woord naar de uitgang. Ze zat te snikken toen Tom, die het karretje had laten staan en achter haar aan gehold was, bij de auto kwam. Ze snikte toen hij wegreed, snikte toen ze de plunjezak vol met vochtig wasgoed tegen zich aan drukte en het steile pad vanaf de weg omlaag af liep, het weiland door, het voetbruggetje over en tegen de heuvel op naar het huisje. Ze snikte toen Tom het laatste restje rijst kookte en sla en courgettes uit de tuin door elkaar mengde en ze snikte toen ze in de schemering samen een mistroostige joint rookten en een jampotje zure wijn dronken.

Toen de avond gevallen was, waren de laatste snik- en snottergeluidjes overgegaan in de regelmaat van diepe, hortende, levensmoede zuchten. De woudheilige was zacht, teder, onbeholpen en stuntelig. Hij hing de dorpsidioot voor haar uit, grapte dat ze zouttabletten moest nemen ter aanvulling van dat vitale mineraal dat ze met bakken tegelijk vergoot en stortte zelfs (deels met opzet, deels per ongeluk) ruggelings over het verandahek in de grote tobbe met vuil afwaswater. Deze laatste stunt bracht een mismoedig glimlachje naar haar lippen, dus deed hij er nog een schepje bovenop, ging op zijn handen staan, jongleerde met een bezem op zijn neus en zo meer, en zo verder. Ze moest lachen. Haar ogen klaarden op. Ze gingen naar bed.

De knokige heilige bedreef die nacht met haar de liefde, zachte, therapeutische liefde, en hij was er zo voorzichtig en behoedzaam bij als was het de eerste keer. Nadat zij in slaap gevallen was, lag hij daar naast haar in het duister en liet de gebeurtenissen van de dag steeds opnieuw aan zich voorbijgaan. Hij kreeg een rilling als hij dacht aan zijn eigen gehuichel, zijn lafheid, aan de rol waarin Walters plotselinge verschijnen hem had gedrongen, maar als hij dacht aan Jessica, was hij bang.

Hij stak zijn hand uit om haar aan te raken, haar slapende arm te strelen, als om zich ervan te vergewissen dat ze er nog lag. Het was het beeld van haar ontroostbare ogen en gemartelde mond, van haar loopneus en schokkende schouders, dat hem niet losliet. Ze was de zijne niet, ze was van Walter – waarom zou het haar anders zo hebben aangegrepen?

Door en door bedroefd, jaloers en beangst lag de zogeheten heilige daar in het duister met zijn pijn en zijn teleurstelling. Ze vormden zo'n geweldig stel, Jessica en hij, ze hadden zoveel gemeen samen, de vissen, de Hudson, geiten en bijen en eigengeperste cider. Ze waren een stel. Natuurlijk. En toen hij dacht aan alles wat hen bond, begon hij zich beter te voelen. Natuurlijk waren haar gevoelens voor Walter niet zo maar voorbij – ze waren tenslotte verliefd, verloofd, getrouwd geweest – maar ook voor hem had ze haar gevoelens. Dat wist hij, en zij wist het. Ze pasten bij elkaar. Ze waren voor elkaar geschapen. Zij waren – en het grapje lichtte op in zijn hoofd als een pijnstiller, als een koud kompres aangebracht op een verse buil – een vast span.

EEN KWESTIE VAN EVENWICHT

Beheerst en systematisch werkte Walter stap voor nauwgezette stap het ritueel af van zijn halfwekelijkse bezoek aan de supermarkt alsof er niets gebeurd was. Tandzijde, had hij nog tandzijde? Pinda's? Regenboogtoffees? Uien? Hij overwoog zijn keus uit de deegwaren – linguini, macaroni of schelpjes – tikte tegen de watermeloenen en verkoos de kant en klare I-Tjing (loempia, nasi met varkensvlees, Kantonese strudel en een waarzegkoekje) boven het authentiek Mexicaanse Pancho Villa-diner (enchilada, rijst, bonen en salsa verde met een kwak pudding toe). Zonder op te kijken, zonder om de hoeken te loeren of de gangpaden af te speuren, bekeek hij elk produkt alsof hij nog nooit zo iets wonderbaarlijks gezien had, alsof elke afzonderlijke verpakking een mirakel was in de orde van bloedende standbeelden of buitenaards leven.

Hij maakte dan misschien een beheerste indruk, maar onder die brede revers en het getailleerde colbert van zijn beige Bertinellikostuum kookte het. En droop het zweet. Zijn oksels waren nat – deodorant, had hij nog deodorant? – onder het plakkerig geworden Arrow-shirt droop het water over zijn rug, zijn kruis was vochtig. Toen hij in de rij stond voor de kassa en vijandig de kudde herkauwende kassageiten bezag, de zwangere huisvrouwen, jengelende kinderen en puisterige inpakkers, wilde hij het op een loeien gaan zetten, ergens tegenaan slaan, zijn vuist in de kassa jagen, zo hard dat de huid openspleet en de naakte botten van zijn hand zichtbaar werden, wit, gebroken en tot in het merg vlammend van de pijn. Tom Crane en Jessica. Het kon niet waar zijn. Het was niet waar. Ze namen hem in de maling – het was een geintje, meer niet.

Hij boog zijn hoofd en probeerde zich te concentreren op een vieze prop papier onder het snoeprek. Hij telde tot twintig. Toen hij zich ten slotte niet meer in kon houden, richtte hij zijn hoofd op en keek heimelijk om zich heen. Eén snelle blik: naar rechts, naar links, toen met zijn gezicht recht naar voren om het parkeerterrein te overzien op zoek naar de auto.

Ze waren weg.

Godverdegodverdegodver. Hij wilde de tent slopen, wilde haar wurgen, hem wurgen. 'Hé, schiet eens op daar vooraan,' hoorde hij zich snauwen, en de caissière, de vrouw voor hem en de schrale inpakjongen trokken wit weg, 'ik heb nog meer te doen vandaag.'

Het eerste wat hij deed toen hij buiten stond – nog voor hij de bederfelijke waar in de kofferbak van de MG had geladen of zijn vochtige jasje had uitgerukt en zijn overhemdsmouwen opgerold – was een boze gang naar de slijterij tegenover de wasserette maken en een halve liter Old Inver House kopen. Hij dronk doorgaans niet in de middag – zelfs 's zaterdagsmiddags niet – en dronken, of stoned, was hij niet meer geweest sinds hij op oudejaarsavond zijn tweede jammerlijke misser had begaan in de confrontatie met de historie. Maar dit lag anders. Deze stand van zaken vereiste sedatief ingrijpen, de omneveling en capitonnering van de psyche; hier was bewustzijnsverlaging geboden. Hij gooide de boodschappen in de kofferbak en liet zich achter het stuur zakken. Ter plekke verbrak hij het zegel, hoewel de kap omlaag was en iedereen hem kon zien, en nam een flinke, brandende slok whisky. En toen nog een. Hij blikte dreigend naar een oude vrouw met vlezige armen die verdacht veel weg had van zijn grootmoeder, smeet de dop over zijn schouder, pootte de fles tussen zijn benen en spoot weg uit een rookscherm van uitlaatgas, de banden ontvellend alsof hij een levend wezen vilde.

De fles was al halverwege en hij stoof over de Mohican Parkway, ingespannen bezig het koppige witte naaldje precies boven op een stofje te houden dat vast was komen te zitten tussen de 1 en de 30, toen hij moest denken aan juffrouw Egthuysen – aan Laura. Hij mocht dan nu dus het prototype zijn van de onthechte held, vervreemd van zijn vrienden, vrouw en familie (de laatste twee etentjes bij Hesh en Lola waren uitgelopen op scheldpartijen over zijn verstandhouding met Depeyster Van Wart), vervreemd van het hele begrip 'gevoel', maar hij had tenminste Laura nog. Als een soort troost. Zoals Meursault zijn Marie had ('Even later vroeg ze of ik van haar hield. Ik zei dat dat in feite een soort vraag zonder betekenis was; maar dat ik dacht van niet'), zo had Walter zijn Laura. En dat was iets. Vooral op een moment als dit.

Hij zou even hebben kunnen stilstaan bij heel de tumultueuze situatie in zijn gevoelsleven, bij de vraag waarom hij zich ineens zo verbitterd en hopeloos voelde, terwijl het hem toch officieel geen reet interesseerde wat Jessica, Tom Crane, Mardi of desnoods de paus in Rome deed of liet. Maar hij stond niet stil. De bomen stormden langs hem heen, een eindeloze explosie van groen, de wind rukte aan zijn haar en het beeld van juffrouw Egthuysen verrees uit zijn koortsige brein. Hij zag haar languit en naakt op de met zwart fluweel beklede bank bij haar in de kamer liggen, haar bijeengetrokken lippen getuit tot een kus, haar handen om haar borsten, haar schaamhaar zo blond dat het bijna wit was. Plotseling had de aanstormende wind het zoete van de vanillegeur die ze aanbracht achter haar oren, op haar polsen en enkels en tussen haar borsten (tompoezen, moorkoppen, slagroomsoezen, daar dacht hij aan als hij zijn ogen dichtdeed en verzonk in haar romige, aromatische binnenste), en hij ging zo onbesuisd op de rem staan dat de wagen honderd meter onbestuurbaar over de weg caramboleerde. Het volgende moment hobbelde hij over het gras van de middenberm – uit beide richtingen geen verkeer, God zij dank – en zwenkte in tegengestelde richting de andere weghelft op.

De fles was voor twee derde leeg en de tweede teleurstelling van de dag diende zich aan toen hij boos stond te priemen naar wat op dat moment de glanzende kleine kern van juffrouw Egthuysens bestaan was: de deurbel. Hij luisterde, eerst vol verwachting, toen ongeduldig en ten slotte met een vertwijfeling die overging in woede, terwijl ondertussen het schelle tremolo van de bel weerklonk in die overvolle hal die hij zo goed kende. Er werd niet opengedaan. Hij voelde zich verslagen. Gevloerd. Bezeerd. Kutwijf, mopperde hij, terwijl hij log neerplofte op de traptreden aan de voorzijde van het huis en in de opening van de fles tuurde als een juwelier die een zeldzame steen bekijkt. Hij bleek uitgerekend plaats te hebben genomen in iets nats, taais en plakkerigs, iets wat onmiddellijk allerlei onherstelbaars begon aan te richten met de kleur van zijn beige pantalon, maar hij was te ver heen om zich er wat van aan te trekken.

Overweldigd door dronken treurnis zette Walter de fles aan zijn mond en dronk, zich even inhoudend toen zijn blik op de zuinige, afkeurende trekken viel van Laura's huisbazin, mevrouw Deering, die hem van achter het bezonde raam van het naburige appartement met walging gadesloeg. Walter liet de fles een moment zakken en trok een gezicht naar haar zo laaiend, zo beestachtig, lombroos en ontoerekeningsvatbaar, dat ze terugdeinsde van het raam als van de aanblik van een op straat onanerende zot. Zonder hem een moment uit het oog te verliezen verdween ze in het bastion van haar appartement, ongetwijfeld om de politie, de brandweer en de binnenlandse strijdkrachten te alarmeren. Ze deed maar. Wat kon het Walter schelen? Wat had hij te vrezen – dat ze hem opknoopten aan zijn voeten? Hij lachte bitter bij die gedachte, maar zijn somberheid werd er alleen maar zwarter van. Het kwam erop neer dat de vergetelheid van juffrouw Egthuysens banketbakkersweelde hem onthouden bleef en dat zijn fles bijna leeg was. En dat zijn vrouw samenwoonde met zijn beste vriend, dat hijzelf een onbeminde invalide was, veroordeeld tot de knoet der historie, en dat al die brieven die hij poste-restante had verstuurd aan Truman Van Brunt, Barrow, Alaska, waren verdwenen alsof ze geadresseerd waren aan die ondergesneeuwde woestenij zelf, bleke missiven verslonden door het wit.

Vloekend greep hij zich vast aan de roestige smeedijzeren leuning en trok zich overeind. Hij bleef een ogenblik staan, zwaaiend als een boompje in de stormwind, en keek grimmig naar het raam van mevrouw Deering alsof hij haar wou tarten nog eens te voorschijn te komen. Toen dronk hij de fles leeg, keilde hem in de struiken en veegde zijn handen af aan zijn overhemd. Een kind van een jaar of acht, negen, met rood haar en sproeten, kwam op zijn fiets aangescheurd over het trottoir toen Walter naar de auto wankelde, en hij kon het fietsertje maar ternauwernood ontwijken. Helaas vergrootten de concentratie en wilskracht die nodig waren voor deze lastige manoeuvre zijn kwetsbaarheid voor andere obstakels. Zoals de brandkraan. Het volgende moment was het kind verdwenen, was het gezicht van mevrouw Deering terug voor het raam en lag Walter met zijn snufferd voorover op het gazon.

Terug in de auto bekeek hij de grasvlekken op de knieën van zijn van oorsprong beige broek en de verdachte veeg onder op zijn stropdas. Dat kon er ook nog wel bij, bromde hij boos, terwijl hij de das afrukte en op straat gooide. Het duurde even eer hij het sleuteltje in de kleine zilveren gleuf van het contact had – de opening week steeds terug en sprong dan weer naar boven, als een dobber met een aarzelend toehappende vis eronder – maar uiteindelijk had hij beet en liet hij de motor ontbranden met een vibrafonische roffel van de cilinderkleppen. Hij keek een moment om zich heen, en de wereld was ineens vreemd; zijn gezicht tintelde alsof een zwerm piepkleine beestjes met harige pootjes vast was komen te zitten onder zijn huid en zich probeerde te bevrijden. Vervolgens gaf hij de versnellingsbak een opdonder en ging ervandoor met een gegier dat mevrouw Deering haar hele leven zou heugen.

Voor hij het wist reed hij over Van Wart Road. In westelijke richting. In de richting dus van verscheidene markante punten in het landschap. De wieldop van Tom Crane bij voorbeeld. En huize Van Wart. En ook de duivelse, mysterieuze, rechtgezette en extra gestutte gedenkplaat waarmee zijn lijdensweg was begonnen.

En waar ging hij nu heen?

Pas nadat hij bij Cats' Corners op een handbreedte na een busje tieners had geschampt die hun gebalde vuisten naar hem hieven, pas nadat hij door de geniepige s-bocht gesukkeld was die erachter lag, pas nadat hij vaart had geminderd bij de iep van Tom Crane en zijn ogen in de auto had geboord die daar in de berm geparkeerd stond, werd het hem duidelijk: hij ging naar huize Van Wart. Naar Mardi. De MG kwam tot stilstand en hij staarde weemoedig naar de wieldop die hem toegrijnsde vanaf de stam van de iep – *ja, ik ben thuis*, leek het ding te smalen, *en zij ook* – tot een stationcar hem met loeiende claxon voorbijraasde over de linkerweghelft en hij tot bezinning kwam. Hij gaf een ruk aan het stuur en spoot weg bij die triomfantelijke wieldop vandaan, in gedachten bij huize Van Wart en Mardi's troostrijke omarming, maar vrijwel meteen toen hij gas gaf – en het grind opspatte, de banden protesteerden en de kever van Jessica rechts uit zijn beeld verdween – dook hij boven op de rem. Uit alle macht. Wanhopig.

Daar voor hem, dwars over de weg en tot in de berm zo ver als zijn oog reikte, stond een rij mensen. Picknickers. De mannen met hoeden op en wijde broeken aan, de vrouwen op sandalen en in broekrokken en halve sokjes, bepakt en bezakt met manden, kinderen, ligstoelen en kranten om uit te spreiden op de grond. Hij stoof recht op hen af, de verschrikte kreten troffen zijn oren, mensen weken uiteen als dominostenen, één enkele vrouw – met stencils onder haar arm, een kleuter aan haar zij – bleef verstijfd in zijn baan staan, en zijn voet, zijn onmachtige, lichaamsvreemde voet, vond pas nu het rempedaal. Er klonk een gil, papier waaierde uiteen, hij zag zijn eigen gezicht, dat van zijn moeder, en toen was alles voorbij en zat hij met het stuur te worstelen, ver op de verkeerde weghelft.

Hij had het ding niet opgezocht, had er geen speciale bedoelingen mee – hij was dronken, finaal van de wereld, hij hallucineerde – maar daar stond hij weer: de gedenkplaat. Pal voor hem. Wanhopig vechtend om uit de greppel te blijven ging hij eropaf met een gangetje van hooguit dertig kilometer, terwijl achter hem het stof omhoogwolkte – aan de verkeerde kant van de weg, God-nog-aan-toe! Toch zette hij de MG er frontaal tegenaan, met de bumper als de voorsteven van een ijsbreker; metaal schraapte over metaal, en cryptische Cranes en ondoorgrondelijke Mohonks vlogen in het rond. Het volgende moment had hij de macht over het stuur herwonnen en zeilde hij terug over de weg, nog net op tijd om zich tussen de stenen zuilen door te wurmen en de scherpe draai te maken aan het begin van de lange, voorname, licht afbuigende oprijlaan van het Van Wart-goed.

Hier heerste rust. De wereld was statisch, vredig, tijdeloos, koesterde zich in de duurzame warmte van bevoorrechting en welvaren. Er waren hier geen fantasma's, geen tekenen van klassenstrijd, van grijpgrage immigranten, vakbondsleiders, arbeiders, communisten en ontevredenen, er was hier niets waaruit bleek of er zich in de afgelopen driehonderd jaar veranderingen hadden voorgedaan. Walter staarde voor zich uit naar de weidse essen, de paden van flagstones, de uitgestrekte gazons en de zachte pastelpatronen van de rozen tegen de weelderige achtergrond van het bos, en hij voelde de paniek afnemen. Er was niets aan de hand. Niets ernstigs. Hij was alleen een beetje dronken.

Toen hij voorbij de curve in de oprijlaan was en het huis zelf naderde, zag hij dat er drie auto's geparkeerd stonden: de Mercedes van Dipe, de stationcar van Joanna en de Fiat van Mardi. Zijn stuurvoering was een beetje slordig – toen hij de auto in z'n achteruit zette sukkelde hij zelfs haast in slaap – maar hij wist zich toch tussen de stationcar en de Fiat in te wringen zonder iets te raken. Voor zover hij kon nagaan tenminste. Hij stond suffig voor de MG naar de plek te kijken waar de bumper contact had gemaakt met de gedenkplaat toen hij de voordeur dicht hoorde slaan, opkeek en Joanna de traptreden af zag komen in zijn richting.

Ze liep op mocassins en droeg beenkappen en een buis van hertsleer met franje en vet- of inktvlekken of iets dergelijks, en over haar huid lag een vreemde, voskleurige teint, de kleur van oude baksteen. Er hingen veertjes, stukjes schelp en wat al niet in haar haar, dat klitte en plakte en zo vet zag of ze het had gewassen met slaolie. Ze had een doos bij zich. Een grote kartonnen doos uit de supermarkt met daarop het beeldmerk van een wasmiddel dat waakte over de kleur in uw kleren en de fleur in uw leven. De doos puilde uit, en enigszins waggelend ondersteunde ze hem met de bovenkant van haar gezwollen buik; haar lippen hadden de stand van een gelukzalige glimlach aangenomen.

'Hallo,' zei Walter, terwijl hij zich oprichtte en zijn handen over elkaar wreef alsof hij dagelijks bij haar op de oprijlaan over zijn auto gebogen stond. 'Ik, eh, kijk even of er weer olie uit het kreng lekt, weet u wel?' mompelde hij met dikke tong; hij maakte er iets van wat tegelijkertijd kon gelden als een vraag, een verontschuldiging en een verweer.

Aan Joanna was niet te zien of ze hem gehoord had. Ze bleef lopen, waggelen, met haar armen om die grote doos vol – vol wat eigenlijk, poppen? 'Hallo,' zei Walter nog eens, toen ze op gelijke hoogte met hem was, 'zal ik u even helpen?'

Het leek of haar ogen hem nu pas zagen. 'O, hallo,' zei ze, met een stem zo rustig en sereen alsof ze daar voor het huis met hem had afgesproken, 'je laat me schrikken.' Haar ogen waren die van Mardi, maar al het ijs was eruit weggesmolten. Ze zag er allerminst geschrokken uit. Sterker nog, als Walter niet beter geweten had, zou hij gedacht hebben dat ze stoned was. 'Ja,' zei ze, terwijl ze hem de doos in zijn handen drukte, 'graag.'

Walter nam de doos over. Er zaten poppen in. Of liever gezegd: onderdelen van poppen: hoofden, losse rompen, hier en daar een arm of een been met een poppeschoentje en poppesok eraan. De hele verzameling gezichten, ledematen en bil-buik-borstcombinaties was bekliederd met een soort verf of vernis die er een roestig aanzien aan gaf, vlees met de kleur van een hark die buiten in de regen gelegen heeft. Walter klemde de doos tegen zijn borst terwijl Joanna in haar konijnevellen tasje op zoek ging naar het sleuteltje van de achterklep van de stationcar.

Het leek of ze er een eeuwigheid voor nodig had. Walter begon zich opgelaten te voelen, zoals hij daar in zijn vlekkerige broek en bezwete overhemd onder de onwrikbare augustuszon lodderig naar die berg ontlijfde ledematen, starre glimlachjes en ongecoördineerd knipperende ogen stond te staren, dus zei hij, om maar eens wat te zeggen: 'Voor de Indianen?'

Ze nam de doos weer van hem over, wierp een soort blik op hem waardoor hij zich afvroeg of ze hem nu eigenlijk wel herkend had, schoof de doos toen achter in de auto en knalde de klep dicht. 'Natuurlijk,' zei ze, terwijl ze zich omdraaide om naar de voorkant van de wagen te lopen, 'voor wie anders?'

De volgende was Lula.

Ze kende hem inmiddels natuurlijk, kende hem goed – hij was de vriend van haar neef Herbert en een functionaris in het bedrijf van meneer Van Wart. En ook nog eens een heel speciale vriend van Mardi. Ze begroette hem aan de voordeur met een glimlach die alle vullingen in haar gebit zichtbaar maakte. 'Je ziet eruit alsof er iemand over je heen gereden is,' zei ze.

Walter stapte met een wezenloze grijns de hal binnen en keek eerst omhoog naar de bovenverdieping en de in schaduwen verborgen deur van Mardi's schuilhol en toen naar links, naar de geruststellende, met gedempt zonlicht overgoten somberheid van de oude voorkamer.

'Mardi is boven,' zei Lula met een plagerige blik, 'en meneer Van Wart is achter ergens bezig – ik geloof dat hij in het schuurtje aan het rommelen is. Voor wie kwam je?'

Walter stuurde aan op nonchalance, maar de whisky boorde gaten in zijn hoofd en het leek of zijn voeten zich ziek gemeld hadden. Hij zocht steun bij de trapleuning. 'Voor eh... Mardi,' zei hij.

Toen pas viel hem op dat Lula haar tasje onder haar arm geklemd hield en dat er op de tyfoon van haar haar een klein wit strooien hoedje zweefde. 'Ik zou net de deur uit gaan,' zei ze, 'maar ik zal haar een brul geven.' Ze verhief haar geoefende, zelfverzekerde en tegelijkertijd familiare stemgeluid tot een stentoriaanse oproep – 'Mardi!' riep ze, 'Mardi! Er is iemand voor je!' – en toen grijnsde ze hem nog eens breed, vol en liederlijk toe en schoot naar buiten.

Er volgde een moment van woelige stilte, alsof het huis in de greep was van die kleine pauze tussen de ene ademhaling en de andere, en daarna klonk Mardi's stem – klagerig, blasé, doortrokken van een haast dreinerige verveling: 'Wie dan – Rick?' Stilte. Dan weer haar stem, vaag, gesmoord, alsof haar belangstelling al weer gedoofd was en ze zich had omgedraaid: 'Nou, stuur hem dan naar boven.'

Walter was Rick niet. Walter wist zelfs niet wie Rick was, en hij hoefde het niet te weten ook. Gammel en onvast tilde hij de stenen van zijn voeten op, greep zich aan de leuning vast als aan een reddingsboei en liep de trap op. Op de overloop: de deur van Mardi, de eerste rechts. De deur stond op een kier, en er hing een slordig bevestigde, schreeuwerige poster aan van een groep waar Walter nog nooit van gehoord had. Hij aarzelde even, staarde in de hongerige, onbeschaamde ogen van de groepsleden, proefde de loodzware plompe lettergrepen van de uitheemse naam van de band op zijn tong en vroeg zich af of hij moest aankloppen. De drank besliste voor hem. Hij duwde en stond binnen.

Het was in de kamer zo donker als in een grot, uit de verste luidspreker klonk het verstikte zachte steunen van een bas- en een slaggitaar, in het licht dat door de deuropening viel zat Mardi midden op het bed over een asbak gebogen. Ze droeg een T-shirt en een slipje en verder niets. 'Rick?' zei ze, haar ogen toeknijpend tegen het binnenvallende licht.

'Nee,' bromde Walter, die zich mateloos moe en monumentaal dronken voelde, 'ik ben het, Walter.'

Het licht viel schuin over haar gezicht, over haar wilde, tegengekamde bos haar. Ze hield een hand beschuttend voor haar ogen. 'O, kut,' beet ze hem toe, 'doe die deur dicht, ja? Ik heb het gevoel of de bovenkant van mijn kop elk moment kan opstijgen.'

Walter deed nog een stap naar voren en sloot de deur. Het duurde even voor zijn ogen zich hadden aangepast aan de duisternis; ondertussen kregen bas- en slaggitaar bij hun klaagzang versterking van een drassige, onvaste vocale partij – een gozer die zong of hij zijn sokken in zijn mond had gestopt. Of ze zijn microfoon ergens diep in het riool hadden opgesteld. Ergens in de hel. 'Leuk stukkie muziek,' zei Walter. 'Wie zijn dat – die jongens die aan de deur hangen?'

Mardi gaf geen antwoord. Haar sigaret – nee, het was een joint; hij rook het – gloeide op in het duister.

Hij wilde op het bed toe lopen, met de bedoeling zich erop neer te laten, een trekje van haar joint te nemen misschien, haar te helpen haar T-shirt uit te trekken, zichzelf een tijdje te vergeten. Maar hij kwam niet ver. Hij stootte met zijn lies tegen iets wat niet meegaf – de afgeschuinde rand van haar bureau? – en met zijn voet trapte hij op iets anders, iets breekbaars, iets wat met een versplinterend gekraak kapotging.

Nog steeds zei Mardi niets.

'Heb je hoofdpijn?' zei hij, terwijl hij zich met moeite in evenwicht hield en zich diep bukte om zijn hand uit te steken naar de dichtstbijzijnde hoek van het matras, 'pijn in je kop?' Het volgende moment voelde hij opgelucht het matras onder zich; eindelijk stond hij niet meer op zijn voeten, en hij zat zo dicht bij haar dat hij haar lichaamswarmte kon voelen, haar haar kon ruiken, haar zweet, de vluchtige, ontzinnende essence van haar geheime ik.

'Ik zit op Rick te wachten,' zei ze, en haar stem klonk vreemd, ver, alsof er ergens een schakelaar uit stond. 'Rick,' zei ze nog eens, prevelend. En toen: 'Ik ben stoned, echt stoned. Ik trip. Ik zie dingen. Enge dingen.'

Walter liet deze onthulling even op zich inwerken en bekende toen dat hij zelf ook niet in topvorm was. Hij hoopte dat dit een inleiding zou zijn tot heilzame omhelzingen en troostrijke seks, maar zijn hoop werd onmiddellijk de bodem ingeslagen toen ze als door een wesp gestoken opsprong van het bed, de kamer door beende en de deur opengooide. Haar gezicht was van razernij vertrokken, en de koude harde irissen van haar ogen balden zich samen rond de speldepunten van haar pupillen. 'Rot op!' schreeuwde ze, en met de opstoot van het bijwoord schoot haar stem uit tot een gil.

De term 'geflipt' speelde hem door het hoofd, maar hij wist niet of die het beste van toepassing was op Mardi of op hemzelf. Hij kwam hoe dan ook met gezwinde spoed van het bed af, met op zijn netvlies het beeld van een verbolgen Depeyster die met twee treden tegelijk de trap op kwam om te kijken wat zijn werknemer-vertrouweling uitvoerde met zijn half ontklede, hysterische dochter in de duisternis van haar kamer. Maar toen hij op haar toe wankelde, begon alle pijn en ontregeling van de dag in hem te broeien, en hij bleef abrupt staan om een verklaring te eisen in de trant van *ik dacht dat we vrienden waren* en *maar een paar weken terug hebben we nog... en die keer dat...?*

'Nee,' zei ze, bevend in haar T-shirt, haar tepels hard, navel bloot, benen sterk en naakt en bruin, 'nooit meer. Niet meer met jou.'

Ze stonden nu pal tegenover elkaar, op slechts enkele centimeters. Hij keek naar haar omlaag: een zenuwtrek had bezit genomen van de rechterhelft van haar gezicht, haar droge lippen stonden vaneen. Ineens werd hij overweldigd door de drang haar te wurgen, haar de strot af te knijpen, dat volmaakte keeltje te kneden tot alle kracht eruit was, tot ze zo slap als een tegen het dolboord geslagen vis neerplofte uit zijn handen. Maar op datzelfde moment riep zij: 'Je bent precies als hij!' en die beschuldiging bracht hem van zijn apropos.

'Als wie?' hakkelde hij, en hij vroeg zich af waar ze het over had, hoe hij kans had gezien om zijn krediet in nog geen twee minuten tijd te verspelen en zelfs, heel even, wie hij was. Hij keek haar nauwlettend aan, dronken maar behoedzaam. Ze stond te zwaaien op haar benen. Hij stond te zwaaien op zijn benen. Haar adem voelde warm op zijn gezicht.

'Mijn vader!' krijste ze, en ze viel naar hem uit met vuisten die gebald tegen de trommel van zijn borst roffelden. Hij probeerde haar bij haar polsen te grijpen, maar ze was hem te vlug af. 'Moet je jezelf zien,' grauwde ze, en ze zette zich met zoveel kracht tegen hem af dat hij bijna ruggelings was achterovergeslagen over de balustrade en neergestort op de meedogenloze messing-en-groefvloer eronder. 'Moet je jezelf zien in dat nichtenpak en met dat boerenlullekapsel – wou je lid worden van Rotary of zo?'

'Mardi?' Depeysters stem weerklonk van ergens achter in het huis. 'Ben jij dat?'

Ze stond gevechtsklaar in de deuropening en nam Walter onder vuur met een blik die dwars door de laatste rafelige vodden van zijn zelfrespect ging. 'Weet je wat jij bent?' zei ze, en ze liet haar stem zakken zoals een stier die moord in gedachten heeft zijn horens, 'je bent een fascist, net als hij. Een fascist,' herhaalde ze, de sisklanken aanzettend alsof ze Adam was die de dingen benoemt – rat, kit, stille, fascist – en ze knalde de deur dicht bij wijze van uitroepteken.

Geweldig, dacht Walter, toen hij daar alleen op de lege overloop stond. Geen voeten meer, geen vader, geen liefde, zijn vrouw woonde samen met zijn beste vriend en de vrouw voor wie hij bij haar was weggegaan had waarschijnlijk een hogere dunk van Mussolini dan van hem. En tot overmaat van ramp was hij kotsmisselijk, had hij pijn in zijn kop en hing de bumper van zijn auto er half af. Wat stond hem verder nog te wachten?

Walter greep zich vast aan de balustrade, draaide zijn hoofd om en keek door het schalmgat. Daarbeneden, onder aan de trap, stond in een oude kakibroek en een verschoten blauw overhemd waar de kleur van zijn ogen helder bij afstak, Depeyster Van Wart – Dipe – zijn baas en mentor. Depeyster draaide iets rond in zijn handen – een tuig of een hoofdstel, zo te zien – en hij keek bevreemd. 'Walter?' zei hij.

Walter begon de trap af te lopen. Hij dwong zichzelf een glimlach af, hoewel zijn aangezichtsspieren dood leken en hij het gevoel had bewusteloos onderuit te zullen gaan of elk moment in snikken uit te kunnen barsten – hoe hard, zielloos en ongevoelig hij ook was. Alles bij elkaar bracht hij het er niet eens slecht af. Toen hij, met een gezicht als de tronie van een kinderverkrachter, bij de onderste trede was, stak hij zijn hand uit en liet een dreunend 'Hallo, Dipe' klinken, alsof hij hem begroette van de overzijde van een voetbalstadion.

Ze bleven een ogenblik onder aan de trap staan: Walter verloor alle beheersing over zijn gelaatstrekken, de landheer liet het hoofdstel – ja, het was een hoofdstel – vallen om een hand op te tillen en op zijn achterhoofd te krabben. 'Was dat Mardi die ik hoorde?' vroeg hij.

'Ja,' zei Walter, maar eer hij dit bondige en volstrekt ontoereikende antwoord nader kon toelichten, onderbrak Depeyster hem met een zacht fluitje. 'Jezus,' zei hij, 'je ziet eruit of je drie weken dood bent, weet je dat?'

Later, bij een paar koppen koffie in de oude kerkerachtige keuken waar vaatwasmachine, broodrooster, koelkast en oven anachronistisch stonden te blinken, ervoer Walter de opluchting van een biecht. Hij vertelde Depeyster van Jessica en Tom, van zijn hallucinatie op de weg, de verslagenheid in zijn hart en zijn krankzinnige botsing met Mardi. Over het hoofdstel gebogen met een in klauweolie gedrenkte lap aanhoorde Depeyster hem met een priesterlijke, suprème onvooringenomenheid, af en toe zijn beheerste aristocratische gelaatstrekken oprichtend om hem aan te kijken. Hij bemoedigde hem met nu en dan een vragende grom of interjectie, liet hem zijn verhaal doen en koos toen zonder aarzeling zijn kant. 'Het spijt me dat ik het zeggen moet, Walter' – hij sprak in heldere, afgemeten, kordate klanken – 'maar zo te horen is het je vrouw in de bol geslagen. Ik bedoel: een vrouw die intrekt in een krot zonder elektriciteit, laat staan stromend water – en dan nog met zo'n gedrogeerde malloot als die knul van Crane? Dat is toch niet normaal?'

Nee, natuurlijk was het dat niet. Het was ondoordacht, dom, een vergissing. Walter haalde zijn schouders op.

'Je hebt je vergist, Walter, sta er niet langer bij stil. We vergissen ons allemaal wel eens. En wat Mardi betreft – ach, dat is misschien ook maar beter zo.' Depeyster keek hem lange tijd zwijgend aan. 'Ik geef toe, Walter, ik had gehoopt dat het tussen jullie... eh, nou ja...' Hij onderbrak zichzelf met een zucht. 'Ik vind het afschuwelijk dat ik het moet zeggen van mijn eigen dochter, maar jij verdient iets tien keer beters dan haar.'

Walter blies de damp van zijn vijfde kop koffie en schoof een punt perziktaart heen en weer. Hij voelde zich beter, zijn misselijkheid was tijdelijk naar de achtergrond gedrongen, zijn wanhoop verzacht door de absolutie. En er was nog iets anders: het vage gevoel dat zijn moment van triomf binnen handbereik lag, dat er een doorbraak op til was; er had zich een crisis voorgedaan in zijn leven, en nu, dacht hij, nog steeds dronken maar in de ban van een soort alcoholische vervoering, was de verlossing nabij. 'Je weet van al die brieven die ik mijn vader geschreven heb?' vroeg hij plotseling. 'In Barrow?'

Aan Depeyster was niet te merken of deze plotselinge wending in het gesprek hem van zijn stuk bracht. Hij ging achteroverzitten en legde het hoofdstel op de krant die hij had uitgespreid op tafel. 'Ja,' zei hij, 'wat is daarmee?'

'Die zijn niet teruggekomen.' Walter zweeg om dit te laten bezinken.

'Dus je denkt dat hij daar inderdaad woont?'

'Ja. En ik wil het zeker weten.' Walter zette de koffie aan zijn lippen maar liet in zijn opwinding de kop weer zakken zonder ervan gedronken te hebben. 'Ik heb gespaard. Ik wil erheen.'

'Walter, luister,' begon Depeyster, 'prima, uitstekend – maar weet je wel goed waar je aan begint? Stel dat hij niet te vinden is en al je geld en tijd je niets oplevert? Hoe denk je dat je je dan voelt? Stel dat hij je niet binnenlaat? Of dat het een heel andere man geworden is? Je weet dat hij een drankprobleem had. Stel dat hij lam in de goot ligt? Kijk, ik wil je niet ontmoedigen, maar als hij contact met je had gewild zou hij toch wel een keer hebben teruggeschreven? Hoe lang is het geleden – elf jaar, twaalf jaar? Er kan veel veranderen in zo'n lange tijd, Walter.'

Walter luisterde – Dipe had het beste met hem voor, dat wist hij. Hij was hem dankbaar. Maar het moest. Hij had Depeyster niet verteld van de gedenkplaat – hij zou nooit geloofd hebben dat het geen opzet was – maar hoe dan ook: het ding stond er niet meer, het was omvergekegeld, vernietigd, weggevaagd. Er was hier niets meer wat hem bond – Hesh noch Dipe noch Mardi, Jessica, Tom Crane of Laura Egthuysen. De gedenkplaat had aan het begin gestaan van heel de morbide cyclus die nu was afgesloten – althans, het deel van de cyclus dat in Van Wartville speelde. Hij moest nu alleen nog zijn vader vinden en de schimmen voorgoed begraven.

'Volgens mij ben je gek als je gaat,' zei Depeyster op dat moment. 'Je bent een flinke, intelligente jonge vent, Walter, je hebt een heleboel kwaliteiten en een gunstig voorkomen. Je hebt tegenslag gehad – zware, afschuwelijke tegenslag – maar ik zou zeggen: vergeet het verleden en kijk naar de toekomst. Met wat jij in huis hebt kun je het ver schoppen – en ik bedoel niet alleen bij mij in het bedrijf, maar bij wat je ook aanpakt.' Depeyster schoof de stoel naar achteren en liep naar het fornuis. 'Nog een kop koffie?'

Walter schudde zijn hoofd.

'Weet je het zeker? Je voelt je goed genoeg om te rijden?' Depeyster schonk zichzelf nog een kop koffie in, liep terug en ging weer aan tafel zitten. Door het raam was te zien dat het huis één grote naadloze schaduwmonoliet wierp over het gazon en de rozenperken onder aan het talud. 'Ik betaal je goed, Walter – heel goed, voor een knul van jouw leeftijd,' zei Depeyster ten slotte. 'En je bent je geld tot de laatste stuiver waard. Blijf voor mij werken. Daar kun je alleen maar beter van worden.'

Walter zette zich af tegen de tafel en duwde zich overeind. 'Ik moet weg, Dipe,' zei hij, ineens overmand door het beangstigende gevoel dat er haast geboden was, dat er een omsingeling dreigde.

Bij de voordeur draaide hij zich om en drukte hem de hand, en het moment was zo beladen dat hij het gevoel had of hij afscheid nam om te vertrekken naar de schemerduistere woestenij van het noorden, of hij een waaghals was die op de ijzige lip van de Niagara in zijn ton kruipt. 'Bedankt Dipe,' zei hij, met een stem die bijna verstikt was, 'bedankt dat je naar me geluisterd hebt en bedankt voor eh... de goede raad en zo.'

'Graag gedaan, Walter,' zei Depeyster, met zijn aristocratische grijns. 'Doe je het rustig aan?'

Walter liet zijn hand los en zei toen, opgestuwd door de golf van zijn warme gevoelens: 'Nog één ding, Dipe – zou ik twee weken vrij kunnen krijgen...? Ik bedoel, als het niet ongelegen komt of zo.'

Depeysters gezicht verijsde op slag. De blik die hij op Walter wierp was dezelfde die verscheen op het gezicht van Hesh als hij getart werd of teleurgesteld was. Rood aanlopend en verward moest Walter, die het antwoord al had afgelezen aan de stand van die gelaatstrekken, ineens denken aan de laatste keer dat hij Hesh gezien had, een kleine maand geleden. Ze zaten te eten – Walters lievelingskostje, borsjt, lamskoteletten en aardappelpannekoeken, met zuurkool en eigengemaakte appelmoes en sla uit de tuin – toen Walter de naam van zijn vader liet vallen – Truman – waarop Hesh reageerde met een misprijzende opmerking. *Nou, jij mag hem dan haten*, had Walter gefoeterd, *maar volgens Depeyster...*

Depeysters naam was nog niet genoemd of Hesh was ontploft; hij sprong op van zijn stoel, knalde met zijn vuist op tafel en bukte zich voorover om Walter als een blaffende hond in het gezicht te tieren. *Volgens Depeyster*, hoonde hij. *Wie dacht je dat jou heeft grootgebracht? De schooier die je als wees heeft achtergelaten? Die, die rover-*

hoofdman, die schurk door wie jij je alles wijs laat maken – heeft hij je grootgebracht? Waar bemoeit die vent zich mee?

Hesh. Lola was naast hem gaan staan en probeerde hem, met haar slanke, blauw dooraderde hand op het rotsblok van zijn onderarm, te sussen, maar hij schoof haar opzij. Walter zat verstijfd op zijn stoel.

Hesh verhief zich in zijn volle lengte, met een kale kop die op springen stond en een neus zo rood als de borsjt in het diepe bord voor hem. Zijn stem zakte een octaaf door de moeite die hij deed hem onder controle te houden. *Toen ik die baan voor je regelde bij de metaaldraaierij heb ik dat gedaan via Jack Schwartz omdat ik die al mijn hele leven ken en omdat ik dacht dat je wel wat ervaring met het echte leven kon gebruiken, plus dat het je een paar centen opleverde... maar dit, dit is krankzinnig. Die vent is een onmens, Walter, dat weet je toch? Een nazi, een vijand van de bonden. Het is Depeyster voor en Depeyster na. Hij is verantwoordelijk voor de ineenstorting van je vader, Walter. Onthoud dat. Bij het graf van je moeder: onthoud dat.*

Diezelfde blik. Met diezelfde blik stond nu Depeyster voor hem. 'Walter, je weet dat dit een drukke tijd voor ons is. Er moeten voor het eind van de maand zesduizend aximaxen en drieduizend berliners naar Westinghouse. De orders komen binnen met kruiwagens tegelijk. En heeft er niet pas iemand ontslag genomen op de spuiterij?'

Walter was dan misschien vaderloos, maar het leek wel of iedereen kandideerde voor de opengevallen plaats. 'Dus ik mag niet weg?'

'Walter, Walter,' zei Depeyster, en weer kwam zijn arm om zijn schouder te liggen, 'ik probeer je tegen jezelf te beschermen. Oké, als je per se wilt, moet je gaan, maar kan het echt geen uitstel lijden? Twee maanden, wat vind je daarvan? Neem over twee maanden een paar weken vakantie, in het najaar, als de ergste drukte in het bedrijf voorbij is en je tijd hebt gehad om erover na te denken – wat zeg je daarvan?'

Walter zei niets. Hij maakte zich los, probeerde zijn laatste restjes waardigheid bijeen te schrapen, wat niet meeviel met zijn verkreukelde overhemd, vlekkerige broek en de eerste vlijmende steek van een veelbelovende kater in zijn hoofd, en schuifelde de traptreden aan de voorzijde van het huis af.

'Walter,' riep Depeyster hem na. 'Hé, luister, kijk me aan.'

Walter draaide zich om toen hij bij de MG was en schonk zijn baas en mentor zijns ondanks een wrange glimlach.

'Hé, ik heb nog een leuk nieuwtje!' riep Depeyster toen Walter de motor startte. Walter wachtte in de sidderende auto terwijl Depeyster de treden af sprong en zich over het portier aan de passagierszijde boog. Hij had het hoofdstel nog steeds in zijn hand en stak het nu triomfantelijk in de lucht, als een jager met een koppel fazanten. 'Ik ga een paard kopen!' juichte hij; de vooravond leek zich in al zijn belofte achter hem uit te spreiden en de gouden gloed van de ondergaande zon viel op zijn grijnzende gezicht alsof dit het slotbeeld was van een film met een happy end.

Walter wist zonder verdere incidenten thuis te komen – geen schermutselingen met de historie, geen schaduwen die opsprongen uit het asfalt, geen schimmen, luchtspiegelingen of andere zinsbegoochelingen. Hij reed het pad op naar zijn eenzame huurhuisje, zette de motor af en bleef een ogenblik zitten terwijl de lucht zich om hem verdikte. Zo drong gaandeweg tot hem door dat er iets mis was met de lucht die hij achter zich aan had gesleept – het was de bedorven, rottende, ranzige ontbindingslucht van de vismarkt of de vuilnisbelt. Toen herinnerde hij zich de boodschappen.

Hij tilde de klep van de kofferbak op en daar lagen ze: her en der verspreide blikken, verlepte sla, gebroken eieren, verflenst vlees. Dit was te bar. De geur van bederf die uit de warme kleine ruimte opsteeg deed hem wankelen, trof hem met een vuist in zijn buik en een veer in zijn keel. Hij verloor zijn evenwicht en zakte in erbarming op zijn knieën, waarna de Old Inver House, de koffie en de perziktaart en zijn ontbijt omhoogkwamen. Geruime tijd bleef hij op zijn knieën over het zure plasje braaksel gebogen zitten. Vanuit de verte leek het of hij bad.

VAN DE REGEN IN DE DRUP

Lang geleden, in die vochtige zomer van 1679, toen de patroon naar Van Wartwyck kwam om wegen te verbreden en zijn bezit op te knappen en Jeremias van Brunt zijn bevel brutaal naast zich neerlegde, vatte de *joncker* die ongehoorzaamheid op als een schaamteloze ondermijning van de grondvesten van beschaafd bestuur. Op nog geen kilometer van waar zich eens de Peterskill-rellen zouden voordoen en op ongeveer dezelfde afstand van waar Walter ter catharsis op het pad naar zijn huurhuis knielde, besloot Stephanus een daad te stellen. Als hij zijn gezag liet ondergraven door die achterlijke, ongewassen, gewelddadige, eenbenige pummel, wat belette een booswicht als Robideau of een geraffineerde slang als Crane dan nog diens voorbeeld te volgen? Er was geen ontkomen aan: als hij maar een duimbreed week, als hij blijk gaf van ook maar een greintje besluiteloosheid of een tikje toegeeflijkheid, dan stortte heel het stelsel der hofstedelijke verhoudingen als een kaartenhuis in elkaar. Wat zich slecht verdroeg met zijn visioen van een landgoed waarbij Versailles afstak als een lapje koolgrond.

Dus ging de patroon er in opperste verontwaardiging toe over Joost Cats van zijn post te ontheffen, Van Brunts halfbloed neefje en incontinente zoon gevangen te zetten en de dagdief ervan in kennis te stellen dat hem per 15 november de pacht was opgezegd. Vervolgens droeg hij de timmerman op de werkzaamheden aan het dak op te schorten en twee schandblokken te vervaardigen. Druk fluisterend, geschokt en niet weinig beducht om het eigen lot, pakte het gemene volk – de Cranes en Sturdivants en Van der Meulens en de anderen – de werktuigen op en toog weer aan de arbeid. De zeisen rezen en daalden, bomen vielen, het stof steeg op en de dazen gonsden boven sterk geurende paltrokken en bezwete voorhoofden. Maar ze werkten met een half oog strak gericht op de weg voor hen – de weg die zich vertakte naar Nysenswerf.

Pas in de namiddag – na vieren, schatte Staats – verschenen er in de verte twee figuurtjes. Het ene was onmiskenbaar Van den Post, met zijn nieuwe hoge zilveren-pluimhoed en de blikkerende schittering van het rapier aan zijn zij, maar het andere was – nou, in elk geval niet Jeremias. Op geen stukken na. Daarvoor was de gestalte te klein, veel te klein, en te tenger. Bovendien was er geen spoor van de maaiende, onregelmatige gang die de man kenmerkte die in zijn prille jeugd een been verloren had en sindsdien slechts via een eind eikehout contact had met de grond. Eensgezind rechtten de werkers – mannen en vrouwen – hun rug om op de stelen van hun harken en schoppen te leunen, hun span tot staan te brengen of hun zeis te laten zakken. En toen de gestalten naderbij kwamen, snelde er ineens een gefluisterde kreet door de menigte. 'Het is Neeltje!' riep iemand uit, en de anderen namen het over.

Er werd een jongen op uit gestuurd om Stephanus te halen, die zich in het huis had teruggetrokken om zich te verfrissen. Ondertussen viel Neeltje bleek en trillend in haar vaders armen, terwijl Staats en Douw om hen heen gingen staan om de anderen op afstand te houden. Triomfantelijk grijnzend liep Van den Post parmant door de menigte, plaatste een bestofte laars op een boomstam en schonk zich een beker cider in uit het vaatje dat de patroon ten gerieve van zijn pachters beschikbaar had gesteld. Hij dronk de beker in één keer leeg, spuugde het bezinksel op de grond en veegde zijn mond af met de achterkant van zijn mouw; vervolgens haalde hij met bestudeerde nonchalance zijn pijp te voorschijn en ging staan roken.

Neeltjes gezicht was nat. 'Vader,' huilde ze, 'wat moeten we nu doen? Hij... hij heeft ons de pacht opgezegd en hij houdt de jongens vast en nog wil Jeremias niet komen.'

De dubbelgevouwen voormalige schout, die er twee keer zo oud uitzag als hij toch al was, had zo gauw geen antwoord. Hij vervloekte in stilte de dag dat Jeremias van Brunt in hun leven gekomen was en drukte zijn dochter tegen zich aan, zich aan haar vastklemmend alsof hij in een maalstroom was beland en elk moment kon ondergaan.

'Hij kan toch zo maar niet... hij heeft het recht niet... om iemand na al die jaren zo maar...' pruttelde Staats. 'We kunnen dit niet over onze kant laten gaan, we moeten ons hiertegen verzetten.'

Op dat moment dook de harde, gelooide kop van Robideau op in hun midden. 'Hoe bedoel je, hij heeft het recht niet?' raspte hij. 'Het woord van de patroon is wet, en dat weten we allemaal. Zoals we hier staan hebben we allemaal bij ons volle verstand de pachtakte getekend, en ik zou bij God niet weten waarom de *joncker* die hufter niet zou ontruimen als ik me hier in de zon in het zweet sta te werken terwijl meneer thuis zit achter een kom punch.'

Er klonk een instemmend gemompel uit de menigte, maar Staats keerde zich, trouw als een buldog, tegen Robideau en waarschuwde hem zich er niet mee te bemoeien.

Meer had de Fransman niet nodig. Hij deed een stap naar voren en gaf Staats een zet waardoor deze tegen Neeltje en haar vader op botste.

'Donder op met je stomme gelul, kaaskop,' gromde hij.
Deze obsceniteit was te veel voor de maagdelijke oren van Goody Sturdivant, en voor de tweede maal die dag slaakte ze een ijle kreet en sloeg met een stormachtige luchtverplaatsing in katzwijm tegen de grond. Op hetzelfde moment sprongen Douw en Cadwallader Crane tussen de kemphanen. 'Rustig, vader,' suste Douw, 'hier schiet niemand wat mee op,' terwijl de broodmagere, slungelige, jonge Crane de bokkende Fransman vasthield met een stel armen zo lang en slierterig dat het leek of er twee henneptouwen om hem heen geslagen waren. 'Laat me los!' knorde Robideau; hij maakte een dansje op de vierkante meter en reeg een rij vloeken aaneen waar een bootwerker een kleur van zou hebben gekregen. 'Laat me los, verdomme!'
Zo kwam het dat de koppen verhit waren, de menigte te hoop was gelopen en vrouw Sturdivant languit op de grond lag als een zieke koe toen de patroon naderbij kwam op zijn telganger; in zijn fraaie neusvleugels trilde bij voorbaat de scherpst denkbare veroordeling. 'Wat is hier in godsnaam aan de hand?' wilde hij weten, en ogenblikkelijk was het getrek en geduw afgelopen. Neeltje keek op met haar betraande gezicht, Meintje van der Meulen bukte zich om de arme vrouw Sturdivant bij te staan, Robideau duwde Cadwallader Crane van zich af en keek woedend om zich heen. Niemand zei iets.
De patroon overzag de menigte vanuit den hoge, en uiteindelijk kwamen zijn ogen tot stilstand op Van den Post. 'Aelbregt,' bitste hij, 'kun jij me vertellen wat hier gaande is?'
Terwijl er een brede boosaardige grijns met de vleugels van zijn baard klapwiekte, stapte Van den Post buigend naar voren en zei: 'Met genoegen, *Mynheer*. Het heeft er de schijn van dat Van Brunts weerspannigheid aanstekelijk werkt op zijn buren. Zo hoor ik van boer Van der Meulen...'
'Genoeg!' Stephanus striemde met zijn ogen de gebogen hoofden van de boeren en hun vrouwen en hun nageslacht en wendde zich toen weer tot Van den Post. 'Ik wil maar één ding weten: waar is hij?'
'In alle eerbied, *Mynheer*, hij wilde niet meekomen,' antwoordde Van den Post. 'Als u opdracht had gegeven tot het gebruik van geweld,' vervolgde hij, met de grijns van de man die zich onbeperkt in leven kon houden met kwallen en zout water, 'dan verzeker ik u dat hij nu voor u had gestaan.'
Dat was het moment waarop Neeltje in vertwijfeling haar buren opzij duwde en te voorschijn trad, met een gezicht opengespreid als een boek. 'Alstublieft,' smeekte ze, 'de boerderij is alles wat we hebben, we zijn goede pachters geweest en we hebben de waarde van uw grond met het tienvoudige vermeerderd – dit jaar nog hebben we een volle

morghen geruimd langs de bloedrivier en we verbouwen er nu voederrogge en ook nog erwten...'

Stephanus was niet in de stemming voor een beroep op zijn gemoed of zijn redelijkheid. Hij was een machtig man, een gestudeerd man, een man van smaak en beschaving. Hij keek naar Neeltje in haar schamele kleren, naar haar ondanks de jaren nog altijd knappe gezichtje, en hij zag haar zoals ze was geweest in dat smerige bed met haar slettige mond en het haar in haar ogen, een beeld dat iemand van zijn stand niet met zich mee zou moeten hoeven dragen, en hij knarste met zijn tanden. Toen hij ten slotte het woord nam, kostte het hem de grootste moeite om niet te schreeuwen; hij rechtte zijn rug en keek als een centaur neer over de krachtige, gebeeldhouwde schouder van het rijdier waarmee hij één was. 'De halfbloed en die andere, die met zijn grote mond, zijn in bewaring gesteld,' zei hij, nauwelijks zijn lippen bewegend. 'Morgen, als mijn timmerman klaar is met de blokken, neemt hun straf een aanvang.' Hier zweeg hij even ter inleiding op zijn slotverklaring. 'En ik verzeker u, vrouw, dat zij ingesloten zullen blijven in die blokken tot het moment dat uw echtgenoot hiernaar toe komt en mij op zijn knieën smeekt – jawel, smeekt – om het voorrecht mij te mogen dienen.'

Er waren muizen in de knollenkelder, ratten, slakken en ander lichtschuw gedierte. Het was er eeuwig middernacht, zo donker als in de verste rondwentelende uitgestrektheden van een zonloos heelal, en het was er vochtig, druipnat, als op de bodem van een diep en eenzaam graf. Wouter vond het er niet leuk. Hij was elf en een half, en zijn verbeelding tooide het onzichtbare plafond met de grijnzende tronies van de dwergen, demiurgen en woeste goden die de stille plekjes van het dal bevolkten, met het bebloede aangezicht van de oude Dame Hobby, die was gescalpeerd en aan de dood prijsgegeven door een verwilderde Sint Sink, met de vlammend rode baard en de slachtersogen van Wolf Nysen. Hij kroop dicht tegen zijn neef aan, steun en warmte zoekend, hield zich groot zo lang hij kon – dat wil zeggen: ongeveer drie en een halve minuut nadat Van den Post het zware houten plankier boven hun hoofden had gesloten – en bekende toen dat hij bang was. Ze zaten onder in een kuil van anderhalve meter diep in de bodem van de kelder, en het luik erboven was verzwaard met drie okshoofden bier. 'Ik ben bang, Jeremy,' zei Wouter, en zijn stem was een iel gepiep in het ondoorgrondelijke duister.

Jeremy zei zoals gebruikelijk niets.

'Volgens vader hebben ze de broer van de oude patroon hier vlakbij begraven, achter het huis... stel je voor dat hij nog, eh... rondspookt?

Dan zou hij dwars door de grond heen kunnen komen...'

Jeremy gromde. Hierop volgde een reeks geluiden uit de diepste diepten van zijn strottehoofd: kliks, getjirp, gegorgel, de gesmoorde betekenisdragende elementen van een eigen spraak. Zijn verklaring luidde: 'Wij zitten hier onder deze klep omdat jij de jouwe niet houdt.'

Tegen deze uitspraak – hoe weinig troostrijk ook – had Wouter weinig in te brengen. Het zitvlak van zijn broek was doorweekt en hij had jeuk in zijn kruis. Het duister werd, als er al iets aan veranderde, alleen maar intenser. Hij schoof dichter naar zijn neef toe. 'Ik ben bang,' zei hij.

Later – hoeveel later kon hij niet zeggen – manifesteerde zich in het niets buiten hun cel een potpourri van huiselijke geluiden, gevolgd door het snelle roffelen van voetstappen op het luik boven hen en de bibberige klanken van een uitgedroogde, dorre stem. 'Hier, jongen,' hijgde de stem, 'zet die okshoofden terug op hun plaats en til onmiddellijk dat luik op.' Er drong licht door van boven, zwak en diffuus. De vaten rommelden boven hun hoofd. 'Dit is in één woord onduldbaar,' ging de stem verder, wegzakkend tot een vitterig gemompel; '... kinderen behandelen als doorgewinterde misdadigers...'

Toen het luik een halve meter was teruggeschoven, gingen ze staan op hun stramme benen en staken hun hoofd uit de kuil als een stel bosmarmotten bij de uitgang van hun hol. Boven hen stond, even ingespannen in het gat turend als zij naar buiten keken, de kromme oude moeder van de patroon, gehuld in het zwart en met in haar hand een talkkaars die ze voor zich uit hield als een talisman; naast haar stond een slaaf van ongeveer Jeremy's leeftijd wiens ogen het kaarslicht helder weerkaatsten en naast hem stond, meende Wouter in zijn verwarring, een engel uit Elysium. Maar toen begon de engel te giechelen, en werd de betovering een moment verbroken. 'Kom daar onmiddellijk uit,' beet de oude vrouw hun toe, alsof ze in die vieze, bedompte kuil gekropen waren omdat ze verleiding van een gedwongen verblijf aldaar niet hadden kunnen weerstaan.

Wouter keek naar Jeremy. Aan het stenen profiel van zijn neef was niets te zien, maar de vuist van zijn adamsappel ging kort achter elkaar twee keer op en neer. Toen hees Jeremy zich, koel als de patroon zelf, soepel uit de kuil en ging voor het kleine groepje staan dat zich had verzameld in de grotere ruimte van de kelder met zijn vaatjes bier en cider, zijn tonnetjes boter en zijn hoog boven de vloer op ruwhouten rekken bewaarde emmers melk en wielen kaas. Wouter was bang en gedesoriënteerd, grafbeelden begoochelden zijn ogen weer: de oude vrouw Van Wart was misschien wel een in een lijkkleed gewikkelde zombie, de slaaf een teerzwarte knecht van de duivel en het meisje –

ja, het meisje was duidelijk een hemelse afgezante die zijn ziel moest zien te redden. 'Kom eruit!' snerpte de oude vrouw plotseling; ze nam zijn oor in een nietsontziende greep, en het volgende moment was ook hij herrezen uit het graf.

De oude vrouw keek hem met een onverzettelijke kaak en licht trillende lippen bestraffend aan. 'Versta jij geen Hollands?' vroeg ze.

Beschaamd en vechtend tegen zijn tranen wilde Wouter hakkelend antwoord gaan geven toen het meisje weer begon te gniffelen. Hij wierp een snelle blik op haar – brede volle lacherige lippen, ogen waar zijn knieën slap van werden, een overvloed aan haar onder een mutsje als een vlinder op haar kruin – en sloeg zijn ogen neer. Hij realiseerde het zich op dat moment niet, maar dit was zijn kennismaking met Saskia van Wart.

'Laat maar,' zei de amechtige oude vrouw, enigszins milder gestemd. Toen wendde ze zich tot de slaaf. 'Pompey,' zei ze, weer op volle kracht, 'breng ze naar de keuken en zorg dat ze wat te eten krijgen. En daarna moet je daar in de hoek wat stro voor ze neerleggen,' wijzend naar een plek tegen de muur. 'En sta daar niet zo verbaasd te kijken. Het kan me niet schelen wat mijn zoon ervan vindt – zolang hij me nog niet verbannen heeft naar het bos, heb ik het hier in huis nog steeds voor het zeggen.'

De volgende ochtend kwam de kwalleman hen in alle vroegte halen.

Van den Post droeg de pluimhoed van opa Cats en diens rapier, en rond zijn ogen en zijn mondhoeken lag een verontrustende trek. 'Opstaan,' blafte hij, naar ze schoppend in het stro, en Wouter zag het in zijn gezicht – de blik van een jongen met een scherpgepunte stok en een in het nauw gedreven konijn.

Hij haalde ze uit het halfduister van de voorraadkelder, liep met ze door de heldere, lichte bijkeuken met zijn paradijselijke aroma's, zijn chagrijnig kijkende kokkin en gloeiende haard, en toen naar buiten, naar de explosie van licht die de ochtend en de wereld om hen heen waren. Knipperend, met zijn hand voor zijn ogen en nog half slapend probeerde Wouter op een holletje de schout bij te houden; hij zag de blokken pas toen hij er met zijn neus bovenop stond.

Grenehout. Wit en vers en geurend naar hars. Vier voetgaten in de onderste dwarsbalk, vier polsgaten in de bovenste. Achter het raamwerk: een bank. Of nee, meer een stuk boomstam, ruw behakt, met hier en daar de schors er nog aan, zo groen dat het de dag tevoren nog verticaal moest hebben gestaan.

Eerst begreep Wouter niet wat de bedoeling was. Maar toen Van den Post de dwarsbalk optilde, met een strakke grijns om zijn lippen, kreeg

Wouters verontwaardiging de overhand. Hij wilde protesteren – wat hadden ze misdaan? Hij had iets gezegd, de patroon verteld hoe het zat, de waarheid gesproken. Ze hadden niets gestolen, niemand verwond. Het waren maar woorden geweest. Maar hij kon niet protesteren; hij was er te bang voor. Van het ene moment op het andere had hij het gevoel dat hij stikte. Gewurgd werd. De lucht wilde niet door zijn keel, er zat iets zwaars in zijn borst, en het kwam omhoog, steeds hoger, klaar om zich te ontladen...

Op dat moment ging Jeremy ervandoor.

Zo stond hij nog naast Wouter, met zijn norse groene ogen naar het geval voor hem starend, en zo flitste hij door het maïsveld als een virginiahert met het bloederige merkteken van de poema op zijn spiegel. Jeremy was een snel sprintertje, even rap en pezig en snelvoetig als de onverschrokken opperhoofden die hij zijn voorouders mocht noemen. Hij was tenslotte Mohonks zoon, en Mohonk mocht dan een gedegenereerde bloedschender zijn, een schande voor zijn stam, hij was desondanks even goed thuis in de heuvels en dalen van de streek als de beren, wolven en salamanders, en een hardloper pur sang. En zijn hielen hoog opwerpend, zijn knokige benen ver vooruitgooiend, pompend met zijn knokige armen, riep Jeremy Mohonk – zoon van Mohonk zoon van Sachoes – de geest van zijn voorouders te hulp en stormde op het onschendbaar heiligdom van het bos af.

Waar hij niet op gerekend had was de vasthoudendheid van Van den Post, de kwalleneter. Zonder zich nog één moment om Wouter te bekommeren, wierp de hyperkinetische schout hoed en rapier af en zette als een jachthond de achtervolging in. De twintig pas die hen scheidde bij het begin van Jeremy's vluchtpoging scheidde hen nog steeds toen eerst de Indiaan verdween in het bos aan de overzijde van de akker en vervolgens de schout.

Wouter keek om zich heen. De zon klom uit boven de bergrug achter hem en trok de schaduwen terug alsof zij ze opdronk. Hij keek toe hoe een zwerm merels – ofte wel maïsdieven – weer neerstreek in het gewas waar Jeremy en Van den Post als een zeis doorheen gegaan waren, en keek toen omlaag naar de pluimhoed en het rapier in het vochtige gras. Ergens loeide een koe.

Wouter wist niet wat hij moest doen. Hij was bang. Bang voor de kelder, bang voor de blokken en hun wrede, schurende greep, bang voor Van den Post en de patroon. Hij wilde bovenal naar huis gaan en zich in zijn vaders omhelzing storten, hem vragen het allemaal nog eens uit te leggen – hij wist niet meer zeker of hij het wel goed begrepen had. Hij had zijn hoofd niet gebogen voor de patroon, had zijn vader verdedigd en zich ferm uitgesproken, en wat had het hem opgeleverd? Pijn en verwijt, een verdraaid oor, een natte broek en beschimmeld brood. Hij keek omlaag langs de helling, langs het grote huis en de weg die er stil en rustig voor lag. Een kwartier. In een kwartier was hij thuis, in de armen van zijn moeder, toekijkend hoe de ogen van zijn vader dreigend oplichtten als hij hoorde wat ze hem hadden aangedaan...

Maar nee. Als hij ervandoor ging zouden ze achter hem aan komen. Hij zag ze al voor zich: een tiental gewapende mannen, onder wie die vreemde zwarte, die hem schreeuwend kwamen halen, met honden, met hete pek en veren, met fakkels die de nacht beschenen. Wat heeft hij gedaan? zou een van hen roepen terwijl ze hem tegen de grond drukten, waarop een ander, kil als de dood, zou antwoorden met een stem waarin hevige verontwaardiging doorklonk: Deze hier? Die heeft de patroon een grote mond gegeven, de kleine rotzak.

Op zijn lippen bijtend om de tranen terug te dringen liep Wouter van Brunt, elf en een half jaar oud en krom van leed als een zeventigjarige, met hangend hoofd om het witte grenen raamwerk heen, zette zich neer op de ruwe stam erachter en stak zijn voeten recht voor zich uit. Langzaam, weloverwogen en ten volle geconcentreerd liet hij de dwarsbalk zakken tot die stevig om zijn enkels klemde. Vervolgens deed hij hetzelfde met zijn handen.

Hij zat er nog steeds toen zijn vader hem kwam halen.

Zonder zijn pas een moment in te houden kwam Jeremias aanlopen over de stoffige weg, zijn schouders naar achter, zijn machtige armen onbedekt, spitsroeden lopend tussen zijn buren door met hun gekromde ruggen en zorgelijke gezichten. Hij maaide om zich heen met de houten stut alsof het een wapen was, voortbenend met zoveel kordate vastbeslotenheid dat het leek of hij ten oorlog trok, en gunde zich niet de tijd om een woord met iemand te wisselen, zelfs niet met Staats of Douw. Allen keken natuurlijk op, maar onder de neergeslagen rand van zijn hoed konden ze zijn gezicht niet zien. Zijn armen zwaaiden langs zijn zijden, één-twee, één-twee, en hij onderhield zo'n hoog tempo dat hij al bijna door hun gelederen was toen Staats zijn schop neergooide en achter hem aan ging.

Zijn voorbeeld bleek aanstekelijk. Een voor een gooiden de boeren hun werktuigen neer en liepen zwijgend achter Jeremias aan over het pad naar het huis – zelfs Robideau, zij het als laatste. Tegen de tijd dat Jeremias bij het grasveld voor het huis was aangekomen, had hij de hele buurt – Cranes en Outhuysen, Van der Meulens, Mussers en de anderen – achter zich. Niemand zei een woord, maar op elk gezicht tekenden zich vrees en verwachting af.

De patroon had de blokken laten neerzetten halverwege de helling achter het huis, niet te ver voor de onmiddellijke voltrekking van de eventuele vonnissen die hij verder nog mocht vellen, en ook weer niet zo dichtbij dat hij ongerief zou ondervinden van de geluiden, geuren of andere onaangename bijkomstigheden die er eventueel uit zouden voortvloeien. Om er te komen, moest je om de moestuin heen en door een stuk grasland waarachter een maïsakker en het bos lagen waarin neef Mohonk en Van den Post waren verdwenen. Jeremias had haast. Hij liep niet om de moestuin maar banjerde er dwars doorheen, het oog vastberaden gericht op het kleine verre figuurtje dat halverwege de helling in die wrede constructie gekluisterd zat. Hij vertrapte pastinaken, bieten en cichorei, liep dwars door sla, prei en waterkers, plette komkommers en tomaten. In de greep van de opschudding volgden de anderen hem.

Op het moment dat ze het strafwerktuig dicht genoeg genaderd waren om te kunnen zien dat het slechts halfbezet was, en dat het de jongste van de twee was die erin zat, schoten er van achter de schuur drie haastig in het zadel gesprongen ruiters te voorschijn om hen te onderscheppen. Jeremias liep door. En zijn buren, die de drie ruiters wel degelijk hadden bemerkt en wisten dat ze hier verkeerd aan deden en dat de patroon er hogelijk ontstemd over zou zijn, volgden. Als je er een staande had gehouden – een Robideau of Goody Sturdivant desnoods – en gevraagd had naar het waarom, dan zou hij het je niet hebben kunnen zeggen. Het was iets in de lucht. Iets elektriserends. Het was de wil van de menigte.

De ruiters sneden hun op nog geen tien meter van de blokken de pas af. Kluiten vlogen in het rond, hoefijzers ranselden de grond. 'Halt!' blafte de patroon. Ze keken omhoog naar zijn gezicht en zagen daar moordlust. Zijn rijdier zwenkte en stampte terwijl hij zijn best deed de duelleerpistolen van wijlen zijn vader – één in elke hand – op de menigte gericht te houden. Naast hem klemde Van den Post zich als een bloedzuiger vast aan een appelschimmel, met het hervonden rapier hoog en naakt in het zonlicht, en naast hém hield de derde ruiter, een vreemdeling die, met een valse grijns op zijn schrompelige gezicht, niet hoger in het zadel zat dan een achtjarige, een musket in zijn knoestige vuistje. Normaal gesproken zouden ze op z'n minst commentaar geleverd hebben op de verschijning van de vreemdeling – van iedere vreemdeling, maar zeker van een onooglijke, slecht in het vlees zittende kleine radijs als deze – maar er was niet eens tijd om na te denken, laat staan om een buurtpraatje te beginnen.

'De eerste die nog een voet verzet sterft onder mijn hand,' bulderde de patroon.

Ze bleven staan. Allemaal. Mannen, vrouwen en kinderen. Maar niet Jeremias. Die liep stug door, aarzelde geen moment. Met zijn blik gevestigd op het ontzette gezicht van zijn zoon beende hij op de patroon af alsof hij hem niet zag. 'Halt,' beval de patroon, zijn stem zozeer forcerend dat hij zich overschreeuwde, en bijna tegelijkertijd vuurde hij.

Er klonk een kreet uit de menigte, de machteloze, aan het zicht onttrokken, elf en een half jaar oude Wouter zette het op een jammeren en voor de derde maal in twee dagen tijds sloeg vrouw Sturdivant tegen de grond. Monumentaal. Met donderend geraas en alle dramatiek van een Phaedra of Niobe. Plotseling heerste er chaos: vrouwen gilden, mannen zochten dekking, de jonge Billy Sturdivant wierp zich op zijn moeders horizontale massa en de patroon trok zijn hoofd tussen zijn schouders als een man die een doodzonde tegen de etiquette heeft begaan. Maar Goody Sturdivant bleek niet geraakt te zijn. En Jeremias evenmin. De kogel wierp een kluitje op de schuldeloze wreef van Cadwallader Crane's ingevette laars en boorde zich zonder schade aan te richten tussen de rupsen en de wormen.

Jeremias liep door. Als een slaapwandelaar schoof hij langs het paard van de patroon en wierp zich op de blokken. Voor de razende patroon met het tweede pistool had kunnen aanleggen, had Jeremias de grendel losgehaald en de dwarsbalk van de polsen van zijn zoon getild. Hij knielde juist neer bij de onderste balk toen de patroon opnieuw vuurde.

Dat moment zou Wouter zijn leven lang bijblijven. Hij slaakte weer een kreet en begon wild te schoppen hoewel zijn voeten muurvast zaten – geen gruwel, nachtmerrie of trauma kwam in de buurt van wat hij doormaakte – en zag zijn vaders handen zich om de dwarsbalk sluiten. Zag zijn vaders handen verstijven, verkrampen. Alsof zijn vader ineens versteend was. Was hij getroffen? Was hij dood?

De dag hing roerloos aan het noenuur en ademde een tijdeloze stilte. Niemand bewoog. Niemand sprak. Dan: de milde verkoeling van een briesje. Het kwam uit de richting van de rivier en voerde een slikgeur mee – Wouter voelde het door zijn haar strelen – en het lichtte de hoed van zijn vaders hoofd.

Iemand slaakte een onderdrukte kreet, en Jeremias wendde zijn hoofd langzaam naar hen toe, naar de wit weggetrokken patroon en de mannen en vrouwen die hun hand voor hun mond hadden geslagen. Uiterst traag richtte hij zich op en kwam naar voren – één stap, twee stappen, drie – tot hij in de schaduw stond van die hoog te paard gezeten geweldenaar in de wapperende kniebroek, en op dat moment bemerkte Wouter de verandering in zijn vaders gelaatsuitdrukking.

Wouter herkende dat gezicht niet – het was zijn vader en toch was het hem niet, alsof een geest of demon bezit had genomen van zijn ziel op het moment dat het schot weerklonk. De uitdrukking op dat gezicht – geen angst of overgave, maar verslagenheid, volkomen, abjecte verslagenheid – deed Wouter meer pijn dan alle blokken en patroons ter wereld bij elkaar hem ooit hadden kunnen doen. En voor hij erop had kunnen reageren, lag zijn vader op zijn knieën en smeekte hij de patroon met een gebarsten, huilerig stemgeluid om vergeving.

Wouter wilde zich afwenden maar kon het niet. De patroon had gemist, zijn vader mankeerde niets, en nog maar één tel geleden was er een golf van bevrijdende vreugde over hem heen gekomen. Nu maakte die vreugde plaats voor ongeloof, voor schrik, voor een diepe, duurzame schaamte. Alles wat zijn vader hem had voorgehouden was gelogen, alles, elk woord.

'Ik smeek u,' snikte Jeremias, ten langen leste geknakt, beteugeld als een paard of muilezel, 'ik smeek u...' en zijn stem zakte weg tot niets, 'mij u te laten dienen.'

Het gezicht van de patroon stond onaandoenlijk. Hij keek omlaag naar de narokende pistolen alsof die spontaan in zijn handen waren verschenen, als door toverij. Het duurde even eer hij over zijn verbazing heen was, maar toen liet hij ze op de grond vallen en steeg af. Achter hem spande de dwerg de haan van zijn musket en keek Van den Post naar de geïntimideerde omstanders alsof hij ze tartte één voet voor de andere te zetten.

'En ons te laten blijven, ons alstublieft te laten blijven,' vervolgde Jeremias, en van het geweld van zijn stem was nog slechts gekerm over, gesnotter. 'We werken al ons hele leven op dat stuk land, het is alles wat we hebben, en u moet, ik smeek u, het spijt me, ik heb niet nagedacht...'

Stephanus gaf geen antwoord. Met zijn gezicht weer in de plooi, met dédain in zijn imposante neusvleugels, deed hij een stap naar voren en stak zijn voet uit, alsof hij een blijk van absolute onderwerping verwachtte. 'Wiens bezit ben jij?' vroeg hij, volmaakt in evenwicht, met een stem die tot geen enkele concessie bereid was.

'Het uwe,' zei Jeremias schor, als gebiologeerd naar de glimmende schoen starend.

'En je vrouw, je zoon, je halfbloed bastaard, wiens bezit zijn die?'

De pachters neigden eendrachtig het oor om het antwoord te vernemen. Jeremias van Brunt, de fel-ogige, de trotse, de hoogmoedige, erfgenaam van de dolle Harmanus en de nog dollere Nysen, stond op het punt zijn mannelijkheid te loochenen. Hij deed het fluisterend. 'Het uwe,' zei hij.

'Juist.' De patroon richtte zich op in zijn volle lengte, en tegelijkertijd liet hij zijn voet naar de grond zakken om er vervolgens mee uit te halen naar Jeremias' gezicht. Door de kracht van de trap sloeg het hoofd van de smekeling achterover; hij viel languit op zijn rug, zijn mond helderrood van het bloed. 'Ik wil je diensten niet,' siste de patroon. En met een handgebaar naar Van den Post, die was afgestegen en naast hem stond met getrokken rapier, maakte hij de gedachte af: 'Ik wil je bloed.'

Uiteindelijk werd er die middag geen bloed meer vergoten; Jeremias moest de plaats van zijn zoon innemen, en bijna een volle week zat hij in het blok, dag en nacht. Het was een pijnlijke week. Zijn rug stond in brand, zijn benen waren gevoelloos, zijn in grenehout geklonken polsen en enkel raakten ontvleesd door het gewicht van het uitgeputte lijf dat eraan hing, zijn gezicht zwol op door de insektebeten, koortsrillingen maakten zich meester van zijn gewrichten. Staats en Douw hielden de wacht om te voorkomen dat een vijand – mens of dier – misbruik maakte van zijn weerloosheid, en Neeltje en moeder Meintje brachten hem eten en drinken. De anderen, zelfs Robideau, bleven uit de buurt. Als in de Oude Wereld een man in het blok zat, kwamen zijn vijanden hem uitlachen en bekogelen met stenen, slachtafval, dode katten, ratten en bedorven vis. Hier betoonden de buren zich onverschillig. Ze hadden geen oude rekeningen te vereffenen met Jeremias, en hoewel de meesten vonden dat hij zijn verdiende loon had gekregen – 'Hoogmoed komt voor de val,' kon men Goody Sturdivant horen betogen – was er toch ook wel enig medeleven, zij het bedekt en niet openlijk beleden. Diep in hun binnenste koesterden ze allemaal een zekere wrok tegen de jonge patroon in zijn dure kleren, en toen ze in het spoor van hun éénbenige voorman zijn moestuin vertrapten was die wrok even en als het ware tot hun eigen gêne aan de oppervlakte gekomen.

Jeremias had het zwaar, ja, met die genadeloze zon in zijn gezicht en de koude ochtenddauw die hem tot op het bot verkilde, maar wat hij vanbinnen verduurde was veel erger. Hij was niets, dat wist hij nu. Hij was een keuterboer, een slaaf, een knecht, net als zijn vader en moeder voor hem. Alles waar hij voor gewerkt had, alles wat hij had opgebouwd, al zijn waardigheid en volharding – het stelde allemaal niets voor. Dat had de patroon hem duidelijk gemaakt. En dan te bedenken dat hij zich zijn zoons ten voorbeeld had gesteld, de grote man had uitgehangen, de man die alles beter wist... Waarvoor? Om uiteindelijk toch door het stof te kruipen voor Van Wart? De rest van zijn ellendige leven zou hij nog slechts de schim van een man zijn, niet

anders dan Outhuyse of Robideau of noem maar op – en dat wist hij.
Wouter wist het ook.

Toen ze hem losmaakten, toen Van den Post kwam aanslenteren en de dwarsbalken optilde die hem gevangen hielden, viel hij niet in de armen van grootvader Van der Meulen en rende hij niet naar huis, waar zijn moeder verslagen over een berg vlas gebogen zat en opa Cats zorgelijk liep te ijsberen; nee: hij ging ervandoor als een sprinter, als een hond met een stel stokken aan zijn staart gebonden, hij rende het grasland over en tussen de te velde staande maïs door, met gestrekte oren op de bres in het geboomte af waarin hij zijn neef bij het tumultueuze ochtendgloren had zien verdwijnen. Hij keek niet achterom. Bij de bosrand aangekomen bleef hij rennen – honderd meter, tweehonderd – en liet zich toen in het struikgewas vallen, met als enige wens dat hij ter plekke zou mogen sterven, dat de aarde zich zou openen en hèm verzwelgen of dat de hemel omlaag zou komen als een steen. Radeloos, bedrogen – hoe kon zijn vader zo laag zinken? hoe kon hij hem dit aandoen? – keek hij in het wilde weg om zich heen op zoek naar een wapen, een steen die hij kon doorslikken of een stok die hem zijn treurige ogen kon uitsteken.

Hoe lang hij daar gelegen heeft wist hij niet. Toen hij weer bij zijn positieven kwam, was het rustig in dat verschrikkelijke veld achter hem en was het avondlijk duister neergedaald over het bos. Ergens tikte een specht tegen het restant van een boom, een eenzaam, onsystematisch gehak dat hem door zijn vasthoudendheid op zijn zenuwen begon te werken. Langzaam en onvast, alsof de grond bewoog onder zijn voeten, stond hij op en keek verwezen om zich heen. Er waren geen bladeren, geen bomen, geen heuvels, rotsen, open plekken of stroompjes, er was alleen het beeld van zijn vader knielend voor de vergoddelijkte patroon. Hij hoorde het bedelaarsgekerm van zijn vaders stem, zag het bloed aan zijn lippen. Waarom? vroeg hij aan zichzelf. Waarom had zijn vader zich niet opgericht om die zelfingenomen fat met zijn chique schoenen en zijn zijden wambuis de strot dicht te knijpen? Waarom had hij zijn schuur niet in brand gestoken, zijn vee uiteengejaagd om vervolgens onder luid gebrul te verdwijnen in het bos als Wolf Nysen? Waarom had hij zijn spullen niet gepakt om opnieuw te beginnen in New York, Connecticut, Pavonia of op 't Lange Eylandt? Waarom had hij zich, als hij dan toch niet van plan was door te zetten, niet meteen gewoon gemeld bij de wegwerkploeg?

Omdat het een lafaard was, daarom. Omdat het een dwaas was.

Terwijl de nacht rond Wouter opdrong, bekroop hem ineens het angstige gevoel dat hij geen moment te verliezen had: hij moest Jeremy zoeken. Jeremy moest hij hebben. Jeremy was zijn hoop en zijn redding. Jeremy, en Jeremy alleen, had hen getrotseerd – hem zag je niet in het blok van de patroon zitten, hem zag je niet aan de weg van de patroon werken. Een uur na hun wedren naar het bos was de kwalleneter met lege handen teruggekomen, zijn gezicht en onderarmen geschramd door de omhelzing van de doornen en braamstruiken, zijn broek bemodderd tot aan het kruis, zijn buis gescheurd en zijn kousen afgezakt tot om zijn enkels. En Jeremy? Die bevond zich ergens tussen de bomen, niemands gevangene, niemands knecht.

'Jeremy!' riep Wouter half verstikt van opwinding, en hij kliefde zich door een haag van lepelbomen. 'Jeremy!' Hij kon hem elk moment vinden, bij de grot of beneden bij de beek, en dan liepen ze samen weg. Met z'n tweeën. De rivier over naar een plek waar ze getweeën konden wonen, konden jagen en vissen, ver van patroons, schouten, pacht, blokken en noem maar op – ver van vader. 'Jeremy!' riep hij, terwijl de uilen het luchtruim kozen en de nacht de dag verdrong, 'Jeremy!'

Wat hij niet kon weten was dat zijn donkere, aalgladde neef zich zo ver buiten roepafstand bevond dat zelfs een salvo van een van Zijner Majesteits oorlogsbodems hem niet had kunnen bereiken. Van den Post – onvermoeibaar, vastberaden, doldriftig, verbeten – had, terwijl de vloeken hem van de lippen spatten, met geoliede en soepele ledematen zijn prooi nagejaagd langs berg en dal, dwars door varens en doornen, door moeras, beek en esk. Maar Jeremy had die grenen manchetten gezien, de in het onbuigzame hout aangebrachte openingen die op hem wachtten, en hij was panisch. Ademhalend in een afgemeten ritme, vooruitgrijpend met zijn benen en stompend met zijn armen, vloog hij door het bos als een faun, en daarbij dwong hij Van den Post hem te volgen onder omgevallen bomen door, via spekgladde stroombeddingen en tegen hellingen op waar een klimgeit vanaf was gevallen. Maar hij vluchtte niet in het wilde weg: al die tijd had hij een plan.

Hij kende het bos beter dan enige volwassene – beter dan een kwalleneter het ooit zou kúnnen kennen – en hij ging in de richting van de doolhof van moerassen die de Kitchawanks *Neknanninipake* noemden: Daar Waar Geen Eind Is. Het was een plek waar het duister was op het middaguur, een plek met drijvende eilanden en klompjes gras tussen slik dat je omlaagtrok tot je er tot je kruis in zat en er niet meer uit kon. Het was een plek waar Jeremy Mohonk even goed thuis was als de slang en de kikker. Het was een plek waar zelfs de kwalleneter machteloos zou zijn.

Toen hij bij de boorden van het moeras kwam – waterplanten, zwarte bagger om zijn enkels – maakte Jeremy's hart een sprongetje. Tegen de tijd dat hij zich op echt gevaarlijk terrein bevond, gewichtloos van het ene bultje naar het andere springend, was hij uit het gezicht van Van den Post, die hartgrondig vloekend rondspartelde in de blubber. Vijf minuten later klonk er achter hem geen ander geluid dan het *krok-krok* van de kikkers en de simpele roep van de woudzangers die door het bladerdak van de bomen fladderden. Maar hij ging door. Hij stak het moeras over, liet zijn kleren opdrogen en ging verder – in noordelijke richting, naar een plek waaraan hij slechts de wazigste herinneringen bewaarde, een plek waar zijn vergeten moeder haar toevlucht had gezocht toen zijn vergeten vader haar de rug toekeerde. Hij wist niet waar het kamp was, kende de Weckquaesgeeks alleen als een haveloos, getekend stel verbanddragers die elkaar twee keer per jaar verdrongen op de stoep bij Jan Pieterse, en van het verhaal van zijn ouders kende hij alleen de vage hoofdlijnen, maar toch voerde iets hem naar het kamp aan de voet van het Suycker Broodt.

Het was al laat. Er blaften honden naar hem. Er gloeiden kookvuurtjes tussen de wildernis van de bomen. Drie krijgers, niet veel ouder dan hij, hielden hem staande. Het waren de schildwachten van die onfortuinlijke, onhandige stam: de een miste een hand, de tweede had een oor verloren en de derde strompelde voort op een dichtgebrande enkelstomp. Ze bezagen hem zwijgend tot hun verwanten en stamgenoten zich rond hem hadden verzameld. 'Wat kom je doen?' vroeg Eenhand in het Nederlands dat hij bij de handelsnederzetting had opgepikt, en Jeremy, versmader van de taal der woorden, zweeg. Eenhand herhaalde de vraag, en nog zei Jeremy niets. Toen de krijger ten slotte getergd naar zijn mes greep, besefte Jeremy dat hij, zelfs als hij gewild had, als hij de woorden had weten te vinden, de vraag niet zou hebben kunnen beantwoorden. Wat kwam hij doen? Hij had geen idee.

Maar toen kwam er een oude vrouw naar voren geschuifeld die haar hoofd schuin hield en hem opnam met ogen zo opaak als een sneeuwstorm. Ze liep twee keer om hem heen en staarde hem toen weer in zijn gezicht, van zo dichtbij dat hij het dierevel kon ruiken waarop ze had zitten kauwen met de stompjes van haar afgesleten kiezen. 'Squagganeek,' zei ze, en ze wendde haar hoofd af om te spugen.

Even later nam een van de anderen het over, een oude man zo rimpelig en vuil dat het leek of hij voor deze gelegenheid was opgegraven. 'Squagganeek,' kraste hij, en vervolgens, als kinderen met een nieuw speeltje, probeerden ze de naam allemaal uit, de klanken herhalend in zacht, strelend, ritmisch gezang.

Wouter vond hem die avond niet, en de volgende evenmin. Zelfs op het dieptepunt van zijn angst en ontgoocheling, van zijn wanhoop en ontkenning, had hij niet kunnen bevroeden dat het anderhalf jaar zou gaan duren eer hij zijn neef terugzag. Uiteindelijk ging hij, omdat hij niet wist wat hij anders moest, maar naar huis – naar huis, naar zijn moeder. Ze ontfermde zich over zijn ontvelde polsen en enkels, gaf hem te eten, legde hem in bed. En mettertijd heelden zijn wonden. Sommige althans. Zijn neef was weg, en hij miste hem zoals hij een van zijn lijf gerukte arm zou hebben gemist. En zijn vader – hij had geen vader meer. Jawel, de man die log in de berkehouten schommelstoel zat of met ontbloot bovenlijf aan het hooien was op het land zag eruit als zijn vader, maar het was hem niet. Dat was een poseur. Een man zonder ruggegraat, een amorfe man zonder karakter, een man die door de dagen dreef als een kwal in zee, wachtend tot er iemand met overlevingsdrang voorbijkwam die hem greep en verslond.

WEEMOED

Het pad was slecht begaanbaar – heel slecht, verraderlijk zelfs – en het kostte Walter de grootste moeite voetje voor voetje af te dalen; als een alpinist hield hij zich vast aan een langgerekte reddingslijn van laaghangende takken, buigzame jonge boompjes en iele struikjes die bij hem weg zwiepten als katapulten en een plakkerige substantie achterlieten in zijn hand. Het had 's nachts geregend, en het pad was glibberiger dan de rug van een paling – of de buik van een paling natuurlijk. En de bladeren deden er ook geen goed aan. Geel, rood, oranje en viesbruin als halfvergaan krantenpapier lagen ze in dikke natte pakken aan de grond en aan elkaar te kleven. Nee, er mochten momenten zijn waarop hij door de drukte van het leven vergat dat zijn verticale positie uitsluitend te danken was aan de tussenkomst van twee klompen plastic met voetvorm, maar dit was niet zo'n moment.

Toch stelde hij zich liever niet de vraag waarom hij – op de dag voor zijn vertrek naar Fairbanks, Nome en verder noordwaarts, op deze eenendertigste oktober, Halloween – omlaagploeterde langs de helling naar het beruchte stuk grasland dat toegang gaf tot het bruggetje dat op zijn beurt toegang gaf tot het pad naar de krappe geitestal van Tom Crane. Te meer niet omdat het antwoord op die vraag werd bemoeilijkt door het in de afgelopen weken stipt waargenomen en nauwgezet vastgestelde feit dat de uitnodigende wieldop op dit uur van de dag weliswaar steevast op zijn plaats hing, maar dat de Packard – de Packard van Tom Crane – weg was. Een feit met als vast begeleidingsverschijnsel dat de kever – de kever van Jessica – werkloos, lonkend en zelfs uitdagend in de berm stond.

Nee, hij stelde zich geen vragen, dacht niet na. Daar was geen reden toe. Na die louterende augustusmiddag, de middag van de supermarkt, was zijn leven een nieuwe, bedwelmende fase ingegaan, een van handelen in plaats van overwegen, een waarin hij zijn demonen nam voor wat ze waren en zich liet leiden door zijn impulsen. De volgende ochtend vertrok hij naar Barrow. Jessica was alleen thuis. In de blokhut. Afgesneden van de wereld. Geïsoleerd. Zonder water, elektriciteit, sanitair, zonder telefoon. Hij ging bij haar op bezoek. Gezellig.

Maar die voeten!

Godver, nu lag hij nog op z'n reet ook. In de modder. Hij had bladertroep in zijn gezicht, het hele bos stonk naar schimmel en verrotting, naar verterende bladeren en dode eekhorens of skunks die onder een struik geleidelijk lagen over te gaan in mest. Woedend greep hij een tak en rukte zich overeind. Het zitvlak van zijn nieuwe Levi's was kletsnat, en zijn lumberjack – dat hij had gekocht voor onder de grote donzen parka die hij wilde dragen in Alaska – was zo uitbundig opgetuigd met takjes en bladeren dat het eruitzag of hij het onder uit zijn vuilnisbak had gehaald. Hij klopte boos zijn kleren af, plukte een paar katjes uit zijn haar en hanneste verder omlaag langs de genadeloze helling naar het weiland.

Daar vorderde hij beter. Recht vooruit lopen, over een plat vlak, dat had hij wel onder de knie. Op en neer, daar had hij moeite mee. Onder het lopen schuierde hij zijn kleren, en in de nieuwe bergwandelschoenen met profielzool, die net zomin deel uitmaakten van hemzelf als de dode aanhangsels die erin zaten, stapte hij af en toe om een koeievla heen. Het was een laaghangende dag, kil en grijs, en juist toen hij bij het bruggetje kwam, zag hij iets bewegen tussen de bomen langs de beek. Hij knarste met zijn tanden en verwachtte weer een soort botsing, een afscheidscadeau van de historie. Hij tuurde. De nevel verschoof. Het was een koe.

Boeoeoe.

De weg omhoog ging iets vlotter, hoewel het pad net zo glad was. Op de een of andere manier hadden zijn voeten hier meer houvast, en het leek of er meer gesteente was, in richels die waren schoongespoeld door het afvloeiende water van duizenden buien. Hij greep zich vast aan takken – het was nog steeds bergbeklimmen wat hij deed – en hees zich naar boven. Na korte tijd kwam hij voorbij Toms tuin, met zijn natte glimmende pompoenen en de bruine stengels van wat er verder nog gestaan had, waarna hij een stel bijenkorven omzeilde en uitkwam op de kleine open plek onder de grote kale eik.

Daar stond hij, de blokhut, in al zijn wrakke glorie – maar was ze thuis, dat was de vraag. Het feit dat haar auto in de berm stond garandeerde niets. Stel dat ze ergens heen was met Tom? Stel dat ze het bos in was op zoek naar noten of eikels of bloemen om te drogen? Of haar ondergoed waste, een douche nam en haar fraaie teennagels lakte in de ruime, volledig uitgeruste badkamer van haar ouders? Stel dat ze op dit moment door de etherische gangpaden van de Fast Span in Peterskill dartelde. De mogelijkheid dat ze niet thuis was had hem als een spookbeeld begeleid op zijn tocht langs de helling omlaag, door het weiland en omhoog naar de blokhut. Maar al voor hij zijn oog over de groezelige ramen of de veranda had laten gaan, wist hij dat hij beet had – de rook verried haar. Eerst bespeurde hij de geur, en toen sloeg hij zijn ogen op naar de door roest aangevreten kachelpijp, en jawel: rook in bleke sliertjes tegen de achtergrond van een hemel die zelf ook rookachtig was.

Hij liep het erf op, plotseling zelfverzekerd en zelfs opgetogen. Het zag er rond de hut precies zo uit als hij het zich herinnerde: links en rechts stronken, bevroren hoopjes van de muren omlaaggezakte kamperfoelie, roestige machineonderdelen waarvan het gebeente uit het zich terugtrekkende struikgewas stak. De veranda stond, als altijd, vol met spullen die er binnen niet meer bij konden maar te waardevol waren om prijs te worden gegeven aan de elementen, en dan was er nog het eerbiedwaardige oude hout van de hut zelf, van ouderdom verkleurd tot een zilvervostint, verschroeid en beblaard, nooit een lik verf waardig bevonden. Toen hij de treden naar de veranda op liep, stak een tweetal o-benige geiten de kop om de hoek van het huis om hem te bekijken en schoot er een getijgerde kat met een witte vlek boven een van zijn ogen tussen zijn benen door en verdween in de rotzooi naast het pad. En toen voelde hij ineens Jessica binnen over de planken vloer lopen – over dezelfde planken waarop hij stond, aan de andere kant van de deur. Hij dacht tenminste dat hij wat voelde. Nou, vooruit dan. Hij zette zijn gezicht op glimlachen en klopte twee keer. Op de deur. Met zijn knokkels.

Doodse stilte.

IJzige stilte.

Een gealarmeerde, gespannen stilte.

Hij probeerde het nog eens, *tok-tok*, en kwam toen op het idee zijn stem te gebruiken: 'Jessica?'

Nu werd er binnen écht bewogen, hij voelde haar, hoorde haar: het gekners en gepiep van de uitgedroogde planken onder haar, onder hem. Eén, twee, drie, vier, de deur zwaaide open – de kachel brandde, het bed was opgemaakt, potten met dit en met dat op de plank – en daar stond ze voor hem.

'Walter,' zei ze, alsof ze door een confrontatiespiegel een verdachte identificeerde. Hij zag de verwarring en ontsteltenis op haar gezicht, en hij grijnsde nog wat breder. Ze droeg een spijkerbroek, grote hoge tennisschoenen en een kabeltrui. Haar haar hing los en de hoge blanke patricische curve van haar voorhoofd ging schuil onder een pony – de pony van een folk-zangeres, pas geknipt. Ze zag er mooi uit. Heel mooi. Ze zag eruit als het meisje met wie hij was getrouwd.

'Ik kwam hier toevallig langs,' zei hij bij wijze van grapje, 'en ik dacht ik ga even goeiedag zeggen, afscheid nemen...'

Ze stond daar maar, met de deur tussen haar hand en de scharnieren, en even dacht hij dat ze die deur voor zijn neus dicht zou smijten, hem zou zeggen op te hoepelen, hem af zou poeieren als een rap pratende vertegenwoordiger die huis aan huis aanbelt met een stofzuiger op zijn rug. Maar vervolgens veranderde haar gezicht, deed ze een stap achteruit en zei, misschien een ietsje te luchtig: 'Nou, dan zou ik daar niet buiten in de kou blijven staan.'

Het volgende moment stond hij binnen.

Maar zodra ze de deur gesloten had, wisten ze zich allebei met zichzelf geen raad – ze bevonden zich in een cel, een doos, een grot, ze konden nergens heen, ze wisten niet wat ze moesten doen met hun handen, waar ze hun blik op moesten richten, waar ze moesten gaan staan of zitten, wat ze moesten zeggen. Hij stond met zijn rug naar de deur. Zij stond een halve meter bij hem vandaan, met een gezicht zo wit als de keer dat ze haar hand openhaalde aan het mes waarmee ze een door de zon verwarmde meloen aansneed in een alm in de Catskills. Ze stond met haar hoofd gebogen en haar handen ineengeklemd voor zich. Was hier het woord 'opgelaten' van toepassing? Nou en of.

Jessica bekwam als eerste van de schrik. Ze draaide zich om, liep rakelings langs hem heen en bukte zich om bedrijvig de enige leuningstoel in het vertrek te ontdoen van zijn last mutsen, jassen, hasjpijpen, kaasraspen, paperbacks en andere impedimenten, ondertussen herhalend wat hij daarnet bij de deur gezegd had: 'Afscheid nemen? Hoezo – ga je verhuizen of iets dergelijks?'

Waarmee hij in de gelegenheid was om plaats te nemen in de ontruimde leuningstoel en haar te vertellen van zijn voorgenomen reis naar het hart van de poolnacht, om grapjes te maken over iglo's en kajaks en haar in gespeelde ernst te vragen of zij nog een goede hond wist die hij mee kon nemen om zijn handen in te warmen. 'Maar serieus,' ging hij verder, aangemoedigd door haar lach, 'ik red me daar wel – ik ben niet bang voor koude voeten. Ik ken mijn Jack London, dus denk maar niet dat ik van mijn motelkamer naar de bar probeer te komen zonder eerst te spugen.'

'Spugen?'

Hij keek over zijn schouder alsof hij een goed bewaard geheim ging onthullen en boog zich toen voorover. 'Ja zeker,' zei hij, en hij dempte zijn stem. 'Als je spuug bevriest voor het de grond raakt, stap je weer in bed en wacht tot het lente wordt.'

Lachend bood ze hem een glas wijn aan – het azijnzure spul dat Tom Crane al twee jaar in staat van permanente gisting in de hoek had staan – en ging aan de tafel onder het raam zitten om kralen te rijgen en te luisteren. Hij vatte het op als een gunstig teken dat ze zichzelf ook een glas inschonk.

'In het ziekenhuis,' zei hij plotseling, 'lag er een vent in het bed naast me die eh... het was een dwerg, geloof ik. Of een lilliputter. Klein in elk geval. En oud. Maar hij had een enorm hoofd, grote neus, grote oren en zo.' Hij zweeg even. 'Piet heette hij. Hij kende mijn vader.'

Ze wierp tersluiks een blik op hem en ging toen verder met haar werk, met haar tanden aan een klosje nylongaren rukkend.

'Van hem hoorde ik dat hij in Alaska zat.'

'Dus daar gaat het om,' zei ze, zich naar hem toe wendend. 'Je vader.'

Walter wreef het glas tussen zijn handen alsof hij ze eraan probeerde te warmen. Hij glimlachte, omlaagkijkend naar de vloer. 'Tja, het is niet bepaald het seizoen om daar op vakantie te gaan. Ik bedoel: mensen verliezen er hun neus, je oorlellen bevriezen waar je bij staat, tenen vallen als bladeren...'

Weer lachte ze – een oude lach, een lach die hem hoop gaf.

Hij keek op, zonder glimlach inmiddels. 'Ik hoop hem te kunnen vinden. Hem op te kunnen zoeken. Met hem te kunnen praten. Hij ís tenslotte mijn vader, niet?' En vervolgens vertelde hij haar van de brieven die hij geschreven had – soms wel twee of drie per dag – waarmee hij in een paar maanden tijd elf jaar probeerde in te halen. 'Ik heb hem geschreven dat ik hem niets verweet, dat ik het verleden wilde laten rusten, dat ik hem alleen maar wilde spreken. "Beste pa". Dat schreef ik als aanhef: "Beste pa".'

Hij dronk het glas leeg en zette het neer op een doos met oude tijdschriften. Ze zat met haar zijkant naar hem toe en reeg haar kralen aaneen alsof er op de hele wereld niets anders bestond. Hij sloeg haar en haar geconcentreerd getuite lippen een moment gade en wist dat ze deed alsof. Ze luisterde. Ze beefde. Ze stond in brand. Hij wist het. 'Luister,' zei hij, plotseling overschakelend in een andere versnelling. 'Ik heb het je nooit verteld, maar het deed pijn, die keer in de Fast Span. Echt. Ik kon wel janken.' Zijn stem liep vast, diep in zijn keel.

Ze keek naar hem op, met zachte ogen, enigszins vochtige ogen misschien zelfs, maar ze ging niet op het onderwerp in. Het leek haast of ze hem niet gehoord had – het ene moment zat hij zijn hart uit te storten en het volgende betoonde zij zich ineens een waterval van onsamenhangend gekeuvel. Ze begon over de oorlog, de betogingen ertegen, het milieu – er werd ongezuiverd rioolwater zo in de rivier geloosd, dat hield je toch niet voor mogelijk? En datzelfde water moest vijftien kilometer stroomafwaarts voor menselijke consumptie dienen, was dat niet ongelofelijk?

Ongelofelijk. Ja. Hij wierp haar een diepbezielde, smachtende blik toe – althans een blik waarvan hij dacht dat hij diepbezield en smachtend was – en ging ervoor zitten om zich het hele verhaal te laten vertellen. Ze waren bezig aan hun derde glas wijn toen ze over de *Arcadië* begon.

Haar litanie van industrieel onrecht, haar opsomming van bedreigde moerassen en vervuilde kreken, haar grootogige verzekering dat die-en-die zus-en-zo gezegd had en dat het gehalte van het een of ander duizend maal hoger was dan het wettelijk toegestane maximum, hadden tot dan toe weinig anders gedaan dan hem in een toestand van genoeglijke slaperigheid brengen. Hij luisterde met een half oor, keek naar haar handen, haar haar, haar ogen. Maar nu spitste hij ineens zijn oren.

De *Arcadië*. Een boot, een zeilschip, gebouwd naar oude tekeningen. Hij had het schip nog niet gezien, maar hij had er wel iets over gehoord. Iets? Veel. Dipe en diens makkers uit oudstrijderskringen waren ertegen in het geweer gekomen – *We kunnen weer van voren af aan beginnen, Walter*, had Depeyster hem op een avond gezegd, *we hebben ze twintig jaar terug een lesje geleerd daar in dat weiland, maar ze zijn het vergeten*. Walter kon het weinig schelen – wat maakte het uit, één boot meer of minder op de vermoeide oude rivier? – maar het was wel een kwestie die hij tenminste in een bepaald perspectief kon plaatsen. Het feit dat de naam van Will Connell verbonden was aan de hele onderneming zette bij Dipe en LeClerc en de anderen kwaad bloed, dat was wel duidelijk. Het was die naam die als een rooie lap werkte, als een schrikbeeld, een slag in hun gezicht – Robeson was dood, maar Connell was nog volop actief, gerehabiliteerd tijdens de reactie op de heksenjacht onder McCarthy, een overlevende en een held. En daar was hij dan weer, op en neer paraderend over de rivier in een boot ter grootte van een concertzaal (*Dat kan toch niet, Walter*, had Depeyster gezegd, *dat zo'n vent een... een drijvend circus te water laat als dekmantel voor zijn communistische dronkemansgelul... schoon water, ha! Het enige dat hij wil is met de vlag van de Viet Cong zwaaien op de treden naar het Capitool...*), daar was hij dan weer, de mensen uitlachend die twintig jaar geleden de straat op waren gegaan om te zorgen dat Robeson en hem het lachen verging.

Zwarthemden. Zo had Walter ze altijd beschouwd – zo had hij ze leren beschouwen – maar nu hij Dipe van nabij meemaakte, bij hem werkte, bij hem in de woonkamer zat, meedronk van zijn whisky, hem in vertrouwen nam, zag hij in dat het allemaal minder zwart-wit lag dan hij gedacht had. Hesh en Lola en de ouders van zijn moeder hadden hem hun versie opgedrongen, en was dat geen propaganda? Hadden ze niet slechts één kant van het verhaal verteld? Hadden ze hem niet heel zijn leven voorgehouden dat zijn vader niet deugde, een verrader was, een overloper, een mislukkeling? Ze hadden zich uiteindelijk vergist in de Sovjets – in hun hart moesten ze dat toegeven. Ze hadden het partijprogram geaccepteerd alsof het in steen gebeiteld stond, toen was Stalin van binnenuit weggerot, en wat hadden ze toen geconcludeerd? Vrijheid? Waardigheid? Het arbeidersparadijs? Rusland was een lijkenhuis geweest, één groot werkkamp, en de partij had zich een onderdrukker bij uitstek betoond.

Ze waren goedgelovig – Hesh, Lola, zijn eigen verdrietige, weggekwijnde moeder en haar ouders voor haar. Het waren dromers, hervormers, idealisten, het waren volgelingen, het waren slachtoffers. Al die tijd hadden ze gedacht dat ze de voortrekkers van de zwakken en vertrapten waren, dat ze het venijn van de wereld konden tegengaan door elkaars hand vast te houden en te zingen en achter een spandoek aan te lopen, terwijl ze in feite zelf de zwakken en vertrapten waren. Ze hadden zich wat wijs laten maken. Ze waren onhard, onzielloos, onongevoelig. Het waren dromers. Net als Tom Crane. Net als Jessica. Hij vertrok de volgende ochtend naar Alaska en daar zou hij zijn vader terugvinden en die zou hem zeggen hoe het zat. Een verrader? Walter dacht het niet. Niet meer.

'Wist je niet dat wij mede-oprichters waren?' zei Jessica, en hij keek dwars door haar heen. 'Tom en ik? Tom heeft zelfs de eerste reis van het schip vanuit Maine meegemaakt.'

Hij wist het niet. Maar hij had het kunnen weten. Natuurlijk, dacht hij, plotseling verstrakkend, Jessica en Tom Crane, Tom Crane en Jessica. Met z'n tweeën de rivier op, verstrengeld op hun schijnheilige brits, aan dek zwaaiend met hun Kijk-Ons-Milieubewust-Zijn-vlaggen en zingend om vrede en liefde en hoop, kraaiend over het lot van de slingeraap en de zadelrob, over Angel Falls en de ozonlaag en meer van dat soort weekhoofdige onzin. Plotseling schoof hij de stoel achteruit en ging staan. 'Heb je me daarnet eigenlijk wel gehoord?' zei hij, zonder een spoortje humor in zijn stem, zonder onderdanigheid, zonder bezieling zelfs. 'Toen ik liet blijken hoeveel je voor me betekent?'

Ze boog haar hoofd. Uit de kachel klonk een knapgeluid, voor het raam vloog een vogel langs. 'Dat hoorde ik, ja,' fluisterde ze.

Hij deed een stap naar voren en stak zijn handen uit – naar haar schouders, haar haar. Hij voelde de warmte van de kachel links van hem, zag het sombere bos door het groezelige raam, voelde zich verharden zodra zijn vingers haar beroerden. Ze bleef krachteloos op de stoel zitten, aan de tafel met zijn wirwar van kralen, elastisch garen, hengelsnoer en naalden, en hoewel hij haar tegen zich aan drukte, reageerde ze niet. Hij streelde haar haar, maar ze wendde haar hoofd af en liet haar armen slap langs haar zijden vallen. Toen voelde hij het: een trillen dat diep in haar binnenste begon, een golf die tegen de werking van de zwaartekracht in omhoogkwam, haar borst tot berstens toe vulde en zich uiteindelijk meester maakte van haar schouders: ze huilde.

'Wat is er?' zei hij, en zijn stem had zacht, teder en bezorgd moeten zijn maar was het niet. Zijn stem klonk hem vals in zijn oren, bars en ongeduldig, het klonk als een bevel wat hij zei.

Zij zat de snotteren en haalde in het dal tussen twee snikken diep adem. 'Nee, Walter,' ademde ze uit, nog steeds van hem weg kijkend, zo slap of ze levenloos was: 'Ik kan het niet.'

Zijn handen lagen nu op haar trui, en hij drukte zijn lippen tegen de scheiding in haar haar. 'Je bent mijn vrouw,' zei hij. 'Je houdt van me.' Nee, dat zei hij verkeerd. 'Ik hou van jou,' zei hij.

'Nee!' protesteerde ze met een plotselinge felheid; ze draaide zich naar hem toe met een gezicht als een masker, als dat van iemand anders, als iets wat ze opgezet had voor een gekostumeerd bal, voor Halloween, en greep hem toen even boven de elleboog bij zijn armen en probeerde hem van zich af te duwen. 'Nee!' zei ze nog eens, en plotseling zag hij haar als door een zoomlens: de piepkleine haarvaten in haar ogen barstensvol bloed, druppeltjes vocht gevangen in wimpers zo dik als vingers, de neusgaten van haar wipneus verwijd en enorm, rood als die van een dier. 'Het is voorbij, Walter,' zei ze. 'Tom. Ik ben nu met Tom.'

Tom. De naam kwam tot hem uit het niets, uit een ander universum, en hij hoorde hem nauwelijks. Slachtoffers. Dromers. Hij duwde haar armen weg en rukte aan haar trui als een onhandige goochelaar die het tafelkleed onder het servieswerk voor een diner van acht personen vandaan probeert te trekken. Ze gilde. Maaide met haar armen. Viel achteruit tegen de tafel. De kralen ratelden uiteen over de vloer als een slagregen, als het tromgeroffel van de ten strijde trekkende vervuilers. Hij sjorde aan de trui, kneep hem samen tot een boze prop onder haar kin en tilde haar van de stoel, drukte haar onderlichaam tegen de tafelrand met het gewicht van het zijne. Hij zocht haar lippen, maar ze wendde haar gezicht af; hij graaide naar haar borsten, maar ze hield de trui omlaag met beide handen. Ten slotte graaide hij naar haar spijkerbroek.

Ze huilde onafgebroken, maar ze hield zich wel aan hem vast. En hij drukte zich tegen haar aan en voelde haar tong, en toen haar lichaam verstrakte tegen het zijne, greep ze zich aan hem beet alsof hij haar leven en haar alles was. Toen het voorbij was en hij zich terugtrok, schrok hij van de blik in haar ogen. Ze zag er geslagen uit, gewond, als een hond die tegelijkertijd is gevoerd en afgerammeld. Was dat een blauwe plek onder haar linkeroog? Was dat bloed aan haar lip? Hij wist niet wat hij moest zeggen – hij was door zijn tekst heen. Zwijgend trok hij zijn rits omhoog, knoopte zijn jas dicht; zwijgend liep hij achterwaarts bij haar vandaan en voelde naar de deur.

Langzaam en voorzichtig, alsof hij met zijn blik een wild dier in bedwang hield dat hem zou bespringen als hij ook maar een moment opzij keek, draaide hij de deurknop achter zich om. Op dat moment liet ze zich op de vloer zakken, levenloos als een pop. Roerloos bleef ze liggen, met haar armen om haar hoofd, de spijkerbroek rond haar enkels. Hij kon haar gesnik niet meer horen, maar ze schokte ervan over heel haar samengebalde witte lichaam, dat was te zien.

Het was zijn laatste beeld van haar.

De tocht langs de heuvel naar beneden was kinderspel. Het leek of hij schaatste, en telkens als hij zijn evenwicht dreigde te verliezen schoot er een stramme jonge boom omhoog waaraan hij zich kon vastgrijpen. Hij kneep zijn geheugen uit alsof hij een blaar uitkneep en ontdeed zich zo van haar beeld. Tegen de tijd dat hij beneden bij het bruggetje kwam, was hij in Barrow, met zijn ondoorgrondelijke schaduwen, zijn scherpe randen, zijn ijzige geometrie. Hij zag er zijn vader, en zijn vader was gezond en energiek, de man met wie hij naar de schraagbrug was gegaan om het troebele rivierwater af te zoeken op krabben, de man die Sasha Freeman en Morton Blum en al die anderen de voet dwars had gezet. *Walter*, zei zijn vader, *dat is lang geleden*, en hij stak zijn armen uit.

GEKOSTUMEERD

Het was een knappe vrouw, een schoonheid, met haar dure gebit, haar gevulde trotse boezem en die platte buik die slechts één keer was opgebold om het zwellen van nieuw leven te bevatten. Ook haar ogen vond hij mooi, ogen als de stuiters die hij als kind gewonnen had, ijlbleke wolkjes violet in een glazen prisma, en hij vond het leuk zoals ze hem aankeek als hij haar dingen vertelde. Hij vertelde haar van Manitou's grote vrouw of de beergeest Mishemokwa of over zijn vader en Horace Tantaquidgeon, en zij boog zich naar hem toe, met haar lippen vaneen, rimpels in haar voorhoofd, met ogen zo aandachtig alsof ze naar het orakel luisterde, naar de vader der volkeren, naar Manitou zelf. Maar het mooiste aan haar was dat ze een blanke was, de vrouw van de zoon van zijn oervijand – dat was haast te mooi om waar te zijn.

Hij had haar ontmoet daar in het noorden, in Jamestown. Vier jaar terug? Vijf? Hij was het destijds allemaal beu: de hut, de last van zijn kansloze volk op zijn schouders, de eenzaamheid, en hij was naar het noorden gegaan om een paar weken appels te plukken en op eenden te jagen – tot Thanksgiving of zo. In elk geval tot de meren bevroren en de eenden vertrokken waren. Het was november, de dinsdag voor de Dag van de Kalkoen, en hij zat bij One Bird op de veranda met een dot poetskatoen, een blik universele smeerolie en de antieke, enkelschots Remington van One Bird. Hij had er de vorige dag een stel tafeleenden en een pijlstaartje mee neergehaald, en na het avondeten had hij het ding schoongemaakt en gepoetst. Dus wat hij nu deed was niet echt schoonmaken – hij streelde alleen de loop met een vette lap, om iets om handen te hebben. Het was helder, winderig weer en er zat een vleugje toendra in de lucht.

Hij keek vreemd op van het verschijnen van de stationcar – een Chevy, splinternieuw, wit, met van dat nephout aan de zijkanten. Hij kwam om de bocht bij de winkel van Dick Fourtrier, zwoegde over het wasbordoppervlak en de kuilen van de steenslagweg, minderde vaart voor het huis van One Bird en kwam ten slotte even verderop abrupt tot stilstand, waarna meteen de achteruitrijlichten aangingen en de wagen teruggehobbeld kwam tot hij op gelijke hoogte was met hem. Hij zag een hoofd op en neer gaan voor het raampje, zag de wind aan de uitlaat rukken. De ochtend sloot zich op in stilte. Toen viel het portier aan de chauffeurszijde open, en daar was ze: Joanna de welzijnswerkster; ze liep op haar leren pumps om de auto heen, gekleed in een plooirok en een trui van kasjmier, en kwam het tegelpad op met zijn nekharen van stijf geel onkruid, kwam naar het verveloze huis, kwam naar hem.

'Hallo,' zei ze toen ze halverwege het pad was, en haar glimlach onthulde de glorieuze uitwerking van al die halfjaarlijkse controles en al die vaardig gehanteerde kilometers tandzijde.

Hij was stoïsch, hij was een harde, een veteraan van Sing Sing, een taaie, een man die leefde van wat er in de natuur voorhanden was, een communist. Zijn eigen tanden waren zo rot als die van een hyena en hij droeg een werkmansbroek, een flanellen overhemd en een windjak dat ooit hemelsblauw was geweest maar nu besmeurd was met vet, bloed, vleessaus, de restanten van konijn, fazant en vis. Hij bezag haar met kille groene ogen en zweeg.

Ze bleef onder aan de veranda staan, met een glimlach die een ietsje geforceerd was, klemde haar slanke handen ineen en draaide een ring rond om haar vinger – een ring met een diamant, van het type dat haar bestempelde tot het bezit van een andere man. 'Hallo,' zei ze, de groet herhalend alsof hij haar de eerste keer misschien niet gehoord had, 'kunt u mij zeggen waar het gemeenschapshuis is?'

Het gemeenschapshuis. Hij wilde haar weghonen, haar choqueren, kwetsen, wilde haar zeggen dat ze er wat hem betrof in haar eigen reet naar kon gaan zoeken, maar hij deed het niet. Iets aan haar – wat kon hij niet zeggen – onderscheidde haar van de anderen, die ouwe gekken met hun blauwspoelingen en weldoenersgekwijl die mottige dekens en bijbels kwamen uitdelen, en het beangstigde hem. Een beetje. Of misschien was het niet precies angst – het was meer een huivering, een schok. Hij zag haar niet tussen al die anderen staan zwaaien met een spandoek (Red de arme achterlijke onderdrukte Amerikaanse inboorling!) of met een vrolijk barbecueschort voor flensjes en saucijzen opdienen bij zo'n gruwelijk liefdadigheidsontbijt.

Het was een knappe vrouw natuurlijk – jong ook nog – maar dat was het niet. Er was nog iets, iets wat dieper ging en tot hem kwam als een geschenk, als een verjaardagstaart compleet met brandende kaarsjes. Hij wist niet wat het was. Nog niet. Het was hem genoeg te weten dat het er was.

Omdat hij zich, in plaats van wat te zeggen, in haar boorde met die onbeschaamde ogen en de loop van het geweer tussen zijn benen liet zakken en er zo suggestief mogelijk overheen wreef, ging ze verder, te snel en met een enigszins schrikkerige stem: 'Het is mijn eerste keer. Dat ik hier ben, bedoel ik. Ik kom uit Westchester, en Harriet Moore

– dat is een vriendin van een nicht van mij in Skaneateles – nou ja, om een lang verhaal kort te maken,' met een ruk van haar hoofd naar de stationcar achter haar, 'ik heb een lading spullen bij me die we hebben bijeengezameld in Peterskill en omgeving – bosbessen, perziken in blik en sojabonen en – en justabletten – voor de, voor u, ik bedoel – nee, ik bedoel voor uw volk en...' Hier werd de starre groene blik haar te machtig en sloeg de verwarring toe.

Hij hield op met wrijven. Een kilometer boven hun hoofd snaterde een vlucht ganzen. Ze wierp een blik over haar schouder naar de auto, die stationair draaiend en met het portier wijd open langs de kant van de weg stond, en wendde zich toen weer naar hem: 'Dus kunt u me zeggen waar het is?'

Voor het eerst sprak hij: 'Waar wat is?'

'Het gemeenschapshuis.'

Hij legde het geweer op de krant die hij over de verweerde planken van de veranda had uitgespreid en kwam toen overeind. En toen, boven haar uit torenend, grijnsde hij, met rotte tanden en al. 'Ja zeker,' zei hij, en hij kwam de traptreden af, bleef staan en snoof haar geur op, 'natuurlijk weet ik waar dat is. Ik rij wel even mee.'

Hij had die nacht gemeenschap met haar, nadat zij haar stoffige blikken succotash en ansjovispasta had uitgeladen en wat de goede huisvrouwen van Peterskill verder nog aan rotzooi in de weg hadden staan in hun kasten, gemeenschap waaraan onvermijdelijk enige beschadiging voorafging van ondergoed dat eruitzag of het de dag daarvoor nog bij Bloomingdale op de plank had gelegen. Hij rukte het haar van het lijf op het bed in haar antiseptische kamer in het Hiawatha Motel, waar alles – stoelen, schrijftafel, de lijst om de spiegel, zelfs het tv-meubel – was vervaardigd van Authentiek Lincolnesk Blokhuttehout, nauwkeurig in elkaar gezet, gelijmd en gevernist door squaws uit het reservaat voor vijftig dollarcent per uur. Het was het soort interieur dat je een woudlopersgevoel moest geven, dat halfnaakte tomahawk-werpersgevoel van het Opperhoofd in zijn Primitieve Onderkomen. Maar bij Jeremy wekte het een heel ander gevoel. Namelijk het verlangen welzijnswerksters hun ondergoed van het lijf te rukken.

Maar hij vergiste zich in Joanna. Hij had tuttigheid verwacht, blosjes en beschroomde bedeesdheid, het afgewende oog en het huiverende vlees. Maar zo was het helemaal niet. Ze betoonde zich gretig, begerig, onstuimiger dan hij. Toen hij haar naam gehoord had, de kluwen van haar identiteit had ontward – '*Van Wart*? Dat bestaat niet. Depeyster Van Wart, de zoon van die ouwe, de oude Rombout?' – wist hij dat zij de zijne zou worden, dat het was voorbestemd, dat dit het speciaal voor hem verpakte cadeautje was, en hij wist ook dat hij haar zou vernederen, zou aanranden, haar tot achter in haar strot zou doordringen van alle verbittering van zijn vijfenvijftig liefdeloze, hopeloze jaren. Maar hij vergiste zich in haar. Hoe wreder hij was, des te gretiger reageerde ze. Zij viel hém aan, klauwend en striemend met haar nagels in zijn rug, en het hele idee keerde zich tegen hem. Hij bond in. Gaf zich gewonnen. En werd voor het eerst van zijn leven verliefd.

Om de andere week wachtte hij op haar, op de stationcar beladen met golfclubs, handtasjes bezet met bergkristal, Caldor-tennisschoenen, houtgraveersets, herenoverjassen, galoches, en ging onmiddellijk met haar van het gemeenschapshuis naar het motel. Hij liet tegenover haar nooit merken hoezeer hij die tent verfoeide, hoeveel weerzin die bij hem opwekte. Maar na een maand of twee, toen One Bird vond dat hij wel weer lang genoeg gebleven was, toen Kerstmis en oud-en-nieuw achter de rug waren, bekende hij haar dat hij walgde van het Hiawatha. En niet alleen van het Hiawatha, maar van heel die ingeperkte, afgerasterde quarantainesfeer in het reservaat. Van One Bird. Van de Tantaquidgeons. Van de hele situatie. Hij kokhalsde ervan.

Ze liepen op dat moment, na gevreeën te hebben, langs de oever van de Conewango, zij in de beenkappen en het gerafelrande hertsleren jek dat ze van hem gekregen had met Kerstmis, hij in zijn werkmansbroek en flanellen overhemd en het nieuwe donsjek dat zij hem op haar beurt cadeau had gedaan, en ze hield hem staande met een ruk aan zijn arm. 'Wat wil je daarmee zeggen?' vroeg ze.

'Ik wil ermee zeggen dat het me hier weer lang genoeg geduurd heeft. Ik ga terug naar Peterskill.'

Ze keek hem een moment bevreemd aan, en hij zag wel dat ze moeite had dit idee in te passen in haar leefwereld, moeite had zich haar wilde inheemse minnaar voor te stellen in het bedaarde Peterskill, naast haar man, haar dochter en dat grote galjoen van een huis dat de zee van al die rimpelloze gazons bevoer in een onafgebroken keten van rimpelloze dagen. Toen haalde ze haar schouders op. Bracht haar gezicht naar het zijne en kuste hem. 'Mij best,' zei ze. 'Kan ik des te vaker bij je langskomen.'

Dus pakte hij zijn spullen in – ondergoed, sokken, mocassins, de simpele kledingstukken die hij had gemaakt uit dierevellen en die hij alleen op stamgrond droeg, het boek van Ruttenburr, de beredoder – terwijl One Bird haar mening gaf over de welzijnswerkster met de glazen ogen, en stapte toen bij Joanna in de stationcar en liet zich op zijn gemak over de beken en heuvels rijden waar hij jaren geleden voor het eerst te voet overheen getrokken was. Hij keek door de voorruit

uit over de Allegheny, de Cohocton en de Susquehanna, over de met bos omrande aardhopen van de Catskills, over de steile donkere diepte van de geul waardoor de Hudson stroomde. De weg voerde hen over de Bear Mountain Bridge, door de buitenwijken van Peterskill en over Van Wart Road, en hij voelde zich een Hannibal die Rome binnenrukt, een heldhaftig veroveraar, een man die nooit meer een nederlaag zou kennen.

Joanna koerste zonder vaart te minderen langs het grote, hooggelegen huis, langs de gedenkplaat waar zijn naam op stond – Jeremy de Oude, de Tragische, om het leven gebracht wegens zijn opstandigheid tegen de almachtige patroon – en stopte in de berm tegenover het pad dat omlaagliep naar het weiland. 'Tot kijk,' zei hij, en hij glipte weg tussen de gelederen van de bomen, onzichtbaar zodra hij zich had omgedraaid.

Ze bezocht hem in die vreugdeloze hut, en ze bracht hem eten, boeken, tijdschriften, ze bracht hem dekens, petroleum voor in zijn lamp, keukengerei, borden, servetten van fijn linnen met het Van Wart-monogram. Het leven was ineens goed en hij omhelsde het als iemand die uit de dood is herrezen. Hij zette vallen en jaagde, ging op bezoek bij Peletiah Crane en zijn slungelige kleinzoon, zat op koude middagen bij de kachel en sloeg de bladzijden van een boek om. En geduldig als een mogol wachtte hij op Joanna.

Er verstreek een jaar, en toen nog een. In de lente van het derde jaar begon er iets te veranderen. Toen de winter zijn greep verloor en het sap weer op gang kwam in de bomen en hij gebiologeerd naar de trillers van de padden luisterde of keek hoe de eendagsvliegjes in zwermen naar het oppervlak van de beek kwamen, stak de oude pijn de kop weer op, de pijn waarvoor geen verlichting bestond. Wat deed hij nu eigenlijk? Wat dacht hij nu eigenlijk? Het was een knappe vrouw, Joanna Van Wart, maar hij was de laatste der Kitchawanks en zij stond voor alles wat hij verachtte.

'Gooi het weg,' zei hij, toen ze die middag in al haar schoonheid naar de deur van de blokhut kwam, in een korte broek en een haltershemdje en met alle kleuren van de herfst in haar haar.

'Gooi wat weg?'

'Je pessarium,' zei hij. 'De pil. Of wat het ook is dat zich tussen ons dringt.'

'Je bedoelt...?'

'Ja, dat bedoel ik,' zei hij.

Hij wilde een zoon. Niet de zoon die One Bird hem nooit zou kunnen geven, niet het legioen zoons dat hij in zijn hand had verspild in die donkere krocht in Sing Sing – dat was onmogelijk. Hij nam genoegen met een ander soort zoon, een zoon die minder van de Kitchawank in zich had en meer van de mensen van de wolf. Deze zoon zou geen zegen zijn, geen brenger van genade of verlossing. Deze zoon zou zijn wraak zijn.

Aanvankelijk overwoog ze Depeyster voor hem te verlaten, zo heftig waren haar gevoelens. Ze overwoog het echt. Jeremy was een soort god voor haar. Als hij met haar vrijde, ruw en teder tegelijk, was het of de aarde zelf vlees was geworden en haar binnendrong, alsof Zeus – of nee, een donkere Indiaanse god, een broeierige zoon van Manitou – was nedergedaald van zijn bergtop om zich onder de stervelingen een vrouw te zoeken. Hij was haast twintig jaar ouder dan zij, en zijn leven was een legende. Hij was haar mentor, haar vader, haar minnaar. Hij was haar alles. Ze wilde hem in zich hebben. Ze wilde hem vereren, hem aanbidden, tegen hem aan liggen en luisteren hoe zijn rauwe stem haar hartslag werd als hij de aloude verhalen uitziftte alsof hij juwelen door zijn vingers liet gaan.

Was ze geobsedeerd? Zwijmelend verliefd? Bezeten? Was ze een naar seks hongerende middelbare welzijnswerkster met een parelkettinkje om die nat werd in haar kruis als ze aan hem dacht, die wilde raggen als een hond, als een squaw, als een Indiaanse prinses met een jeuk die niet overging?

Ja. Inderdaad.

Ze zat 's avonds aan tafel met haar bloedeloze man en haar wezenloze dochter terwijl een zwarte vrouw zich over de Delfts blauwe erfstukken boog met een kalfsoester of een stukje kreeft en ze wilde zich beroeren, wilde opstaan van tafel en jankend als een hitsige teef de wijk nemen naar het bos. Lady Chatterley? Dat was een non vergeleken met Joanna Van Wart.

Maar ja, er is voor alles een seizoen, en aan alles komt een eind.

Als ze erop terugkeek zag ze in dat het begin van het einde even duidelijk gemarkeerd was als een hoofdstuk in een boek. De omslag deed zich voor op die middag in de lente twee en een half jaar terug, kort voor hij de blokhut voorgoed verliet, de middag dat hij haar zei haar pessarium weg te gooien en hem een kind te geven. Dat was het leven. Dat was de natuur. Zo hoorde het te zijn.

Alleen: hij ging zich vreemd tegenover haar gedragen. Ze kwamen tot elkaar in lichamelijke vereniging, gestimuleerd door een nieuwe doelgerichtheid en de hoop op vervulling, extatisch als vanouds, en dat duurde een week. Hooguit. En toen was hij voor ze het wist verdwenen. Ze kwam een keer vroeger dan anders naar de blokhut om hem te verrassen, en hij was er niet. Hij is vissen, dacht ze, hij loopt zijn vallen na en let niet op de tijd, dus ging ze op hem zitten wachten. Ze heeft lang gewacht. Want hij was terug naar Jamestown, naar One Bird.

Na een week – een eindeloze week, een eeuwige week, een week waarin ze sliep noch at en naar de blokhut toe werd gezogen als een van de onverzoende geesten die daar gepijnigd en zonder rust of duur heetten rond te waren – laadde ze achttien dozen Blij & Christelijk lachende pannelappen in de stationcar en ging hem zoeken. Ze vond hem bij One Bird op de veranda, met ontbloot bovenlijf, een ketting van gladgevijld been om zijn nek en met de vreselijke last van zijn jaren in de sarabande van zijn littekens, in het stuurse afhangen van zijn schouders, in zijn reptielachtige oogopslag. Hij was vis aan het schoonmaken en zijn handen dropen van het bloed. Hij zag er op dat moment even vervaarlijk uit als willekeurig wie van zijn voorouders. Maar niet vervaarlijker dan One Bird, die met al haar honderd en tien dreigende kilo's naast hem zat.

Joanna liet zich niet intimideren. Ze trapte pal voor het huis op de rem, gooide het portier open en stormde het pad op als een wraakengel. Ze droeg de beenkappen en het jek – de ongelooide onderjurk – en ze had haar huid met bloedwortel bijgewerkt tot de kleur van een koperen muntstuk dat je opraapt uit de goot. Een vijftal grote passen en ze had hem. Haar nagels drongen als klauwen in de huid van zijn arm, en het volgende moment trok ze hem de treden af en de hoek van het huis om, doof voor de onafgebroken stroom dreigementen en scheldwoorden uit de mond van One Bird. Toen ze hem eenmaal achter het huis had, achter de uitgezakte drooglijn met daaraan de zachtjes kabbelende lakens en kolossale directoires van One Bird, geselde ze hem met de scherpe rand van haar tong. Ze begon met de bloedstollende donderpreek die ze had voorbereid tijdens de eenzame tocht over Route 17 en eindigde met een retorische vraag, gesteld in een uithaal zo schel dat ze er een arend mee van zijn prooi had kunnen jagen: 'Wat ben jij nou godverdegodver eigenlijk aan het doen? Nou?!'

Hij was twee keer zo groot als zij en hij keek op haar neer met de groene spleetjes van zijn ogen. 'Baars aan het schoonmaken,' zei hij.

Ze liet enkele ogenblikken voorbijgaan, heen en weer wiegend op de ballen van haar voeten, en toen haalde ze uit en gaf hem een klap. Een harde. Zo hard dat haar vingertoppen er gevoelloos van werden.

Even fel, en twee keer zo hard, sloeg hij terug.

'Vuile schoft,' siste ze, en haar ijsogen waren vochtig van de schrijnende klap. 'Je loopt bij me weg, is dat de bedoeling? Om hier te gaan wonen met dat – dat dikke ouwe mens?'

Hij zei niets, maar hij glimlachte inmiddels flauwtjes. De grote schuldeloze onderbroeken van One Bird zweefden in de wind.

'Je gaat niet met haar naar bed,' zei ze. 'Dat ga je me toch niet vertellen, hè?'

Hij ging haar helemaal niets vertellen. Zijn glimlach werd breder.

'Want als je dat doet...' haar stem stierf weg. 'Jeremy,' fluisterde ze, zo zacht en zo vol overgave dat het leek of ze bad. 'Jeremy.'

Hij pakte haar handen. 'Ik wil met je neuken,' zei hij, 'ik móét met je neuken.'

Later, nadat hij haar bij het stille spel van de bollende onderbroeken had weggeleid en ze gevreeën hadden in een lapje melkdistels achter de winkel van Dick Fourtrier, gaf hij antwoord op haar vraag. 'Ik denk na over bepaalde dingen,' zei hij.

'Over wat voor dingen?'

'Over boten.'

'Boten?' zei ze hem na, niet minder verbijsterd dan wanneer hij gezegd had 'dwergkezen', 'spoetniks' of 'saxofoons'.

Boten, ja. Naar de blokhut wilde hij niet meer – in elk geval niet zolang hun zoon nog niet geboren was, trouwens... eh, was ze inmiddels...? Nee? Gaf niet, ze zouden het blijven proberen. Maar los daarvan: hij wilde wel eens iets anders. Het begon hem steeds zwaarder te vallen, de last van die voorouderlijke kluiten – de druk van de geesten van Sachoes en de eerste gedoemde Jeremy Mohonk werd hem te veel, en hij moest er eens uit, op zoek naar een andere draai, begreep ze wat hij bedoelde? Hij dacht erover op een boot te gaan wonen – dan was hij van zijn voeten, en van het land dat dag in dag uit een aanslag deed op zijn laatste restje kracht. Hij had een kits te koop zien liggen in de jachthaven van Peterskill. Hij had vijftienhonderd dollar nodig.

Ze vond het niet leuk, helemaal niet. Al was het alleen maar omdat haar man ook een boot in de jachthaven had liggen, dus hoe kon ze Jeremy daar bezoeken zonder argwaan te wekken? En verder woonden Indianen niet op boten. Ze woonden in linthuizen, hutten en wigwams en bouwseltjes van asfaltpapier, ze woonden op het land. En waarom wilde hij in godsnaam een eind maken aan de bestaande situatie? Zoals het tot dan toe geregeld was kon ze naar hem toe zodra de geest over haar vaardig werd – in een rechte lijn door het bos naar zijn bed, een wandeling van een kwartier die haar sappen deed stromen en de fonkeling terugbracht in haar ogen. Nee, ze vond het niet leuk, maar toch gaf ze hem het geld. En nu, in de grimmigste maand van haar leven, in de voorlaatste maand van haar zwangerschap, in de ellendige, rampzalige oktobermaand van een jaar van straatrumoer, moordaanslagen en mensen op de maan, nu, na twee jaar buitenechtelijke vervoering in de geheime, deinende duisternis van die klamme, naar vis ruikende boot, wist ze waarom hij het gedaan had: om zich van haar los te maken. Om haar voor gek te zetten. Om haar te straffen.

Het was een oud verhaal, een triest verhaal, en het ging als volgt: drie weken geleden was ze naar hem toe gegaan, hoogzwanger, haar buik bol van zijn kind, zwaar belast door de aanwezigheid van die onbekende in haar binnenste en toch ook lichter dan lucht, vervuld van de toekomst; ze was naar hem toe gegaan om in zijn armen te liggen, hem te voelen, met hem op de krappe brits mee te deinen met de *Kitchawank*, gedragen door de transparante huid van de rivier. Zoals gewoonlijk parkeerde ze haar auto bij het restaurant van Fagnoli en nam een taxi naar de jachthaven, en zoals gewoonlijk trof ze hem benedendeks met een boek. (Hij las er twee tot drie per dag – van alles door elkaar: van Marcuse, Malcolm x of Mao tot James Fenimore Cooper en de verdichtsels van Vonnegut, Tolkien of Salmón.) Op die bepaalde dag – ze herinnerde het zich nog duidelijk – was hij bezig in een pocket met op het omslag een half ontklede, zwaar geboezemde vrouw die neerknielde voor een leverkleurig, reptielachtig wezen met tanden als nagelvijlen en een onmiskenbaar genitale bobbel in het kruis van zijn zilveren jumpsuit. 'Hallo,' zei ze zachtjes, diep bukkend om de verraderlijke balk te ontwijken waartegen ze haar hoofd in het verleden tientallen malen had gestoten.

Hij beantwoordde haar groet niet. En toen ze zich naast hem op de brits wilde wurmen – onbeholpen voorovergebogen, met een baby die heen en weer zwaaide als een slinger – maakte hij geen plaats. Ze voelde de boot wiebelen onder haar voeten en liet zich log neer op de rand van de brits tegenover hem, een afstand van nog geen meter in die benauwde ruimte. Zo bleef ze een hele tijd zitten, glimmend, stralend, zijn beeld indrinkend, en toen ten slotte haar verlangen naar hem zo hevig werd dat ze zich niet meer kon inhouden, verbrak ze de stilte met een zachte, vriendelijke vraag: 'Leuk boek?'

Hij gaf geen antwoord. Niet eens een grom.

Er verstreek een ogenblik. De lucht die door het gangboord kwam was koel en zilt en rook naar het melange van wat de aderen van de rivier allemaal meevoerden – naar vis uiteraard, en naar zeewier. Maar ook naar andere dingen, dingen die minder aangenaam waren. En minder natuurlijk. Van wie had ze ook weer gehoord dat er stroomopwaarts rioolwater werd geloosd? Ze keek door de groezelige patrijspoort achter Jeremy en verbeeldde zich dat ze het grijze kabbelen zag stikken in menselijke uitwerpselen, in toiletpapier en maandverband, en ineens voelde ze zich mismoedig. 'Jeremy,' zei ze plotseling, en de woorden waren haar mond uit eer ze ze tegen had kunnen houden. 'Ik ga weg bij Depeyster.'

Voor het eerst keek hij haar aan. De overhuifde ogen die ze zo goed kende maakten zich los van de pagina en richtten hun vernauwde groenheid op haar.

'Het kan me niet schelen wat hij of mijn ouders of de buren of wie dan ook ervan vindt. En ik doe het ongeacht of hij met een scheiding instemt. Wat ik bedoel is: ik wil bij jou zijn' – ze stak haar hand uit om de zijne te pakken – 'altijd.' Nu was het gezegd, nu was de kwestie openlijk aan de orde gesteld en konden ze er niet meer omheen.

Het was een onderwerp dat hij uit de weg was gegaan. Hardnekkig. Consequent. Zelfs, naar het haar voorkwam, angstvallig. Ja, verzekerde hij haar, hij wilde dat ze zijn kind zou baren. Ja, hij wilde een tijdje op het water wonen, vissen, krabben vangen, losse klusjes doen in de jachthaven om de paar dollars bij elkaar te scharrelen die hij nodig had om van te leven – om tweedehands pockets te kopen, een doos eieren, een blikje van het een of ander. En ja, hij hield van haar (hoewel dat eigenlijk een vraag zonder betekenis was, vond ze ook niet?). Maar zij was de vrouw van een ander, en het ging toch goed zoals het ging? Bovendien had hij absoluut geen beeld van de toekomst. Nog niet in elk geval.

Maar nu was de kwestie dus openlijk aan de orde gesteld en konden ze er niet meer omheen: ze ging weg bij Depeyster en trok bij hem in. 'We zouden hier samen op de boot kunnen wonen,' zei ze, naar de vloer kijkend; de woorden rolden over elkaar heen, 'en we zouden de rivier op kunnen gaan en aanleggen in Manitou of Garrison of Cold Spring. Of misschien aan de overkant van de rivier – in Highland Falls of Middle Hope. Ik heb geld, mijn eigen geld, op een rekening die mijn moeders vader voor me heeft geopend toen ik nog klein was, en ik ben er nooit aangekomen omdat ik dacht dat het misschien ooit...' maar verder kwam ze niet, want op dat moment keek ze ineens onbewust op en zag zijn gezicht.

En zijn gezicht was vreselijk om te zien. Het was niet langer het gezicht van de stoïcijn die had kunnen poseren voor het fries op de achterkant van een vijfcentsmuntje, ook niet het gezicht van de vreemde charismatische man die haar over de drempel van het heldere kamertje in het Hiawatha Motel had geleid en haar had geleerd om als de schim van een hert door het bos te sluipen, maar het gezicht van de overvaller, van de wreker, het gezicht onder de geheven tomahawk. Hij ging rechtop zitten. Duwde zich met kracht af tegen de brits en bukte zich over haar heen, zodat zijn rug, schouders en nek versmolten met de donkere lage dekspanten. 'Ik moet jou niet,' zei

hij. 'Ik moet jouw halfbloed bastaard niet, je kwartbloed bastaard.'
Zijn gezicht hing voor het hare. Ze rook de vis in zijn adem, het opgedroogde zweet in de oksel van zijn overhemd. 'Verwoester,' zei hij. 'Rover. Wolvin. Welzijnswerkster.' Hij tuitte zijn lippen, haast alsof hij haar wou kussen, en hield haar gevangen in zijn felle, niets terughoudende blik. 'Ik spuug op je.'
De volgende ochtend was de *Kitchawank* verdwenen.

Depeysters stem – 'Joanna! Joanna, doe even open!' – drong tot haar door als vanuit een andere dimensie, alsof ze haar leven probeerde te leiden op de koude vloer van de rivier en de stroming alle woorden neersloeg. 'Joanna!'
Het was de deurbel. Er stonden kinderen voor de deur – ze zag ze door het raam – verkleed als heksen, spoken, kabouters, Indiaanse krijgers, Indiaanse prinsessen. De grimas van een uitgeholde pompoen staarde haar aan vanuit de hoek waar haar man, die aan dit soort tradities een kinderlijk plezier beleefde, een schaal gesuikerde popcorn en Hershey-schuimpjes had klaargezet. Als verdoofd kwam ze uit haar stoel, vocht tegen de zuiging van de stroom en deed met haar laatste krachten de deur open. Hun stemmen snerpten om haar heen, verslonden haar, en hun lelijke kleine klauwtjes graaiden naar de inhoud van de schaal die ze op de een of andere manier van de tafel had weten te tillen en tegen de zwelling van haar buik hield. Het volgende moment waren ze verdwenen en worstelde zij tegen de stroom in naar de wachtende stoel en liet zich er zwaar in neer.
'Joanna? Schat?'
Ze keek in de richting van zijn stem, en daar stond hij, met zijden kousen en een kniebroek aan, een jasje met rechthoekige panden en enorme koperen knopen, gespschoenen aan zijn voeten en een suikerbroodhoed op zijn hoofd. 'Hoe zie ik eruit?' zei hij, terwijl hij de rand van zijn hoed goed zette in de spiegel boven de schouw.
Hoe hij eruitzag? Hij zag eruit als iemand die was weggevlucht uit een van Rembrandts groepsportretten, als een landverhuizer, een pionier, als de patroon die de grond waarop hun huis stond had ontrukt aan de Indianen. Hij zag er tot in de kleinste details exact zo uit als ieder jaar op het Halloween-feestje van LeClerc Outhouse. Lang geleden, toen hij nog jong en avontuurlijk was, had hij zich een keer verkleed als Pieter Stuyvesant, met houten poot en al, maar na dat ene jaar was hij altijd de patroon geweest. Want waarom zou je het volmaakte willen verbeteren, zei hij tegen haar. 'Je ziet er fraai uit,' zei ze, en de woorden dreven uit haar mond alsof ze opgesloten zaten in een stripwolkje.

Ze wendde zich af en viel al weer terug in de diepten toen hij haar overrompelde. Haar wakker maakte. Door de kamer naar haar toe kwam om haar tot leven te wekken, om haar vaam voor vaam op te tillen uit de diepten. Het begon met een resonante ontkurking, en daarna het gevoel van een koel glas met lange steel tussen haar vingers. 'Een toost,' stelde hij voor, en hij bevond zich pal aan haar zijde; zijn stem was zo duidelijk dat het leek of het uiteindelijk toch alleen lucht was wat hen scheidde.

Verdoofd, levenloos als een lijk, neergedrukt door het gewicht van al die tonnen water keek ze naar hem op en zette alles op alles om haar glas te heffen. 'Een toost,' zei ze hem na.

Hij straalde, grijnsde, liet zijn ogen loensen en likte zijn lippen, allemaal van pure dolle vreugde, en toen bukte hij zich, pakte haar vrije hand en hield die vast tot hij haar volledige, onversneden aandacht had. Toen hij zijn mond opendeed, liet hij zijn stem zakken om de lage, zalvende tonen te parodiëren van Wendell Abercrombie, de dominee. 'Op de nagedachtenis van Peletiah Crane,' zei hij, met het glas in de hoogte geheven alsof het een kelk was.

Ze was zo diep weggezonken dat het even duurde eer ze het begreep. 'Je bedoelt... dat hij... dat hij dood is?'

'Ja, ja, ja!' kraaide hij, en ze dacht dat hij op het punt stond kuitenflikkers te gaan slaan of door de kamer zou gaan springen als een geit. 'Vanavond. Vanmiddag. Even na vijven.'

Ze kon het niet helpen. Ze keek naar zijn gezicht, zijn kostuum, het lege glas in zijn hand, en had het gevoel of ze ineens weer lucht kreeg. Ze bezon zich niet op de gepastheid van een en ander – deze plotselinge vreugde om het nieuws van de dood van een medemens – want er gebeurde iets met haar gezicht, iets wat al zo lang niet meer was voorgekomen dat het een sensatie mocht heten: ze glimlachte. Jawel: ze reflecteerde de vreugde en de triomf op het gezicht van haar man, de kuiltjes in haar wangen kwamen te voorschijn, het licht keerde terug in haar ogen.

'Marguerite heeft net gebeld,' zei hij erachteraan, en het volgende moment knielde hij in zijn opwinding voor haar neer, zette met een zwaai de antieke hoed af en legde zijn wang tegen de zwelling van haar buik. 'Joanna, Joanna,' prevelde hij, 'je moest eens weten hoeveel dit allemaal voor mij betekent: de baby, die grond, al dat prachtigs wat er gebeurt in ons leven...' Het was, gezien de omstandigheden, de normaalste zaak van de wereld, en ze was zich er niet eens van bewust dat ze het deed: ze nam zijn gezicht in haar handen, trok hem tegen zich aan en bukte zich om haar lippen op zijn kruin te drukken.

Ze dronken hun glas champagne leeg. Hij zat aan haar voeten, heen en weer wiegend boven zijn glas, en kwetterde maar door over rassen en temperamenten, over zadels, ruiterkleding, over de vraag of ze een goede part-time stalknecht zouden kunnen vinden, en misschien ook een rijleraar – voor de jongen, bedoelde hij. Hij was zo uitgelaten, zo vervuld van de vreugde van het moment, dat zelfs Mardi zijn humeur niet kon bederven. Ze kwam door de hal geparadeerd in haar katjeskostuum (een zestal snorharen van mascara, een staart van in elkaar gedraaide pijperagers en een leren keurslijfje dat van voren zo laag uitgesneden was en van achter zo strak zat dat ze er niet met goed fatsoen in naar het strand gekund had), en Joanna zag haar bij de voordeur blijven staan, smekend om een aanvaring, maar Dipe trapte er niet in. Hij draaide zijn hoofd om alsof hij haar niet herkende en praatte gewoon door, zelfs toen de deur achter hem dichtknalde. 'Luister, Joanna,' zei hij, 'ik weet dat je hier geen liefhebber van bent en dat je het feest al een paar jaar hebt overgeslagen, maar denk je dat je met me mee zou willen komen vanavond?' En eer ze antwoord had kunnen geven, eer ze erover na had kunnen denken, ratelde hij verder, als om haar tegenwerpingen voor te zijn: 'Je hoeft je wat mij betreft niet eens om te kleden als je dat niet wilt – je kunt zo gaan, als Pocahontas, als een Indiaanse prinses, en het kan me niet schelen wat ze ervan denken. Jouw plunje past hier prima bij,' lachte hij, met de kraag van het museumstuk dat hij aan had tussen zijn vingers.

Toen kon ze eindelijk weer vrij ademhalen, toen voelde ze haar last voorgoed van zich afvallen, voelde zich bovenkomen, steeds dichter naar het oppervlak, tot ze zich bevrijdde en haar longen verzadigde met de zoete, lichte, overvloedige lucht. 'Nee,' zei ze, met een zachte maar vastberaden stem, 'ik heb hier lang genoeg in gelopen.'

VAN WARTWYCK: MEN SLAAPT, MEN WORDT WAKKER

Na de gebeurtenissen in de tumultueuze zomer van 1679, de zomer waarin Joost Cats van zijn functie werd ontheven, de jonge Mohonk uit de bewoonde wereld werd verjaagd en Jeremias van Brunt eens voor al op zijn plaats werd gezet, dommelde de doezelige buurtschap Van Wartwyck weg in een diepe, onverstoorde slaap. De bladeren verkleurden naar behoren en vielen van de bomen; de vijvers bevroren en de sneeuw kwam en verdween net als in andere jaren. De koeien kalverden en de schapen lammerden, de aarde spreidde haar benen om haar jaarlijkse zaaigift te ontvangen, het gewas schoot hoog op in de weelderig warme zomermaanden en viel in het najaar ten prooi aan zeis en mathaak. De oude Cobus Musser verwisselde in alle rust het tijdelijke met het eeuwige toen hij op een koude winteravond met een pijp bij de haard zat, maar behalve zijn naaste verwanten hoorde men er pas van in de lente, en toen, leek het, kon niemand zich er nog erg druk om maken; vrouw Sturdivant bleek zwanger maar baarde tot haar onuitsprekelijke droefheid een dood meisje met een moedervlek in de vorm van een vleermuis boven haar linkertepel, een tragedie die ze toeschreef aan die vreselijke dag bij het huis van de patroon de vorige zomer, toen ze zo geschrokken was; en Douw van der Meulen ving in zijn netten een éénogige steur die langer was dan een kano van de Kitchawanks en zo zwaar dat er drie man aan te pas moest komen om hem te dragen. Maar dat was, afgezien van het vlees van die grote vis, zo ongeveer alles wat er over de tong ging in de loop van het lange, slaperige jaar dat volgde op die tantaliserende zomer.

Pas in de winter van het jaar daarop, de winter van '80-'81, zag de gemeenschap aanleiding zich, al was het dan maar even, te wekken uit haar dommel. Die aanleiding was de komst van een nieuwe patroon (dat wil zeggen: de neef van de patroon, Adriaen, de zoon van Lubbertus, met zijn raapvormige hoofd en volle vochtige lippen) en de daarmee samenvallende terugkeer van de groenogige halfbloed met zijn blozende Weckquaesgeek-bruid en hun kwartbloed zoon. Nu was Adriaen van Wart weliswaar niet precies patroon – Stephanus had zijn neef al een hele tijd terug uitgekocht – maar hij was ook niet alleen maar beheerder, zoals zijn voorganger Gerrit de Vries. Hij was, naar het zich liet aanzien, een plaatsbekleder, een pion of een paard of een toren die een strategisch veld bezet hield tot de grootmeester besloot hem op te offeren of in het spel te brengen. Daarnaast was hij een corpulente, trage, bolgebroekte telg uit de mindere tak van de Van Warts, geboren in het jaar van zijn vaders overlijden en grootgebracht door zijn zenuwachtige, gerepatrieerde tante in Haarlem (waar hij, meende zijn moeder, een betere opleiding zou krijgen en naar het directeurschap van de brouwerij kon dingen, maar waar hij in feite eerder een volleerd bierzwelger dan -brouwer werd), die nu, daartoe overgehaald door zijn invloedrijke neef, was teruggekeerd naar de Nieuwe Wereld om er zijn fortuin te maken. Dik was hij, achttien, ongetrouwd en dom. Zijn moeder was overleden, zijn zus Mariken woonde met haar man in Hoboken. Hij was – God beware hem, Sint-Nicolaas sta hem bij – volledig aangewezen op neef Stephanus.

En Jeremy?

Die was, terwijl hij nog zeventien moest worden, een getrouwd man, overeenkomstig de riten en gebruiken der Weckquaesgeeks, en de vader van een jongetje van negen maanden. Gezond was hij ook, welgebouwd en scherp van gezicht, en de inheemse keuken had hem zo te zien goed gedaan – zijn borst en schouders waren uitgedijd, en waar voorheen de stokjes van zijn benen onopvallend versmolten met zijn romp tekenden zich nu de rondingen af van een onmiskenbaar paar billen. Maar kennelijk had hij in zijn afwezigheid iedere vorm van spraakvermogen verloren. Wat was begonnen als een voorkeur voor zwijgzaamheid, of beter gezegd een aversie tegen substantief, werkwoord, voegwoord, bepaling en voorzetsel, had zich tijdens zijn verblijf bij de Weckquaesgeeks ontwikkeld tot een aberratie, geactiveerd misschien door een schrijnende herinnering aan zijn allereerste tijd bij die onfortuinlijke stam, een tijd die in het droeve teken van de neergang van zijn moeder stond en van zijn eigen onafzienbare lijdensweg tussen zijn zonder uitzondering donkerogige speelkameraden. Of misschien was de oorzaak lichamelijk van aard, iets hersenpathologisch, een stoornis in het spraakcentrum, een vorm van afasie. Wie kon dat uitmaken? In elk geval níét de brave squaws en sjamanen van de Weckquaesgeeks, die er hun handen aan vol hadden de stroom bloed te stelpen veroorzaakt door de zondvloed van ongelukken die dagelijks over hun onhandige clientèle kwam en wie het amper opviel dat de geherintegreerde Squagganeek niet veel op te merken had. En in géén geval een geneesheer als de geleerde Huysterkarkus, die, als hij was geconsulteerd, ongetwijfeld aderlaten, uitbranden, moerasbloedzuigers en braak- en laxeermiddelen had voorgeschreven, uit te voeren of toe te dienen in een willekeurige volgorde.

Hoe dan ook, Jeremy's wonderbaarlijke, zij het van spraak verstoken terugkeer en de komst van Adriaen van Wart gaven de kletskousen voor verscheidene maanden gespreksstof: *Wie had dat nog verwacht na al die tijd? We wisten toch niet beter of hij was dood en opgevreten door de wilde dieren, wat trouwens zijn verdiende loon was geweest, zoals hij op de loop ging voor het gezag. En dan staat hij ineens doodleuk bij zijn oom op de stoep, alsof hij even een ommetje heeft gemaakt. Ja, en dan nog met een vrouw bij zich niet ouder dan een kind in feite, stinkend als een beerput en gekleed in vettige dierevellen, en met zijn eigen halfbloed bastaard in zo'n mand op zijn rug – of nee, dat zal dan een kwartbloed zijn, hè? Maar praten kan hij niet meer, nee, helemaal niet meer. Volgens Goody Sturdivant is hij zijn Nederlands en zijn Engels verleerd doordat hij daar tussen de heidenen heeft gewoond (net als zijn moeder vroeger, weet je dat nog, dat was ook zo'n treurig geval) en mee heeft gedaan aan hun goddeloze rituelen en wie weet wat voor schunnigs nog meer. Volgens Mary Robideau hebben ze hem zijn tong uitgesneden, die wilden, maar ja, je weet vandaag de dag toch niet meer wat je geloven moet? En heb je die neef van de patroon al gezien – die daar in zijn dikke vette vrijgezelle eentje in dat grote huis gaat zitten? Ja, ja, dat heb ik ook gehoord, ja – dat Geertje ter Hark haar dochter heeft uitgedost als een meid van de straat, die jongste ja, ze moet nog vijftien worden – vind je het niet schandalig? – en dat ze nog voor die jonge hobbezak zijn koffers had uitgepakt kennis is gaan maken. Ach, kind, vertel mij wat...*

En zo ging dat, tot Adriaen zich had geïnstalleerd, de zwijgzame Jeremy en zijn even zwijgzame vrouw vertrouwde verschijningen waren geworden op Nysenswerf en de incestueuze kleine gemeenschap in Van Wartwyck weer in kon dutten.

Wouter mocht het feit van de terugkeer van zijn neef dan wonderbaarlijk vinden, minstens zo wonderbaarlijk was dat er voor hem nog een plek wás om naar terug te keren. De maand van de dreigende ondergang naderde en verstreek, en nog steeds waren de vijf *morghens* waaruit Nysenswerf bestond in handen van de familie Van Brunt. Op 15 november kwam de oude Ter Dingas Bosyn voorrijden met zijn paard-en-wagen en inde de pacht, die Jeremias, kruiperig als een schoothondje, zelf uittelde en inlaadde. De patroon was met zijn gezin teruggeverhuisd naar Croton zodra de eerste vorst de winterslaap van de bomen inluidde, en zijn schout, de kwalleneter, nam hij mee. En dat was dat. Geen ontruiming. Er verstreek nog een jaar en weer droeg vader zonder morren zijn pacht af en weer nam de bolronde oude *commis* die in ontvangst en weer tekende hij dit feit nauwkeurig aan in de diepten van zijn grootboek. Wouter, die op het ergste voorbereid was – die had verwacht uit zijn huis te worden verjaagd terwijl zijn moeder en zijn zusters handenwringend toekeken en zijn vader door het stof kroop en smeekte en de patroon zijn laarzen likte – was verbaasd. Hij had de dag met angst en beven tegemoet gezien, bevreesd voor de hautaine grijns van de patroon, de boosaardige blik en de onvolwassen greep van de dwerg, het koude naakte staal van het rapier dat in vroeger tijd zijn vaders gezicht had opengehaald, maar de dag kwam niet.

Er werd gefluisterd dat de patroon zich had laten vermurwen. Geesje Cats was neergeknield voor de moeder van de patroon, en die zure, oude, alle genot en gemak versmadende vrouw had het opgenomen voor de Van Brunts. Werd er gezegd althans. Verder herinnerde Wouter zich een week in de tweede helft van oktober in dat noodlottige jaar, een week waarin Barent van der Meulen hem en de andere kinderen gezelschap kwam houden terwijl vader en moeder de os inspanden en naar Croton reden, waar ze bij opa Cats logeerden. Niemand wist wat er zich destijds had afgespeeld, maar Cadwallader Crane, die het van zijn vader had, beweerde dat Neeltje en Jeremias zich als onvermoeibare smekelingen tot de patroon hadden gewend; ze zouden de patroon bij hem in de tuin dag en nacht luidkeels hun onvoorwaardelijke trouw hebben beloofd en zouden zelfs zover zijn gegaan voor hem te knielen en zijn gehandschoende hand te kussen als hij naar de paardestal kuierde voor zijn dagelijkse ritje – allemaal in de hoop dat ze hem zouden kunnen overhalen zich te bedenken.

Hoe het ook zij, de hele zaak vervulde Wouter met weerzin. Hij wenste haast dat de patroon inderdaad was gekomen om hen van zijn land te jagen, dat ze naar het westen waren getrokken om opnieuw te beginnen, waren gaan bedelen in de straten van Manhattan, de schaar in hun haar hadden gezet en zich hadden misvormd met littekens om vervolgens naakt onder de Indianen te gaan wonen. Dan was zijn vader misschien weer tot leven gekomen. Nu was hij een slaaf, een castraat, een zotte sul die slechts leefde om zijn meerderen te dienen. Van 's morgens vroeg tot 's avonds laat werkte hij als gehypnotiseerd op het land, witte het huis, ruimde nieuwe stukken grond, bouwde stenen scheidingsmuurtjes – en dat allemaal voor de patroon, voor de baat en het gewin van de man dank zij wiens grootmoedigheid hij adem uit de lucht haalde, water uit de grond en brood uit de oven. Sinds die afschuwelijke dag op het erf achter het huis van de patroon meed hij Wouter, die altijd zijn lieveling was geweest, en was hij in een soort trance vervallen, als een ezel die vastzit aan het rad van een graanmaalderij. Van zijn vroegere ik was alleen nog het omhulsel over, hij was een stropop, en zijn zoon – zijn oudste, de vreugde van zijn leven, de jongen die hem had verafgood – bezag hem met minachting, met

medelijden, met de onverzachtbare pijn van wie is verraden.
Wouter werd twaalf in de troosteloosheid van die eerste winter, dertien in de tweede. Het was de meest hopeloze periode in zijn leven. Hij had zijn vader verloren, hij had de neef verloren die hem als een broer was en hij had zijn eigen identiteit verloren als de zoon van de man die het opnam tegen de patroon. Een hele tijd had hij geen eetlust. Wat zijn moeder hem ook voorzette – flensjes, koekjes, het heerlijkste braadstuk of een vleesrijke stoofschotel – hij werd al misselijk van de lucht, zijn keel kneep samen en zijn maag ging op slot. Hij vermagerde. Dwaalde door het bos als een schim. Moest ineens onbedwingbaar snikken om niets. Als Cadwallader Crane er niet geweest was, was hij misschien in zijn verdriet gebleven, zoals zijn tante Katrientje destijds.

De jonge Cadwallader, die lichamelijk de twintigjarige leeftijd had bereikt in de eerste van die ellendige winters, was de laatstgeborene en minst scherpzinnige uit het geleerde steltlopersgeslacht waarover die oeroude yankee, de intellectueel Hackaliah Crane, als pater familias de scepter zwaaide. De oudste der Cranes stond nu al weer zo'n vijftien jaar aan het hoofd van Van Wartwycks enige onderwijsinstelling, die van de humoristen die rondhingen bij Jan Pieterse onder verwijzing naar de plaats van samenkomst de bijnaam 'Crane's keukenacademie' had gekregen. Als 's winters de oogst was binnengehaald en weggestouwd op zolder of vliering, als de dagen kort en gemeen werden, riep Hackaliah zijn zes, acht of tien schoorvoetende leergierigen bijeen in de keuken van het uit aan- en bijbouwsels opgetrokken huis dat hij met zijn eigen beblaarde handen in elkaar had gemetseld, om hen in te wijden in mysteriën als het van buiten leren van het alfabet en het maken van eenvoudige sommen, waarbij hij ter compensatie hier en daar flintertjes Suetonius, Tacitus en Herodotus tussen de leerstof in strooide. Hij hield dit soort sessies omdat hij een man met een roeping was, omdat het zijn levenstaak en -doel was om de toorts der verlichting brandende te houden en door te geven, zelfs aan de woeste, duistere rand van de Nieuwe Wereld. Natuurlijk was het niet uitsluitend liefdewerk – er stond een kleine vergoeding tegenover. En de didactische yankee vorderde – notoire krent die hij was – zijn mandje appelen of uien, zijn trosje zaadkomkommers, zijn bos gehekeld vlas, zijn met maïs vetgemeste kalkoen alsof die hem krachtens tiendrecht toekwamen – en wee de argeloze scholier die niet stipt aan zijn verplichtingen voldeed. Het was in deze rudimentaire onderwijsinstelling dat Wouter, in de loop van al die troosteloze maanden, geleidelijk aan vriendschap sloot met Cadwallader Crane.

In gelukkiger tijden wist Jeremy de slingergang van Crane junior en de schokkerige, vogelachtige bewegingen van diens sprietige nek en wanstaltige hoofd treffend na te doen, terwijl Wouter een gloedvolle imitatie ten beste gaf van het laryngale gekakel dat hij uitstiet bij wijze van groet en de futloze, lamlendige dreun waarop hij voorlas van zijn lei of ABC-plankje, maar nu voelde Wouter zich in zijn eenzaamheid op een merkwaardige manier tot hem aangetrokken. Jawel, het was een bespottelijke figuur, vijf jaar ouder dan Tommy Sturdivant, de op één na oudste leerling, en niet in staat de leerstof onder de knie te krijgen hoewel hij die nu al wel vijfhonderd keer had doorgewerkt, een nagel aan de doodkist van zijn achtenswaardige vader en een zware beproeving voor zijn moeders liefde. Maar toch had ook hij een fascinerende kant, zoals Wouter al gauw zou ontdekken.

Op een grimmige middag in januari, toen Wouter na schooltijd nog wat bleef hangen, nam Cadwallader hem mee naar het houtschuurtje achter het huis en haalde daar uit een verborgen hoekje een houten bord te voorschijn waarop hij een bont glinsterend tableau van in de vlucht gevangen vlinders geprikt had. Wouter was met stomheid geslagen. Donkerbruin en goudkleurig, ijzerblauw, geel, oranje en rood: daar, in de duistere ruimte van het winterse schuurtje, beroerde de adem van de zomer hem.

Verbaasd draaide Wouter zich om naar zijn vriend, en hij ontwaarde iets in Cadwalladers ogen wat hij daar nog nooit gezien had. De gebruikelijke doffe glazigheid was verdwenen en vervangen door een blik die tegelijkertijd oplettend, intelligent, zelfverzekerd en trots was, de blik van de patriarch die met zijn nakomelingschap pronkt, de kunstenaar met zijn doeken, de jager met zijn rist eenden. En – o wonder – Cadwallader, de hopeloze leerling, Crane de Mindere, de baardeloze man-jongen die zichzelf voor de voeten liep, begon een verhandeling over het leven en de gewoonten van diezelfde vlinders, en hij sprak met iets wat haast bezieling was over wormen en rupsen en de metamorfose van het een in het ander. 'Die daar, zie je die?' vroeg hij, wijzend naar een vlinder met de kleur van een tropische vrucht en een regelmatig patroon van witte stippen op een sepiazwarte dwarsstreep. Wouter knikte. 'Van de zomer was dat nog een melkplantrups, met stekels en allemaal lelijke pootjes. Ik heb hem in leven gehouden in een stenen pot tot hij veranderde.' Wouter voelde de verwondering opengaan als een bloem in zijn binnenste, en hij bleef zich staan verbazen in die ijskoude schuur tot hij geen gevoel meer had in zijn voeten en het te donker werd om nog iets te zien.

De slungelige natuurliefhebber – die nu eens tegen een steile helling op klauterde om een toefje mos tussen twee besneeuwde rotsblokken vandaan te plukken en zich dan weer omhooghees tegen een dode boomstam om nog eens in het twee jaar oude nest van een specht te kijken – legde in de loop van de weken die volgden de zichtbare wereld bloot op een manier waar Wouter geen vermoeden van had. Ja zeker, Wouter kende het bos door en door, maar hij kende het zoals iedere blanke het kende, als een plek om bessen te plukken, kwartels te besluipen en eekhoorns neer te halen met een katapult. Maar Cadwallader kende het als een natuurvorser, als een genius, een geest, een onthuller van mysteriën. En dus liep Wouter achter hem aan door het kale, grauwe bos om naar een strookje onbegroeide grond midden in een sneeuwbank te kijken omdat Cadwallader hem verzekerd had dat daar een zwarte beer zijn winterslaap hield, of om naar hem te luisteren als hij een handvol wolvedrollen uit elkaar pulkte om te zien waarmee het dier zich de laatste tijd gevoed had (voornamelijk konijn, te oordelen naar de dunne uitgedroogde keutels verpakt in crèmekleurig haar en bespikkeld met kleine botstukjes).

'Zie je dat?' vroeg Cadwallader hem op een dag, wijzend naar het bevroren achterlijf van een stekelvarken dat vastzat in de gaffel van een boom. 'Als de zon dat vlees in het voorjaar ontdooit, geeft het voedsel aan nieuw leven.' 'Leven?' vroeg Wouter. En in de dunne lippen en onbehaarde wangen van Crane de Mindere hield zich een glimlach schuil die klaar was om toe te slaan. 'Aasvliegjes,' zei hij.

Ondanks het leeftijdsverschil van acht jaar was hun vriendschap niet zo eenzijdig als men zich misschien zou voorstellen. Cadwallader, lange tijd voorwerp van minachting en neerbuigendheid, was blij dat nu eens iemand hem serieus nam, te meer daar die iemand zijn persoonlijke enthousiasme voor de onderbouw van de natuur deelde, voor wormen, rupsen, slakken en de nederige klompjes ontlasting die hij zo geduldig onderzocht. Wouter was voor hem een ideale kameraad. Cadwallader was niet direct een monument van volwassenheid – iedere andere twintigjarige man zou inmiddels zijn eigen boerderij en gezin gehad hebben – en hij had in allerlei opzichten zijn gelijke in de jongen van Van Brunt, een geboren leider in feite, iemand met overtuigingskracht, vlug van begrip, leergierig, maar ook weer niet zozeer zijn gelijke dat hij een serieuze bedreiging vormde. Voor Wouter gold dat zijn geboeide bewondering voor de zoon van de pedagoog zijn gedachten afleidde van het gevoel van leegte dat hij had, en dat wist hij ook. Hoe fascinerend Cadwallader ook was op zijn eigen rare manier, hij was een pover substituut voor Jeremy – en voor de uit zijn rol gevallen vader die zijn land bewerkte als de schim van een werkpaard, oud op zijn dertigste. En als alle gelegenheidsvrienden kwamen ze tot elkaar uit wederzijdse nood en omdat de een de ander op een onuitgesproken manier tot steun was. Cadwallader zocht Wouters gezelschap en Wouter zocht het gezelschap van Cadwallader. En het duurde niet lang of de onbeleerbare leraarszoon was een regelmatige gast op Nysenswerf, een gast die 's avonds meeat en Jeremy's plaats innam aan tafel en soms zelfs bleef slapen als het weer al te bar was of de avond te gezellig.

Te gezellig, ja. Want hoewel Jeremias naar de achtergrond verdween alsof hij bestond uit mist en nevel en Neeltje altijd aan het spinnen of vegen of afwassen was en de kleintjes, die heel die eindeloze winter binnen moesten blijven, piepten, kibbelden en krijsten als inboorlingen, vond de jonge langneuzige natuurvriend het gezelschap in huize Van Brunt onweerstaanbaar. Maar het was niet Wouter van wie hij niet kon scheiden, hoewel hij zeer op hem gesteld was en hem zijn beste vriend zou blijven noemen tot kort voor het uur van zijn dood – nee, het was Geesje. De kleine Geesje. Ze was vernoemd naar haar grootmoeder, ze had de peilloze ogen en rebelse manieren van haar moeder en ze was tien op de dag dat hij voor het eerst zijn entree maakte.

Heel die lange winteravonden zaten ze te kaarten – Cadwallader, over zijn knieën gebogen als een tsjirpende krekel, Wouter, met een wil om te winnen zo verwoed dat hij er zelf soms van schrok, en Geesje, die, met haar benen onder zich gevouwen en de kaarten voor haar slinkse kindergezichtje, zat te spelen met een onbekommerdheid waarachter een wil om te winnen schuilging die minstens zo verwoed was als die van haar broer. Ze schaatsten op de vijver waarin Jeremias lang geleden zijn voet verloren had aan de moerasschildpad. Ze speelden diefje-met-verlos, ik-zie-ik-zie-wat-jij-niet-ziet, lummelen, slofjeonder en ringwerpen, en de slungelige, onhandige leraarszoon was even fanatiek en geestdriftig als de kinderen met wie hij speelde. Al voor het begin van de tweede winter, de winter van Adriaen van Warts ambtsaanvaarding en Jeremy's terugkeer, begon Wouter te begrijpen dat Cadwallader Crane niet meer omwille van hem bij hen over de vloer kwam.

Als Wouter zich verraden voelde, dan liet hij dat niet blijken. Hij speelde even enthousiast mee, volgde zijn langbenige kameraad even vaak door kreupelhout en struikgewas, door moeras en braambos, bleef na schooltijd even lang als anders in het houtschuurtje van de Cranes om zich te vergapen aan een gefossiliseerd paardegebit of een zeenaald geconserveerd in pekelnat. Maar in zijn binnenste voelde hij zich uit het lood geslagen, alsof hij van achteren een zet had gekregen net toen hij weer overeind gekrabbeld was. Gedesoriënteerd als hij was, onzeker, dertien jaar oud en andermaal op drift geraakt, deed hij op een gure avond in februari de voordeur open en trof op de stoep zijn neef in een deken van natte sneeuw, en in het genadige bestek van één enkel ogenblik voelde hij zich verlost: Jeremy was terug.

Maar zo eenvoudig dient verlossing zich niet aan.

Al op het moment dat hij hem omhelsde, op het moment dat hij triomfantelijk de naam van zijn neef riep en de overige gezinsleden achter zich in beweging hoorde komen, besefte hij dat er iets niet klopte. Het was niet de Indiaanse uitdossing – het ruige berevel, de ketting van *seawant*, de chorda die het voorhoofd van zijn neef omsnoerde – en de penetrante oerlucht die om hem heen hing was het ook niet. En de strategische stationering van bot, pees en vlees die hem van een jongen in een man had getransformeerd was het evenmin. Dat had er niets mee te maken. Het was het ijs. Zijn neef was van ijs. Wouter omhelsde hem en voelde niets. Riep zijn naam en zag dat zijn ogen verglaasd en ondoordringbaar waren, hard als het oppervlak van de vijver. Verward liet hij hem los, en de deuropening vulde zich met elkaar verdringende kinderen, met moeders glimlach en vaders opgetrokken wenkbrauwen en hangende onderlip. Jeremy stond daar maar, onbeweeglijk als een steen, en even had Wouter het vreselijke idee dat hij gewond was – ze hadden hem zijn ogen uitgestoken, met een mes bewerkt, ze hadden zijn tong uitgerukt en nu was hij thuisgekomen om te sterven, dat was het. Maar vervolgens deed Jeremy een stap achteruit in het donker, en daar stond, waar hij gestaan had, een squaw.

Althans, een meisje. Iemand van het vrouwelijk geslacht. Kuiten, dijen, boezem. Gekleed in hertsleer, otterbont en nerts, met een staartvlecht in haar geoliede haar en getuite lippen. En in haar armen een zuigeling. Wouter was sprakeloos. Hij keek naar de beschaduwde gelaatstrekken van zijn neef en zag niets. Hij keek het meisje aan en zag de serene triomf in haar ogen. En toen keek hij naar de baby, naar een gezichtje even glad en vredig als dat van het Christuskind. 'Kom binnen, kom binnen,' piepte moeder, 'het is geen avond voor een bezoek op de stoep,' en ineens werd Wouter zich bewust van de sneeuw die hem in het gezicht petste, van de dompige onderaardse adem van de wind en de rusteloosheid van de avond. Toen streek de squaw langs hem heen en deed de zuigeling, zo donker als kersehout en niet half zo groot als een big, zijn ogen open. Die ogen waren groen.

Even later zat Jeremy bij de haard werktuiglijk pap in de donkere gleuf van zijn mond te lepelen, terwijl het meisje naast hem op de vloer hurkte met het kind aan haar borst. Waar was hij al die tijd geweest? vroegen de kinderen. Waarom had hij die kleren aan? Was hij nu een Indiaan? Moeders stem was teder. Ze hoopte dat hij zou blijven, en zijn vrouw ook – was dat zijn vrouw? Ze was welkom, meer dan dat, en hoe heette ze? Vader wilde weten wat een blinde kon zien: was het kind van hem? Wouter zei niets. Het was of de vloer onder hem op en neer ging, hij voelde zich jaloers en verraden. Hij keek van Jeremy naar het meisje en probeerde zich voor te stellen wat er was tussen hen, wat het inhield en waarom zijn neef hem niet recht aankeek.

Jeremy zag van zijn kant in de verste verte geen kans hun vragen te doorgronden, hoewel hij warmte voor hen voelde, van hen hield en in zijn hart blij was terug te zijn. Hun stemmen drongen tot hem door als het gegrom van de naar voedsel zoekende beer, als de monologen van de gaai en het kletteren van de beek aan gene zijde van de deur, meerijzend en -dalend met een emotioneel getij, een lied zonder woorden. Nederlandse woorden, Engelse, de signalen en betekenisdragers van de dialecten der Weckquaesgeeks en Kitchawanks die hij ooit gekend had – het was één grote verwarring. Hij kende de dingen nu zoals Adam ze moet hebben gekend op die eerste dag, als aanwezigheden, als waarheden en feiten, concreet waarneembaar voor de tastzin, het gezicht, de reuk, de smaak en het gehoor. Woorden waren betekenisloos.

Zijn vrouw had geen naam, niet voor zover hij wist tenminste. En zijn zoon ook niet. Hij keek verlegen naar Wouter en herkende hem, zo goed als hij Jeremias, Neeltje, Geesje en de andere kinderen herkende. Maar hun namen kon hij met geen mogelijkheid opdiepen. Hij wist, op eén directe, concrete manier – de manier waarop de enzymen rondkarnen in de ingewanden en het bloed door de aderen golft – dat Jeremias zijn vader had gedood, dat de kwalleneter hem had willen opsluiten in zijn helse machine, dat de mensen van de wolf ongehinderd het aardoppervlak plunderden. Hij wist ook dat Jeremias hem had grootgebracht als zijn eigen kind en dat Wouter zijn broer was en dat zijn plaats zowel hier was als onder de Weckquaesgeeks, tegelijkertijd. Hij wist dat hij dankbaar was voor het voedsel en de haard. Maar zeggen kon hij het ze niet. Niet eens met zijn ogen.

De volgende ochtend liep Jeremy tot voorbij de laatste doodgevroren plukjes in het verste, stenigste veld en bouwde daar een wigwam. In de namiddag had hij een mat van takken op de grond liggen waaroverheen hij netjes een heel assortiment van mottige bontvellen uitspreidde. Toen stookte hij een kookvuurtje en haalde het meisje en het kind op. In de loop van de jaren die volgden, jaren waarin hij zijn oude leven met Wouter weer opnam, jaren waarin hij de regels van de patroon aan zijn laars lapte en oogstte zonder ooit de grond te breken, jaren waarin hij toe moest zien hoe de pest twee van zijn dochters wegnam en zijn zoon tekende voor het leven, bleef hij bezig met het verbouwen, opknappen en uitbreiden van het primitieve bast-onderkomen dat hij die ochtend had neergezet, maar verlaten heeft hij de plek nooit meer. Nooit meer. Tot ze hem kwamen halen.

Voor Wouter was de terugkeer van zijn neef de genadeslag. Weer kreeg hij een dolkstoot in de rug, weer werd er een wig gedreven tussen hem en de verlosser die hij zo wanhopig hard nodig had. Eerst Cadwallader en Geesje en nu dan Jeremy en het meisje met het volemaansgezicht en die hangende spenen waar dat groenogige apie zich aan vastklemde. Hij had pijn en hij snapte het niet. Wat was er voor Cadwallader zo fascinerend aan dat spillebenige zusje van hem? Wat zag Jeremy in een kwalijk riekende kleine squaw? Wouter wist het niet. Hoewel hij bijna omviel van de hormonen en werd belaagd door onbestemde driften, hoewel hij wegglipte van het werk op het land om Saskia van Wart te beloeren als ze met haar broertjes stoeide op het gazon voor het noorderlandhuis, hoewel hij pijn in zijn kruis kreeg als hij aan haar dacht, hoewel hij uit verwarde dromen wakker werd in een onverklaarbaar bevochtigd bed, wist hij het nog steeds niet. Hij wist alleen dat hij gewond was. En boos.

Toen hij mettertijd de band met Jeremy weer aanhaalde en zich neerlegde bij de onontkoombare conclusie dat Cadwallader Crane meer om zijn zusje gaf dan om hem, herstelde hij geleidelijk. Uiterlijk althans. Hij was veertien en meende verliefd te zijn op een meisje dat in Jan Pieterse's Kil woonde en Salvation Brown heette; hij was vijftien en liep achter Saskia van Wart aan als een kater die de lucht van een krolse poes in zijn neus heeft; hij was zestien en keek als getuige van de bruidegom toe hoe Cadwallader Crane in het huwelijk trad met zijn zus. Het sleet allemaal – de dood van zijn vaders geestkracht, de verzaking van Cadwallader Crane, de klap die hij kreeg toen op die avond zijn neef uit de sneeuw opdook en vervolgens die squaw tussen hen in stapte. Hij werd een volwassen man, en wie hem zag zou nooit vermoed hebben hoe diep zijn pijn zat en dat hij op zijn manier even invalide was als zijn vader.

Van Wartwyck dommelde weer. De jaren tachtig, die zo veelbelovend waren begonnen, verpieterden tot de foutloze sleur der dagelijksheid. Er gebeurde niets. In elk geval niets schandelijks, gewelddadigs of schokkends. Er ging niet eens iemand dood. Elk voorjaar kwamen de gewassen op, het weer hield zich netjes – niet te nat, niet te droog – en de oogsten werden met het jaar beter. Tijdens stille nachten kon je de roddels horen snurken.

Het was Jeremias van Brunt, de traditionele katalysator van beroering en opschudding, die ze weer wekte. Hij wist het destijds niet, en hij zou er zelf ook geen getuige meer van zijn, maar hij bracht onbewust een reeks gebeurtenissen op gang die een donkere schaduw over de gemeenschap wierp, de kletskousen wakker schudde of hun lakens en spreien in de fik stonden en uiteindelijk culmineerde in het laatste tragische gevolg van de rebellie van zijn jonge jaren.

Het begon op een dag met een meedogenloze wind en een dalende temperatuur, een onstuimige middag aan het eind van oktober 1692, een jaar of drie nadat die sluwe Hollander, Willem van Oranje, was uitgeroepen tot koning van Engeland en al zijn koloniën. Met een gehavend lontroer dat nog van zijn vader was geweest over zijn schouder en een grove zak van vlas aan zijn middel, verliet Jeremias het huis even na het middagmaal en slofte het bos in om zich woordeloos te verstaan met zijn favoriete kastanje. Hoewel hij op pad ging om eikels te rapen en verder niet, had hij toch het geweer bij zich, want je wist maar nooit in die behekste bossen.

Moeizaam liep hij langs het pad naar beneden – graaiend naar bomen en struiken om zijn afdaling te remmen, de houten pen in de aangestampte aarde borend als een haak in een rotswand – en de wind die hem in het gezicht floot dreigde er bij vlagen met zijn hoed vandoor te gaan. Toen hij over de brug stampte en de moerassige laagte in liep tussen de Acquasinnick en de Van Wartweg, schrokken er een paar raven op uit een geknakte iep. Hoog vlogen ze weg, als flarden uit de begrafenistoga van de dominee, krakelend en klagend met hun onaangename stemmen. Iets omzichtiger dan gewoonlijk – het zien van een raaf had voor zover hij wist nog nooit iemand een overmaat van geluk gebracht – ging Jeremias verder tot hij halverwege het moeras was en even verderop de kruin van de kastanje ontwaarde, die zich met zijn schouders boven zijn mindere buren uit drong. Toen verjoeg hij de ongeluksvogels voor de tweede keer, van de grond ditmaal – of liever gezegd van een bult overwoekerd met kruipgoed en een vuurgloed van bloedrode sumak, die op de poelenvlakte van het moeras leek te drijven als een soort klein heksenscheepje.

Jeremias was nieuwsgierig. Hij trok aan zijn laars, zette de rand van zijn hoed recht en ging zwoegend op onderzoek uit, met in zijn achterhoofd de gedachte dat hij misschien de weggekropen, zieltogende bok terug zou vinden die hij twee dagen eerder had aangeschoten. Of misschien de restanten van het varken dat zo maar ineens verdwenen was in de tijd dat de bladeren begonnen te verkleuren. Er was iets met die vogels, zoveel was zeker, en hij wilde weten wat.

Hij werkte zich door de kruipers heen, hakte de sumak weg met de kolf van zijn geweer en moest twee keer blijven staan om de zak los te prutsen uit het kreupelhout, dat over een greep leek te beschikken alsof het vingers had. En toen zag hij iets in de wirwar voor hem, een ijzerglinstering in het bleke koude zonlicht. Bevreemd bukte hij zich, maar hield zich toen in. Die lucht – die trof hem ineens vol en meedogenloos in zijn neus – en hij had zich gewaarschuwd moeten weten. Maar het was te laat. Hij stond boven een bijlblad gebogen, en dat blad zat vast aan een ruwe eiken steel. En die steel werd, met alle stijfheid van de dood, omklemd door een hand, een menselijke hand, een hand die vastzat aan een pols, een arm, een schouder. Daar voor hem lag, uitgestrekt in de sumak als de in een sprookje uit de wolken gevallen reus, de man aan wie de bloedrivier zijn naam dankte. De ogen, bloederig van het pikken van de vogels, waren diep weggezakt in de kassen, de baard was een nest voor veldmuizen, de armen lagen slap op de grond, in het haar zat de vorst van de ouderdom. Hij had één keer eerder in dat gezicht gekeken, zo lang geleden dat hij het zich nauwelijks kon herinneren, maar de schrik, de vernedering en de hoon, die herinnerde hij zich alsof ze in zijn ziel gegrift stonden.

Ze moesten er alle vijf aan te pas komen – Jeremias, zijn drie zoons en neef Jeremy – om het lichaam, kolossaal en zelfs in de dood onnatuurlijk zwaar, uit het moeras naar de weg te slepen, waar ze er met vereende krachten in slaagden het in de kar te laden. Jeremias legde het lijk zelf af, daarbij geholpen door de plotseling ingevallen strenge vorst, die gelukkig de stank enigszins temperde. Als hij eraan gedacht had entree te heffen voor de toegang tot de wake, was hij een rijk man geweest. Want het nieuws van Wolf Nysens dood – de dood die zijn leven bevestigde – verspreidde zich over de gemeenschap als de griep. Nog geen uur nadat Jeremias de gevelde gigant op zijn baar had gelegd, hadden de nieuwsgierigen, de ongelovigen, de in-het-gelijkgestelden en de rechtschapenen zich zwijgend verzameld rond deze vleesgeworden legende, dit tastbaar geworden gerucht. Ze kwamen om zich aan hem te vergapen, hem op te nemen van top tot teen, de haren in zijn baard te tellen, zijn gebit te bekijken, om een trillende vinger uit te steken en hem aan te raken, één keertje maar, zoals ze een vinger hadden kunnen uitsteken naar de verloochende, van het kruis genomen Christus of de Woesteling van Saardam, die zijn eigen moeder had gekookt en opgegeten en zich vervolgens had verhangen aan het torentje voor de lakenhal.

Ze kwamen uit Crom's Pond, uit Croton, uit Tarry Town en Ronduit, van het eiland van de Manhatto's en uit de verre puriteinse bolwerken in Connecticut en Rhode Island. Ter Dingas Bosyn maakte zijn opwachting, Adriaen van Wart, een rimpelige oude kuiper uit Pavonia die beweerde Nysen gekend te hebben in zijn jeugd. Op de tweede dag kwam Stephanus zelf uit Croton, met Van den Post en de dwerg en een afvaardiging sombere, in zwarte mantels gehulde raadsheren van kolonel Benjamin Fletcher, de nieuwe gouverneur van de kolonie en de hoogste vertegenwoordiger van Zijne Majesteit Willem III in dit werelddeel. Op de derde dag stroomden de Indianen toe – mismaakte Weckquaesgeeks, beschilderde Nochpeems, zelfs een Huron, voor wie alle anderen opzij stapten als voor de duivel – en na hen de zonderlingen en malloten die woonden in afgelegen boerderijen en vergeten dorpen, vrouwen die beweerden dat ze de gedaante van beesten aan konden nemen en de baarden en de klauwen hadden om het te bewijzen, mannen die zich erop beroemden heel hun leven hondevlees te hebben gegeten en van kindsbeen af buiten de wet te hebben geleefd, een jongen uit Neversink wiens tong was uitgerukt door de Mohawks en die bij het lijk een gebed uitsprak dat bestond uit drie eindeloos herhaalde lettergrepen: 'Ab-ab-ab.' Op de avond van de derde dag maakte Jeremias een eind aan het circus en legde de reus in zijn laatste rustplaats. Onder de witte eik. Alsof het een lid van de familie was.

Nou, reken maar dat dat de tongen in beweging bracht. *Heb ik het niet gezegd, heb ik niet altijd gezegd dat die gekke moordende Zweed echt bestond? Ik heb je toch verteld van die keer dat Maria ter Hark zich haast dood is geschrokken van hem daar beneden bij de rivier, en snap jij nou hoe die gek het in zijn goddeloze kop krijgt om de duivel te begraven in dezelfde grond waarin zijn eigen zuster en zijn eigen vader liggen?*

Maar erger, veel erger, was het verdere verloop van de gebeurtenissen. Want de dood van Wolf Nysen – boeman, renegaat, de monsterbok die alle zonden van de gemeenschap op zich genomen had en ze droeg in eenzaamheid, als een haren boetekleed – was de dood van de vrede zelf. In de navolgende maanden stortte de opgekropte rampspoed van tien jaren zich uit over de hoofden van de eenvoudige boeren in Van Wartwyck en opende het graf zijn muil als een beest dat wakker wordt aan het eind van een lang seizoen van vasten.

Gezien de omstandigheden was het misschien niet meer dan billijk dat Jeremias het eerste slachtoffer was. Wat hem overkwam, werd er gezegd, was de straf van de Heer voor zijn onzalige verbond met de wetteloze Nysen en voor de zonden uit zijn jeugd tegen de patroon en het wettelijk aangesteld gezag, tegen de koning zelf, welbeschouwd. Wat hem overkwam lag in de lijn van zijn verdiende loon.

Twee weken nadat hij Nysen had begraven was Jeremias dood, gestorven aan de kwaal van zijn vader. De spade had het graf van de Zweed nog niet aangeplempt, de rouwenden en de sensatiezoekers hadden de schreden nog niet huiswaarts gericht, of Jeremias voelde een abnormale honger opkomen. Een honger zoals hij nog nooit gehad had, een honger die hem overmeesterde en overheerste, hem tot zijn speelbal, slaaf en slachtoffer maakte. Hij had niet gewoon honger – hij was vraatzuchtig, uitgeteerd, vervuld van verslindingsdrang, zo leeg als een put die doorliep tot in China en geen druppel water meer bevatte. Hij kwam binnen na de begrafenis en duwde, hoewel hij al jaren onzichtbaar was in zijn eigen huis, zijn reuzen van zoons opzij en stortte zich op de hutspot die Neeltje had gemaakt voor het begrafenismaal alsof hij een week niet gegeten had. Toen alles op was, schraapte hij de pan uit.

De volgende ochtend wist hij, al voor het gezin was opgestaan, de zes broden te verslinden die zijn goede vrouw voor die week gebakken had, plus een pot kwark, zesendertig aaneengeregen gerookte forellen die de jongens in drie dagen tijds gevangen hadden, een half dozijn eieren – rauw, met schaal en al – en een enorm bord koude hachee van reevlees met pruimedanten, druiven en stroop. Toen Neeltje bij het eerste licht wakker werd, vond ze hem bewusteloos in de provisiekamer; zijn gezicht was één grote glibberige vlek van ei, vet en melasse, en hij hield een half opgegeten raap als een wapen in zijn hand. Wat er was wist ze niet, maar ze wist wel dat het niet goed was.

Staats van der Meulen wist wel wat er was, en Meintje ook. Ondanks Wouters smalende grijns en Neeltjes protest liet Staats hen Jeremias met touwen om zijn enkels en polsen vastbinden op bed. Maar op het moment dat Staats ingreep was de schade helaas al aangericht. De halve wintervoorraad van het gezin was eraan gegaan, er waren drie dieren verdwenen – waaronder een van de runderen en haar kalf – en Jeremias was zo opgezwollen als een koe die in een veld met mosterdzaad is terechtgekomen. 'Soep!' jammerde hij vanaf zijn strozak. 'Vlees! Brood! Vis!' De eerste paar dagen was zijn stemgeluid een brul, even woest als dat van een wild dier, toen zakte het weg tot geblaf en ten slotte, toen het einde nabij was, tot een zielig, smekend geblaat. 'Eten,' kermde hij, en buiten stond de wind stil tussen de bomen. 'Ik, ik heb' – en zijn stem was nog slechts geknars en werd steeds zwakker, tot er haast niets van over was – 'zo'n honger.'

Neeltje zat de hele tijd bij hem, depte zijn voorhoofd, voerde hem bouillon en pap met een lepel, maar het haalde niets uit. Hoewel ze de Van der Meulens graan afsmeekte, hoewel ze kippen plukte die ze nog hard nodig zou hebben voor de eieren, hoewel ze hem twee, drie, vier keer zoveel voerde als een normaal mens aankon, leek het wel of het vlees hem van zijn botten viel. Aan het eind van de eerste week had hij geen wangen meer, was zijn maag geslonken tot een laagje huid zo dun als perkament en rammelden de beenderen in zijn polsen als dobbelstenen in een beker. Toen begon zijn haar uit te vallen, zakte zijn borst in, verschrompelden zijn benen en teerde zijn goede voet weg tot er geen verschil meer waarneembaar was met de stomp van de andere. Halverwege de tweede week kon ze het niet meer aanzien, en toen haar zoons vertrokken om op jacht te gaan naar vlees, glipte ze naar hem toe en sneed zijn boeien door.

Traag en moeizaam, als iemand die opstaat uit de dood, ging Jeremias – of wat er van hem over was – rechtop zitten, sloeg de dekens terug en zette zijn voeten op de vloer. Toen kwam hij wankelend overeind en stevende op de keuken af. Neeltje keek in stilzwijgende ontzetting toe. Hij negeerde de geplunderde provisiekamer, passeerde het gedroogde fruit, de strengen uien, komkommers en paprika's die aan de dakspanten hingen, en strompelde naar buiten. 'Jeremias!' riep ze. 'Jeremias, waar ga je heen?' Hij gaf geen antwoord. Pas toen hij aan de andere kant van het erf was en de staldeur opengooide zag ze het slagersmes in zijn hand.

Ze stond machteloos. De jongens waren God-mocht-weten-waar en zochten wanhopig in het struikgewas naar korhoenders, konijnen, eekhorens, naar alles wat het vlees kon vervangen dat in de bodemloze maag van hun verwilderd kijkende vader was verdwenen; haar eigen vader zat helemaal in Croton en was zo afgeleefd dat hij amper nog op zijn eigen naam reageerde; Geesje was bij haar man; en ze had Agatha en Gertruyd naar de Van der Meulens gestuurd om hun de aanblik van hun vaders ondergang te besparen. 'Jeremias!' riep ze toen de deur achter hem dichtwaaide. De hemel was dood. De wind spuwde in haar gezicht. Ze aarzelde een ogenblik, draaide zich toen om, ging naar binnen, vergrendelde de deur en knielde in gebed neer.

Hij was al koud toen ze hem vonden. Hij was eerst achter de varkens aan gegaan, maar die waren hem kennelijk te vlug af geweest. Jeltje, de oude zeug, had twee lange sneeën in haar zij, en een van de biggen sleepte een poot achter zich aan dat bij de hak half was afgesneden. De melkkoeien, die vast stonden op stal, hadden minder geluk gehad. Twee van de hokkelingen waren opengereten – een van de kalveren was gedeeltelijk uitgebeend en aangevreten terwijl het lag te sterven – en van Martha was de strot doorgesneden. Zo vonden de jongens de koe, met de zwarte vlek van haar bloed als een deken over de lemen vloer, en Jeremias, met zijn tanden in haar vel, bekneld onder haar. Het was de vijftiende van de maand, de vervaldag van de pacht. Maar Jeremias van Brunt, voormalig rebel, sinds lang verworden tot schim van zichzelf, geestverwant van Wolf Nysen en trieste erfgenaam van zijn vaders vreemde afwijking, zou nooit meer pacht afdragen. Ze begroeven hem de volgende dag onder de witte eik en dachten dat de ellende daarmee afgelopen was.

Het was nog maar het begin.

Het volgende slachtoffer was de oude Staats van der Meulen, die werd getroffen door een beroerte toen hij houtjes aan het hakken was en uit wiens verstarde handen de bijl met kracht moest worden losgewrikt voor de dominee hem ter ruste kon leggen in de bevroren aarde. Korte tijd later volgde hem zijn kranige vrouw, Jeremias van Brunts barmhartige, wilskrachtige tweede moeder, wier appelbeignets en kersentaarten voorproefjes van de hemel waren. De doodsoorzaak was onbekend, maar het geruchtencircuit, dat een bedrijvigheid vertoonde als in een nest slangen, schreef haar overlijden onder meer toe aan hekserij, padden onder het huis en het drinken van wijn na het eten van wortelknollen. In de loop van één afgrijselijke week in januari zakten vervolgens de twee dochters van het echtpaar Robideau tijdens het schaatsen door het ijs en verdwenen in het zwarte water van de Van Wart-vijver, stikte Goody Sturdivant in een stuk kalkoeneborst zo groot als een vuist en wist Reinier Outhuyse aan de waakzaamheid van zijn vrouw te ontsnappen, waarna hij twee liter Barbados-rum verzwolg, de duivel zag en in zijn ondergoed de Teunisneus probeerde te beklimmen. Hij werd doodgevroren teruggevonden, hangend aan een rotsblok hoog boven de rivier, tegen het onbuigzame gesteente gedrukt als een monsterlijke pluk korstmos.

De gemeenschap duizelde nog na van deze klappen van het noodlot toen onder de Indianen de Franse ziekte uitbrak, die al snel oversloeg naar de nederzettingen. Alle kinderen onder de vijf stierven in hun bed en uit Croton kwam het nieuws dat de oude vader Cats ook was bezweken en dat horden mensen die niet eens wisten dat ze leefden ook waren overleden. Februari was op zijn grimmigst en Cadwallader Crane's Geesje had juist in het kraambed de geest gegeven, toen de huisvaders en huismoeders van Van Wartwyck onder aanvoering van de gekromde, bejaarde dominee Van Schaik naar Nysenswerf trokken en het graf openhakten van het monster dat door hun dromen geslopen was en nu ook hun wakende bestaan bedreigde. De stijfbevroren Zweed was niet veranderd, en de zwarte grond hing aan hem als een tweede huid. Met zijn *huyck* dicht om zich heen getrokken en gebeden roepend in drie talen, liet de dominee de goegemeente een brandstapel bij elkaar sprokkelen, waarna ze het lijk in brand staken en hun handen warmden boven de dansende vlammen en de wacht hielden tot de takkenbossen kooltjes waren en de kooltjes as.

De lente was laat dat jaar, maar toen zij eindelijk doorzette, slaakte de gemeenschap een zucht van verlichting. *Het is voorbij*, ging het van mond tot mond, zij het op fluistertoon om de goden – kobolds, dwergen en kwade geniën – niet te verzoeken, en het leek uit te komen. Staats van der Meulens middelste zoon, Barent, stapte achter zijn vaders ploeg en bewerkte de familiegrond met alle energie en vastberadenheid van de jeugd, en Wouter van Brunt, vijfentwintig jaar en al meer dan tien jaar de feitelijke ziel van Nysenswerf, stapte in zijn vaders schoenen alsof ze voor hem gemaakt waren. In de tweede helft van maart ging de temperatuur omhoog en begon de wind te waaien uit Virginia met precies de goede dosis zachtheid en vochtigheid. De tulpen bloeiden. De bomen liepen uit. De vrouw van Douw van der Meulen beviel op de eerste mei van een drieling, het vee plantte zich voort en vermeerderde zich, en voor zover bekend werd er nergens in het stroomdal een tweekoppig kalf geboren, en de varkens hadden worpen van twaalf en veertien (maar nooit dertien, nee) en de biggetjes kwamen stuk voor stuk ter wereld met drie keurige krullen in hun staart. Het leek of de wereld eindelijk haar draai weer gevonden had.

Maar er zou nog één uitbarsting volgen, een van een orde die het begrip van de eenvoudige boeren en rechtschapen kinkels van Van Wartwyck en Croton te boven ging. Die uitbarsting had te maken met patenten, met Willem III, die verre, doorluchtige monarch, en met Stephanus van Wart, die geen patroon meer was maar heer van het met een nieuw charter bekrachtigde Van Wart-goed. Zij greep vooruit naar de nabije toekomst, waarin het machtsgebied van de Van Warts heel Noord-Westchester zou beslaan. En zij greep – in een onnaspeurlijke lijn via de dood van Wolf Nysen, Wouters ontgoocheling en de rebellie van Jeremias – terug naar de dag waarop Oloffe van Wart een ontevreden haringvisser naar de Nieuwe Wereld haalde om land voor hem te ruimen en te bewerken. Niemand wist het nog, maar de eindkamp was ophanden, de laatste krachtmeting tussen Van Warts en Van Brunts, het moment dat de tongen in beweging zou brengen als nooit tevoren en daarna de dekens over Van Wartwyck zou trekken voor een middagslaap die twee en een halve eeuw zou duren.

Aan de ene zijde bevonden zich Stephanus van Wart, inmiddels een van de twee of drie rijkste mannen in de kolonie, eerste heer van het landgoed, vertrouweling van de gouverneur, en zijn trawanten Van den Post en de ondoorgrondelijke dwerg. Aan de andere zijde bevond zich Cadwallader Crane, vriend van de nederige worm en de opfladderende vlinder, treurend weduwnaar, onwetenschappelijk wetenschapper, een jongen gevangen in een hoekig mannenlichaam. Verder was daar Jeremy Mohonk, de wilde, de zwijger, de ongetemde halfbloed met de Hollandse ogen. En ten slotte was daar uiteraard, gebukt onder de met tegenzin gedragen last van de historie en de omstandigheden, Wouter van Brunt.

BARROW

Het leek wel of Walter een vlucht had geboekt naar Tokio of Jakoetsk, zo lang als zijn reis duurde met al die vertragingen door mist, aansluitende vluchten die eens in de drie dagen werden uitgevoerd en de slapeloze nacht die hij doorbracht op het vliegveld van Fairbanks in afwachting van een maniak met rood omrande ogen die hem, een ingenieur van een oliemaatschappij en een krat Stroh-bier naar Fort Yukon, Prudhoe Bay en Barrow zou brengen in een vierzits-Cessna die was afgebeten tot op het naakte metaal door weersomstandigheden waar hij zich liever geen voorstelling van maakte. De man van de oliemaatschappij – bebaard, met zijn benen in een groen, enorm soort lieslaarzen en met een parka aan die het Michelinmannetje ook zou hebben gepast – ging achterin zitten en Walter nam de stoel naast de piloot. Het was 3 november, halftien 's ochtends, en het was nog maar net licht. Tegen tweeën, verzekerde de olieman hem, zou het weer zwart nacht zijn. Walter keek omlaag. Hij zag ijs, sneeuw, de verlatenheid van heuvels en dalen zonder wegen, zonder huizen, zonder mensen. Pal voor hen lag, in de roze weerschijn van de lage zon achter hen, de getande karteling van Brooks Range, het noordelijkst gelegen gebergte op aarde.

De Cessna stuiterde en sidderde. Het gebrul van de motor was een bombardement waar geen eind aan kwam. Het was om te sterven zo koud. Walter staarde uit over de leegte tot zijn vermoeidheid de overhand kreeg. Half doezelend richtte hij zijn blik op het alarmerende briefje dat met plakband aan het groezelige plastic handschoenenkastje hing: DIT TOESTEL IS TE KOOP, stond er in bibberige hoofdletters: $10.500, INFORMEER BIJ RAY. Informeer bij Ray, dacht hij, en toen viel hij in slaap.

Hij werd met een schok wakker toen ze landden in Fort Yukon, waar het krat bier van boord ging. Ray grijnsde als een lustmoordenaar en schreeuwde iets wat Walter niet verstond, waarna ze naar een onguur uitziende keet taxiden om bij te tanken; de olieman stapte uit om de benen te strekken, hoewel het iets van min drieëndertig was en er een beste wind stond, en Walter sukkelde weer in slaap. Van Fort Yukon ging het verder over Brooks Range en de duisternis in. De olieman stapte uit in een oord dat Deadhorse heette, waar, verzekerde hij Walter, genoeg olie in de grond zat om heel Saoedi-Arabië in te verzuipen. En toen waren alleen Ray en Walter nog over, ijlend door de eindeloze nacht, op weg naar Barrow, vijfhonderd dertig kilometer boven de poolcirkel, de noordelijkste stad in Amerika, eindpunt der eindpunten.

Toen de lichtjes van Barrow in zicht kwamen op de blanco pagina van de toendra, draaide Ray zich naar Walter en riep iets. 'Wat?' riep Walter terug, terwijl hij bekropen werd door bange voorgevoelens, zijn maag wegzakte en de misselijkheid hem bij de keel greep – hier? dacht hij, mijn vader woont híér?

'Je voet,' riep Ray. 'Ik zag daarnet in Fairbanks dat je moeite had met instappen. Ben je een poot kwijt?'

Een poot kwijt. Walter staarde naar de naderbij komende lichten en zag het beeld van zijn vader, en ineens werd het gebrul van het vliegtuig het gebrul van het spookachtige motorflottielje in die noodlottige nacht in Sleepy Hollow-land. Een poot kwijt. Ja, nogal.

'Nee,' schreeuwde Walter, terwijl hij de handgreep vastpakte toen een windstoot het toestel een gooi gaf, 'ik ben ze allebei kwijt.'

Ray schreeuwde iets tegen de harde wind in toen Walter de gebarsten ijsbaan van de landingsstrook op sjokte. Walter verstond hem niet, kon uit de toon niet eens opmaken of de man met wie hij zo juist zijn leven had gewaagd in een gammele aftandse machine die voor 10.500 dollar te koop was hem een heilwens nariep, hem waarschuwde of hem uithoonde. 'Geluk!' en 'Kijk uit!' en 'De mazzel, zielepoot!' klinken allemaal zo ongeveer hetzelfde als de temperatuur rond de min veertig is, de wind over het bevroren zeewater aan komt scheuren zonder over een afstand van God-mag-weten hoeveel duizend kilometer enig obstakel te zijn tegengekomen en je de trektouwtjes in de met bont gevoerde capuchon van je parka tot stikkens toe hebt aangesjord. Zonder zich om te draaien stak Walter zijn hand op ten teken dat hij iets gehoord had. En viel prompt voorover op het scherp geribbelde ijs. Toen hij zich overeind gewerkt had, was Ray verdwenen.

Voor hem lagen de zes diepgevroren rechthoeken met houten keten waaruit de wereldstad Barrow bestond, met zijn bevolking van drieduizend zielen, waarvan negentig procent, had Ray hem verteld, Eskimo's. Eskimo's die een vliegende hekel hadden aan yanken. Die op hen spuugden, op hen pisten, hen in stukken reten met de glinsterende scherpe messen van hun overhuifde ogen. Slecht in balans door het gewicht van zijn koffer waggelde Walter verder in de richting van de lichten, en tussen de hoekige, ongelijke ijsknoesten kogelde hij heen en weer als tussen de veren in een gigantische flipperkast. Hij had het heel zijn leven nog nooit zo koud gehad, zelfs niet de keren dat hij in oktober in Van Wart Creek was gaan zwemmen of in de tijd dat hij naar de werkgroep filosofie rende in de stad waar hij had gestudeerd, waar het wel eens min dertig werd. Gesloten deuren, dacht hij. De ziekte tot de dood. Barrow. Er was een vergissing in het spel, dacht hij, de een of andere cartograaf had het verkeerd begrepen. Bar, had het moeten zijn. Hij liep door, viel nog twee keer en begon spijt te krijgen van zijn Jack London-grapjes. Dit was menens.

Vijf minuten later wankelde hij de hoofdstraat in – de enige straat – van Barrow, laatste toevluchtsoord en thuis van Truman Van Brunt. Hoopte hij althans. De landingsstrook mocht verlaten zijn, de straat was tamelijk levendig, de temperatuur in aanmerking genomen. Sneeuwsleeën knersten en sputterden om hem heen, op en neer racend door de straat; honden die eruitzagen als wolven – of waren het wolven? – vochten en grauwden en zwalkten in troepen heen en weer; gestalten als monniken met kappen sjokten voorbij in de schaduwen. Walters hand, de hand die de koffer droeg, was ondanks zijn thermowanten gevoelloos geworden en grimmig dacht hij terug aan een van de grapjes waarmee hij Jessica had proberen te ontdooien; zijn voeten waren inderdaad op dit weer berekend.

Er stond een steeds feller wordende wind. De haartjes in zijn neusgaten waren van kristal en zijn longen voelden of ze zo uit de diepvries kwamen. Hij was al drie blokken met raamloze houten keten voorbij gestrompeld – op de meeste daken lagen, buiten bereik van de honden, hompen bevroren vlees, bloedrode naakte ribstukken en dergelijke – en nog steeds was er geen hotel, bar of restaurant te bekennen. Er restten nog maar drie blokken, en wat dan? Hij zag zich al doelloos op en neer sjokken door die ijzige, donkere, akelige straat en zich ten slotte oprollen tot een bal, zodat hij doorvroor als een runderbout, ten dode opgeschreven als de onachtzame trekker in het verhaal van Jack London, toen hij eindelijk aan zijn linkerhand een lichtreclame van Olympia Beer zag, rood neon met witte letters, glimmend als een luchtspiegeling in de woestijn, met daaronder een met de hand beschilderd bord waarop 'Noorderlicht' stond. Half overstuur, vertwijfeld, zo hevig bibberend dat hij dacht dat zijn schouders uit de kom zouden schieten, struikelde hij naar binnen.

Even waande hij zich in het nirvana. Licht. Warmte. Een formica tapkast, krukken, tafeltjes, mensen, een punt appeltaart in een groezelige glazen vitrine, een jukebox met een regenboog erboven in gloeiend neon. Maar ho even, wat was dit eigenlijk voor een tent? Het stonk er als een latrine. Naar kots, oververhitte pis, ranzig vet, verschaald bier. En het zat er stampvol. Met Eskimo's. Eskimo's. Hij had nog nooit een Eskimo gezien, behalve in boeken en op de tv –

maar misschien was dat gewoon Anthony Quinn geweest met poollaarzen aan zijn voeten op een veldje achter de studio in Burbank. Maar goed, dit waren ze dus echt, hangend, staand, zittend, duttend, drinkend, aan hun geslachtsdeel krabbend, een gezelschap dat eruitzag of het uit een zak geschud was. Hun ogen – geniepig, zwart, diep verscholen in de spleetjes tussen hun oogleden – waren op hem gericht. Hun haar was vettig, hun gebit verrot, hun gezicht uitdrukkingsloos. Stuk voor stuk – en hij kon geen mannen of vrouwen of jongens of meisjes onderscheiden – waren ze gekleed in dierlijk bont. Walter zette zijn koffer in de hoek en schuifelde naar de bar, waarop een roodgloeiend straalkacheltje stond.

Er stond niemand achter de toog, maar op de tafeltjes stonden vuile borden en bierflessen, en een paar Eskimo's zaten boven een bord patat met – zo te zien – een hamburger. Niemand zei iets. Walter begon zich bekeken te voelen. Opgelaten. Hij schraapte zijn keel. Verplaatste zijn voeten. Keek naar de vloer. Toen hij zestien was, waren Tom Crane en hij in Lola's auto naar New York gereden, naar een adres dat ze niet kenden – ergens ter hoogte van de honderddertigste of de honderdveertigste straat – omdat Tom een advertentie had zien staan waarin een filiaal van Hearns goedkope jazz-elpees aanbood. Het was de eerste keer dat Walter in Harlem kwam. Dat wil zeggen: op straat. Gedurende heel het uur dat ze er waren zag hij maar twee blanke gezichten – het zijne in de vuile etalageruiten en dat van Tom. Het was een raar gevoel, een gevoel van vervreemding of ontheemding – van schaamte zelfs haast voor zijn blanke huid. Zolang dat uur duurde verlangde hij vurig, uit de grond van zijn hart, zwart te zijn. Afgezien daarvan gebeurde er niets. Ze kochten hun platen, stapten weer in de auto en reden terug naar de voorsteden, waar alle gezichten blank waren. Het was een les, dat besefte hij terdege. Een ervaring. Iets wat iedereen een keer mee zou moeten maken.

Maar op de een of andere manier had hij nooit de behoefte gehad het nog eens over te doen.

Hoe lang stond hij daar nu al – een minuut, vijf minuten, een uur? Dit was erger, veel erger, dan Harlem. Hij had nog nooit een Eskimo gezien. En nu zag hij Eskimo's waar hij keek. Hij waande zich op een andere planeet. Hij durfde niet goed op te kijken. Juist toen hij het idee kreeg dat alles beter was dan dit – doodvriezen op straat, aan flarden gescheurd worden door wolfshonden, platgereden worden door dronken motorsleeërs – zwaaiden de klapdeurtjes naar de keuken open en kwam er een overweldigend blonde, zwaar opgemaakte, broodmagere vrouw van Lola's leeftijd het café binnen gedraafd, met de lange halzen van zes bierflessen in de ene hand en een bord met iets dampends in de andere. 'Ik kom bij je, knul,' zei ze, en ze schoof langs hem, met haar handen hoog in de lucht.

De serveerster leek de ban te hebben gebroken. Ze zette de flessen bier en het dampende bord neer, en de tent kwam weer tot leven. Er ontstond een zacht geroezemoes van gemompelde gesprekken. Een oude man met een gezicht zo gelooid en dood als het gezicht van een verschrompeld hoofd dat Walter een keer in een museum had gezien, werkte zich duwend langs hem met een blik vol woedende haat en viel haast boven op de jukebox. Vervolgens probeerde een tienerjongen – ja, hij begon nu verschil te zien – zijn aandacht te trekken, waarop Walter verlegen wegkeek. Maar nu was de serveerster bij hem, en Walter keek in haar vermoeide grijze ogen en meende even dat hij terug was in Peterskill. 'Zeg het maar,' zei ze.

De oude man stond met een kwartje bij de jukebox te prutsen, liet het vallen en vloekte zacht maar hartgrondig; het ontging Walter wat hij precies zei maar het was een verwensing die ongetwijfeld refereerde aan zeerobben, kajaks en iemands moeder. Of kon het zijn dat hij iets over yanken had gezegd? Hufterige rot-yanken?

'Eh,' hakkelde Walter, terwijl hij verwoed aan de trektouwtjes van de parka sjorde, 'eh... koffie?' piepte hij uiteindelijk.

De bardame draaide zich zonder plichtplegingen naar de dichtstbijzijnde Eskimo, zei 'Charley' en gaf een ruk met haar hoofd. Met een donkere trek op zijn gezicht stond de man op van zijn kruk en zwalkte met een fles bier in zijn hand naar de andere kant van het café.

'Maar ik...' protesteerde Walter.

'Zitten,' zei de serveerster.

Walter ging zitten.

Hij was bezig aan zijn tweede kop koffie en had tekenen van leven ontdekt in zijn vingertoppen toen de oude man bij de jukebox eindelijk zijn kwartje had teruggevonden en in de gleuf stopte. Er klonk een mechanisch gezoem, gevolgd door de plof waarmee de plaat op de draaitafel viel, en daarna zette Bing Crosby 'White Christmas' in, zingend voor een gehoor van grimmige, zwijgzame dronken mannen in bont, een gehoor van vet, een verdwaalde punt appeltaart, houten keten, de ijsvlakte, bevroren hondedrollen op straat, zingend voor Walter over de witte kersten van vroeger...

Was dit een grap? Een schimpscheut? Walter durfde niet om zich heen te kijken.

'Bijvullen?' vroeg de serveerster, met een dampende pyrex pot in de aanslag.

'Eh, nee, nee dank u,' stamelde Walter, en voor de duidelijkheid legde hij zijn hand op zijn beker, 'maar, eh, mag ik u iets vragen?'

De serveerster schonk hem een grote lippenstiftglimlach. 'Tuurlijk. Zoek je iemand?'

'U kent hem misschien niet. Ik bedoel: het kan zijn dat hij hier niet meer woont. Truman Van Brunt?'

Iedereen, behalve Bing Crosby, verstomde. De glimlach van de serveerster was verdwenen. 'Wat moet je van hem?'

'Ik ben' – hij kon het niet zeggen, kreeg de woorden niet over zijn lippen gespogen – 'ik ben zijn zoon.'

'Zijn zoon? Hij heeft helemaal geen zoon. Hoe kom je daar bij?'

Niets had hem kunnen voorbereiden op dat moment. Het kwam aan als een zet van achteren, als iets onbeweeglijks in de wegberm. Hij was nergens meer. Hij wilde een gat graven in het vuile zeil onder zijn voeten en erin gaan liggen tot de wereld dichter naar de zon gekropen was en er voor het raam palmbomen bloeiden. *Hij heeft helemaal geen zoon*. Daar had hij dan zesduizend kilometer voor afgelegd.

De mond van de serveerster was een strakke streep vol achterdocht. De Eskimo's sloegen hem zwijgend gade, en de onverschilligheid in hun ogen had op slag plaats gemaakt voor leedvermaak, alsof het spektakel elk moment kon beginnen, alsof Walter – groot en blank, met zijn vuilrode haar en zijn onwaarschijnlijke ogen en die voeten die niet wilden – deel uitmaakte van een rondreizend circus. En Bing, Bing die ging maar door met zijn gekweel over dagen die zo vrolijk en blij waren...

'Hé, meester.' De jonge Eskimo die al eerder zijn aandacht had proberen te trekken was naast hem komen staan. Walter keek in het brede, gladde gezicht en de aarzelende ogen van een jongen van een jaar of veertien. 'Meneer Van Brunt woont daar,' priemend met zijn duim, 'het derde huis links, met een kapotte oude auto voor de deur.'

Walter kwam versuft overeind, wurmde een verkreukelde dollar uit zijn zak en liet die op de bar vallen naast zijn beker. Hij had het warm, hij plofte haast in die zware parka, en hij voelde zich licht in zijn hoofd. Hij bukte zich om zijn koffer te pakken, draaide zich toen weer om naar de jongen en knikte ten teken van zijn erkentelijkheid. 'Bedankt,' zei hij.

'Ja, best,' zei de jongen, en zijn grijns ontblootte zwarte tandstompjes, 'ik heb les van hem.'

Het was vier uur 's middags en zo donker of het middernacht was. Over twee weken zou in Barrow de zon voor het laatst ondergaan – dat wil zeggen: tot 23 januari van het volgend jaar. Walter had er iets over gelezen in *Alaska: het laatste stuk ongerept Amerika*, meppend naar muskieten in de weelderig bloeiende tuin achter zijn huurhuisje in Van Wartville. Nu was hij er dan. Op de treden voor het Noorderlicht om precies te zijn, en de duistere straat in kijkend naar een Buick uit '49 die op klossen stond voor een onopvallende, lage houten keet die zich in niets onderscheidde van de andere, of het moest zijn doordat er geen kariboekadavers aan het dak vastgevroren zaten. Het huis van zijn vader. Hier, aan de ingevroren achterzijde van het nietste niets.

Walter liep de straat in, met de wind in zijn rug en een koffer die zijn arm neertrok. 'Kijk uit, klootzak!' schreeuwde een met gillende motor voorbijschietende kamikazepiloot op een ijs onder zijn rupsbanden vandaan werpende motorslede, en toen Walter opzij sprong belandde hij tussen een troep grauwende honden die elkaar bevochten rond een homp aan het ijs vastgevroren afvalvlees bij zijn voeten. Barrow. Het zweet vroor vast aan zijn huid, zijn vingers waren gevoelloos, en veertien bloedbeluste wolfshonden rukten elkaar aan flarden rond zijn voeten. Hij was nu zo ongeveer een halfuur in de stad en hij had er al meer dan genoeg van. In plotselinge woede haalde hij fel uit naar de honden, de koffer hanterend als strijdknots en luid vloekend tot de wind hem zijn stem benam, en vervolgens wankelde hij tegen de wal van bevroren huisvuil en hondestront op die zich als een gevangenismuur verhief voor zijn vaders huis. Vijftig meter. Meer was het niet van het café naar de drempel van zijn vaders voordeur, maar het waren de zwaarste vijftig meters van zijn leven. *Hij heeft helemaal geen zoon.* Zesduizend kilometer om deze korte mededeling te vernemen uit de mond van een vreemde, een tang in een slobbertrui met twee ton make-up. Ja, dat had pijn gedaan. Hoe hard, zielloos en ongevoelig hij ook was.

Walter aarzelde op de verijsde stoep. Hij voelde zich een soort zielige, mishandelde wees uit een verhaal van Dickens – wat moest hij zeggen? Hoe moest hij hem noemen – pa? Vader?? Verwekker??? Hij was moe, terneergeslagen, verkleumd tot op het bot. De wind huilde. In zijn ooghoeken zat een soort smeltende sneeuw. Maar plotseling kon het hem allemaal niet meer schelen – die klootzak hád toch helemaal geen zoon? – en begon Walter uit alle macht op de verweerde, uitgebeten deur te rammen. 'Hé!' schreeuwde hij. 'Doe open! Iemand thuis?' Bonk, bonk, bonk. 'Doe godverdomme die deur open!'

Niets. Geen beweging. Geen reactie. Hij had net zo goed op de deur van zijn eigen grafhuisje kunnen staan bonken. Zijn vader moest hem niet, was niet thuis, bestond niet. Walter besefte toen dat hij daar op de stoep zou sterven, stijf bevroren als een van die groteske kadavers op het dak bij de buren. Dan moest hij het zelf maar weten, dacht hij bitter. Zijn zoon, zijn enige kind, de zoon die hij had verloochend en verlaten, bevroren bij hem op de stoep als een willekeurige homp vlees. En toen hoopten zich ineens de woede en de frustratie en het zelfmedelijden in hem op tot hij de greep over zichzelf verloor en zijn hoofd in zijn nek gooide en krijste als een dier dat gevangen is in een klem, het trauma van een heel leven uitschreeuwde – al die schimmen en visioenen, het afgescheurde vlees, de wonden die nooit meer genazen – dat alles kwam samen in de naakte, hartverscheurende weeklacht die oprees uit zijn buik en de wolfshonden verschrikte en de wind overstemde: 'Pa!' snikte hij. 'Pa!' De wind benam hem de adem, de kou drong op. 'Papa, papa, papa!'

Op dat moment zwaaide de deur open, en daar stond hij: Truman Van Brunt, knipperend naar het duister, het ijs, naar Walter. 'Wat?' zei hij. 'Hoe noemde je mij?'

'Pa,' zei Walter, en hij wilde zijn armen om hem heen slaan. Hij wilde het. Echt. Hij wilde het zielsgraag. Maar hij kon zich niet bewegen.

Veertig graden onder nul. En een sterke wind. Truman stond daar in de deuropening, nog altijd fors, nog altijd krachtig, met vuilgrijze schichten tussen de dieprode giftanden van zijn in woeste plukken rond zijn hoofd dansende haar en een uitdrukking van volstrekte verbijstering op zijn gezicht, alsof hij uit een droom was ontwaakt in een werkelijkheid die ook een droom was: 'Walter?' zei hij.

Binnen heerste de nauwgezette orde van een monnikscel. Twee vertrekken. Een houtkachel in de hoek van het voorste, boekenplanken aan drie van de wanden, een kitchenette tegen de vierde, een glimp van een keurig opgemaakt bed, een nachtkastje en nog meer boeken in het achterkamertje. De boeken droegen titels als *Boeren in opstand tegen Van Warts en Livingstons*, *North Riding: officiële akten en stukken*, *Onder zeil op de Hudson*, *Volksgeneeskunde der Delawares*, *Geschiedenis van de Indiaanse stammen in het stroomgebied van de Hudson*. Vlak bij de kachel, zo dichtbij alsof het brandhout was, stond een bureau met stapels papier waartussen zich de donkere bult verhief van een grote zwarte oude schrijfmachine. Onder het bureau stond een krat Fleischmann-gin. Stromend water was er niet.

Zijn vader had twee bekers warme bitter-lemon met gin ingeschonken eer hij goed en wel zijn parka uit had, en Walter zat nu in de met lappen verstelde bekleding van een luie stoel de boektitels te lezen, met zijn gevoelloze handen om de warme beker. Truman zat schrijlings op een houten stoel tegenover hem. In de kachel knapperde het. Buiten klonk het geluid van de poolwind, als een soort permanente ruis in een slechte telefoonverbinding. Walter wist niet wat hij moest zeggen. Daar zat hij dan, ten langen leste, pal tegenover zijn vader, en hij wist niet wat hij moest zeggen.

'Dus je hebt me dan toch gevonden,' zei Truman ten slotte. Zijn stem was dik, traag van de alcohol. Hij maakte niet bepaald een opgetogen indruk.

'Jawel,' zei Walter een ogenblik later, strak naar zijn beker kijkend. 'Heb je mijn brieven niet gekregen?'

Zijn vader gromde. 'Brieven? Ja, jawel – er liggen hier stapels brieven van je.' Hij zette zich af tegen de stoel, duwde zich overeind en kloste naar het achterkamertje, een grote man met hoekige schouders en de vaag trieste aanblik van een reiziger die is verdwaald in een stad waar hij niemand kent. Er was niets, helemaal niets, mis met zijn benen. Of met zijn voeten. Even later slofte hij de kamer weer in met een kartonnen doos en knikkerde die bij Walter op schoot.

In de doos zaten de brieven: Walters hoopvolle handschrift, de postmerken, de afgestempelde postzegels. Daar waren ze. Van de eerste tot de laatste. En er was er niet één opengemaakt.

Hij heeft helemaal geen zoon. Walter sloeg zijn ogen op van de doos en keek in zijn vaders glazige blik. Ze hadden elkaar niet aangeraakt bij de voordeur, hadden elkaar niet eens een hand gegeven.

'Hoe wist je waar je me zoeken moest?' vroeg Truman ineens.

'Dat heeft Piet me verteld. Piet.'

'Pete? Pete wie? Ik ken geen Pete.' De oude Van Brunt droeg een volle baard, zo rood als die van Erik de Veroveraar, met een grijs waas rond zijn mond. Zijn haar was lang en zat van achter in een paardestaartje. Hij keek dreigend.

De gin werkte als antivries in Walters aderen. 'Zijn achternaam weet ik niet meer. Het was een klein mannetje – weet je niet, je vriend van vroeger, toen...' Hij wist niet hoe hij het moest formuleren. 'Ik had van Lola over hem gehoord, en over de rellen en dat...'

'Je bedoelt Piet Aukema? De dwerg?'

Walter knikte.

'Jezus. Die heb ik al in geen twintig jaar meer gezien – hoe kon hij in godsnaam weten waar ik zat?'

Walters maag zakte weg. Hij had het gevoel dat de geschiedenis hem vastklemde als een bankschroef. 'Ik heb hem in het ziekenhuis ontmoet,' zei hij, alsof dat feit zijn verhaal op de een of andere manier geloofwaardiger zou maken. 'Hij zei dat hij kort tevoren een brief van je gehad had. Uit Barrow. Hij zei dat je voor de klas stond.'

'Dan liegt hij dat hij barst!' raasde Truman, en met een gezicht dat opgezwollen was van plotselinge woede wankelde hij overeind. Verwilderd keek hij om zich heen, alsof hij zijn beker tegen de wand wilde smijten of de kachel van de vloer wilde rukken of iets dergelijks, maar toen maakte hij een wegwerpgebaar met zijn hand en ging weer zitten. 'Wat kan mij het ook verdommen,' bromde hij, en hij keek Walter strak in zijn ogen. 'Ik ben hoe dan ook blij dat je er bent,' klonk het plotseling dreunend en een ietsje te joviaal, alsof hij zichzelf wilde overtuigen. 'Je bent een knappe vent geworden, weet je dat?'

Walter had dit van zich af kunnen werpen – *Maar niet dank zij jouw goede zorgen!* – en met recht, maar hij deed het niet. Hij glimlachte verlegen en keek weer omlaag naar zijn beker. Het was hun vertrouwelijkste moment tot dusver.

Maar vervolgens stelde de oude Van Brunt hem voor een nieuwe verrassing. 'Er is toch niets mis met je, hè? – lichamelijk, bedoel ik. Ik zag je toch niet mank lopen toen je daarnet binnenkwam?'

Walters ogen sprongen naar hem op.

'Ik bedoel, het gaat mij niet aan... maar, eh... je moet hier heel erg uitkijken voor bevriezing, hoor.' Hij haalde zijn schouders op en wierp toen zijn hoofd in zijn nek om zijn beker leeg te drinken.

'Je wou zeggen dat je van niks weet?' Walter keek hem aan en zag de spookschepen, de donkere laan die zich voor hem uitstrekte met haar resten ijs als roofjes op het wegdek. Hij geloofde zijn oren niet. Hij was verontwaardigd. Hij was boos.

Truman keek ongemakkelijk. Nu was het zijn beurt om weg te kijken. 'Hoe moet ik ergens wat van weten?' bromde hij. 'Luister, het spijt me – dat leven ligt achter me. Ik ben een vader van niks geweest, dat geef ik toe...'

'En, en die keer dan dat je 's nachts...?' Verder kwam Walter niet; het was een hallucinatie geweest, natuurlijk, dat had hij altijd al geweten. De man die daar nu voor hem zat was ook een hallucinatie, een vreemdeling, het onstoffelijke eindpunt van een hopeloze queeste.

'Ja, ik zég toch dat het me spijt,' beet Truman hem met stemverheffing toe. Hij zette zich af tegen de stoel, stond op en liep naar de kachel. Walter zag hem zijn beker volgieten uit de ketel die erop stond. 'Wil jij er ook nog een?' De oude Van Brunt keek naar hem over zijn schouder, en zijn stem was zachter.

Walter wuifde zijn aanbod weg en worstelde zich overeind uit de stoel. 'Oké,' zei hij, en hij dacht: *de brieven, de brieven, hij heeft niet eens de moeite genomen ze open te maken*, 'ik weet dat je geen ene moer om me geeft en me liefst zo gauw mogelijk weer ziet oprotten, dus laat me nu meteen zeggen waarom ik hier naar dit achterlijke gat in het niets ben gekomen om je op te zoeken. Ik wil je het hele verhaal vertellen, ik zal vertellen hoe het voelt om allebei je voeten kwijt te raken – ja, allebei, ja – en ik zal je vertellen over Depeyster Van Wart.' Zijn hart bonsde. Dit was het dan. Eindelijk. De afrekening.

'En daarna,' zei hij, 'wil ik antwoorden.'

Truman haalde zijn schouders op. Grijnsde. Hief zijn beker alsof hij een stille toost uitbracht en dronk hem toen in één teug leeg. Hij nam de fles mee naar de stoel, ging zitten en schonk zich nog eens in, onversneden gin ditmaal. Zijn gelaatsuitdrukking was vreemd – schaapachtig en strijdlustig tegelijk, de uitdrukking van de jongen met de grootste bek van de hele school die bij het hoofd moet komen. 'Brand maar los,' zei hij, met de gin aan zijn lippen, 'laat maar horen.' Hij knikte in de richting van de deur, naar de zwartheid en de onafgebroken toendra en de ijszee die erachter lagen. 'We hebben de hele nacht de tijd.'

Walter stak van wal. En hoe. Hij vertelde hoe hij, toen hij twaalf was, heel de zomer op hem had gewacht, en de zomer daarna weer, en de zomer daarna weer. Vertelde van de pijn die dat had gedaan, hoe melaats en ongewenst hij zich had gevoeld, hoe schuldbeladen. En hoe hij eroverheen gekomen was. Vertelde hoe Hesh en Lola hem hadden gekoesterd en hem hadden laten studeren, vertelde over het zachtmoedige, lieve meisje dat hij had gevonden en met wie hij was getrouwd. En toen de eerste fles leeg was en de gin in zijn aderen brandde als zoutzuur, vertelde hij over zijn visioenen, over het gif dat hem had aangetast, vertelde hoe hij Jessica aan de spies van zijn verbittering had geregen, hoe de schim van zijn vader net zo lang zijn pad had gekruist tot zijn beide voeten tot pulp vermalen waren. Hij praatte en Truman luisterde, tot lang na het moment waarop de zon had moeten ondergaan en de kippen op stok hadden moeten zitten. Maar er waren geen kippen. En er was geen zon.

Walter was gedesoriënteerd. Hij tuurde door het beijsde raam en zag de zwarte nacht. Hij had in God-mocht-weten hoeveel uur niet meer gegeten, en hij begon de drank te voelen. Hij liet zich log achterovervallen in zijn stoel en keek naar zijn vader. Truman zat in elkaar gedoken, zijn hoofd wiebelde lummelig op de stut van zijn hand, zijn ogen zagen vermoeid en rood. En toen begon het Walter te dagen dat hij alleen maar had staan schaduwboksen, en dat dit, ondanks het gevoel van bevrijding waarmee hij zijn litanie van grieven had opgezegd, nog pas de eerste ronde was.

'Pa?' zei hij, en het woord lag hem vreemd op de tong. 'Slaap je?'

De oude man schoot overeind als uit een boze droom. 'Hè?' zei hij, instinctief zijn hand uitstrekkend naar de fles. En toen: 'O. O, ben jij het.' Buiten waaide het onverminderd door. Ongenadig, meedogenloos, onophoudelijk. 'Oké,' zei hij, en hij vermande zich. 'Jij hebt het zwaar gehad, dat geef ik toe. Maar wat dacht je van mij?' Hij ging vooroverzitten, met zijn zware schouders en die grote koperen kop. 'Denk eens aan mij,' fluisterde hij. 'Dacht je dat ik hier woonde vanwege de wintersportmogelijkheden, omdat het hier zo'n heerlijk vakantieoord is, het Tahiti van het noorden of zo iets? Ik doe hier boete, Walter. Boete.'

Hij stond op, rekte zich uit en slofte toen naar het bureau en haalde er een nieuwe fles onder vandaan. Walter zag zijn vader met een geoefende handomdraai het zegel verbreken, een beker volschenken en de fles naar hem omhooghouden. Walter wilde nee zeggen, wilde zijn hand over zijn beker leggen zoals in het café, maar hij deed het niet. Dit was een marathon, een tweestrijd, het titelgevecht. Hij stak zijn beker toe.

'Als je moe wordt,' zei Truman, 'kun je daar slapen, bij de kachel. Ik heb een slaapzak, en jij kunt de kussens van de bank halen.' Hij ging weer zitten, zijn rug krommend tegen de harde houten spijlen van de stoel. Hij nam een lange slok uit de beker en schoof toen de stoel naar voren over de vloer tot hij zo dicht bij Walter zat dat hij een wondverband had kunnen aanleggen. 'Oké,' zei hij, en zijn stem was een hard, rauw, rochelig gereutel, 'nu ga jij naar míjn verhaal luisteren.'

'Ik weet niet wat ze je allemaal verteld hebben, maar ik hield van haar. Echt.'

De oude Van Brunt dronk zijn beker leeg, gooide hem op de grond en zette de fles aan zijn lippen. Hij bood Walter geen slok aan. 'Van je moeder, bedoel ik,' zei hij, en hij veegde zijn mond af aan zijn mouw. 'Ze was niet zo maar een vrouw. Jij zult je van haar waarschijnlijk niet veel herinneren, maar ze was zo – ja, hoe moet ik het zeggen? – zo integer, snap je? Idealistisch. Zij geloofde oprecht in al dat bolsjewistische gelul, ze dacht echt dat Rusland het arbeidersparadijs was en Jo Stalin ons aller wijze oude oom.' Op het bureau achter hem brandde één schemerlamp met een koperen voet en een papieren kap; de schaduwen verzachtten zijn trekken. 'Het was een soort Major Barbara of zo. Ik had nog nooit iemand als zij meegemaakt.'

Walter zat vastgenageld in de stoel, als door magie of betovering de gevangene van die schraperige stem en de eindeloze nacht. Zijn moeder, zij met de diepbezielde ogen, stond pal voor hem. Hij rook de aardappelpannekoeken haast.

'Maar goed, jij bent dus ook getrouwd geweest? Hoe heette ze?'

'Jessica.' De naam was een pijnlijke plek in zijn binnenste. Jessica en zijn moeder.

'Juist,' zei de oude Van Brunt, met een laag knarsende, door de drank en nachten zonder einde aangetaste stem. 'Nou ja, dan weet je hoe het gaat...'

'Nee,' beet Walter hem plotseling krijgszuchtig toe. 'Hoe gaat het?'

'Ik bedoel: als het eerste vuur gedoofd is en zo...'

Walter besprong hem. 'Je bedoelt dat je haar van achter naar voren verneukt hebt. Van het begin af aan. Je bent met haar getrouwd om haar kapot te kunnen maken.' Hij wilde gaan staan maar kreeg geen beweging in zijn voeten. 'Ik herinner me haar nog wel degelijk. En dood herinner ik me haar ook. En ik herinner me de dag dat je bij haar bent weggelopen – in die auto die daar buiten staat. De auto van Depeyster Van Wart, niet?'

'Gelul, Walter. Gelul. Je herinnert je de dingen die Hesh je geleerd heeft je te herinneren.' De stem van de oude Van Brunt was effen – hij discussieerde niet, hij zette uiteen. De pijn van een en ander, de pijn waarvoor hij was gevlucht naar een schuilplaats aan de rand van de bewoonde wereld, stond op een plank in een flesje met een strak dichtgedraaide dop. Als reukzout. 'En kijk me niet zo pedant aan, kleine etter – als jij wilt weten wat pijn is moet je naar mij luisteren. Ik heb het gedaan. Ja. Ik ben een overloper, een verrader. Ik heb mijn vrouw vermoord, mijn vrienden in de val laten lopen. Dat klopt, daar hoeven we het verder niet over te hebben. Dus spreek me niet tegen, kleine hufter, maar luister.'

De temperatuur was hoog opgelopen onder de stem van de oude Van Brunt, en voor de tweede maal in even zoveel uren zag hij eruit of hij overeind wou springen om de hele tent te slopen. Walter zat stokstijf, en zo dichtbij dat hij de ginlucht in zijn vaders adem kon ruiken. 'Als je weten wilt wat erachter zit, bedoel ik. En dat wou je toch? Anders was je niet het hele eind hierheen gekomen.'

Walter knikte verwezen.

'Oké,' knikte de oude Van Brunt, 'oké,' en zijn stem was weer wat tot bedaren gekomen. Hij droeg poollaarzen en een ruime wollen trui met aan de voorkant dartelende rendieren, en toen hij voorover ging zitten, met dat grijs in zijn haar en baard, zag hij eruit als een getekende, gekwelde figuur in een oude film van Bergman, het bleke noordse orakel. 'Laat me bij het begin beginnen,' zei hij, 'bij Depeyster.'

Truman had hem in Engeland leren kennen in de oorlog – ze zaten bij G2, de inlichtingendienst van het leger, en er was onmiddellijk een band ontstaan toen bleek dat ze beide uit de omgeving van Peterskill kwamen. Depeyster was een hele bink, knap, geen doetje – en hij kon goed met een bal overweg. Dat wil zeggen: een basketbal. Als ze vrij waren speelden ze met een stel anderen wel eens een partijtje. Maar toen werd Depeyster overgeplaatst en verloren ze elkaar uit het oog. Maar waar het om ging was dat Truman Christina leerde kennen – en met haar trouwde – vóór hij weer in contact kwam met Depeyster Van Wart. En dat was de waarheid.

'Maar je was toch lid geworden van de partij,' zei Walter, 'ik bedoel, dat heb ik altijd van Lola...'

'Ach, lul niet,' spuugde Truman hem toe, en er sprong een driftige plooi in zijn voorhoofd. Hij duwde zich overeind van de stoel en beende het kamertje door. Buiten sloegen de wolfshonden jankend aan. 'Ja. Oké. Ik ben lid geworden. Maar dat kwam misschien doordat ik verliefd was op je moeder, heb je daar ooit aan gedacht? Het kwam misschien doordat ze een zekere invloed op me had en doordat ik op een bepaalde manier wilde geloven in die imbeciele blijmoedigheden over de onderdrukte arbeider en de hebzuchtige kapitalist en de hele flikkerse bende meer – mijn vader was ook maar gewoon een visser, hoor. Maar wie had er gelijk, achteraf? Op een gegeven moment krijg je die Chroesjtsjov, die begint Stalin te verguizen en de hele kolonie schijt zeven kleuren stront. Je moet de dingen wel tegen de achtergrond van hun tijd zien, Walter.' Hij bleef staan bij zijn bureau, pakte een stapel dicht betypt papier op en liet die weer vallen. Hij pakte een sigaret – een Camel – uit het pakje dat ernaast lag en hield er een aansteker bij. Walter zag dat bij al zijn bravoure zijn handen trilden.

'Dus nou ja, goed; we zijn getrouwd, een jaar, twee jaar – en dan duikt Depeyster ineens weer op. *Naderhand*, Walter,' zei hij, met voor het eerst iets smekends in zijn ogen, '*nadat* ik je moeder had leren kennen en met haar getrouwd was, loop ik hem tegen het lijf in die winkel daar bij Cats' Corners, op een gewone zondagmiddag; we zouden gaan picknicken, je moeder en ik en Hesh en Lola, en ik ga daar een paar blikjes bier en een pakje sigaretten halen, en daar staat hij ineens weer.' Hij zweeg, laafde zich nog eens aan de hals van de fles. 'Er zijn hier allerlei factoren in het spel, dingen waar je niets van weet. Dus sta niet zo snel klaar met je oordeel.'

Walter merkte dat hij zich vasthield aan de leuningen van de stoel alsof hij bang was dat hij eruit zou vallen, alsof hij boven in een reuzenrad zat bij een windkracht als nu buiten. 'Ik heb je gezegd,' zei hij, 'dat ik voor hem werk. Ik kan het goed met hem vinden. Dat meen ik. Volgens hem hebben Hesh en Lola ongelijk. Volgens hem ben jij een patriot.'

Truman lachte bitter; het bleke drassige groen van zijn ogen ging schuil achter rook, zijn zware bovenlijf zwaaide heel licht heen en weer van de alcohol en misschien ook van de gemoedsbeweging. 'Een patriot,' herhaalde hij, met een grimas alsof hij zijn tanden in iets bedorvens had gezet. 'Een patriot,' spuwde hij, en vervolgens ging hij voor de kachel languit op de vloer liggen en viel in slaap, met de brandende sigaret nog tussen zijn vingers.

De volgende ochtend – als je het een ochtend kon noemen – was de oude Van Brunt kribbig, afgepeigerd, katterig en pissig, zo mededeelzaam als een steen. Diep in de plooien van die eindeloze nacht had Walter hem op een gegeven moment wankelend overeind horen komen; vervolgens hoorde hij hem een glas inschenken en een telefoonnummer draaien. 'Ik blijf thuis vandaag,' grauwde hij in de hoorn. Stilte. 'Ja, klopt, ik ben ziek.' Weer stilte. 'Laat ze de grondwet maar lezen – of nee, ik weet iets beters: laat ze hem overschrijven.' Klik.

Nu was het licht – of liever gezegd: er was een merkbare vermindering in de intensiteit waarmee de duisternis tegen de ramen duwde

– en steeg levensgroot de lucht van ontbijtspek op, vermengd met een subtielere geur, een herinneringsgeur, een wrede, harteloze geur: aardappelpannekoeken. Walter schoot overeind uit de slaapzak alsof die in brand stond, levend vlees in een spookhuis. De honden jankten. Het zal rond het middaguur geweest zijn.

Truman zette hem spek voor, dubbelgebakken eieren, aardappelpannekoeken – 'Zoals je moeder ze vroeger maakte,' zei hij, met een opgeblazen, uitdrukkingloos gezicht, en verder zweeg hij tot een uur later de zon flakkerend uitging. 'Het wordt donker,' verbrak hij toen plotseling de stilte. 'Borreluur,' zei hij met een slome grijns. 'Een verhaaltje voor het slapen gaan.'

Er vloeide weer gin. Een eindeloze hoeveelheid gin. Gin die stroomde als bloed uit de wonden onder de ogen van een middengewicht. Het was nog niet eens twee uur in de middag en Walter tolde al. Onderuitgezakt in de luie stoel, met ledematen van een plastic zo licht dat het leek of ze niet meer aan zijn romp zaten, koesterde Walter een beker permafrostbestendige gin en luisterde hoe zijn vader de historie duidde als een Indiaanse *sachem* die een snoer met kralen duidt.

'Depeyster,' bromde de oude Van Brunt bij wijze van inleiding, 'we waren bij Depeyster Van Wart, niet?'

Walter knikte. Hier was hij voor gekomen.

Truman boog zijn hoofd, stak een dikke vinger in zijn glas – pure gin – en zoog eraan. 'Ik heb je gisteravond misschien niet de hele waarheid verteld,' zei hij. 'Over die keer dat ik hem tegenkwam in die winkel. Wat mij betrof was dat toeval, dat zweer ik, maar niet wat hem betrof. Nee. In wat hij doet is nooit ruimte voor toeval.'

Walter onderdrukte zijn angst, zijn woede, onderdrukte de neiging hem tegen te spreken en zakte dieper weg in de stoel; hij nam een slok gin die naar schoonmaakmiddel smaakte, en Truman ging verder.

Het was merkwaardig, zei hij, hoe nadrukkelijk Depeyster ineens terug was in zijn leven. Na die keer in Cats' Corners zag hij hem steeds vaker, ook toen hij geleidelijk aan werd opgenomen in het leven van de kolonie en de lezingen en concerten bezocht, ook toen hij lid werd van de federatie en later van de partij. Depeyster was overal. Hij stond bij Skip in de garage voor een nieuwe knalpot toen Truman er zijn schokdempers en remvoeringen kwam laten nakijken, hij zat over een glas gebogen in de Yorktown Tavern toen Truman daar na zijn werk met een van zijn maten iets ging drinken, hij stond gordijnstof te kopen bij Genung, hij stond bij Offenbacher met een zak harde bolletjes. Hij was overal. En – het voornaamste – hij zat in de trein.

Twee dagen in de week pakte Truman als om halfvijf de fluit ging zijn schafttrommel, trok een oude legerrugzak onder zijn ijzeren werkbank vandaan en liep naar het station. Hij studeerde Amerikaanse geschiedenis in New York, studeerde sociologie, transcendentale filosofie, verdiepte zich in de Amerikaanse arbeidersbeweging en de oorzaken en gevolgen van de onafhankelijkheidsstrijd, en hij kauwde een boterham weg, dronk koffie en deed huiswerk in de vijfenzeventig minuten dat de rit naar de stad duurde. Op een middag keek hij op uit zijn boek en jawel, daar zat Depeyster, gebronsd en ontspannen, in een pak en met een diplomatentas onder zijn arm. Hij moest voor zaken in de stad zijn, zei hij, en Truman had er nooit aan gedacht hem te vragen wat voor zaken er om zes uur 's avonds nog te doen waren.

Na die ene keer kwam Truman hem regelmatig tegen in de trein, soms alleen, soms samen met LeClerc Outhouse. Ze vormden een geanimeerd gezelschap. Van Wart was uiteraard een telg uit het aloude geslacht, een kenner bij uitstek van de plaatselijke geschiedenis, afgestudeerd aan Yale in 1940. LeClerc had een hele verzameling voorwerpen uit de tijd van de Revolutie, die hij voor het merendeel zelf had opgegraven, en hij wist meer van de slag om New York dan Trumans professor. Ze praatten over de geschiedenis, de actualiteit, de politiek. LeClerc en Depeyster waren natuurlijk Republikeinen van het rechtse soort, aanhangers van Dewey, en ze zagen overal communisten. In China, Korea, Turkije, in de regering. En natuurlijk in de Kitchawank-kolonie. Truman werd in de verdediging gedrongen, de verdediging van links, van Roosevelt en zijn New Deal, van de kolonie, van zijn vrouw en schoonvader en Hesh en Lola. Hij bracht er niet zoveel van terecht.

En waarom niet? Misschien omdat hij zelf twijfelde.

'Wat bedoelde je daarnet,' viel Walter hem in de rede, 'toen je zei dat er geen ruimte is voor toeval in wat hij doet? Bedoel je dat hij speciaal jou moest hebben? Welbewust?'

De oude Van Brunt ging achteroverzitten in die Esseense stoel, die harde onverduurbare pijnbank van een stoel, en wierp een geringschattende blik op hem. 'Doe niet zo achterlijk, Walter – natuurlijk. Sommige van die gasten die we hadden leren kennen bij G2 zijn na de oorlog beroeps geworden en op behoorlijk hoge posten terechtgekomen. Depeyster hield contact.'

'Dus je was een spion,' zei Walter, en alle emotie was uit zijn stem verdwenen.

Truman ging rechtop zitten, schraapte zijn keel en wendde zijn hoofd af om op de vloer te fluimen. Hij bleef een hele tijd aan het elastiekje in zijn haar zitten friemelen. 'Als je het zo wilt noemen,' zei hij. 'Ze hebben me overtuigd. Me tot inkeer gebracht. Zij en Piet.'

'Maar...' Walter was verslagen, zijn laatste hoop was een verijlende condensstreep aan een loodgrijze hemel. Het gerucht was waarheid. Zijn vader was een zak. 'Maar hoe heb je het kunnen doen?' drong hij aan, woedend in zijn verslagenheid, luid in zijn woede. 'Hoe heb je je ooit kunnen laten overhalen – hoe heb je je ooit kunnen laten overtuigen door woorden, wóórden – om je vrienden te naaien, je eigen vrouw, je' – het wou nog steeds niet door zijn strot – 'je zoon?'

'Ik had het gelijk aan mijn kant. Wat ik deed, deed ik voor een hoger principe.' De oude Van Brunt sprak of hij er geen moeite mee had, of het niet verantwoordelijk was voor de verwoesting van zijn leven, het uiteenvallen van zijn gezin en zijn afglijden naar de status van balling en dronkaard. 'Er waren wel mensen als Norman Thomas bij betrokken, mensen als je moeder, maar er zaten ook doortrapte gifmengers bij als Sasha Freeman en Morton Blum, die zorgden dat ze altíjd lachende derden waren, verraders en maniakken als Greenglass, Rosenberg, Hiss, die domweg alles kapot wilden maken wat we hadden in dit land – en zulke types had je ook in de kolonie. Je hebt ze nog steeds.'

'Maar je eigen vrouw – ik bedoel, je hebt toch wel een geweten? Hoe heb je het ooit kunnen doen?'

De oude Van Brunt zweeg een ogenblik en keek hem strak aan over de rand van de fles. Toen hij weer iets zei, was zijn stem zo zacht dat Walter hem amper verstond: 'En jij dan?'

'Ik wat? Waar heb je het over?'

'Je vrouw – hoe heette ze ook weer?'

'Jessica.'

'Jessica. Tegenover haar had je weinig last van je geweten, niet? Je hebt haar verneukt. En om een reden die je niet eens kunt noemen.' Trumans stem won weer aan kracht, bijtend, rauw, een grauw die de wind overstemde. 'En hoe zit dat met Depeyster Van Wart – "Dipe", zoals jij hem noemt? Dat is tegenwoordig je grote vriend, hè? Laat Hesh maar barsten. Weg met die ouwe. Dipe is je nieuwe held. Hij is meer je vader dan ik.'

De ogen van de oude Van Brunt glommen van boosaardigheid. 'Walter,' fluisterde hij. 'Hé, Walter: je bent al halverwege.'

Walter voelde zich ineens slap, dodelijk vermoeid, alsof hij was neergegaan en werd uitgeteld. Met inspanning van al zijn krachten kwam hij wankel overeind. 'wc,' bromde hij, en hij slingerde in de richting van de achterkamer. Hij probeerde het hoofd geheven te houden, probeerde zijn schouders te rechten en zich niet te laten kennen, maar al na vijf passen struikelde hij over zijn eigen voeten en sloeg

tegen het deurkozijn.
Knal. Einde van de tweede ronde.

Lange tijd bleef Walter over een emmer geknield in de ijskoude kast die de oude Van Brunt tot toilet diende; zijn ingewanden zwoegden, de zoetzure stank uit zijn eigen binnenste overweldigde hem. Er hing daar nog een andere lucht, de lucht van zijn vader, van zijn vaders stront, en die deed zijn maag keer op keer samenkrimpen. Zijn vaders stront. Stront in een emmer. Christina en Jessica. Truman en Walter.

In de kitchenette stond een vat. Walter maakte een kommetje van zijn handen en gooide water in zijn gezicht. Hij zette zijn mond aan de tapkraan en dronk. Buiten was en bleef het nacht. De oude Van Brunt nam, doodstil in zijn stoel, een bedachtzame slok. Walter huiverde. Het was koud in huis, hoewel Truman de kachel zo hoog had opgestookt met steenkool dat het ijzeren deurtje hing te gloeien aan zijn scharnieren. Walter liep door de kamer, raapte zijn parka op van de grond en sloeg die om zijn schouders.

'Moet je weg?' zei de oude Van Brunt, met iets van vage spot.

Walter gaf geen antwoord. Hij pakte zijn beker van de armleuning van de stoel en stak die naar voren om hem te laten bijvullen, met een blik zo strak en dreigend dat Truman wegkeek. Toen tikte hij een Camel uit het pakje, stak hem op en ging weer achteroverzitten in de stoel. Het was een gevecht over drie ronden, begreep hij inmiddels. En als het afgelopen was kon hij het vliegtuig terug naar Van Wartville nemen, voorgoed bevrijd van zijn schimmen – *Vader? Wie z'n vader? Hij had helemaal geen vader* – beschadigd, maar vrij. Er was natuurlijk nog een andere mogelijkheid. Dat de oude Van Brunt zou zegevieren. Hem zou vloeren. Verpletteren. En in dat geval zou hij in het vliegtuig stappen met zijn staart tussen zijn benen en thuis een als een roerei dooreengeklutst leven moeten opnemen, achtervolgd en belaagd tot aan zijn dood.

'Je zou het desnoods weer doen,' zei Walter ten slotte bij wijze van plaagstoot, 'want jij had gelijk, jij was een goede Amerikaan, en mijn moeder, Hesh en Lola, Paul Robeson zelfs, dat waren de verraders.'

Truman staarde in de fles. Hij zei niets.

'Ze kregen hun verdiende loon, niet?'

Stilte. De wind. De motorsleeën. Gedempte kreten. Honden.

'En dat gold ook voor de kinderen. Ik had er die dag ook bij kunnen zijn, je eigen zoon. Die kinderen die daar voor het podium aan het spelen waren – die kregen ook hun verdiende loon? Is dat wat goede Amerikanen doen – de kinderen van communisten afrossen? Zit het zo?' Walter kwam weer tot leven, begon er weer zin in te krijgen, zo belust op de confrontatie dat hij vergat aan wiens kant hij stond. Laat hem dat weerleggen, dacht hij. Laat hij me maar overtuigen. Dan heb ik rust.

Truman stond op met een zucht, roerde afwezig met zijn gin en liep toen naar de haak waaraan zijn eigen jas hing – van bont, net als wat de Eskimo's droegen. Hij pakte de muts die erboven hing, een poolvorsersgeval van leer en bont, met als vleugels opgeklapte oorkleppen, en liet die op zijn hoofd vallen. Hij liep twee keer om de stoel heen, alsof hij niet goed durfde te gaan zitten, trok de muts tot bijna over zijn ogen en nam toch weer plaats. 'Jij wilt het zwart-wit,' zuchtte hij. 'Helden en schurken. Jij wilt het simpel.'

'"Ik had het gelijk aan mijn kant," heb je gezegd. "Ik hield van haar," heb je gezegd. Dus hoe zit het nou?'

De oude Van Brunt negeerde de vraag. Toen keek hij plotseling op en hield Walters ogen gevangen. 'Ik wist niet dat ze dood zou gaan, Walter. Het was een scheiding, zo zag ik het. Iets wat zo vaak voorkomt.'

'Je hebt haar niet alleen in de rug gestoken, je hebt het mes ook nog een paar keer rondgedraaid,' zei Walter.

'Ik was jong, in de war. Net als jij. Je hokte niet in die tijd, je trouwde. Ik hield van haar. En van Marx en Engels en de socialistische revolutie. Drie en een half jaar, Walter – dat is een hele tijd. Dat kan het zijn tenminste. Ik ben veranderd, ja? Is dat een misdrijf? Net als jij, net als jij, Walter.

Je moeder was een heilige. Onzelfzuchtig. Goed. Rechtschapen. Alleen die ogen van haar al. Maar misschien té goed, té zuiver, snap je wat ik bedoel? Misschien voelde ik me in vergelijking met haar een zak, wilde ik haar daarom pijn doen – een klein beetje misschien maar. Net als jij met je Jessica, niet? Heb ik gelijk? Een dikke deken van deugdzaamheid?'

'Je bent een klootzak,' zei Walter.

Truman glimlachte. 'Net als jij.'

Er viel een stilte. Toen ging Truman verder. Het was fout van hem geweest haar zoveel pijn te doen, zei hij, dat wist hij, en dit leven was zijn boetedoening, dit gesprek getuigde van zijn berouw. Hij had gewoon moeten vertrekken, weg moeten wezen. Hij had haar moeten waarschuwen. Maar al anderhalf jaar had hij geheime ontmoetingen met Depeyster, LeClerc en de anderen – veteranen, net als hij – en hij had ze informatie gegeven. Niet dat het veel voorstelde – notulen van vergaderingen, wie wat zei op partijbijeenkomsten – niets eigenlijk, en hij had er nooit een cent voor aangenomen. Wilde hij ook niet. Hij was honderd tachtig graden gedraaid en hij geloofde in zijn hart dat het goed was wat hij deed.

Natuurlijk ging het niet pijnloos. Hij begon meer te drinken, bleef zoveel mogelijk weg van huis, keek in Christina's martelaarsogen en voelde zich een misdadiger, een zak, voelde zich de judas met de januskop die hij was. 'Maar weet je, Walter,' zei hij, 'soms is het wel lekker om je een zak te voelen, weet je wat ik bedoel? Het lijkt soms wel iets waar je behoefte aan hebt. Iets wat in je bloed zit.'

De week die voorafging aan het concert was de ergste uit zijn leven. Het einde naderde, en dat wist hij. Hij was elke avond de deur uit om zich te bedrinken. Hij trok veel met Piet op, en dat hielp. Piet stond altijd klaar met een grapje, een arm om zijn schouder. Raar kereltje. 'Wat moet ik doen, Piet?' vroeg Truman. 'Doe wat je moet doen,' zei Piet. 'Laat ze maar op hun bek gaan. Joden, communisten, nikkers. De wereld is zo rot als een mispel.' Dit keer kwam er wel geld aan te pas. Geld om weg te komen en overnieuw te beginnen, uit te zoeken hoe het verder moest. Ergens. Waar dan ook. In Barrow desnoods. Het was niet de bedoeling dat hij de auto zou meenemen – hij had hem te leen. Maar toen het voorbij was, haatte hij Depeyster heviger dan Sasha Freeman en de wereldomspannende communistische samenzwering. Omdat Depeyster ervoor had gezorgd dat hij zichzelf haatte. Dus hield hij de auto. Ragde hem af. Zeven jaar, acht jaar, naar het noorden en terug. Tot hij het begaf. Tot er geen reden meer was om terug te gaan.

En dan te bedenken dat alles vergeefs was.

Sasha Freeman en Morton Blum en hun opdrachtgevers waren Depeyster al die tijd een stapje voor geweest. 'Als jij het over opportunisme wilt hebben,' grauwde Truman, 'als je het over cynisme wilt hebben, vergeet dan niet dat hufters als Freeman en Blum de experts waren op dat gebied.'

Truman zou de jongens op een gegeven moment wijzen waar ze zijn moesten om de boel kort en klein te slaan – om Robeson en Connell en al die andere nikkervrienden een pak slaag te geven, ze een les te leren die ze nooit meer zouden vergeten: *Word wakker, Amerika: Peterskill is u voorgegaan!* Dat stond Depeyster voor ogen. Dat was het plan. Truman zou de goede zaak dienen, en daar zou hij duizend dollar voor krijgen, zodat hij zich los kon maken uit zijn omgeving en ergens anders opnieuw kon beginnen. Maar het werkte natuurlijk averechts. Sasha Freeman zou de woestelingen zelf de weg gewezen hebben als hij ter plaatse was geweest. Met alle liefde. Want daar aasde hij al een hele tijd op: een gelegenheid om de gemoederen op te hitsen tot het kookpunt, zodat er, binnen bepaalde perken, onschuldige slachtoffers vielen, liefst met wat gebroken botten en bloedneuzen, met krantefoto's van vrouwen met bloedvlekken in hun blouses. En als er zo'n arme zwarte aap gelyncht werd, dan was het helemaal mooi. Een beetje lievig samen zingen? Dat leverde niks op.

'Dus vertel jij me nou eens, Walter,' zei de oude Van Brunt, zich naar hem vooroverbuigend, 'wie hier de schurken waren.'

Walter had het antwoord niet. Hij sloeg zijn ogen neer en keek vervolgens zijn vader weer recht aan.

Truman zat met zijn vingers aan zijn rechteroor. De lel was misvormd, ineengeschrompeld als de plooi van een in de zon gedroogde abrikoos. Walter wist wat er aan de hand was met dat oor. Een granaatscherf, had de oude Van Brunt gezegd toen hij Walter – acht, negen, tien jaar oud – meenam naar de schraagbrug om krabben te vangen. 'Toen is dit gebeurd,' zei Truman ineens, want berouw is niet compleet als het niet welgemeend en alomvattend is.

'Je hebt altijd gezegd dat je dat aan de oorlog had overgehouden.'

De oude Van Brunt schudde zijn hoofd. 'Aan die avond. Het is mijn judasteken. Heel raar zoals dat gegaan is.' Hij had zijn ogen toegeknepen tegen de rook van zijn vijftigste Camel, en over zijn gezicht lag een soort uitdrukking van verbazing. Of onbegrip. 'Het was voorbij en wij waren weg, Piet en ik, weg uit het gewoel; we liepen over een zandweggetje naar waar we de auto geparkeerd hadden toen er ineens een gek opdook uit de struiken die me van achter neerhaalde. Ik was een grote sterke vent in die tijd. Maar die gozer was sterker. Hij zei niets, hij begon gewoon op me in te slaan – hij wou me dood hebben. En dat is geen woord te veel gezegd. Wonderlijke zaak...'

'En toen?' drong Walter aan.

'Het was een Indiaan. Zoals je ze op tv ziet – of in New Mexico.' Stilte. 'Of hier als je uit het raam kijkt. Stonk als een beerput, ingesmeerd met vettigheid, veren in zijn haar, de hele zooi. Hij zou me vermoord hebben, Walter – en misschien had hij dat maar moeten doen ook – als Piet er niet geweest was. Piet wist hem van me af te krijgen. Stak hem met zijn stiletto. Toen sprong een heel stel mannen hem in zijn nek, vijf of zes of meer, ik weet het niet. Maar die vent moest mij hebben – alleen mij – en ik heb nooit begrepen waarom. Ze hadden zijn handen vast en toen beet hij me. Als een dier. Hij ging neer, Walter, en hij nam een stuk van mij met zich mee.'

Walter ging achteroverzitten. Nu wist hij alles, het gevecht was voorbij, en wat was hij er wijzer van geworden? Zijn vader was niets, geen held en geen schurk, hij was gewoon een man, zwak, onbetrouwbaar, verward, aan het zwaard van de geschiedenis geregen, onherstelbaar verwond. Maar wat dan nog? Wat wilde het zeggen? De dwerg. Piet. De nachtmerries op klaarlichte dag en de hallucinaties, een leven op dode voeten, de gedenkplaat, Tom Crane, Jessica. *Je bent al halverwege*, had de oude Van Brunt gezegd. Kwam het daarop neer? Dat hij in zijn vaders voetsporen trad? Dat de geschiedenis zich tegen hem keerde?

'Idioot, hè?' zei de oude Van Brunt.

'Wat?'

'Dat van mijn oor. Die Indiaan.'

Walter knikte afwezig. En vervolgens grauwde hij, als om dat knikje te corrigeren: 'Wat kan mij dat eerlijk gezegd schelen? Ik ben hier niet voor een verhaal over een gekke Indiaan die je in je oor bijt, ik ben hier om te horen waarom, waarom je het gedaan hebt.' Walter duwde zich overeind uit de stoel en hij voelde zijn gezicht de verwrongen trekken aannemen van een explosief vertoon van emotie, tranen of woede of wanhoop. 'Het hele verhaal – Piet, Depeyster, je was in de war – het zijn allemaal uitvluchten. Woorden. Feiten.' Hij stond tot zijn eigen verrassing te schreeuwen. 'Ik wil weten waarom, waarom in je hart, waarom. Hoor je me: waarom?'

Het gezicht van de oude Van Brunt was koud, onverzettelijk, hard als steen. Plotseling had Walter het angstige gevoel dat hij te ver gegaan was – over de rand en de afgrond in. Hij deed een stap achteruit toen zijn vader, die zelfs uit zijn poriën gin afscheidde en met ogen die fonkelden van boosaardigheid onder de rand van de woeste beestemuts uit keek, overeind kwam om de laatste klap uit te delen, om de knock-out toe te dienen.

Nee, dacht Walter, het is nog niet voorbij.

'Jij bent een echte masochist, jongen,' siste Truman. 'Je wilt de volle laag. En je dringt net zo lang aan tot je die krijgt. Jij je zin,' zei hij, en hij draaide zich om en kloste naar het grote eikehouten bureau dat het vertrek domineerde.

'Hier ligt het,' zei hij, terwijl hij over zijn schouder keek en een manuscript optilde, en op dat moment zag hij er precies zo uit als Walter hem voor zich had gezien in zijn visioenen; op dat moment was hij de schim op het schip, de grappenmaker in het ziekenhuis, de verwoester op de motor. Walter voelde zich toen overmand worden door iets, door iets wat nooit meer los zou laten. Het verstevigde zijn greep, jawel, hij voelde het, vreselijk en vertrouwd, toen de oude Van Brunt zich weer naar hem toe draaide. 'Walter,' zei hij, 'luister je?'

Hij kon niet praten. Er zaten dennenaalden in zijn keel, proppen bont. Hij kon geen woord uitbrengen, hij stikte.

'Dus jij weet het een en ander van de koloniale geschiedenis? Je hebt links en rechts wat gelezen? Over Peterskill?' De woorden bungelden in de lucht als de strop van de beul. 'Dan wou ik je vragen: ben je

ooit iets tegengekomen over Cadwallader Crane?'
Hij was dood. Hij voelde het.
'Of misschien Jeremy Mohonk?'

GALGEHEUVEL

Als een dode last lag het manuscript in zijn schoot. Het was een heel pak, zwaar als de zondageditie van de *Times* in een lang weekend, als een Russische roman, als de bijbel. Vijftien centimeter dik, met anderhalve regelafstand getypt op folioformaat, meer dan duizend pagina's. Walter keek met verbijstering naar de titelpagina: *Koloniale schande: verraad en dood in Van Wartwyck, het eerste oproer*, door Truman H. Van Brunt. Was dit het? Had hij hiervoor zijn vrouw kapotgemaakt, zijn zoon alleengelaten en zich zo ver weg op het bevroren puntje van het continent verscholen dat hij zelfs voor de ijsberen onvindbaar was?

Verraad en dood. Koloniale schande. Hij was knettergek.

Zijn vrees onderdrukkend bladerde Walter een paar pagina's door, waarna hij de titel nog eens overlas met langzame, aandachtige bewegingen van zijn lippen. Het waren maar woorden, het was maar geschiedenis. Waar was hij bang voor? Cadwallader Crane. Jeremy Mohonk. Een gedenkplaat langs de kant van de weg – hij was er honderden keren voorbijgereden. Had nooit de moeite genomen te lezen wat erop stond.

Maar Truman wel.

Truman stond op dat moment in de kitchenette, met zijn rug naar Walter, en hij smeerde boter en Gulden's-mosterd op sneetjes witbrood. Hij deed onverschillig, alsof het niets bijzonders was dat hij zijn vervreemde zoon het werk van zijn krankzinnige, vermorste leven liet zien, maar Walter zag aan de manier waarop hij al te kordaat het brood beklodderde en zich vervolgens onhandig een stevige slok gin en bitter-lemon inschonk dat hij gespannen was. De oude Van Brunt wierp plotseling een snelle blik over zijn schouder. 'Honger?' vroeg hij.

'Nee,' antwoordde Walter, want nu de schim van zijn vader tot leven was gekomen en het dodenboek open voor hem lag was zijn maag nog steeds in gespannen afwachting van een verschrikkelijke, gruwelijke onthulling. 'Nee, niet echt.'

'Weet je het zeker? Ik smeer boterhammen – smac met uien.' Hij hield een ui in de lucht alsof het een pot beluga-kaviaar of ingelegde truffels was. 'Je moet toch wat in je maag hebben?'

Was dat een dreigement? Een waarschuwing?

'Nee,' zei Walter, 'dank je, nee,' en hij sloeg de bladzijde om en begon te lezen:

> Het feodale stelsel in de Verenigde Staten van Amerika, het land van de vrijheid, het thuis van de helden; de weinigen over de velen, adellijke dames en heren aangesteld over het gewone volk, Engelse corruptie (voorafgegaan door Nederlandse) die de Amerikaanse onschuld smoort. Moeilijk voor te stellen? Laten we teruggaan naar de tijd van voor de revolutie (dat wil zeggen: de burgerlijke revolutie van 1777), toen patroons en pachtheren hun kwalijke regime uitoefenden over negerslaven, contractarbeiders en pachtboeren die niet eens de zekerheid hadden dat ze de vrucht van hun arbeid konden doorgeven aan hun eigen kinderen...

Dit was de inleiding – en die ging zo vijfendertig, veertig, vijftig pagina's door. Van Wartwyck. 1693. Oproer. Een opstand tegen Stephanus Rombout van Wart, de eerste heer van het goed. Walter probeerde zijn ogen erdoorheen te laten gaan, door deze brij, op zoek naar echte substantie, de kern, de sleutel, maar er was domweg te veel, heel die dolzinnige verhandeling was niet meer dan breed uitgesponnen geronk. Hij sloeg de laatste pagina van de inleiding op:

> ... en het liep vooruit op een tijd die nog niet zo ver achter ons ligt, toen een losgeslagen meute amok maakte op diezelfde gewijde grond en zij die onze kostbare democratie trachtten te ondermijnen bijna succes boekten. We doelen uiteraard op de Peterskill-rellen (of eigenlijk: Van Wartville-rellen) van 1949, die, in hun noodlottige samenhang met die eerste tot mislukken gedoemde opstand, verderop in dit boek aan de orde zullen komen...

Was dit het? De oude Van Brunt die de geschiedenis naar zijn hand zette om zichzelf te rechtvaardigen? Zijn ogen sprongen naar de onderkant van de pagina:

> We stellen ons hier ten doel een waarheid te analyseren die haar oorsprong vindt in het bloed, een schande die verspringt van de ene generatie op de andere, een eerloosheid en infamie waarvan de geest nog steeds onder ons is, ofschoon tot nog toe niemand ervan heeft durven reppen. Voor het eerst in de geschiedenis zullen hier...

'Daar kijk je van op, hè?' De oude Van Brunt las mee over zijn schouder, een beker in zijn ene hand, een boterham met een hap eruit in de andere.

Walter keek behoedzaam op. 'Jeremy Mohonk. Cadwallader Crane. Waar zijn die?'

'Daar,' zei Truman, met zijn boterham naar de stapel papier wijzend, 'en ze worden opgehangen. Maar dat wist je al. Wat je nog niet weet is hoe. En waarom.' Hij zweeg even voor een hap en zei vervolgens, terwijl hij zich met een soort zucht neerliet op de stoel: 'Eerste openbare terechtstelling in de historie van Van Wartville.'

Walter was verontwaardigd. 'Wou je zeggen dat ik dit moet lezen – dit hele pak?' Van het gewicht alleen al ging hij door de grond. Hij kon er nog geen tien pagina's van lezen, nog niet als de lectuur hem het eeuwige leven in het vooruitzicht stelde, de geheime namen Gods onthulde of hem zijn voeten teruggaf. Hij voelde zich ineens moe, door en door afgemat. De hemel was zwart. Hoe lang was hij hier nu al weer? Hoe laat was het?

'Nee,' zei Truman na een tijdje, 'ik wil niet zeggen dat je het lezen moet. Niet nu in elk geval.' Hij zweeg even om een veeg mosterd uit zijn mondhoek te likken. 'Maar jij wilde antwoorden, en die krijg je van me. Ik werk al twintig jaar aan dit boek,' en hij bukte zich om met een dikke bezitterige vinger op het manuscript te tikken, 'en jij kunt het thuis in Peterskill in je luie stoel lezen als het gepubliceerd is. Maar omdat je ernaar vraagt – omdat je er specifiek naar vraagt – zal ik je vertellen waar het over gaat. Het hele verhaal. In geuren en kleuren.' Hij had een glimlach op zijn gezicht, maar het was geen geruststellende glimlach – meer iets als de grijns van de beul als hij klaarstaat met het brandijzer. 'En ik zal erbij vertellen wat het inhoudt voor ons tweeën, Walter, voor jou en voor mij.

Hé,' zei hij, en hij stak zijn hand uit en sloot die kameraadschappelijk om Walters bovenarm, het eerste lichamelijke contact dat er tussen hen was, 'we zijn tenslotte vader en zoon, niet?'

De oude Van Brunt had de stoel dichterbij geschoven. Zijn stem was het enige dat er was in de kamer en de kamer was het enige dat er was in het heelal. Hondegeblaf was er niet meer – ook geen gejank. De motorsleeën waren verstomd. Zelfs de wind leek geen adem meer te hebben. Walter, die ongemakkelijk en stokstijf in zijn stoel zat en wou dat hij nergens over begonnen was, onderwierp zich aan zijn vaders rauwe rasperige stem als aan een dosis van een wrang medicijn.

Het was 1693 en het was herfst. Een tijd toen er nog geen gedenkplaten waren, geen Norton Commando's, mao-hemden of supermarkten, een verleden zo ver dat alleen de armen van de geschiedschrijver lang genoeg waren om erbij te kunnen. Wouter van Brunt, de voorvader van een legioen toekomstige Van Brunts, maakte zich op om met zijn paard-en-wagen naar het noorderlandhuis te gaan om zijn pacht af te dragen en zich vervolgens in een dag van dansen en brassen te storten. Hij was vijfentwintig, en het was die dag precies een jaar geleden dat hij zijn vader had begraven. In de wagen vervoerde hij twee vaam gekloofd brandhout, drie schepel gedorst graan, vier vette hennetjes en vijfentwintig pond boter in aardewerken potten. De vijfhonderd gulden – of eigenlijk het equivalent daarvan in Engelse ponden – was al voldaan en afgeleverd bij de molen van Van Wart in de vorm van graan, gerst, rogge en erwten die zouden worden doorverkocht in New York. Wouters moeder zou met hem meerijden op de bok. Zijn broer Staats, die samen met hem het land bewerkte, ging lopen, evenals zijn zusters Agatha en Gertruyd, inmiddels respectievelijk achttien en zestien, meisjes die in lichtvoetigheid en huwbaarheid onderdeden voor geen van hun leeftijdgenootjes. Broer Harmanus woonde niet meer thuis, want die was op een ochtend voor dag en dauw vertrokken om zijn geluk te beproeven in de grote, bloeiende metropool New York, een stad van zo'n tienduizend zielen. Zus Geesje was dood.

Cadwallader Crane had zich ook voorgenomen deel te nemen aan de feestelijkheden, hoewel hij zijn pacht niet kon betalen. Sinds de dood van Geesje had het hem aan alle kanten tegengezeten, en er was domweg niets wat hij af kon dragen. Wat hij aan boter had kunnen karnen was ranzig geworden (en zat los daarvan eerder rond de vijf dan de vijfentwintig pond), een mysterieuze vertegenwoordiger van het wilde-dierenrijk was doorgedrongen in zijn kippenhok en aan de haal gegaan met al zijn pluimvee, en zijn akker, omgewerkt door zijn zwaarmoedige ploeg en ingezaaid door zijn ontroostbare hand, had zo weinig opgebracht dat het de moeite niet was ermee naar de molen te gaan. Contanten had hij niet. Maar brandhout daarentegen! Brandhout had hij gehakt en afgeleverd of zijn leven ervan afhing. Zes, acht, tien vaam, hij had de houtschuur van de jonge landheer ermee volgestouwd tot boven aan het schuine dak en had daar vervolgens een toren van hout naast gezet die alle haarden in Van Wartwyck zou kunnen verwarmen gedurende de hele winter, al duurde die tot in juli.

De hoop die hij had toen hij met zijn steltlopersbenen op weg ging vanaf zijn boerderij was dat de baaierd aan brandhout die hij had afgeleverd zou opwegen tegen de contanten die hij niet had en de schamelte van zijn opbrengst. Zijn hart voelde uiteraard als een steen, en hij droeg een zwart pak, zoals het een weduwnaar in de rouw betaamt, en hij was vastbesloten zich niet te vermaken. Hij zou zijn ogen niet verlangend neerslaan naar het randje onderrok dat onder de jurk uitkwam van Salvation Outhuyse (geboren Brown) en zich evenmin vergapen aan het hemelse gelaat en figuur van Saskia van Wart, als die aanwezig was. Nee, hij zou zijn lange gezicht alleen vertonen aan de tafel met verversingen – en met een half oog Ter Dingas Bosyn en zijn vervloekte grootboek in de gaten houden – en Van Warts wijn opdrinken en Van Warts eten wegschrokken tot hij opbolde als een kousebandslang met een hele kikkerfamilie in zijn binnenste.

Jeremy Mohonk, de derde hoofdrolspeler in het stervensdrama dat zich weldra zou ontrollen, betaalde geen pacht, had nooit pacht betaald en zou nooit pacht betalen. Hij woonde op een verwaarloosde hoek grond van de boerderij van zijn voormalige oom tussen een wirwar van pompoene- en maïsstengels, in de basthut die hij had neergezet op een koude winterdag in '81, en hij beschouwde die hoek grond als zijn erfgoed. Hij was tenslotte een Kitchawank, een halve althans, en hij was getrouwd met een vrouw van de Weckquaesgeeks. Een vrouw die hem drie zoons en drie dochters had geschonken, van wie helaas alleen de eerste zoon en de laatste dochter hun kleutertijd hadden overleefd. Op deze bijzondere dag – 15 november 1693, de dag van Van Warts eerste jaarlijkse oogstfeest – zat hij bij het vuur in zijn hut, *kinnikinnick* rokend en zorgvuldig zijn winterbeer villend, een groot, dik wijfjesexemplaar dat hij praktisch bij hem op de stoep had neergeschoten toen hij voor zijn ochtendplas naar buiten ging. Hij rookte en hanteerde zijn rappe scherpe mes. Zijn vrouw, hoe die dan ook heette, zat over een pan maïspap gebogen waarvan de geur de kuil van zijn maag beroerde met piepkleine vingertjes van verlekkering. Hij was tevreden. Aan de Van Warts en hun feest had hij evenveel boodschap als aan woorden.

Wouter en zijn moeder waren onder de eersten die arriveerden bij het noorderlandhuis, waar op het erf lange schraagtafels waren neergezet rond een diepe, met steenkool gevulde kuil waarin de geurige, brandbare sappen drupten van een koppel zuigbiggen aan het spit. Vijf enorme afgesloten pannen – met hutspot, erwten- en pruimedantensoep op smaak gebracht met gember, fijngehakte ossetong met groene appelen en andere aromatische heerlijkheden – stonden als schildwachten opgesteld rond de biggen. De tafels waren overladen met maïs, kool en pompoenen, en er waren vaatjes wijn, bier en cider. 'Heel mooi,' erkende Neeltje toen haar zoon haar hielp afstappen en haar dochters zich bij haar voegden om zich op te maken voor wat hun grootse entree moest voorstellen.

Het was een bewolkte, koude dag, eigenlijk helemaal geen dag voor een samenkomst in de open lucht, maar de patroon – ofte wel de landheer, zoals hij tegenwoordig heette – had zich voorgenomen om van het afdragen van de pacht een groots publiek festijn te maken, in plaats van de besloten en vaak moeizame aangelegenheid die het al die jaren geweest was. Als hij zijn pachters een klein gedeelte teruggaf van wat ze hem gaven, redeneerde hij, bleven ze verzoend met hun lot – en bovendien bespaarde het zijn rentmeester en hem de tijd en de moeite van het innen. Dus de hemel mocht er dan uitzien of hij van de bodem van de rivier was gedregd en het mocht zo koud zijn dat er een vliesje verscheen op elke kan cider die niet snel genoeg werd uitgeschonken – er zóú op deze voorname dag bij zowel noorder- als zuiderlandhuis worden gefeest, gevedeld, gegeten en gedronken.

En dit was de enige vernieuwing niet. Sinds de zomer, sinds Willem en Mary, door tussenkomst van Zijner Majesteits gouverneur, het Van Wart-goed van een koninklijk charter hadden voorzien, waarbij Stephanus' landaankopen met het oorspronkelijke erfgoed tot één geheel waren samengevoegd, hadden er nog meer veranderingen hun intrede gedaan in Van Wartwyck. Zo was er de wijziging in de plaatsnaam zelf, waarbij het Nederlandse 'wyck' in het Engelse 'ville' opging. Ten noorden van de molen werd een tocht gegraven en een houtzagerij gebouwd. Er werden drie nieuwe boerderijen geruimd en verpacht aan yankees, godsdienstfanaten met rode neuzen en paardetanden. En het meest verrassende ten slotte was dat Van Wart zijn neef Adriaen wegstuurde uit het noorderlandhuis en diens plaats liet innemen door zijn eigen oudste zoon, Rombout. Adriaen had, net als eerder Gerrit de Vries, zijn biezen moeten pakken zonder zelfs maar een bedankje, iets wat de pachters en hun scherpgetongde vrouwen een storm van afkeurend commentaar had ontlokt. De slome, ongevaarlijke, misschien zelfs een beetje zwakbegaafde Adriaen was een graag geziene figuur geweest. Rombout daarentegen was net zijn vader.

Hoe dat ook zij, rond een uur of drie hadden alle buurtbewoners zich verzameld bij het noorderlandhuis om hun wagens uit te laden, hun buik te vullen met de kostelijke port van de patroon, hun lange pijpen te roken en te dansen, te lonken, te kletsen en te drinken tot lang nadat de zon in het westen was ondergegaan. Ze waren er allemaal, de families Sturdivant, Lent, Robideau, Musser, Van der Meulen, Crane, Outhuyse, Ter Hark en Van Brunt, plus de drie nieuwe gezinnen, met hun vrekkige, zuinige gezichten en kleren van zakkengoed, en dan nog hier en daar een losse Strang of Brown uit Pieterse's Kil. Jan Pieterse was zelf ook van de partij, hoewel hij inmiddels ouder was dan Methusalem, vet als vier zeugen en stokdoof, en ook Saskia van Wart, nog altijd niet getrouwd op de gevorderde leeftijd van vierentwintig, waagde zich uit de voorkamer, waar ze met haar broer gesproken had, om een pittige gaillarde te dansen met haar nieuwste amant, een petieterige Engelse fat met kniekappen en hooggehakte schoenen. En al die tijd zat de oude Ter Dingas Bosyn, die nog ouder was dan Jan Pieterse – zo oud dat hij al zijn vet had verloren en ineengeschrompeld was tot een stel handen en een hoofd – naast de haard in de bijkeuken, met zijn grootboek opengespreid op tafel en de geldkist naast zich. Een voor een kwamen de gezinshoofden gebukt door de lage deuropening, stelden zich voor hem op en zagen zijn reumatische vinger over de pagina gaan op zoek naar hun naam.

De feestgangers maakten, bij invallende duisternis, al aanstalten om naar huis te gaan toen Pompey II, die de *commis* had bijgestaan bij zijn inventarisatie, Cadwallader Crane achter de pan met hutspot vandaan trok en hem voor de oude Bosyn leidde. Cadwallader, die krom liep van de drank en was opgezwollen als een boa van al het eten van de patroon, boerde tweemaal en begon tegenover de verschrompelde rentmeester aan een hele litanie van verontschuldigingen voor het feit dat hij zijn pacht niet kon opbrengen. Hij had de dood van Geesje vermeld en stond zonder veel succes te vechten tegen zijn tranen terwijl hij de jammerlijke, mysterieuze plundering van zijn kippenhok beschreef, toen hij ineens zag dat de oude man een rimpelig, lijdzaam apehandje in de lucht hield. 'Genoeg,' raspte de *commis*. Vervolgens haalde hij piepend adem, zuchtte, raadpleegde een ogenblik zijn boeken, nam een snuifje, niesde in een zijden zakdoek die was afgezet met alleraardigst borduurwerk en zei: 'Bespaart u zich de... pffff, adem. De landheer heeft, gelet op het overlijden van uw vrouw en uw, eh... kinderloosheid, besloten u de pacht met onmiddellijke ingang op te zeggen.' De rentmeester wendde zijn hoofd schielijk af en spuugde of braakte in de zakdoek met kolossale dreggeluiden uit zijn keel en een luid getrompetter uit zijn neus, waarna hij de mouw van zijn jasje langs zijn tranende ogen haalde. 'U hebt twee dagen de tijd,' deelde hij ten slotte mee, 'dan nemen de nieuwe pachters uw hoeve over.'

En toen was Wouter aan de beurt.

Zijn buik was vol, zijn hoofd licht van de cider en het bier, en hij hielp juist zijn moeder en zijn zusjes in de nu lege wagen zodat ze konden vertrekken, toen hij Pompey's eerbiedige hand op zijn elleboog voelde. 'De oude meneer Bosyn wil u nog even spreken.'

Zich bevreemd afvragend of die ouwe zich op de een of andere manier verteld had of hem had afgezet bij de molen, volgde hij de slaaf naar de warme, geurige keuken. 'Ik wou net vertrekken, Bosyn, moeder en de meisjes zitten te wachten in de wagen,' zei hij. 'Is er iets?'

Er was wel degelijk iets: de landheer herzag zijn pachtovereenkomsten met het oog op een winstgevender bedrijfsvoering. Wouters boerderij was, met nog een andere, overgezet.
'Overgezet?' galmde Wouter hem verbaasd na.
De oude man gromde. 'De overeenkomst was aangegaan met uw vader, niet met u.'
Wouter wilde protesteren, maar de woorden bleven steken in zijn keel.
'Twee dagen,' kraste de *commis*. 'Neemt u mee wat er meer is aan vee dan de patroon aan uw vader ter beschikking had gesteld, pak uw eventuele persoonlijke eigendommen en ontruim het perceel voor de nieuwe pachters.' Hij zweeg even, haalde een horloge uit zijn vestzakje en keek ernaar alsof het de koers kon uitzetten van die eerzame, hoopvolle, nijvere nieuwkomers. 'Ze arriveren dinsdagmiddag. Per schip uit New York.
Nog één ding,' zei hij erachteraan, 'die Indiaan, of die halfbloed of wat hij ook is, die vertrekt ook.'
Wouter was te overdonderd om antwoord te geven. Hij draaide zich om, schoot weg door de openstaande deur en klom op de bok. Zijn moeder en zijn zusjes kwebbelden over het feest, over wie er met wie gedanst had en zag je hoe belachelijk die en die in de kleren zat, maar hij hoorde hen niet. Hij was elf, de jongen die zichzelf in het blok sloot, de jongen die zijn vader geknakt en vernederd zag worden en de schande als gif door zijn aderen voelde jagen. De paarden tilden hun voeten op en zetten ze weer neer, de wagen schommelde en kraakte, de bomen versmolten met het duister. 'Is er iets?' vroeg zijn moeder. Hij schudde zijn hoofd.
In een shocktoestand spande hij de paarden uit en zette ze op stal. Hij had geen woord gezegd tegen zijn moeder en zijn zusjes, en zijn broer was nog op het feest met John Robideau en nog een paar van die jonge knapen. Zij wisten niet beter of het leven ging gewoon verder; ze hadden weer voor een jaar aan hun verplichtingen ten opzichte van de landheer voldaan en de boerderij op Nysenswerf zou nog generaties lang overgaan van vader op zoon. Een grap, een misplaatste grap. Hij stond met handen die hij nauwelijks kon beheersen van de woede die zich erin ophoopte de paarden droog te wrijven toen hij achter zich de deurklink hoorde.
Het was Cadwallader Crane. De weduwnaar, de natuurliefhebber, zijn droeve, zielige zwager. Cadwalladers jas en hoed waren bestoft met de fijne vlokjes sneeuw die waren begonnen neer te dwarrelen uit de bleke avondhemel. Zijn ogen zagen rood. 'Ik heb te horen gekregen dat ik moet vertrekken,' zei hij met trillende stem. 'Van de boer-

derij die mijn vader... me heeft helpen opbouwen voor' – hij begon te snotteren – 'voor Geesje.'

'Godverdomme,' zei Wouter, en hij kon niet vermoeden hoe snel de Heer hem op zijn wenken zou bedienen.

Vijf minuten later warmden ze zich in de hut van neef Jeremy rond het vuur en gaven ondertussen een kruik jenever door. Wouter zette de kruik aan zijn lippen, gaf hem aan zijn zwager en boog zich voorover om Jeremy het slechte nieuws te melden. Gebarend, mimerend en een repertoire gelaatsuitdrukkingen afwerkend waar een toneelspeler trots op had mogen zijn, maakte hij hem duidelijk wat de *commis* had gezegd en wat dat voor hen alle drie betekende. Met de baby in haar armen keek Jeremy's vrouw ernstig toe. Jeremy junior, een jongen van twaalf met de ogen van een Van Brunt, liet zijn vingers zachtjes over de tanden van de beer gaan die zijn vader die ochtend had geschoten. Jeremy zei niets. Maar ja, hij had al veertien jaar niets meer gezegd.

'Volgens mij moeten we teruggaan,' Wouter pakte de kruik weer aan en zwaaide ermee als met een wapen, 'en die schooiers eens duidelijk maken hoe wij hierover denken.'

Cadwalladers ogen zagen troebel, zijn stem was verdwaald ter hoogte van zijn maag. 'Ja,' klonk het amechtig, 'duidelijk maken hoe wij erover denken.'

Wouter draaide zich naar zijn neef. 'Jeremy?'

Jeremy keek hem aan met een blik die niet voor tweeërlei uitleg vatbaar was.

Voor ze het wisten stonden ze op het gazon bij het noorderlandhuis, omhoogkijkend naar de uitstalling van heldere, door kaarsen verlichte ramen. Het was harder gaan sneeuwen en ze waren volkomen dronken – alle rede en verantwoordelijkheid voorbij. Het feest was al lang afgelopen, maar er waren nog drie volhouders die, over het vuur gebogen, botjes stonden af te knagen en controleerden of de vaatjes cider en bier écht leeg waren. Wouter herkende zijn broer en John Robideau. Toen hij dichterbij kwam zag hij dat de derde van het groepje Tommy Sturdivant was.

De drie samenzweerders, die vooralsnog niet hadden besloten waartoe ze samenzwoeren, kwamen bij de anderen om het vuur staan. Iemand pakte een stel houtblokken van de enorme stapel bij de houtschuur van de patroon en gooide die op het vuur; de vlammen wierpen een duivelse – of misschien alleen maar dronken – gloed over hun gezichten. Het nieuws – het schokkende, harteloze, despotische nieuws – ging het kleine kringetje rond met de snelheid van de van hand tot hand gaande jeneverkruik. Tommy Sturdivant zei dat het een grof schandaal was. De vlammen dansten. John Robideau was het met hem eens. Staats, die directer betrokken was bij een en ander, vervloekte de patroon en zijn zoetsappige zoon met een stem die luid genoeg was om binnen verstaanbaar te zijn. Wouter sloot zich bij zijn broer aan met een woedende schreeuw, het soort kreet dat in het dal niet meer was vernomen sedert de Indiaanse vijandelijkheden van '45, en toen – niemand wist precies hoe het gebeurde, en Wouter al helemaal niet – verliet de kruik zijn hand, beschreef een sierlijke boog door de vlagen vallende sneeuw en ging door het glas-in-loodraam van de voorkamer. Hierop volgden onmiddellijk een gil vanuit het huis en een fractie later een algemeen rumoer met daarbovenuit kreten van schrik en verwarring.

Pompey stond het eerst buiten, op de voet gevolgd door de jonge Rombout en de Engelse fat, die had zitten vrijen met Saskia. De fat gleed uit op de glibberige stoep en ging neer op zijn overbeet, en Pompey, die de glinstering der roekeloosheid herkende in de ogen van het groepje rond het vuur, bleef abrupt staan. Maar Rombout, met zijn hooggehakte leren schoenen en zijden kousen, versaagde niet. 'Dronkelappen!' krijste hij, en hij vertraagde zijn pas tot wat een waardige, zij het gehaaste tred had kunnen zijn, ware het niet dat drift zijn ledematen regisseerde. 'Ik wist het wel, ik wist het wel!' brieste hij, op Wouter af benend. 'Niks is goed genoeg voor... voor gajes als jullie. Nu dit weer. Jullie zullen hiervoor betalen, ellendelingen, betalen zullen jullie!'

Rombout van Wart was eenentwintig en hij droeg zijn haar in krulletjes. Hij was nog te jong om een baard te laten staan, en in zijn stem zat een holle, gorgelachtige knik, alsof hij probeerde te spreken en tegelijkertijd water te drinken.

'We hebben al betaald,' zei Wouter, en met een maaiende arm gebaarde hij naar de houtschuur, de kelder, het kippenhok.

'Zo is dat,' jende Cadwallader, die plotseling zijn lange, vaalbleke gezicht tussen hen in stak, 'en we zijn hier' – op dit punt kreeg hij ineens hevig de hik en moest hij zich op zijn borstbeen kloppen om weer op adem te komen – 'we zijn hier,' zei hij nog eens, 'om jou en je vader te zeggen dat jullie de moord kunnen steken.' En vervolgens bukte hij zich, zo bedaard alsof hij een wilde bloem plukte of het kronkelpad van de aardworm bestudeerde, en pakte een stuk baksteen ter grootte van een vuist uit de zich ophopende sneeuw. Hij richtte zich op, haalde zijn slungelige arm naar achter, wierp een blik vol dronken bravoure op Rombout en gooide toen de steen door het bovenste slaapkamerraam.

De Engelse fat krabbelde net weer overeind. Pompey was verdwenen in de schaduwen. Uit de slaapkamer op de bovenverdieping klonk een verontwaardigd geschreeuw (met enige voldoening herkende Wouter de krasserige stem van de oude Ter Dingas Bosyn) en in de deuropening werden de gezichten van de vrouwen zichtbaar.

Er stond een wereld op het spel. Het lot van generaties.

'Jij, jij...' sputterde Rombout. Sprakeloos van razernij hief hij zijn hand als om de onverlaat een draai om zijn brutale oren te geven, en Cadwallader deinsde terug voor de verwachte klap. De klap kwam niet. Want Jeremy Mohonk, wiens schrale voorouderlijke postuur bevleesd was met de solide Hollandse lichaamskracht van de Van Brunts, trof hem met een verpletterende krijgersdreun op zijn linkerslaap en sloeg hem buiten kennis. Vanaf dat ogenblik kon niemand meer precies volgen wat er gebeurde en hoe, al waren er wel momenten die eruit sprongen.

Zo was er het gegil van Saskia (althans: het gegil van een vrouw. Het zou ook vrouw Van Bilevelt geweest kunnen zijn, of de jonge vrouw van Rombout, of misschien zelfs wel dat stokoude, afgeleefde relikwie, te weten vrouw Van Wart. Maar Wouter besloot het erop te houden dat het Saskia was). En onder dekking van dat gegil trok de fat zich wijselijk terug, waarna het ijzige gerinkel van het derde en het vierde raam volgde. En dan was er het vuur. Op de een of andere manier ontsnapte het uit de veilige, feestelijke perken van de roosterkuil en nestelde zich op de hooizolder van de schuur, ongeveer zestig meter verderop. En dat leidde, op dat uur en bij die weersomstandigheden, uiteraard tot een uitslaande brand, die culmineerde in het donderend geraas waarmee het houtskelet instortte. En dan was er tot slot de lange koude nacht die een bitse, door hoofdpijn geplaagde Rombout met de zijnen doorbracht in de kelder van het raamloze, insneeuwende huis terwijl de klacht van verschroeide evenhoevigen nagalmde in zijn pulserende oren.

De volgende dag rond het middaguur arriveerde Stephanus zelf in Van Wartville, met bij zich zijn schout, de krijgszuchtige dwerg en een ruitermacht van acht gepofbroekte, pijprokende, verweerde boeren uit Croton. Al die boeren bereden zware, grof gebouwde ploegpaarden en waren gewapend met zeisen en mathaken, alsof ze gingen hooien in plaats van een gevaarlijk, verwilderd stel oproerkraaiers en brandstichters opsporen. Het was het seizoen voor loopneuzen, en die hadden de meesten dan ook, en ze droegen allemaal grote, slappe olifanteske hoeden die hun gezicht en hoofd aan het oog onttrokken en neerhingen op hun schouders als parasols.

Stephanus loofde een beloning van honderd Engelse ponden uit voor de inrekening van de booswichten en gaf zijn timmerman opdracht een galg op te richten op de heuvelrug achter het huis, een plek die sindsdien bekendstond als de Galgeheuvel, ofte wel Gallows Hill. Binnen het uur stonden Tommy Sturdivant, John Robideau en Staats van Brunt op een rij voor hem hun onschuld te betuigen. Hij gaf ze ieder vijf minuten om zich te verdedigen en sprak toen, op grond van de aloude ambachtsheerlijke privilegiën waarmee hij was bekleed door Zijne Koninklijke Majesteit Willem III, recht naar eigen inzicht. Ze moesten ieder het bovenlijf ontbloten, kregen twintig zweepslagen en werden ten slotte veroordeeld tot drie dagen in het blok, ongeacht de weersomstandigheden. De galg reserveerde hij voor de raddraaiers: Crane, Mohonk en Wouter van Brunt.

Helaas liet dat snode drietal zich niet vinden. Hoewel hij de boerderijen van Crane senior en junior liet doorzoeken, hoewel hij persoonlijk het bouwsel van de halfbloed op Nysenswerf tegen de grond haalde en toezicht hield op de ontruiming van Neeltje en haar dochters, hoewel hij de armzalige, stinkende hutten van de Weckquaesgeeks aan de voet van het Suycker Broodt en die van de Kitchawanks bij de Indiaansche Hoeck uitkamde, vond Stephanus geen spoor van ze. Nadat hij zijn manschappen drie dagen in de kost had gehad in het noorderlandhuis (echte Hollandse en Engelse etersbazen, voor wie een reebout niet veel meer was dan een koekje bij de thee), keerde de eerste heer van het goed terug naar Croton, waarbij hij Van den Post en de dwerg achterliet om het zoeken voort te zetten en toe te zien op de voltooiing van de galg en de bouw van een nieuwe schuur. De beloning werd verhoogd tot tweehonderd vijftig pond sterling, een bedrag waarvoor menig boer in het dal zijn eigen moeder zou hebben uitgeleverd.

De voortvluchtigen hielden het bijna zes weken uit. Toen de schuur vlam vatte, begrepen ze, zo dronken als ze waren, dat de zaak uit de hand liep en dat Van Wart en de kwalleneter hen tot in de verste uithoeken van de wereld zouden achtervolgen. Staats, John Robideau en Tommy Sturdivant hadden zich aan niets ergers schuldig gemaakt dan stampvoeten en schreeuwen, maar voor de anderen – Wouter, Jeremy en Cadwallader – zag het er niet best uit. Wouter was de aanstichter van alles, Cadwallader had ten aanschouwen van alle aanwezigen ruiten staan ingooien en Jeremy was de oudste zoon van de landheer te lijf gegaan. En dan was er die – ernstige – kwestie van de brandstichting. Jeremy had het niet gedaan, Cadwallader had het niet gedaan en de drie kleinere criminelen hadden evenmin de brandende fakkel naar de schuur gegooid; dat had Wouter gedaan. Gegrepen door zijn vaders furie had hij de flambouw meegegrist en was er als een olympisch atleet mee over het erf gestormd om het ding ten slotte hoog tussen de spanten van de schuur te gooien. Toen het vuur om zich heen greep en de hele schuur in brand vloog, toen Wouter de dolle drift crescendo voelde aanzwellen in zijn borst en daarna voelde wegzakken tot niets, had hij zijn broer bij de mouw gepakt en hem gezegd naar huis te gaan en goed voor moeder te zorgen. Vervolgens was hij samen met Jeremy en Cadwallader gevlucht.

Ze verscholen zich in een grot op nog geen kilometer van de plek van de misdaad en leefden daar als holbewoners. Ze hadden het koud. Ze hadden honger. Ze raakten ingesneeuwd. Ze stookten een schamel vuurtje uit angst voor ontdekking, ze aten eikels, kauwden op wortels, vingen een enkele skunk of eekhoorn. Ze overwogen om hulp te zoeken bij Neeltje, maar de dwerg hield de krappe bouwval in Pieterse's Kil die Neeltje met Staats en haar dochters en Jeremy's vrouw en kinderen had betrokken continu in de gaten. En Van den Post was er ook nog. Die was onvermoeibaar – en dol van wraakzucht ten aanzien van Jeremy Mohonk, die hem al eens eerder ontkomen was. Hij duikelde een Indiaanse spoorzoeker op om hun verblijfplaats te achterhalen, een woeste, als huurling opererende Mohawk met een riem van scalps om zijn middel voor wie het doorsnijden van een keel niet wezenlijk verschilde van het villen van een haas voor zijn avondmaal of het aannemen van een hurkpositie voor het doen van zijn behoefte. Het enige dat ze konden doen was zich heel koest houden.

Jeremy keek donker voor zich uit. Cadwallader zat ineengedoken als een bidsprinkhaan en snikte dagen achtereen. En Wouter – Wouter begon zich weer te voelen zoals op die vreselijke middag toen hij zichzelf in het blok sloot en de dwarsbalk over zijn eigen voeten dichtklapte.

Op een nacht, toen de anderen sliepen, glipte hij weg uit de grot en werkte zich door de hinderlijke takken en de verijsde sneeuw naar het landhuis. Hij was uitgeteerd, zijn longen schrijnden van de kou en de kleren hingen hem in rafels om het lijf. Het huis was donker, het erf verlaten. Hij zag dat de ruiten vervangen waren en dat er op de plek van de oude schuur een eenvoudig, ongeschilderd bouwwerk zonder dak stond. De galg op de heuvel was in het donker niet zichtbaar.

Hij dacht aan zijn vader toen hij aanklopte, dacht aan de gevallen held, de lafaard die zijn zoon en ook zichzelf had verraden. Hij klopte nogmaals op de deur. Hoorde binnen stemmen en opschudding en zag zijn vader krankzinnig en gebroken onder de koe in de stal liggen. Rombout deed de deur open met een kaars in de ene hand en de wijsvinger van de andere aan de trekker van een pistool.

'Ik kom mezelf aangeven,' zei Wouter. Hij viel neer op zijn knieën. 'Ik smeek u om genade.'

Rombout riep iets over zijn schouder. Wouter bespeurde beweging op de achtergrond, beroering en schuifelende voeten, en toen kwam vanuit de schaduwen het bleke gezicht van de onbereikbare Saskia in beeld. Hij sloeg zijn ogen neer. 'De halfbloed heeft het gedaan,' zei hij. 'Die heeft de schuur in brand gestoken. Samen met Cadwallader. Ze hebben mij overgehaald mee te doen.'

'Overeind,' gorgelde Rombout, en hij deed met het wapen een stap terug. 'Binnenkomen.'

Wouter spreidde zijn handen om te laten zien dat ze leeg waren. Een windstoot speelde met de rafels van zijn kleren toen hij opstond. 'Spaart u mijn leven,' fluisterde hij, 'dan wijs ik u waar ze zitten.'

De terechtstelling vond plaats op de eerste januari. De halfbloed, Jeremy Mohonk, verdedigde zich niet toen hij voor de eerste heer van het goed werd geleid en te horen kreeg waarvan hij werd beschuldigd, en zijn medeverdachte, Cadwallader Crane, werd geacht malende te zijn. Niemand weersprak het getuigenis van Wouter van Brunt.

De landheer trok, wijs, goedertieren en lankmoedig als hij was, de aanklacht van doodslag tegen Wouter van Brunt in. Van Brunt werd gegeseld, gebrandmerkt als misdadiger aan de rechterkant van zijn hals en voor altijd verbannen uit het Van Wart-territorium. Na een aantal jaren een zwervend bestaan te hebben geleid, trok hij in bij zijn moeder in Pieterse's Kil, vestigde zich als visser, trouwde uiteindelijk en werd de vader van drie zoons. Hij stierf na een langdurig ziekbed op zijn drieënzeventigste.

Jeremy Mohonk en Cadwallader Crane werden veroordeeld wegens hoogverraad en gewapende opstand tegen het gezag van de kroon (waarbij de baksteen door Stephanus werd opgevoerd als een in aanleg dodelijk wapen – dodelijk in elk geval voor hofstedelijke ruiten). Hun vonnis luidde als volgt: 'Wij bepalen dat de gevangenen op een draagbaar naar de plaats van terechtstelling zullen worden gebracht, en dan zullen worden opgehangen, en dan levend zullen worden neergelaten; en dat hun lichamen zullen worden ontdaan van de ingewanden en genitaliën, en dat deze voor hun ogen zullen worden verbrand, en dat zij zullen worden onthoofd, en dat hun lijken zullen worden gevierendeeld, en dat er vervolgens naar goeddunken van de Kroon over zal worden beschikt.'

Of het vonnis op precies deze wijze ten uitvoer is gelegd staat niet vast.

Toen de oude Van Brunt was uitverteld, werd het buiten voor de tweede maal sinds Walter in Barrow was gearriveerd licht. Als een krankzinnige – een onmiskenbare, definitieve onomstotelijk krankzinnige – had Truman obsessieve uitweidingen ten beste gegeven over ook de kleinste details van zijn verhaal, blazend en fulminerend alsof de hele zaak eerst nu bij hem persoonlijk aanhangig was gemaakt. Cadwallader Crane, Jeremy Mohonk. Walter wist er nu alles van. Hij kende nu uiteindelijk het hele verhaal.

'Weet jij wat de Engelse versie van de naam "Wouter" is?' vroeg Truman met een valse grijns.

Walter haalde zijn schouders op. Hij was gevloerd. Neergegaan en uitgeteld.

'Walter,' grauwde de oude Van Brunt, alsof het een vloek was. 'Ik heb mijn eigen zoon vernoemd naar een van de grootste honden die er ooit bestaan hebben – mijn voorvader, Walter, jouw voorvader – en ik merkte het pas toen ik ging studeren, toen ik naar professor Aaronson stapte en zei dat ik iets wilde schrijven over Van Wartville en de illustere Van Brunts.' Hij was inmiddels gaan staan. En hij ijsbeerde. 'Het lot!' riep hij plotseling. 'Voorbestemming! De geschiedenis! Snap het dan!'

Walter snapte het niet, wilde het niet snappen. 'Dit kun je niet menen,' zei hij. 'Wou je beweren dat dit het grote geheim is, dat dit de reden is dat je ons allemaal hebt laten barsten – een of ander ouwehoerverhaal van honderden jaren terug?' Hij was ongelovig. Hij was woedend. Hij was bang. 'Je bent gek,' mompelde hij; hij beefde terwijl hij het zei, de gedenkplaat doemde op rechts van hem – Cadwallader Crane, Jeremy Mohonk – de bleekgroene muren van het ziekenhuis kwamen op hem af, daar had je Huysterkark met de plastic voet in zijn schoot...

Walter was ineens opgestaan uit zijn stoel en propte spullen in zijn koffer; de deur, de deur, was zijn enige gedachte, weg, weg uit deze nachtmerrie en overnieuw beginnen, in Peterskill, in Manhattan, op de Fiji Eilanden, waar dan ook, als het maar niet hier was...

'Waarom ineens zo'n haast?' vroeg Truman met een lach. 'Ga je nu al weg? Je komt het hele eind hierheen om je brave ouwe vader op te zoeken en je blijft nog geen twee dagen?'

'Je bent gek!' schreeuwde Walter. 'Gestoord. Verzeept in je hoofd.' Over zijn toeren spuugde hij de woorden uit, met de koffer krampachtig in zijn hand geklemd. 'Ik haat je,' zei hij. 'Sterf,' zei hij.

Hij rukte de deur open en de wind vloog hem aan. De afgescheurde ribstukken op het dak van de buren schemerden in het zieke bleke licht. Zijn vader stond daar in de schaduwen van zijn hondehok aan het eind van de wereld. Hij grijnsde niet, hij hoonde niet. Hij leek ineens klein, nietig, gekrompen, gebroken, niet groter dan een dwerg.

'Het heeft geen zin je ertegen te verzetten,' zei hij.
De wind wakkerde aan, de honden raakten door het dolle.
'Het zit in het bloed, Walter. In het gebeente.'

LANG LEVE ARCADIË!

Hij mat tweeëndertig meter van het hek tot het puntje van de bewerkte boegspriet, en de grote mast – één enkele, torenende douglasspar – verhief zich drieëndertig glorieuze meters boven het dek. Als het grootzeil gehesen was, als fok en kluiver klapperden in de wind, voerde hij meer zeil dan enig ander schip aan de oostkust, meer dan driehonderd vijftig vierkante meter, en hij laveerde over de Sound en gleed de Hudson op als een groot, stil visioen uit het verleden.

Tom Crane was er verliefd op. Zonder terughoudendheid. Hij was verliefd op het schip tot aan de glimmend gepoetste kikkers op de caprail en de verkleurde koekepannen die in de kombuis boven de met hout gestookte kookkachel hingen. Hij had zelfs kans gezien verliefd te worden op de gebarsten plastic emmers die onder de houten zittingen in het galjoen stonden. Hij dweilde de onder zijn voeten deinende dekken en was verliefd; hij hakte houtjes voor in de kachel en was verliefd op de gekloofde stukken, op de bijl, op het grijs verweerde eiken hakblok met zijn oeroude patroon van putjes en littekens. Van het geluid van de wind in de zeilen raakte hij in vervoering, duizelig, even begeesterd als ooit Walt Whitman door de harteklop van het heelal, en als hij zijn hand om de gladde, gelakte helmstok sloot en de rivier hem tegendruk gaf als iets levends, voelde hij een macht die hij nooit gekend had. En er was nog zoveel meer – hij was verliefd op de krappe britsen, de klamheid van zijn kleren als hij ze 's ochtends aantrok, het gevoel van het koude dek onder zijn blote voeten. En de geuren – van houtrook, de zilte lucht, rottende vis, het volle rijke macrobiotische mensenbouquet in het galjoen, de wierook van het nieuwe, ongeverfde hout in de slaaphut, gebakken knoflook in de kombuis, een pas geopende fles bier, schoon wasgoed, vuil wasgoed, het kruidige melange van het leven op het water.

Hij stond er elke keer als hij eraan dacht weer versteld van, maar hij was geen woudheilige meer. Hij was een zeeman, een pikbroek, een zwabbergast, Heilige van de Hudson, geen kluizenaar maar opgenomen in een gemeenschap van maten, bewonderd en gewaardeerd om zijn malloterieën, zijn baard en de zachte, doorleefde blues die hij 's avonds in zijn brits aan zijn mondharmonika ontlokte terwijl Jessica zich tegen hem aan schurkte. De *Arcadië*. Het schip was een weldaad. Een wonder. In Toms ogen even verbazingwekkend als de eerste Land

Rover moet zijn geweest voor de aboriginals in het Australische binnenland. Stel je voor: een drijvende blokhut! Een drijvende blokhut gedoopt in en toegewijd aan alle grote hippie-idealen – aan lang haar en vegetarisme, astrologie, het behoud van de kikker, Vrede Nu, satori, folk en bemesting met geitedrollen. En in het geheim ook aan marihuana, hasj en LSD. De oorspronkelijke maand aan boord – september – was uitgedijd tot twee maanden, ineens was het Halloween, het werd november, en Tom Crane was binnen de hiërarchie opgeklommen tot de volwaardige functie van tweede stuurman. De Heilige van de Hudson. Hij vond het mooi. Hij vond het mooi klinken.

En zijn eigen optrek? De oogst? De geit? De bijen? Och, hij zou er te zijner tijd wel weer eens gaan kijken. Voorlopig maakten de dwingende omstandigheden van het zeemansleven het hem onmogelijk de zaak bij te houden, dus had hij een hangslot aan de deur bevestigd, de geit verkocht, zijn late pompoenen prijsgegeven aan de vorst en de bijen gezegd dat ze maar moesten zien wat ze deden. Na de begrafenis hadden Jessica en hij zonder veel ophef hun spullen verhuisd naar zijn grootvaders ruime, sombere, achttiende-eeuwse boerenhuis met al zijn glimmende gemakken van het moderne leven, met zijn vaatwasser, zijn broodrooster, zijn tv, zijn geasfalteerde pad naar de garage en zijn vloerbedekking in de gangen. Het was hem allemaal een beetje te eh... te burgerlijk, maar Jessica kon, met haar hectische dagindeling, al dit comfort wel waarderen. Ze was toegelaten tot de Universiteit van New York, afdeling hydrobiologie, en door het gependel en haar halve baan bij Con Ed draafde ze onophoudelijk heen en weer. Na die tijd in de boshut besefte ze ineens hoe zeer ze gesteld was op stromend water, zelf ontdooiende koelkasten, leeslampen en thermostaten.

Hij wist dat het zelfzuchtig van hem was om haar zo alleen te laten. Maar ze hadden het erover gehad, en zij had het project haar zegen gegeven – tenslotte moet een mens doen waar hij zin in heeft. Bovendien was niet alle contact verbroken – als het even kon kwam ze aan boord, al was het maar om een paar uur te studeren in de kajuit of naast hem te komen liggen en haar ogen dicht te doen op de zachtjes deinende brits. En daarnaast had ze hem binnen afzienbare tijd weer helemaal terug – in elk geval zolang de winter duurde. Het was halverwege november, en dit was de laatste tocht van de *Arcadië* van dit jaar. Tot april zou hij weer iedere dag thuis zijn, 's ochtends door het huis sloffend in de met bont gevoerde pantoffels van zijn grootvader en een creatie van tahoe en worteltjes opbakkend in de elektrische koekepan als ze 's avonds thuiskwam. Tom zou natuurlijk met alle liefde de hele winter aan boord zijn gebleven, hakkend in het ijs van de waterton en met zijn handen op de helmstok trommelend om verstijving te voorkomen – desnoods hief hij het ene oorlam na het andere als dat hielp – maar de bedoeling achter de *Arcadië* was de mensen te informeren over de rivier, en het viel niet mee om hun aandacht vast te houden als de temperatuur daalde tot min vijf en het ijzige grijze spoelwater hun in de vorm van schuimvlokken in het gezicht kletste bij elke duik die de boeg maakte. Dus voeren ze nu stroomopwaarts om in de haven van Poughkeepsie af te meren voor de duur van de winter; twee dagen later zou de gewezen woudheilige terugliften naar Van Wartville om er in het droogdok van zijn grootvaders knusse, oliegestookte studeerkamer het voorjaar af te wachten.

Maar op dit moment – op dit stampende, glorieuze, winderige moment – zeilde hij nog. Tegen een krachtige wind in stroomopwaarts laverend stond hij met een trotse loopneus aan het roer terwijl de kapitein, de eerste stuur en de bootsman beneden rond de koffiepot zaten. Jessica zat ook beneden, met haar ellebogen op de grote vierkante eettafel in de kajuit, blokkend op de morfologie van de borstelworm terwijl het bleke zijdefluweel van haar haar over haar oren sijpelde en haar gezicht aan het oog onttrok. Hij keek uit over de korte, grijze golfslag van de rivier – er was nergens een andere boot te bekennen – en hij keek omlaag door het bespatte glas van de kajuit. Het dek bewoog onder zijn voeten. De kapitein dronk koffie. Jessica studeerde.

Ze rondden juist de Dunderberg aan het begin van het Rak, met rechts Manitou Mountain en Anthony's Nose en links, in de verte, Bear Mountain. Ze waren rond het middaguur vertrokken uit Haverstraw en zouden voor donker binnenlopen in Garrison. Normaal gesproken was dat nog een uur varen, maar ze hadden de wind pal tegen en het tij was zwak. Het was onzeker hoe laat ze zouden aankomen. Tom bestudeerde de hemel en zag dat die betrok. Hij snoof de wind op en rook sneeuw. Godver, dacht hij, uitgerekend vandaag.

Maar het volgende moment fleurde hij weer op. Er wachtte hun – sneeuw of geen sneeuw – hoe dan ook een feest. In Garrison. En het kon pas beginnen als zij gearriveerd waren. Overspoeld door licht liet hij de bergen op zich inwerken, het vlak van de rivier, het stijgen en zijgen van de meeuwen, hij vulde zijn longen, verheerlijkte zich in de overkomende vlokken. Een feest, dacht hij, en hij concentreerde zich er net zo lang op tot hij het eten proefde en de muziek hoorde. Maar het was niet gewoon een feest, het was een hossend volksdansend hoefstampersfestijn, de knallende seizoensafsluiter voor alle bemanningsleden en vrienden van de *Arcadië*, compleet met een miniconcert van de goeroe zelf, Will Connell, en de Tucker, Tanner en Turner Bluegrass Band. Ze hadden in het stadsplantsoen een grote circustent neergezet met hete-luchtblazers, en er zou worden gedanst, er was bier, een vreugdevuur, warm eten en nog warmere drank. Het was een belangrijke dag. Een grote dag. Het inwijdingsjaar van de *Arcadië* was voorbij, en het schip was bezig met zijn thuisreis.

De lucht werd donker. De golfslag werd ruwer. Het begon bij vlagen te hagelen, speldeprikken opgejaagd door de wind. En die wind, die had ineens kuren; hij stond het ene moment recht op de boeg, kwam het volgende plotseling van achteren en sloeg toen van bakboord toe met een abrupte vlaag die de giek een gooi gaf en de helmstok bijna uit de verkleumde handen van de schriele ex-heilige rukte. Er waren acht bemanningsleden aan boord, en eer de haven van Garrison in zicht kwam, waren ze alle acht – plus Jessica – in actie gekomen.

Al bij de eerste maai van de grote, levensgevaarlijke giek kwam Barr Aiken, de kapitein van de *Arcadië* en een man voor wie Tom met liefde in de kolkende zeeën sprong of een eenmansgevecht met de complete kustwacht aanging – hij hoefde maar één kik te geven – de kajuit uit en de trap op gestormd als een hordenloper die wegschiet uit de startblokken. Hij riep iedereen aan dek, nam Toms plaats aan het roer over en had zijn bemanning binnen een halve minuut in aller ijl aan het reven. De vijfendertigjarige kapitein, een vaalbruine, door wind en water getekende inwoner van Seal Harbor in Maine met een armezondaarsgezicht en ogen die altijd op oneindig stonden, was een man van weinig en dan ook nog zacht uitgesproken woorden. Hij sprak zijn naam uit als een mismoedig schaap: Baaa.

Ook nu, nu de wind danste en de hagel in hun gezicht woei, sprak hij zo zacht dat het bijna fluisteren was, en toch was ieder woord even duidelijk als wanneer hij had staan schreeuwen vanuit zijn tenen. De kluiver werd neergenomen. Het grootzeil werd verder gereefd. Iedereen zette zich schrap toen hij overstag ging en van punt naar punt door de engte van het Rak begon te kruisen. Het hoorde er allemaal bij, er was niets aan de hand, hoogstens werd de middag wat enerverender doordat de wind zo opspeelde. Tom viel bijna in katzwijm van geluk toen de kapitein hem het roer weer teruggaf.

'Zeker de dwerg,' merkte Barr op, terwijl hij zijn armen over elkaar sloeg en zijn voeten uiteenplaatste voor een beter evenwicht. Hij sprak op zijn karakteristieke fluistertoon en de onderste helft van zijn gezicht vertoonde iets wat ver weg op een glimlach leek.

Tom keek om zich heen. De bergen zagen ruig van het kale geboomte, grote opgeblazen wangen met stekelige stoppels. Boven de

Dunderberg was de hemel zwart, daarachter nog zwarter. 'Lijkt wel,' zei Tom, en hij merkte dat hij ook fluisterde.

Het was bij vijven, de hagel was overgegaan in plakkerige natte sneeuw en het feest was in volle gang toen ze op de motor de haven van Garrison binnenvoeren. De purist Barr had de zeilen tot het laatst laten bijstaan, maar met die onvoorspelbare wind had hij geen moment overwogen om te proberen op de zeilen binnen te komen, en vijfhonderd meter buiten de haven waren de motoren gestart.

De dekken waren glad, en aan alles wat verticaal stond, dus ook aan de bemanning, kleefde sneeuw. De haven voor hen was wit, en de grond daarachter lag er lijkbleek en spookachtig bij onder twee centimeter sneeuw. In de koude lucht hing de geur van eten, en er klonken verre flarden muziek. Ineengedoken en knokig stond de ex-woudheilige op het voordek hand in hand met Jessica naar de lichtjes te kijken die over het water naar hen toe kwamen. 'Als je het mij vraagt,' zei hij, 'zijn ze zonder ons begonnen.'

Tegen zevenen had Tom drie sojaburgers achter de kiezen, een broodje eiersalade, twee falafels speciaal, een soepbord chili zonder vlees, zes of zeven flessen bier (hij was de tel kwijt) en misschien net één trekje te veel van de wonderwied van Fred de bootsman, waaraan ze stiekem hadden staan hijsen aan de lijzijde van de tent. Hij was buiten adem gaan zitten na een virtuoze steltlopersexercitie op de dansvloer en een partij rondzwieren met zijn partner, en hij begon problemen te krijgen met de oriëntatie. Ja, zeker wel, hield hij zich voor, omhoogkijkend van zijn harde houten stoel alsof hij eraan vastgeteerd zat, daar zijn de wanden van de tent, en daar zijn die grote hete-luchtblazers. Buiten, in het duister, is de kade. En aan de kade ligt het schip. Jawel. En in de diepte onder het achterdek, in het binnenste van het binnenste achter de kajuit, staat mijn brits. Waar ik me elk moment op kan laten neervallen. Plotseling knipperde hij een paar maal vlug achtereen met zijn ogen en schrok op. Hij zat in zichzelf te praten. Het was nog maar net zeven uur en hij praatte in zichzelf.

Hij zat te overwegen hoe hij zich moest losrukken uit de stroperige teerput van zijn stoel, om vervolgens wellicht zijn buik achterna te gaan naar de tafel met voedsel voor nog één sojaburger met tomaat, sla, ketchup en uien, toen hij werd besprongen door een vertrouwde, indringende, poezig spinnende stem en in een gezicht keek dat hij even goed kende als het zijne.

Het gespin zwol aan tot krols gehuil. 'Tom Crane, geile ouwe ongewassen woudonanist van me, ken je me niet meer? Wakker worden!' De bekende hand om zijn elleboog schudde met zijn arm als met een stok. En het bekende gezicht keek nu in het zijne, van zo dichtbij dat het vervormd was, grote harde violette ogen, ambrozijnen adem, lippen om zo in te bijten: Mardi.

'Mardi?' zei hij, en er golfde een vloed van emoties door hem heen, beginnend met een bliksemstraal van lust die zijn goedheilige pik tot leven wekte en eindigend met iets wat veel weg had van angst die overgaat in paniek. Zijn hoofd was ineens weer glashelder, en als een prille muurbloem op het randje van zijn stoel gezeten liet hij zijn ogen over de dansvloer gaan op zoek naar Jessica. Als die hem zag praten met... zag zitten naast... Jezus, als ze zelfs maar wist dat hij dezelfde lucht inademde in dezelfde tent...

'Hé, ben je niet goed? T.C.? Ik ben het, Mardi, weet je wel?' Ze wuifde met twee wanthandjes voor zijn gezicht. Ze had een soort bontmuts laag over haar voorhoofd getrokken en ze droeg een jas van wasberebont over een vleeskleurige bodystocking. En laarzen. Rood met blauw met geel met oranje cowgirllaarzen met hoge hakken, franje en lovertjes. 'Volk!' Ze klopte plagerig tegen zijn voorhoofd.

'Eh...' Gevangen tussen lust en paniek probeerde hij tijd te winnen, een list te bedenken, zich afvragend hoe hij moest voorkomen dat hij als een tasjesdief de tent uit zou stuiven. 'Eh,' zei hij, wellicht ten overvloede, 'eh, wat ik zeggen wou. Heb je zin om even naar buiten te gaan voor een hijs van het een of ander met Fred de bootsman en mij?'

Ze zette haar handen in haar zij en trok een mondhoek op in een halve glimlach. 'Heb je mij zo iets ooit horen afslaan?'

En het volgende moment stond hij buiten, waar de frisse lucht en de koude streling van de sneeuw op zijn gezicht hem weer tot leven brachten. Mardi marcheerde naast hem op, met haar over de grond slepende jas open en haar borsten in de strakke omhulling van Lycra. 'Vind je dit niet te gek?' zei ze, tweemaal om haar as draaiend en haar handen ten hemel heffend. Ze had sneeuw in haar haar. De lichtjes van West Point, ten noorden van hen aan de overkant van de rivier, waren vaag en diffuus, ver als gevallen sterren.

'Ja,' zei hij, en hij wierp zijn hoofd achterover en spreidde zijn armen, terugdenkend aan de keren dat hij als kind opgetogen wakker werd in een door sneeuw van haar smetten verloste wereld, terugdenkend aan het grote radiotoestel bij zijn grootvader in de woonkamer en de afgemeten, geduldige stem van de omroeper die de lijst van gesloten scholen voorlas. 'Dat is het, dat is het inderdaad.' En plotseling was zijn verdoving verdwenen – een bedorven maag, meer was het niet – en het volgende moment zwierde hij met haar rond, sloeg kuitenflikkers, pirouetteerde en haakte in als een elastieken varkensfokker uit Arkansas. Toen ging hij onderuit. Toen ging zij onderuit. En toen lagen ze allebei op de grond, stikkend van het lachen.

'Pst,' riep er een stem uit het duister. 'Tom?'

Het was Fred. De bootsman. Hij deelde een joint met Bernard, de eerste stuurman, en Rick, de technicus. Ze deden het discreet.

Helaas was discretie niet Mardi's sterkste punt.

Het eerste wat ze zei – of liever riep – toen ze bij het zenuwachtig over de gloeiende joint gebogen groepje gingen staan, was: 'Wat krijgen we nou, jongens – staan jullie hier stiekem te doen? Denken jullie dat marihuana verboden is of zo?'

Ze werd onthaald op ijzige blikken en een steels geschuifel van ongeruste voeten. Er waren er zat die het op de *Arcadië* voorzien hadden – dezelfde benepen oudstrijdersvrienden, vlaggezwaaiers en anticommunistische oorlogshitsers die twintig jaar eerder in Peterskill de boel kort en klein hadden geslagen – en arrestaties wegens drugbezit zouden voor hen een geschenk uit de hemel zijn. Tom zag de kop in de *Daily News* al voor zich, in kapitalen die niet meer waren gebruikt sinds Pearl Harbor: HASJBOOT GETORPEDEERD; GOUVERNEUR LEGT HASJBOOT AAN DE KETTING. Dat konden ze nou net niet hebben. Ze werden toch al gewantrouwd vanwege de betrokkenheid van Will Connell bij een en ander en het feit dat de bemanning uitsluitend bestond uit langharige types in Grateful Dead T-shirts met buttons boven hun tepels met daarop HUEY VRIJ en MAKE LOVE, NOT WAR. De eerste keer dat ze de haven van Peterskill binnenliepen waren ze opgewacht door een stel pummels met spandoeken waarop stond WORD WAKKER, AMERIKA: PETERSKILL IS U VOORGEGAAN!, en in Cold Spring had een stel potige vrouwen in een soort verpleegstersuniformen met vlaggen staan zwaaien alsof ze er het alleenrecht op hadden.

'Het is een sacrament,' zei Mardi. 'Een godsdienstig ritueel.' Ze probeerde grappig te zijn, ze probeerde hip en licht en luchtig te zijn en zich zwaarder stoned voor te doen dan ze was. 'Het is, het is...'

'Als Barr Aiken ons hiermee snapt, kunnen we meteen naar huis,' merkte Bernard droogjes op. Fluisterend.

Fred was een klein mannetje met een Gabby Hayes-baard, o-benen en het bovenlichaam van een gewichtheffer. Hij was dol op woordgrapjes en kon ook nu de verleiding niet weerstaan. 'Als Barr ons snapt, zijn we het hasje.'

Rick giechelde. 'Hij kielhaalt ons.'

'Hij spoelt jullie de voeten,' zei Mardi, die in de stemming raakte. Om de een of andere reden, een reden die waarschijnlijk te maken had met de maanlanding, UFO's en de akoestische eigenschappen van de sneeuwige lucht, leek haar stem over het water te galmen alsof ze een stadion toesprak met een megafoon. Iemand gaf haar de joint. Ze inhaleerde en was rustig.

Het hele groepje hield zich enige tijd rustig. De joint ging rond, werd een peuk, verdween. De sneeuw zalfde hen. Baarden werden wit, Mardi's haar werd steeds wilder. De muziek stierf weg en begon weer, met een vlinderende viool en een bonkende basgitaar. Fred haalde een tweede joint te voorschijn en het groepje gniffelde samenzweerderig.

Op een gegeven moment daarna – welk moment of hoe laat het was of hoe lang ze daar gestaan hadden kon Tom niet zeggen – nam Mardi hem apart en zei hem dat hij gek was dat hij samenwoonde met dat kreng waar Walter mee getrouwd was, en Tom – de voormalige woudheilige, leerling-zeeheld en gloedvolle minnaar – hoorde zich zijn hartelief verdedigen. Het was harder gaan sneeuwen en hij was licht in zijn hoofd. Rick en Bernard waren verwikkeld in een verhitte discussie over de juiste manier om een bepaald eiland van de Kleine Antillen te naderen, en Fred de bootsman probeerde het gesprek zonder veel succes terug te duwen in de richting van die keer dat hij met heldenmoed het want in was geklommen tijdens een onweersbui omdat het grootzeil in het ongerede was geraakt en daarbij zijn houvast had verloren, gevallen was en zijn arm op zes plaatsen had opengehaald.

'"Kreng"? Hoe kom je erbij?' protesteerde Tom. 'Ze is zo'n beetje het lankmoedigste, meest relaxte...'

'Het is een spriet.'

Toms haar was nat. Zijn baard was nat. Zijn spijkerjek en de capuchon aan zijn sweatshirt waren nat. Hij begon de kou te voelen, en de beneveling kwam terug. Waarschijnlijk was Jessica hem op dat moment aan het zoeken. 'Een spriet?'

'Ze heeft geen tieten. En ze kleedt zich of ze haar eigen moeder is.'

Voor Tom had kunnen reageren, had Mardi hem bij zijn arm gepakt en haar stem gedempt. 'Vroeger viel je op mij,' zei ze.

Dat was onmiskenbaar. Hij viel vroeger op haar. Nog steeds. Begon eigenlijk weer van voren af aan met vallen. Voelde er eigenlijk wel iets voor – maar nee, hij hield van Jessica. Had altijd van haar gehouden. Deelde zijn huis met haar, zijn sojabrokken, zijn tandenborstel, zijn brits aan boord van de *Arcadië*.

'Wat mankeert er aan mij?' Mardi was tegen hem aan gaan staan, en haar handen hadden, warm en zonder wanten, hun weg gevonden onder zijn hemd.

'Niets,' zei hij, in haar gezicht ademend.

Toen glimlachte ze, duwde hem van zich af, trok hem weer tegen zich aan en gaf hem, snel als een toeslaande *banderillero*, een kus. 'Luister,' zei ze, ademloos, warm, geurend naar zeep, parfum, kruiden, wilde bloemen, wierook, 'ik moet ervandoor.'

Ze was vijf passen bij hem vandaan, een schim in de wervelende sneeuw, toen ze zich omdraaide. 'O, ja,' zei ze. 'Er is nog iets. Ik zou het je eigenlijk niet moeten vertellen, want ik ben boos op je, maar laten we zeggen dat je toch wel een schatje bent. Luister: kijk uit voor mijn vader.'

De sneeuw was een deken. De beneveling was een deken. Hij probeerde zijn hoofd eronderuit te steken. 'Hè?'

'Mijn vader. Je kent hem. Die haat jullie.' Ze maaide met haar hand naar de tent, de kade, de vage hoge mast van de *Arcadië*. 'Jullie allemaal.'

Als hij niet zo nodig had moeten pissen – al dat bier – zou hij Jessica veel eerder tegen het lijf zijn gelopen. Want ze zocht hem inderdaad. En ze kwam voorbij de plek waar Rick, Bernard en Fred met gebogen hoofd op elkaar in leuterden, maar Tom was een eindje de sneeuwjacht in gelopen om de borst van de pasgevallen sneeuw te dopen. Het probleem was dat hij de rechte lijn kennelijk was kwijtgeraakt en dat het zo hard sneeuwde dat hij met geen mogelijkheid kon achterhalen waar hij precies was. De band had blijkbaar een pauze ingelast, dus op de muziek kon hij zich niet oriënteren, en het feestgedruis zelf leek gedempt en alomtegenwoordig. Was het daar, waar die lichtjes waren? Of was dat het station?

Nadat hij zijn rits omhoog had getrokken en het duister tegemoet was gegaan, wilde hij eigenlijk alleen maar op zoek naar Jessica om vervolgens met haar in zijn brits te kruipen en zich te koesteren in het sneeuwhoenderdons van zijn slaapzak, de slaapzak waarin het ook aan de rand van een ijskap warm en behaaglijk slapen was. Maar welke kant moest hij op? En Christus, wat was het koud. Hij had niet zo lang buiten moeten blijven. Niet zoveel moeten roken. Niet zoveel moeten drinken. Hij boerde. Zijn haar was beginnen te bevriezen en hing in de vorm van ijsringetjes in zijn nek.

Hij begon in de richting van de lichtjes te lopen, maar halverwege besefte hij dat het toch de ouderwetse lantarenlampen van het station waren. Wat betekende dat hij bij de tent zou komen als hij zich honderd tachtig graden omdraaide en naar de lichtjes liep die achter hem schemerden. Na drie moeizame minuten op een spekgladde ondergrond, en een aantal met wild armzwaaien bedwongen slaloms, bleek zijn ongelijk. Hij stond wel onder een licht, maar het bescheen een valse winkelpui met het woord YONKERS boven de etalage. Daar stond hij wel even raar van te kijken, maar vervolgens trok de nevel in zijn hoofd enigszins op en herinnerde hij zich *Hello, Dolly* en de opzichtige façades die door de filmploeg voor de haveloze oude gebouwen waren gezet om de sfeer van Yonkers uit het verleden op te roepen. Hij stond een ogenblik eiig naar de letters te kijken en dacht *Yonkers. De sfeer van Yonkers?* Yonkers was een vervallen oord met instortende werven, uitgewoonde flatgebouwen en een rivier voor de deur die eruitzag als een wc – een wc wás. En deze stad, Garrison, had ongeveer net zoveel sfeer als Disneyland.

God, wat een sneeuw. Hij zag zijn eigen neus niet. (Hij wilde er juist een experiment aan wagen en keek loensend naar de wijsvinger en de duim van zijn koude, natte rechterhand, waarmee hij het koude, natte puntje van zijn neus vasthield, toen er een stel koplampen over hem heen gleed.) Ah, daar was hij dus. Voor de antiekwinkel. En daar verderop, jawel, stond het steenrode dubbele woonhuis met de gevel uit Hollywood, dus om de hoek lag het plantsoen met de tent. Nu wist hij het weer, ja zeker, en hij wilde in het volste vertrouwen zijn weg vervolgen toen hij iets zag waardoor hij stokstijf bleef staan. Er liep daar iemand. Die glibberend de hoek om ging. Hij kende die tred. Die waggelende, zwaarvoetige, houterige, breedgeschouderde tred. 'Walter?' riep hij. 'Brunt?'

Geen reactie.

Achter hem startte een auto, en vervolgens verderop in de straat nog een. Er kwamen twee meisjes met gebreide mutsen gearmd de hoek om, gevolgd door een ouder echtpaar in bij elkaar passende London Fog-regenjassen. Toen Tom bij de hoek kwam, zag hij de tent en de feestgangers, een honderd mensen die met plastic bierglazen in de hand afscheid nemend door elkaar liepen. Even later zag hij ook Jessica.

'Ik maakte me ongerust,' zei ze, 'waar zat je toch? God, je bent drijfnat. Heb je het niet ijskoud?'

'Ik, eh, had een beetje te veel op... Dus toen ben ik een eindje gaan wandelen. Frisse neus halen, weet je wel.'

Op het podium had de band gezelschap gekregen van Will Connell voor een toegift. Wills sikje was bespikkeld met wit. Hij was mager en gekromd, en zijn gezicht was net iets uit een oud schilderij. Hij maakte een paar grapjes over het weer en begon op zijn banjo te rammen als een standwerker die eierklutsers aan de man brengt. Na een tijdje legde hij hem weg, pakte zijn gitaar en zette 'We Shall Overcome' in.

'Je rilt,' zei Jessica.

Hij rilde. Hij ontkende het niet.

'Kom,' fluisterde ze, en haar hand sloot zich om de zijne.

Toen ze weer op de boot waren, zat iedereen in de kleine kombuis rond de houtkachel koekjes te eten en warme chocolademelk te drinken. Tom kleedde zich daar ter plekke uit, dicht bij de kachel. Hij nam een beker chocolademelk, knabbelde een paar koekjes weg, grapte met zijn maten. Hij maakte zich geen zorgen over Mardi en ook niet over het zorgelijke feit dat hij tegen Jessica niets over haar gezegd had. Over Mardi's vader en Walter maakte hij zich evenmin zorgen. (Had hij hem nu echt gezien? vroeg hij zich vluchtig af tussen twee slokjes chocolademelk. Nee, hij zou het zich wel verbeeld hebben.) Hij maakte zich geen zorgen over de tocht van morgen of de ondergesneeuwde dekken of zijn vergeelde ondergoed. Hij gaapte alleen maar. Een enorme, jodelende, in zijn kaken krakende geeuw van volkomen vrede en verzadiging, en vervolgens hees hij zich in zijn lange onderbroek en kroop in de sneeuwhoenderdonzen slaapzak, met zijn uitverkorene aan zijn zij. Hij bleef een tijdje de sfeer van stil genoegen en bevrediging inademen die zachtjes de hut vulde en deed toen zijn ogen dicht.

De brits was warm. De rivier wiegde hen. De sneeuw viel.

DUYVELS END

Het was zo'n lamp van persglas met een handbeschilderd kapje, ongetwijfeld oud en onschatbaar duur, en Walter staarde erin als in een glazen bol. Hij zat met zijn ellebogen op zijn knieën op een tweezitsbankje in de voorkamer van het museum dat Dipe zijn huis noemde, hield een glas zuivere malt whisky in zijn hand die waarschijnlijk was gedestilleerd toen hij nog geboren moest worden en probeerde een mentholsigaret te roken op de juiste nihilistische wijze. Hij was ruim een week terug uit Barrow, en hij voelde zich ineens heel vreemd, licht in zijn hoofd en een beetje misselijk. Hij had pijn in zijn lies, zijn oksels waren vochtig en zijn rechter voetholte begon zo heftig te jeuken dat hij waarachtig een moment zijn hand wilde uitstrekken om eraan te krabben. Het was komisch – wel nee, het was helemaal niet komisch – maar het was haast of hij zich schrap zette tegen een nieuw offensief van de historie.

Dipe zat op de bank tegenover hem, whisky drinkend en zijn fraaie voorhoofd fronsend naar LeClerc Outhouse en een vreemdeling in een regenjas en zwarte leren handschoenen. De vreemdeling, wiens naam Walter was ontgaan, had een zo scherp gemillimeterde schuierkop dat zijn hoofdhuid er als een reflector doorheen glom. Hij knoopte zijn regenjas niet los en hij trok zijn handschoenen niet uit. 'Het is een schandaal,' zei de vreemdeling, langzaam zijn hoofd schuddend, 'echt een schandaal. En het schijnt niemand wat te kunnen schelen.'

LeClerc, die altijd bruin zag, zelfs in de winter, en wiens stopwoord 'exact' was, zei: 'Exact.'

Dipe ging zuchtend achteroverzitten. Hij keek naar Walter, en toen weer naar LeClerc en de man in de regenjas. 'Tja, nou ja, ik heb mijn best gedaan. Niemand kan beweren dat ik het niet geprobeerd heb.' Hij nam een slok whisky en zuchtte in zijn glas. De anderen maakten bemoedigende en bevestigende geluiden: ja zeker, hij had het geprobeerd, dat wisten ze. 'Als het niet van dat rotweer was geweest...' Hij maakte een machteloos wegwerpgebaar naar het plafond.

'Exact,' zei LeClerc.

Depeyster zette zijn glas neer en de vreemdeling maakte zijn zin voor hem af: '... dan was dat drijvende circus op vijfhonderd meter van Garrison blijven steken.'

'Exact,' zei LeClerc.

'Sneeuw,' gromde Depeyster, op een toon of het dunne stront was die er naar beneden viel.

Al meer dan een halfuur was dit globaal de lijn van de conversatie. Walter was na afloop van de werkdag met Depeyster mee naar huis gegaan en was blijven eten, met Joanna, LeClerc en de grimmige vreemdeling, die zelfs toen hij boter op zijn brood smeerde zijn handschoenen aanhield. Mardi's stoel was leeg. Het eten smaakte Walter niet. Het sneeuwde al – rechteloos, redeloos – sinds een uur of drie.

De avond stond in het teken van de *Arcadië* en Dipe's op niets uitgelopen poging om te voorkomen dat het schip zou aanleggen in Garrison, 'of waar dan godverdegodver ook aan deze kant van de rivier'. De bedoeling was geweest een flottielje te formeren uit de jachthaven van Peterskill – met alles wat varen kon, van kruiserjachten tot rubberboten – en daarmee in noordelijke richting te trekken met banieren en vlaggen, de *Arcadië* het leven zuur te maken en ten slotte de toegang tot de haven van Garrison te blokkeren door puur getalsmatige overmacht. Alleen zat het weer tegen. Dipe was in de lunchpauze met Walter naar de jachthaven gegaan, en daar bleken slechts drie booteigenaren te zijn opgekomen. De rest had zich kennelijk laten afschrikken door de stormachtige wind en de voorspelde vijf à tien centimeter sneeuw, een verwachting die later werd bijgesteld tot vijfentwintig centimeter.

'Pure lamlendigheid,' grauwde Depeyster. 'Iedereen blijft op zijn luie reet zitten.'

'Exact,' zei LeClerc.

De vreemdeling knikte.

'Als ik twintig jaar jonger was...' zei Depeyster, en hij keek weer naar Walter.

'Het is een schandaal,' zei de vreemdeling op een bekommerde fluistertoon, en of hij daarmee doelde op Depeysters leeftijd of op de anti-Amerikaanse, langharige hippie-agressie die zich op dat moment in dienst van het communisme kon uitleven op nog geen tien kilometer van zijn glas whisky, was niet duidelijk.

Walter wachtte niet op verduidelijking. Van het ene moment op het andere werd hij overvallen door maagkrampen zo scheurend en allemachtig heftig als hij ze nog nooit had meegemaakt. Hij schoot rechtop en bukte zich vervolgens om zijn glas neer te zetten op een salontafeltje ouder dan het hele begrip 'salon' zelf. De pijn sloeg weer toe. Hij drukte zijn sigaret uit met een trillende hand. 'Is er iets?' vroeg Dipe.

'Ik heb' – hij ging ineenkrimpend staan – 'ik heb honger. Meer is het niet, geloof ik.'

'Honger?' galmde LeClerc. 'Na zo'n diner?'

Lula had gevulde koteletten op tafel gezet, aardappelpuree en asperges uit blik, met toe eigengebakken appeltaart, ijs en koffie. Walter had niet zo'n trek gehad, maar hij had toch aardig meegegeten en van alles wat genomen, zonder nu direct de pannen uit te schrapen. Maar nu, nu die woorden zijn lippen ontvielen, besefte hij dat deze plotselinge pijn, dat vulkanische samentrekken en uitzetten dat hem in tweeën leek te splijten, de pijn van honger was. En dat hij honger had. Maar geen gewone honger. Een vraatzuchtige, ontzinnende, bloeddorstige begeerte naar de geur, de structuur en de smaak van eten.

Dipe schoot in de lach. 'Hij groeit nog. Jij weet toch nog wel hoe dat was, LeClerc?' Dit sloeg op LeClercs uitpuilende pens. De vreemdeling lachte. Of liever gezegd: gniffelde. De sfeer klaarde een ogenblik op.

'Kijk maar in de keuken, Walter,' zei Dipe. 'Steek je hoofd in de koelkast, zoek in de kasten – alles wat ik in huis heb is je van harte gegund, dat weet je.'

Walter was al in de gang toen de vreemdeling riep: 'En neem een zak pinda's mee of iets dergelijks.'

Het eerste wat hij zag toen hij de deur van de koelkast opendeed was een rekje Budweiser. Hij was niet speciaal op zoek naar bier, maar hij trok toch een flesje open en dronk het leeg. Naast het bier stond, in de springvorm, wat er over was van de appeltaart, en dat was nog bijna de helft. Walter maakte er korte metten mee. In het vleesvak vond hij een half pond pastrami, een keihard stuk parmezaanse kaas en zes dunne roze plakjes rosbief in een zakje van Offenbacher. Voor hij wist wat hij deed had hij de hele handel in zijn mond en spoelde hij het weg met een tweede flesje bier. Hij stak zijn hand uit naar de helder glimmende bus slagroom, met de gedachte daar ook wat van door zijn keel te spuiten, toen Mardi binnenkwam.

'O, eh, hoi,' zei hij, en schuldbewust sloot hij de koelkastdeur. Hij had een fles bier in de ene hand, en vreemd genoeg bleek er een pot gemarineerde artisjokharten verschenen te zijn in de andere.

'Wat ben jij aan het doen?' zei Mardi laconiek, met grote, geamuseerde, maar ook enigszins doffe ogen. Ze droeg een vleeskleurige bodystocking, geen beha, cowgirllaarzen. Haar bontjas en wollen sjaal hingen over haar arm. Ze rook naar marihuana. 'Is het varken in je wakker geworden?'

Walter zette het bier neer om het deksel van de pot te draaien. Hij viste er met zijn vingers een paar artisjokharten uit en propte die in zijn mond, met de rug van zijn hand de olie wegvegend die over zijn kin liep. 'Ik heb honger,' zei hij alleen maar.

'Ik zou hier intrekken als ik jou was,' zei ze op een door veel adem gedragen fluistertoon. 'Neem mijn kamer maar.' Ze trok de koelkast open en pakte ook een fles bier.

Uit de kamer kwamen klaaglijk gemopper en de gedempte maar onmiskenbare klanken van LeClerc Outhouse die zich aansloot bij een niet tot de keuken doorgedrongen standpunt: 'Exact!'

Walter kon het niet helpen. Hij at alle artisjokharten op – het waren er tenslotte maar een stuk of twaalf – en zette toen, terwijl hij doorkauwde, de pot aan zijn lippen en klokte de dikke, met kruiden op smaak gebrachte olijfolie weg waarin ze waren geconserveerd.

Mardi nam het korte flessehalsje van haar lippen en wierp een blik van gespeelde afschuw op hem. 'Om te kotsen,' zei ze.

Walter haalde zijn schouders op en begon aan de doughnuts in de broodtrommel.

Ze keek toe terwijl hij at en vroeg toen hoe het in Alaska geweest was.

'Koud,' zei hij tussen twee happen in.

Er viel een stilte. De stemmen uit de kamer werden levendiger. Joanna, de kolossaal zwangere Joanna, kwam voorbij door de gang in een zijden kamerjas. Haar huid zag wit, ze had haar haar opgestoken in een conventioneel kapsel. Ze liep niet eens op mocassins.

'Wat is er daarbinnen aan de hand,' vroeg Mardi met een hoofdknik in de richting van de kamer, 'wordt er weer wat uitgebroed of zo?'

Walter haalde zijn schouders op. Hij bezag peinzend het halfje gesneden volkoren dat naast de doughnuts lag. Pindakaas? dacht hij. Of roomkaas met piment?

Plotseling pakte Mardi hem bij de arm en kwam tegen hem aan staan, met haar wang tegen de zijne. 'Ga je mee naar boven voor een vluggertje?' klonk het zwoel, en even, even maar, hield hij op met kauwen. Maar toen duwde ze zich met een lach bij hem weg – 'Ik had je tuk, hè? Geef toe.'

Hij keek van het brood in zijn hand naar haar borsten, haar prachtige, vertrouwde borsten, waarvan de omhoogwijzende tepels zich zo duidelijk aftekenden dat ze de bodystocking net zo goed in de kast had kunnen laten. De honger – de honger van de buik althans – begon minder te worden.

Mardi stond te grijnzen, klaar om bij hem weg te duiken als een kind dat een ander kind zijn pet of schrift heeft afgepakt. 'Grapje!' zei ze. 'Hé, ik ben weg.'

Walter bracht het tot een 'waarheen?'-blik, hoewel het hem op dat moment eigenlijk niets kon schelen.

'Naar Garrison,' zei ze, 'wat dacht jij dan?' En weg was ze.

Walter bleef lange tijd staan, luisterend naar de stemmen die doordrongen vanuit de woonkamer, luisterend naar Dipe Van Wart, zijn baas, zijn mentor, zijn beste, zijn enige vriend. Dipe Van Wart, die zijn vader had gekneed tot een stuk stront. Hij dacht er nog wat langer over na, dacht na over Hesh en Lola, Tom Crane, Jessica, de onlangs verscheiden Peletiah, Sasha Freeman, Morton Blum, Rose Pollack. Dat waren ook stukken stront. Allemaal. Hij was alleen. Hij was hard, zielloos en ongevoelig. Hij was Meursault die de Arabier neerschoot. Hij was tot alles in staat, kon doen wat hij wilde.

Hij deed het brood terug in de trommel en spoelde de rest van zijn bier door de gootsteen. Zijn jas lag in de kamer, maar die had hij niet nodig. Hij had er geen zin in daar weer naar binnen te gaan, en trouwens, het was niet koud – niet als je net terug bent uit Barrow. Hij leunde tegen het aanrecht, concentreerde zich op de klok boven het fornuis en dwong zich te wachten tot de secondewijzer twee keer was rondgegaan. *Het zit in het bloed, Walter*, hoorde hij zijn vader zeggen. Toen liep hij naar het andere eind van de keuken en glipte weg door de achterdeur.

De nacht overviel hem met zijn stilte. In zwaar bevochten evenwicht kloste hij door de sneeuw en greep zich vast aan het spatbord van de auto. Toen hij de wagen startte en de lichten aandeed, zag hij de donkere rechthoek waar Mardi's auto had gestaan en vervolgens haar lange, slepende bandesporen, die sierlijk omlaaggleden over de oprijlaan. En aan het eind van de oprijlaan zag hij dat de sporen naar links zwenkten, in de richting van Garrison.

Hij had rechts af kunnen slaan, naar huis, naar bed.

Maar hij deed het niet.

Een kwartier later reed hij de parkeerplaats op aan de verre, duistere rand van het stationsterrein van Garrison. De parkeerplaats was ongeasfalteerd en verwaarloosd, een Sonoraanse stofvlakte met scherpe steentjes en broos onkruid. Vanavond zag alles wit, egaal, smetteloos. Aan weerszijden van de straat voor het station stonden auto's, en er stonden er nog een stuk of vijftig op de parkeerplaats, maar dan dicht tegen het station aan, onder de verlichting. Walter besloot door te rijden, zijn eigen weg te banen. Hij wilde niet opvallen.

De MG lag vast op de weg, maar toch voelde hij de wielen onder zich vandaan slippen. Hij vorderde over de verborgen obstakels als in een achtbaan, voor het zicht maakte het weinig uit of hij zijn ogen open of dicht had, en de achterkant volgde zo te voelen zijn eigen impulsen; voor hij het wist zat hij vast in een krater waar een complete schoolbus in kon verdwijnen. Hij gaf een woedende dot gas. De achterwielen gierden, het chassis sidderde onder hem. Hij zette hem in zijn achteruit, stampte op het gaspedaal, roste weer door de versnellingsbak naar z'n één, gaf weer gas. Niets. Zo bleef hij misschien wel een tien minuten hannesen, de paar centimeter winst die hij boekte bij de ene poging weer verspelend bij de volgende.

Godver. In woedende ontgoocheling beukte hij op het stuur. Hij wist niet eens waarvoor hij eigenlijk gekomen was – niet om Tom en Jessica te zien, dat in geen geval, en voor Mardi was hij hier ook niet. Hij wilde helemaal niemand zien, en hij wilde ook niet gezien worden. En nu was hij als de eerste de beste debiel vast komen te zitten. In dolle drift liet hij de koppeling opspringen en trapte het gaspedaal van zich af, en vervolgens sloeg hij zo hard met zijn vuist tegen het dashboard dat hij door het glas voor de kilometerteller ging en zijn knokkels openhaalde. Hij zat vloekend zijn wonden te likken, zo gefrustreerd dat hij wel kon janken, toen er iemand tegen de voorruit tikte.

Buiten in de sneeuw stond een dik ingepakte gestalte. Walter draaide het raampje omlaag en zag dat er zich achter de eerste een tweede met sjaals omwonden gestalte ophield. 'Moeten we helpen?' Een vent met een wilde bos nat haar en een baard hield zijn hoofd voor de opening van het raampje. Even raakte Walter in paniek, omdat hij meende dat het Tom Crane was, maar toen herstelde hij zich. 'Graag. Ik kom verdomme niet meer voor- of achteruit. Er zit hier een kuil, zo te voelen.'

'Wij duwen,' zei de man. 'Gas geven als ik roep.'

Walter liet het raampje openstaan. Er dreef sneeuw naar binnen die smolt op zijn wang. Het was warm, echt. Hij zat zich af te vragen hoe het in godsnaam kon sneeuwen terwijl het zo lauw was, toen hij van achteren een schreeuw hoorde en gas gaf. De auto ging tegen de bult omhoog, aarzelde, en schoot toen, op een nieuwe aanzet van achteren, over de rand van de kuil en zeilde het parkeerterrein op. Walter stopte pas aan de overkant, helemaal aan het andere eind, in de laaghangende beschutting van de bomen. Toen hij uitstapte, waren zijn weldoeners verdwenen.

Hij wist nog steeds niet wat hij hier moest, of wat hij nu van plan was, maar hij dacht dat hij om te beginnen het parkeerterrein maar eens over moest steken om een kijkje te nemen in de tent. Hij wist niet zeker of Jessica daar zou zijn, maar hij wist wel dat Tom en zij nauw betrokken waren bij het hele gedoe rond dat schip – dat had ze hem zelf verteld – dus hij verwachtte van wel. En Tom dan ook natuurlijk. Misschien kon hij een pilsje nemen, een beetje achteraf. Hij wilde eigenlijk liever niet met haar praten – niet na wat er in de blokhut gebeurd was. Maar een blikje bier. Ja, hij kon toch een blikje bier nemen?

Maar dat was nog niet zo simpel.

Het was moeilijk lopen – net zo moeilijk als in Barrow, zij het dat de ondergrond niet zo verijsd was – en eer hij bij het perron kwam was hij twee keer neergegaan op zijn knieën. Zijn colbert – wolgarens in een zwart met grijs visgraatdessin, honderd en vijfentwintig harde dollars – was door en door nat en ongetwijfeld rijp voor de vuilnisbak, en de das had zich als een strop aangesnoerd rond zijn keel. Hij had er zo langzamerhand spijt van dat hij niet terug was gegaan om zijn jas te pakken. Hij bleef enige tijd met opgetrokken schouders op het perron zijn wonden staan likken. Vervolgens ging hij in de richting vanwaaruit de muziek kwam.

Tegen de tijd dat hij de tent binnenglipte rilde hij, en ondanks zijn voornemens ging hij meteen bij de dichtstbijzijnde hete-luchtblazer staan. Hij verbaasde zich over de opkomst – toch zeker een tweehonderd mensen. Alleen op de dansvloer stonden er al half zoveel – vier lange dubbele rijen volksdansers, hopsend alsof ze zo waren weggelopen van het oogstfeest in een katoenschuur in Tennessee. Het bier was goed – Schaeffer van het vat – maar na zijn aanval van vraatzucht had Walter het gevoel dat hij tot zijn strot toe vol zat, en hij kon alleen nippen van zijn glas. Hij herkende niet één gezicht.

Hij stond zich nog steeds af te vragen wat hij hier eigenlijk deed, en hij begon zich bepaald opvallend te voelen met zijn korte haar, zijn colbert en zijn das, toen hij in een flits Jessica zag. Ze bevond zich op de dansvloer, midden in het gedrang, en zwierde rond aan iemands arm, wiens arm kon hij niet zien. Nadat hij zich tussen twee vijftigers door had gewurmd met grijze paardestaarten en mosterdkleurige sweatshirts waarop een boven de zwelling van hun middelbare buiken slagzij makende *Arcadië* was afgebeeld, had hij een beter uitzicht. Ze droeg een ouderwetse jurk van bedrukt katoen met ruches en schoudervullingen, ze had vlechten in haar haar en er lag een glimlach van puur plezier om haar lippen. Hij kende de vent met wie ze danste niet, maar het was niet Tom Crane. In plotselinge beroering liep hij bij de hete-luchtblazer vandaan en trok zich terug in het schemerduister. Hij voelde zijn gezicht verkrampen en gooide zijn glas bier met kracht tegen de grond. Het volgende moment stond hij weer buiten.

Het leek of het harder was gaan sneeuwen en er was een wind opgestoken waardoor de vlokken dansten en joegen. Kouder leek het ook. Walter stak de straat over voor de tent en liep naar het diepe schaduwvlak achter het dubbele woonhuis aan de overkant. Daar ging hij tegen de muur geleund staan, stak een sigaret op met handen die al weer waren begonnen te trillen en keek toe. Hij keek toe terwijl het feest op zijn eind liep en de feestgangers begonnen te vertrekken. Hij zag ze elkaar op de schouders slaan, naar de hemel wijzen, hoorde ze naar elkaar roepen met joviale bierstemmen, zag ze met gebogen hoofd afmarcheren naar de auto's die op straat en op het stationsterrein geparkeerd stonden. Hij zag een ouder echtpaar in bij elkaar passende London Fog-regenjassen tegen de helling op langs hem heen sjokken en hij zag Tom Crane, slungelend als een grote sprietige spin, in een spijkerjasje zo drijfnat dat hij haast krom liep van het gewicht, door de menigte slingeren en de tent in gaan. Mardi zag hij ook, toen ze vertrok met een vent die er, met een poncho om, een sombrero op en laarzen aan zijn voeten, uitzag of hij naar een gekostumeerd bal ging. Dat alles zag hij, en nog steeds wist hij niet wat hij hier kwam doen. Will Connell zong 'We Shall Overcome', automotoren ontbrandden met een herrie als aan het begin van een grand prix en Tom en Jessica kwamen met de armen om elkaar heen geslagen de tent uit gewandeld.

Als een verliefd stel.

Een verliefd stel in een droom.

Walter keek toe terwijl ze zich losmaakten uit de menigte en in de richting van de kade gingen – de richting van het schip. En toen begreep hij het: hun romance was de romance van de sneeuwstorm, de romance van de werkheilige moeraswederikbeschermers, van de langharige andere-wang-toekeerders, de romance van vrede en broederschap en gelijkheid, en ze brachten hun vermoeide rechtschapen ziel naar bed in de romance van het schip. En ineens wist hij wat hij hier kwam doen. Ineens wist hij het.

Het zou nog een uur duren eer iedereen weg was. Minstens. De inladers van de apparatuur, de vuilnisploeg, de plakkers en de regelaars, allemaal liepen ze door elkaar voor de tent alsof ze net uit een Off-Broadwaytheater kwamen. Walter, die inmiddels door en door verkleumd was, schuifelde terug naar de MG – bij een sneeuwval zo hevig dat hij het ding amper terug kon vinden – om met de verwarming aan genoeg tijd te laten passeren. Hij rookte. Luisterde naar de radio. Voelde zijn colbert knellen in de schouders en terugkruipen van zijn polsen nu het vocht eruit begon te dampen. Een uur. De voorruit was verdwenen, zijn voetsporen waren uitgewist. Hij concentreerde zich op het spookachtige, spatelvormige licht van het station en liep voor de derde keer die avond het terrein over.

Het schip was donker, de jachthaven verlaten. Diep ademhalend stond hij daar op de besneeuwde kade, met de bedorven, klamme, vervuilde adem van de rivier in zijn gezicht; het vaartuig verhief zich boven hem als een verschijning uit het verleden, als een van de bodem geborgen kaapvaarder, als een spookschip. Krakend, fluisterend, kreunend met honderd tongen trok het schip bij het opkomend tij aan de landvasten, en de kade kreunde mee. Het lag vast aan drie lijnen. Drie lijnen, meer niet. Een achter, een midscheeps, een voor. Drie lijnen, om de meerpalen geslagen. Walter was geen leek op het gebied van boten, kikkers en halve steken en het donkere zuigen van de rivier. Hij wist wat hij deed. Hij wreef zijn handen warm om de stramheid eruit te krijgen en bukte zich toen over de achtertros.

'Ik zou het niet doen, Walter,' zong een stem achter hem.

Hij hoefde zich niet eens om te draaien. 'Ga naar huis, oma,' fluisterde hij. 'Laat me met rust.'

'Het zit in het gebeente,' zei zijn vader, en daar was hij, met zijn grote ruige kop en een gezicht dat in de sneeuw schuilging als achter een sjaal. Hij stond over een meerpaal gebogen aan de midscheepstros te sjorren.

'Blijf af!' riep Walter, schrikkend van het geluid van zijn eigen stem, en hij beende de kade over en dwars door de oude Van Brunt alsof hij er niet stond. 'Afblijven,' bromde hij, om de meerpaal heen klossend als een marionet, 'dit is iets wat ik moet doen, ik alleen.' Hij bracht zijn hand naar zijn mond, likte aan het donkere, aan zijn knokkels vastgevroren bloed. En toen rukte hij in woede de lijn van de meerpaal en gooide die in het rivierwater.

Hij richtte zich op. Gelach. Hij hoorde gelach. Lachten ze hem uit?! Zijn mond verhardde zich. Hij tuurde met toegeknepen ogen in de jagende sneeuw. Voor hem in het duister zag hij van alles bewegen, een haastig gedribbel van belachelijk korte beentjes en misvormde voeten, dwerghandjes die prutsten aan de lijn naar het achterschip. Er klonk een door de sneeuw en de afstand gedempte plons, en toen zwaaide het schip uit als de naald van een kompas tot het, nog slechts tegengehouden door die ene strakke lijn aan de voorsteven, recht naar de open rivier wees.

Er ging een seconde voorbij. Een lange seconde. Hij liep terug over de kade en bukte zich over die laatste, breekbare lijn, en de lijn werd een lint, de strik aan een kleine Parilla-motor: trek eraan – één rukje maar – en hij laat los. Hij wierp zijn hoofd naar links en naar rechts. Niets. Geen vader, geen grootmoeder, geen schimmen. Alleen maar sneeuw. Wat had hij gewild – mee aan boord gaan, bij ze in de brits kruipen, de moeraswederik redden en een goed mens worden, een idealist, een der waarachtigen en standvastigen? Was dat het? De gedachte was zo bitter dat hij er hardop om moest lachen. Toen trok hij aan het lint.

De seconde duurde voort – volmaakt evenwicht, absolute stilte, de trage gratie van snelheid in opbouw – en daar ging het schip, met zijn volle tweeëndertig meter en dertien ton, achteruitwijkend als een droomgestalte. Het volgde zijn neus en het wassende water en dreef de onzichtbare rivier op, pal in de richting van Gees Point en de zwarte, behekste, onheuglijke diepten van Duyvels End. Hij bleef kijken tot de sneeuw zich rond het schip sloot en draaide zich toen om.

Hij rilde – van de kou, van de angst, de spanning en de opluchting – en hij dacht aan de auto. Weemoedig haast keek hij nog eenmaal de nacht in, over zijn schouder achterom, door de striemende sneeuwvlagen naar de leegte die erachter lag, en toen wilde hij gaan. Maar de kade was glad en zijn voeten lieten hem in de steek. Voor hij één stap gezet had, kwam het harde witte oppervlak van de kade hem tegemoet gestormd en sloeg hij ertegenaan met een dreun die als een donderslag door de nacht leek te roffelen. En toen gebeurde het onverwachte, het onverklaarbare, het kleinigheidje dat zijn aderen vol angst pompte: er ging een licht aan. Een licht. Aan het eind van de kade, op een meter of tien van waar hij lag, een plotselinge inbreuk op de nacht, de rivier, de sneeuwstorm. Hij lag daar met bonkend hart en hoorde iets bewegen: zware, gesmoorde geluiden.

En toen zag hij het – de lage schaduw van een boot die aan de andere kant van de kade lag, en er ging een tweede licht aan, veel dichterbij. Hij duwde zich overeind, stikkend in zijn paniek, en weer schoten zijn voeten onder hem vandaan. 'Hé,' riep een stem, en die stem was vlakbij. Er was een man daar op die boot, een man met een zaklamp, en toen de boot concrete vormen aannam in het duister, verstijfde Walter. Hij kende dat ding. Hij kende die boot. Wel degelijk. De jachthaven van Peterskill. Halloween. Dat drijvende schijthuis met die zwerver aan boord, die Indiaan – hoe had Mardi ook weer gezegd dat hij heette?

Jeremy. Jeremy had ze hem genoemd.

Plotseling was hij overeind en had hij het op een rennen gezet – struikelend, maaiend, wankelend, voorover de nacht in – en de stem achter hem joeg hem voort. 'Hé,' klonk het, en het was als het geblaf van een hond. 'Hé, wat gebeurt er?'

Walter wist niet meer hoe vaak hij gevallen was toen hij bij het einde van de kade kwam en rechts afsloeg langs de spoorrails, in een gescheurd colbert dat zwaar was van de sneeuw en een linkervoet die nog maar half aan zijn riemen hing. Hij bleef doorgaan, zichzelf opzwepend, en hij verwachtte ieder moment de voetstappen van de Indiaan achter zich, verwachtte dat die dolleman uit de duisternis te voorschijn zou springen en zich op hem zou storten, zijn tanden in zijn keel zou zetten, in zijn oor...

De sneeuw belaagde hem als een oordeel. Hij ging weer onderuit, en dit keer kon hij niet meer overeind komen – hij was buiten adem, had geen conditie, hij was een invalide. Hij had steken in zijn zij. Zijn longen brandden. Hij kokhalsde. En het volgende moment kwam alles naar boven, bier, pastrami, artisjokharten, doughnuts, de gevulde koteletten en de asperges uit blik. De warmte van zijn braaksel sloeg hem in het gezicht, en hij duwde zich erbij weg, zich languit uitstrekkend in de sneeuw als een lijk.

Later, toen de kou hem dwong zich te bewegen, weigerden zijn vingers dienst. De prothese was los – ze waren allebei los – en hij kon de riemen niet vasttrekken. Toen hij uiteindelijk op zijn benen stond, voelde hij de grond niet. Hij voelde wel zijn bloedende knokkels, hij voelde de beklemming in zijn borst, maar hij voelde niet de aarde onder zijn voeten. En dat was ernstig, heel ernstig. Want de aarde was bedekt met sneeuw, en de laag sneeuw werd dikker en alles leek op alles. Hij wist dat hij bij de auto moest zien te komen. Maar in welke richting moest hij de auto zoeken? Was hij de rails overgestoken? En waar was het station? Waar waren de lichten?

Hij ging op weg in wat de goede richting moest zijn – het kon niet anders – maar hij voelde de grond niet en viel. De kou was begonnen te bijten, de kou die nog altijd veertig graden warmer was dan die in Barrow, en hij duwde zich overeind. Voorzichtig en methodisch ging hij verder, voetje voor voetje, met zijn armen in de lucht om zijn evenwicht te bewaren. Hij telde de passen – drie, vier, vijf, waar was de auto nu? – en toen ging hij weer neer als een blok. Hij krabbelde weer overeind en sloeg vrijwel onmiddellijk opnieuw tegen de grond. En nog eens. Uiteindelijk ging hij kruipende verder.

En toen hij was gaan kruipen, op handen en knieën die even dood waren als zijn voeten, hoorde hij het eerste kleine jammergeluidje. Hij hield in. Het was wazig in zijn hoofd en hij was moe. Hij wist niet meer waar hij was, wat hij had gedaan, waar hij heen ging, wat hij hier was komen doen. En daar was het weer. Het jammergeluidje werd een snik, een kreet, een weeklacht vol opstand en verdriet. En ten slotte zwol het, in ontsteltenis en radeloosheid, wanhopig en ontredderd, aan tot een luide jammerklacht.

ERFOPVOLGER

Hij had eigenlijk helemaal niet op zijn werk hoeven verschijnen. Dit deel van het jaar was altijd een slappe tijd, en trouwens, al was het wel druk geweest, al brak er weer een wereldoorlog uit en moesten ze dag en nacht aluminium koken en aximaxen gieten, dan nog kon hij daarbij rustig worden gemist – behalve misschien één keer in de veertien dagen, als de loonstaten moesten worden geparafeerd. Hij was overbodig, en niemand wist dat beter dan hij zelf. Olaffson, de produktieleider, kon op z'n sloffen tien keer de huidige orderportefeuille aan, en de knul die Walters plaats had ingenomen op de verkoop- en advertentieafdeling was een natuurtalent. Had hij zich laten vertellen. Hij had de knaap eerlijk gezegd nog niet eens gezien.

Maar Depeyster zat graag in zijn werkkamer. Hij mocht graag een dutje doen op de leren bank in de hoek of zich verdiepen in een spannende pocket in het warme lichtschijnsel uit de koperen bureaulamp met de groene glazen kap. Hij waardeerde de geur van het bureau, het geluid van de elektrische puntenslijper en de manier waarop de grote notehouten stoel meehelde met zijn lendenen en over het vloerkleed gleed op zijn soepele, geluidloze wieltjes. 's Middags nam hij een lunchpauze van twee uur, of ging een rondje golfen met LeClerc Outhouse – of zeilde, als het weer het toeliet, naar Cold Spring voor een glas Beefeater's, puur, bij Gus' Antique Bar. Maar het belangrijkste was dat hij graag 's morgens van huis ging, zich graag produktief voelde, nuttig, graag het gevoel had dat hij een werkdag draaide als ieder ander.

Nu zat hij doelloos in een tijdschrift te bladeren met een kop ijskoude koffie voor zich, en toen hij zijn ogen opsloeg naar het raam en de parkeerplaats, zag hij dat het regende. Al weer. Het leek wel of het sinds die verdwaalde sneeuwstorm van twee weken terug elke dag regende. De schuiver had een sneeuwbank van anderhalve meter hoog gedeponeerd aan de overkant van het terrein, en nu was daar nog slechts een brokkelige, vuile ijsrichel van over. Ineens had hij een vreselijk voorgevoel: de regen zou overgaan in ijzel en de wegen zouden verijzen tot een bobsleebaan zodat hij hier niet meer weg kon en Joanna met geen mogelijkheid naar het ziekenhuis te vervoeren was.

Hij rukte de lade open en rommelde in het telefoonboek. 'Weerbericht,' bromde hij bij zichzelf, 'weerbericht, weerbericht,' en hij bleef bladeren en brommen tot hij het opgaf en juffrouw Egthuysen het nummer liet draaien. Vlak en onverschillig klonk de stem op het bandje via de slechte verbinding: 'Veel bewolking en tot de avond af en toe regen; middagtemperatuur rond twee graden boven nul, met in de nanacht plaatselijk een kleine kans op nachtvorst.'

Het volgende moment liep hij om het bureau te ijsberen, half gek van ongerustheid, vechtend tegen de verleiding om weer naar huis te bellen. Hij had nog geen vijf minuten eerder gebeld, en Lula had op haar laconieke manier haar best gedaan om hem gerust te stellen. Alles was prima in orde, zei ze. Joanna rustte. Nee, het was beter haar niet te storen.

'Dus haar water is nog niet gebroken?' vroeg hij, al was het maar om zijn eigen stem te horen.

'Nee, niks.'

Er viel een stilte op de lijn. Hij wachtte op bijzonderheden, het laatste nieuws over Joanna's toestand, want vandaag was de grote dag, dat wist ze toch wel? Ze wist toch dat dokter Brillinger de bevalling tot op de dag had uitgerekend – tot op déze dag? De enige reden dat hij überhaupt naar kantoor was gegaan was dat Joanna zei dat ze er nerveus van werd dat hij om de andere minuut zijn hoofd om de deur stak. Lijkbleek had ze hem een kneepje in zijn hand gegeven en gevraagd of hij niet liever naar kantoor ging, naar het wegrestaurant, de bioscoop – ergens waar hij het wachten kon bekorten. Als hij zorgde dat hij bereikbaar bleef, dan zou ze bellen. Ze zou bellen, daar kon hij van op aan.

'Nee, niks,' had Lula nog eens gezegd, en hij begon zich opgelaten te voelen.

'Maar je belt me?' zei hij. 'Meteen zodra er iets gebeurt?'

Lula's stem was diep en vol en traag. 'Ja, hoor, meneer Van Wart, zo gauw er wat gebeurt.'

'Ik ben op de zaak,' zei hij.

'Ja.'

'Goed, oké,' zei hij. En omdat hij niet wist wat hij er verder nog mee moest, had hij de hoorn op de haak gelegd.

Nee, hij kon niet nog eens bellen. Niet nu al. Hij zou een halfuur wachten – nou, nee, een kwartier. God, hij stond stijf van de zenuwen. Hij keek weer naar buiten, naar de regen, en probeerde zichzelf te hypnotiseren, zijn hoofd helder te krijgen, maar het enige waar hij aan kon denken was ijs. Zijn handen trilden toen hij in zijn borstzak naar de envelop met keldervuil voelde, er een vochtige vinger in doopte en de fijnkorrelige oergrond over zijn tanden en tandvlees wreef alsof het een geneesmiddel was. Hij ging erlangs met het puntje van zijn tong, liet de weelde ervan tot zijn gehemelte doordringen, verspreidde het over zijn kiezen en vermaalde het tussen zijn tanden. Hij sloot zijn ogen en proefde zijn jongensjaren, proefde zijn vader, zijn moeder, proefde geborgenheid. Hij was een jongen, verscholen in de koele, vergevensgezinde diepten van de kelder, en de kelder was zijn wezen, de oerbron van de Van Warts van weleer en de Van Warts die nog zouden komen, en hij voelde zich omspoeld worden door vredigheid en vergat de wereld om zich heen.

Toen ging de telefoon. Hij dook erbovenop.

'Ja?' stiet hij uit. 'Ja?'

Uit de hoorn klonk het luchtige stemgeluid van juffrouw Egthuysen. 'Marguerite Mott op lijn twee.'

Marguerite Mott. Hij wist zo gauw geen reactie. De smaak van het keldervuil verdween uit zijn mond en de vertrouwde contouren van zijn werkkamer verschenen weer op zijn netvlies. Ja. Oké. Hij zou haar te woord staan. Hij drukte op het knopje.

'Dipe?' Haar stem was een ver gekraai.

'Ja? Marguerite?'

'We hebben het.'

Hij was verbouwereerd. Wat hadden we? Was de bevalling al voorbij? In een plotseling visioen zag hij Marguerite, in haar ambergele cocktailjurk en op haar witte pumps, de baby aan zijn voetjes omhooghouden als iets wat ze had weggekaapt uit het struikgewas. 'Wat?' zei hij.

'De grond,' riep ze. 'Het land van Peletiah.'

En plotseling drong het tot hem door, plotseling ontlook in zijn hoofd het besef als een complete, lange, dubbele rij Helen Traubels die in één enkel onstuitbaar moment hun geurige, samengebalde kopjes openen. De grond. Het land van Crane. Ontheiligd door communisten en hun meelopers, in vreemde handen sinds zijn prille jeugd – de twintig woeste, onbebouwde, ongerepte, beboste bunders die zijn verbindingsschakel vormden met het glorieuze verleden en de hoeksteen en grondslag van de roemrijke toekomst. En zij vertelde dat nu, ten langen leste, die grond van hem was. 'Hoeveel?' vroeg hij.

Marguerite liet een lachje horen. 'Je gelooft me toch niet.'

Hij wachtte, en zijn glimlach werd breder. 'Waag het er maar op.'

'Vijfenzestig.'

'Vijfenzestig...?' zei hij haar na.

'Dipe!' kraaide ze. 'Dat is tweeëndertighonderd vijftig per hectare! Tweeëndertig vijftig!'

Hij was verbijsterd. Hij was sprakeloos. Tweeëndertig vijftig per hectare. Dat was de helft van wat hij die ouwe neuzige rotzak geboden had – zevenenvijftig vijftig minder dan diens oorspronkelijke vraagprijs. 'Ik wist het,' zei hij. 'Ik wist het. Peletiahs graf is nog niet koud en nu al zit die knul om geld verlegen – wat is hij van plan, wil hij een wagonlading marihuana laten aanvoeren of zo?'

'Nee, geen drugs, Dipe' – ze schraapte haar keel – 'alleen: er is wel één maar; hij wil het geld meteen hebben.'

'Geen probleem.' God, de tien procent had hij praktisch in zijn binnenzak zitten, en Charlie Strang van County Trust schreef hem desnoods een cheque uit voor zes keer zestigduizend. Zonder zelfs maar met zijn ogen te knipperen. 'Ik wist het,' zei hij nog eens, inmiddels zelf ook kraaiend. 'Maar wat zit erachter? Speelschulden? Vrouwen? Wat moet die melkmuil met zestigduizend dollar?'

Marguerite zweeg even omwille van het dramatische effect, en vervolgde toen op gedempte toon. 'Luister, dat wilde hij niet zeggen – niet meteen tenminste. Maar je kent me.'

Hij kende haar. Ze had waarschijnlijk haar gebit uitgedaan om hem murw te kevelen.

'Het gaat om die boot. Weet je niet, die milieuschuit die een paar weken terug met averij in de krant stond?'

'De *Arcadië*.'

'Ja. Kijk, ik bedoel, ik heb dat niet zo gevolgd, maar kennelijk was het een behoorlijke ravage – volgens Sissy Sturdivant zat er in de bodem een gat waar een Volkswagen doorheen kon, om nog maar te zwijgen van de waterschade...'

Depeyster doorzag alle samenhang in een zee van licht, en hij voelde zijn mond grijnzen. Hij was haar voor: 'Dus nu gaat hij de reparatie betalen met zijn eigen geld?'

'Ja, dat zei hij, ja.' Ze zweeg even. 'Het is een rare knul, trouwens – en dan heb ik het niet alleen over de vodden die hij aan zijn lijf heeft. Het lijkt wel of hij niet helemaal goed in zijn hoofd is, weet je wat ik bedoel?'

Halleluja en amen. Zijn dochter was ook niet helemaal goed in haar hoofd – de halve jeugd was niet helemaal lekker – en hij had de uiteinden van haar pruik kunnen laten omkrullen met wat hij ervan wist, maar hij deed het niet. Hij liet de ironie in haar volle rijkdom tot zich doordringen – met zijn geld zou de *Arcadië* gerepareerd worden – en het volgende moment gingen zijn gedachten uit naar Walter, naar de begrafenis en de koude slagregen die genadeloos doorroffelde toen hij werd neergelaten in de grond. Tom Crane, die eruitzag als een verzopen kat, was er met een lange, platte blondine met een neus als een skipiste die kennelijk Walters vrouw was. Mardi was ook gekomen, hoewel ze zich niet verwaardigde haar vader te vergezellen – niet eens met hem gezien wilde worden. Ze stond enigszins terzijde van het groepje dat zich rond het open graf had verzameld, schuilend onder een gescheurde strandparasol met een voddige ploeg hippies – de Portoricaan met wie ze optrok en een als de nar in *King Lear* uitgedoste nikker. Er was geen geestelijke, geen dienst. Hesh Sollovay las wat voor – atheïstische lulpraat die ongeveer net zo troostrijk was als de regen – en dat was dat. Geen as tot as, geen stof tot stof. Wel nee, flikker die arme knul in de grond en gauw weer naar huis.

Ze zeiden dat hij al minstens twaalf uur dood was toen ze hem vonden. Het was in de namiddag, toen de sneeuwstorm was weggetrokken in de richting van de zee en iedereen bezig was zich uit te graven. Er was een halve meter gevallen, met banken die hier en daar drie tot vier keer zo hoog waren. Niemand besteedde aandacht aan de bedolven auto, en als niet een paar zesde-klassertjes besloten hadden een sneeuwfort te gaan bouwen, was hij pas gevonden toen de regen de sneeuwbanken begon af te breken. De fabriek was dicht, de scholen waren dicht, alles was dicht, en het enige gespreksonderwerp die middag was het aan de grond lopen, bij Gees Point, van de *Arcadië* en de geruchten van sabotage die werden nagetrokken door de politie. Depeyster en LeClerc vierden met nog een paar anderen het treurige, voortijdige verscheiden van het edele vaartuig met een flink vuur in de open haard en een fles Piper-Heidsieck, toen er gebeld werd over Walter. Niemand zag het verband. Aanvankelijk. Maar Depeyster wist wat er gebeurd was, wist het zo zeker alsof hij ooggetuige was geweest. Walter had het gedaan, en hij had het gedaan voor hem.

Depeyster had wel kunnen huilen. Zoals hij daar stond in de hal, met de koude zwarte horen in zijn hand, terwijl LeClerc en de anderen hem vanuit de kamer verbaasd aanstaarden, voelde hij zich verpletterd. Walter had zich opgeofferd. Voor hem. Voor Amerika. Om die gore kleine jidden en godloochenaars die zijn jeugd hadden vergiftigd en op de een of andere manier heel het grote noodlijdende land in een wurggreep hadden een slag toe te brengen. Het was een tragedie. Niet meer en niet minder. Het was Sophocles. Het was Shakespeare. En die knul, die jongen was – een held, dat was hij. Een patriot. Hij had willen huilen, echt, toen hij dacht aan de verspilling, aan Walters treurige, kansloze leven en aan het treurige, kansloze leven van zijn vader voor hem, en hij voelde hoog in zijn keel iets wat er misschien een aanzet toe was, en er zat ook iets in zijn borst. Maar hij had het huilen verleerd. Hij had waarschijnlijk sinds zijn kinderjaren niet meer gehuild. Het moment ging voorbij.

'Dipe?' Marguerite hing nog aan de lijn.

'Wat?'

'Ben je er nog?'
'Sorry,' zei hij, 'ik was even ergens anders met mijn gedachten.'
'Ik zei: wil je dat ik de zaak rond maak?'
Natuurlijk wilde hij dat. Er was op de hele wereld niets wat hij liever wilde. Behalve dan een zoon. Zijn zoon. Die vandaag werd verwacht.
'Ja, natuurlijk,' zei hij, en hij keek op zijn horloge. Een kwartier. Misschien had Joanna wel geprobeerd ertussen te komen, misschien had hij haar telefoontje gemist, misschien... 'Luister, Marguerite, handel jij het verder af. Ik moet ophangen. Tot ziens.'
En toen belde hij naar huis.

Het was opgehouden met regenen. De wegen waren goed berijdbaar. Depeyster Van Wart, de twaalfde erfgenaam van het Van Wart-goed en adspirant-koper van twintig ongerepte voorouderlijke bunders die slechts werden ontsierd door één gammel, krakkemikkig bouwsel dat vanzelf ten prooi zou vallen aan de wind, ijsbeerde over het kale grijze vloerkleed op de kraamafdeling van het Peterskill Community Hospital. Joanna lag verdoofd en vastgesnoerd ergens in een kamer aan gene zijde van de grote vleugeldeur. De bevalling verliep niet vlekkeloos, dat, en niet veel meer dan dat, wist hij; Flo Deitz – zuster Deitz – had hem dat verteld toen ze voor de honderdste keer door de deur gestormd kwam op weg naar God-mocht-weten-waar. De baby – zijn baby, zijn zoon – lag niet goed. Zijn hoofdje zat niet waar het hoorde te zitten en ze schenen hem niet te kunnen keren. Er zou een keizersnede aan te pas moeten komen.
Depeyster ging zitten. Hij ging staan. Hij keek uit het raam. Hij wreef grond over zijn tandvlees. Elke keer als de vleugeldeur openzwaaide keek hij op. Hij zag gangen, brancards, verpleegsters met operatieschorten en maskers, en hij hoorde snikken en gillen waar een folteraar van ineen zou zijn gekrompen. Geen levensteken van Joanna. Of van dokter Brillinger. Hij probeerde zijn zinnen te verzetten door aan het land te denken, aan de voldoening waarmee hij die bouwval tegen de grond zou halen, aan de vreugde waarmee hij uit zou rijden met zijn zoon bij het eerste licht van de ochtend, nog voor het ontbijt, wanneer de wereld stil was en hun adem bleef hangen in de lucht, maar het werkte niet. De intercom kraakte, de deuren vlogen open, en hij bevond zich onmiskenbaar, voor onbepaalde tijd en onherroepelijk in het ziekenhuis, de secondewijzer volgend op zijn weg rond de grote lelijke institutionele klok en naar de bleekgroene wanden starend als naar het interieur van een gevangeniscel. Hij trok zijn hoofd in. Hij had een gevoel alsof hij moest overgeven.
Later, een hele tijd later, zoveel later dat hij zeker wist dat Joanna

was overleden op de operatietafel, zeker wist dat zijn zoon een waandenkbeeld was, dood en opgezet in een glazen pot als curiosum voor een of andere halve gare gynaecoloog die was opgeleid in Porto Rico en amper wist uit welke opening het kind het moederlichaam hoorde te verlaten, stond Flo Deitz achter hem op de geluidloze dikke zolen van haar verpleegstersschoenen en tikte hem op zijn schouder. Geschrokken draaide hij zich met een ruk om. Flo stond naast dokter Brillinger en een man die hij niet kende. De onbekende droeg een operatieschort en rubberhandschoenen met zoveel bloedspatten dat het leek of hij varkens had staan slachten. Maar hij glimlachte. Dokter Brillinger glimlachte. Flo glimlachte. 'Dokter Perlmutter,' zei dokter Brillinger, met een hoofdknikje de slager aanduidend.

'Onze gelukwensen,' zei dokter Perlmutter met een stem die te iel was om hartelijk te klinken, 'u bent vader geworden van een gezonde jongen.'

'Acht pond en tweehonderd vijftig gram,' zei Flo Deitz, alsof dat er iets toe deed.

Dokter Perlmutter pelde het rubber van zijn rechterhand en stak die Depeyster toe. 'Joanna maakt het goed,' zei dokter Brillinger op een stroperige fluistertoon. Sprakeloos schudde Depeyster handen. Opgelucht schudde Depeyster handen. Hij gaf zelfs Flo een hand.

'Kom maar mee,' zei Flo, en ze lispelde al weer weg op haar stille schoenen.

Depeyster knikte naar dokter Brillinger en dokter Perlmutter en liep achter haar aan rechts een gang in. Ze had er stevig de sokken in – verbazend stevig voor een vrouw van middelbare leeftijd met naar binnen gekeerde tenen die hooguit een meter vijftig lang was – en hij moest flink doorstappen om haar bij te houden. De gang hield abrupt op bij een deur met daarop VERBODEN TOEGANG, maar Flo was al weer een andere gang in geschoten die er loodrecht op stond en marcheerde verder op kordate, korte beentjes die even rap en doelgericht waren als die van een lange-afstandsloper. Toen Depeyster haar inhaalde, stond ze voor een raam, of liever gezegd een glazen wand waardoor je in de erachter gelegen ruimte kon kijken. 'Het zuigelingenzaaltje,' zei ze. 'Daar ligt hij.'

Hoe lang was het nu geleden – twintig, eenentwintig jaar? Hoe oud was Mardi? – en hij wist haast niet meer hoe hij het had. Zijn hart bonkte of hij net tien trappen op gesprint was en het haar bij zijn slapen was klam van het zweet. Hij drukte zijn gezicht tegen het glas.

Baby's. Ze zagen er allemaal hetzelfde uit. Er lagen er vier, kleine, verfrommelde apies met rode gezichtjes in hun mandjes, met boven hun hoofd naamplaatjes waarop met de hand hun afkomst was vastgelegd: Cappolupo, O'Reilly, Nelson, Van Brunt. 'Welke?' zei hij.

Flo Deitz keek hem bevreemd aan. 'Die daar,' zei ze, 'hier vooraan. Van Brunt.'

Hij keek zonder te zien. Die daar? dacht hij, en er kwam iets als paniek, als ontkenning, omhoog in zijn keel. Daar lag het – daar lag híj – zijn zoon, in wit linnen gewikkeld als de anderen, maar groot, te groot, en met een penseelstreek teerzwart haar op zijn hoofd. En er was ook iets met zijn huid – hij was donker, koperkleurig haast, alsof hij te lang in de zon had gelegen of iets dergelijks. 'Is er iets... mis met hem?' hakkelde hij. 'Ik bedoel, die huid...?'

Flo glimlachte naar hem, straalde naar hem.

'Is dat iets... iets wat nog weg moet trekken of zo?'

'Is het geen schatje?' zei ze.

Hij keek nog eens. En op dat moment, alsof er nu al een soort verstandhouding tussen hen was, zwaaide de baby met zijn armpjes en floepten zijn ogen open. Het was een openbaring. Een schok. Depeysters ogen waren grijs, net als die van zijn vader vroeger, en Joanna's ogen waren violet, zuiver, koninklijk violet. De ogen van de baby waren zo groen als die van een kat.

Depeyster bleef daar lange tijd staan, daar in die gang. Hij stond daar nog toen zuster Deitz al lang naar huis was gegaan, waar haar avondeten wachtte, hij stond daar nog lang nadat de andere trotse vaders waren komen kijken en weer waren vertrokken, hij stond er zo lang dat de schoonmaker om hem heen moest dweilen. Hij keek naar de slapende baby, aanschouwde zijn haar, het fladderen van zijn oogleden en het samentrekken van zijn nietige vuistjes, terwijl het kind van de ene onkenbare droom in de andere gleed. Er ging van alles in Depeyster om, dingen die hem ontregelden, hem pijn deden tot in het diepst van zijn binnenste en hem een gevoel van leegte bezorgden zoals hij nog nooit gekend had.

Hij was een sterke, geharde man die wist wat hij wilde, een man voor wie de geschiedenis leefde en die de harteklop van generaties in zijn bloed voelde. Hij had die gedachten, die ontregelende gedachten, maar één keer, die ene keer, en toen zette hij ze van zich af en liet ze nooit meer toe. Toen hij ten langen leste wegliep bij de glazen wand, lag er een glimlach om zijn lippen. En die glimlach bleef daar toen hij door de gang beende, de hal door en door de zware voordeur naar buiten. Hij stond al buiten op het bordes, met de koele weldadige lucht in zijn gezicht en een als een heilwens uitgespreide sterrenhemel boven zijn hoofd, toen hij het ineens wist. *Rombout*, dacht hij, bevangen door een plotselinge, overweldigende roes van inspiratie, hij zou hem *Rombout* noemen...

Naar zijn vader.

INHOUD

AMERIKAANSE LITERATUUR BIJ CONTACT

PAUL BOWLES

HET DAK VAN DE HEMEL

Een Amerikaans echtpaar reist in het naoorlogse Marokko de ondergang tegemoet. De cynische en nihilistische Port Moresby is een dwangmatig reiziger, op zoek naar verlossing; zijn vrouw Kit, trouw aan haar instincten, voelt overal naderend onheil. In de Sahara vinden zij dood en waanzin. *Het dak van de hemel*, Paul Bowles' romandebuut, ademt net als zoveel van zijn latere werk de geur, de hitte en het stof van Noord-Afrika en de kleurrijke sfeer van de kashba. Maar bovenal schildert Bowles op beklemmende en meeslepende wijze de onmogelijkheid voor de zich beschaafd noemende westerse mens te aarden in een vreemde cultuur.

De Amerikaanse schrijver Paul Bowles (1910) woont sedert 1946 in Tanger (Marokko) in vrijwillige ballingschap.

'Bowles' eerste en meest hypnotiserende roman lees je van begin tot eind als een droom, maar met wijdopen ogen.'
The Village Voice

'De handelingen bij Bowles voltrekken zich volgens dwingende, onafwendbare patronen, in landschappen en onder weersomstandigheden die zo aangrijpend worden opgevoerd dat ze bijna als personages aanwezig zijn.'
William Rothuizen / Haagse Post

'Seksuele perversie, geestelijk bankroet, geweld, krankzinnigheid, nihilisme – daar schrijft hij over... het is de manier waarop hij complexe taalstructuren gebruikt om een beeld van bijna totale verschrikking te vormen en te beheersen, dat hem, naar mijn mening, tot een buitengewoon oorspronkelijk en belangrijk schrijver maakt.'
Robert Nye / The Guardian

PAUL BOWLES

HET HUIS VAN DE SPIN

De spin is een boek uit de Koran en zijn 'huis' een symbool van het ongewisse: het lot dat de mens wacht wanneer hij andere goden dan Allah kiest.

De roman *Het huis van de spin* speelt in het Marokko van de jaren vijftig, tijdens de opstand van de Marokkanen tegen de Franse overheersers.

In de oude stad Fez ontmoeten drie mensen elkaar: de in Fez woonachtige Amerikaanse schrijver John Stenham, de islamitische jongen Amar, en de toeriste Lee Veyron. Elk van deze personages beleeft en becommentarieert vanuit een ander gezichtspunt het conflict tussen de overheersers, de nationalisten en de aan religie en tradities hangende bevolking.

'Het is niet moeilijk om achteraf het goede van dit afgewogen, afstandelijk geschreven en toch zo boeiende boek in te zien. De kolonisatie is vrijwel overal in de Derde Wereld geruisloos overgegaan in neo-kolonisme, of op zijn minst in een grote mate van economische afhankelijkheid. Een manier om daaraan te ontsnappen, althans in enkele mohammedaanse landen, is een rigoureuze terugkeer naar de eigen wortels, ook al zou dat moeten leiden tot de middeleeuwen. Vooral in het licht van de laatste ontwikkelingen is *The Spider's House* (Het huis van de spin) volop actueel.'
Haagse Post

'Ondanks het zuivere gevoel voor vorm en opbouw, de gedetailleerde beschrijvingen van vooral luchten en woestijnen, geeft zijn fictie de indruk van een droom, of liever een nachtmerrie.'
De Volkskrant

PAUL BOWLES

EEN KILLE REGEN

Een man zonder idealen of principes, Nelson Dyar, reist naar Noord-Afrika, waar hij denkt 'de werkelijkheid te vinden'. In Tanger komt hij terecht in de gemeenschap van buitenlanders, een draaikolk van financiële en seksuele intriges, die hem meedogenloos naar zijn ondergang sleurt.

Wanneer een ten dele verknoeide smokkelaffaire hem de mogelijkheid biedt daaraan te ontsnappen, grijpt Dyar die aan. Hij vlucht naar een afgelegen hut in de bergen van Spaans Marokko. Door beneveling en isolement tot een climax van paranoia gedreven pleegt hij een gruwelijke daad die hem ten slotte 'de plaats in de wereld' brengt die hij zoekt.

'De sterkste en indrukwekkendste roman van Paul Bowles... van begin tot eind schitterend proza.'

J.I.M. Stewart / The London Review of Books

PAUL BOWLES

HOOG BOVEN DE WERELD

Een Amerikaanse arts op jaren maakt samen met zijn vrouw een vakantiereis door Latijns-Amerika. Daar treffen zij Grove, een buitengewoon knappe, charmante jongeman, en zijn beeldschone, zeventienjarige maîtresse. De schijnbaar toevallige ontmoeting vormt het startpunt van een gruwelijke tocht langs de grenzen van waan en werkelijkheid, met aan het eind de dood.

In *Hoog boven de wereld*, geschreven met de briljante beheersing die al het werk van Bowles kenmerkt, wordt de menselijke wreedheid op meesterlijke wijze weergegeven.

'Seks, drugs, fantasieën en een geestverminkende machinerie... Bowles' overweldigende leegte stulpt zich als een hypnose over het bewustzijn.'

The New York Times

RICHARD FORD

DE SPORTSCHRIJVER

De achtendertigjarige Frank Bascombe schreef vroeger romans maar werkt sinds kort als sportjournalist. Hij is vader van drie kinderen, van wie een is overleden, en lid van de Club van Gescheiden Mannen. Frank wil zich niet door zijn persoonlijke geschiedenis, zijn omgeving of door anderen laten bepalen, maar het gevoel houden dat elke dag er een is om naar uit te zien. De nuchtere zakelijkheid waarmee hij in het leven probeert te staan, wordt echter ondergraven door de gebeurtenissen in een enkel weekend: een mislukt interview met een invalide ex-footballspeler, een bezoek aan de ouders van zijn Texaanse vriendin en de zelfmoord van een vriend. Hierdoor wordt hij gedwongen het beeld dat hij van zichzelf heeft, te herzien.

Frank Bascombe heeft een bedrieglijk beminnelijk karakter. Hij vertelt zijn verhaal op montere toon, zonder één klacht, maar gaandeweg wordt duidelijk dat we te maken hebben met iemand die uit angst voor teleurstelling en verdriet een scherm van afstandelijkheid optrekt. Fords bespiegelende en toch met vaart geschreven relaas geeft een ironische kijk op een mid-life crisis in een Amerikaans forensenstadje.

‘Richard Ford is een meesterlijk schrijver.’
Raymond Carver

‘Op zijn tweeënveertigste is Ford een van de beste schrijvers van onze generatie. (…) Hij is vakbekwaam, subtiel en verrassend.’
Newsweek

RICHARD FORD

VUURWERK

'De personages in de tien verhalen van Richard Ford hebben doorgaans geen werk of geen geluk, of geen van beide; het zijn randfiguren, die auto's stelen, herten stropen, ongedekte cheques uitschrijven. De mannen hebben bij leger of luchtmacht gediend; sommigen zijn in Vietnam geweest, anderen beweren dat alleen maar. De vrouwen rommelen wat als part-timeserveerster of part-timehoer. Sommigen zijn Indiaans of half Indiaans. Ze wonen in caravans, hutten, pensions, ze jagen, vissen, drinken, rijden rond en slapen nu en dan op vreemde plaatsen met een onbekende.

Het zijn gewone mensen, dat wil zeggen mensen zonder universitaire opleiding, die een leven leiden ontbloot van de verzachtende bezittingen en illusies van de gegoede burger. Ze hebben geen succes en geen geluk en vragen zich af waarom; ze hebben geen illusies maar zijn desondanks vervuld van een wanhopig soort argeloosheid en optimisme. Ze zijn op weg of op de vlucht, op een hellend vlak, of hun leven neemt een wending die hun niet bevalt; ze hopen op iets beters of alleen maar dat het hun zal lukken om het hoofd boven water te houden.'

Anthony Paul